政治的常识

（第四版）

［英］安德鲁·海伍德（Andrew Heywood） 著

李 智 译

POLITICAL THEORY

AN INTRODUCTION，4TH EDITION

中国人民大学出版社
·北京·

献给海伦与杰茜

听别人说话是一件非常危险的事情。如果认真倾听，人就有可能被说服；可是如果一个男人允许自己在辩论中被对方说服，那么就表明他是一个完全不可理喻的人。

——奥斯卡·王尔德:《理想丈夫》

"我用词时，"蛋头先生轻蔑地说，"我要它是什么意思，它就是什么意思——恰如其分。"

"问题是，"爱丽丝说，"你能让一个词有那么多意思吗?"

"真正的问题是，"蛋头先生说，"谁是主人。仅此而已。"

——刘易斯·卡罗尔:《爱丽丝梦游仙境》

译者序言

《政治的常识》是英国政治学家安德鲁·海伍德的一部介于政治科学与政治哲学之间的政治理论名著。鉴于其知识上的基础性、完备性和思想上的公允性、通畅性，该著作同时具有政治学通用教材的性质和功能，因而，其适用范围极其广泛。

海伍德的政治学著作引入汉语世界时日已久，它们之所以在中国颇受欢迎，长盛（畅销）不衰，有内容和形式上的多方面原因。诸多原因集中到一点上就是：独特的叙事框架，即概念叙事框架（而非传统的理论叙事框架）。这一著作特征集中体现在《政治的常识》中。《政治的常识》采用的就是概念组合式的叙事框架。具体地说，它采取了类似于黑格尔式的"正-反-合"的辩证结构，将三个彼此相关的基本概念构成一组相互"勾连"（相互参照、交叉引证）的概念群，形成概念群组，共同表达同一个主题。表达不同主题的各个概念群组既相互独立又存在某种递进的关联度，共同编织出一张概念网络，从而支撑起一个完备的知识体系。《政治的常识》就是这样一个由十二组政治概念（群组）构成的概念网络所支撑的完备的政治理论知识体系。

鉴于其独特的概念叙事框架，《政治的常识》是通过概念辨析和辨正的方式来论述政治理论的。也就是说，该书不是就理论谈理论，而是通过围绕政治概念、结合政治经验所展开的诸多理论论争来阐发政治理论的，从而极为鲜明地凸显出现当代西方各种政治理论流派各自不同的现实解释力。因此，《政治的常识》是一部在形式上最不理论而在实质上最"理论"（论理）的政治理论著作。

相比于以前的版本，《政治的常识》第四版是最完善的版本。这种完善不仅仅体现在形式和体例上，更体现在内容和精神实质上。作者主要从以下两个方面做出了更新：其一，在学科内涵上做出了更新。鉴于人类社会日益进入全球化语境，新版将政治论述的重心扩展到国际领域，从而将国际政治的内容（如安全、战争和世界秩序等）纳入政治学范畴，同时也打破了（国内）政治学与国际政治乃至于全球政治学之间的学科界限。其二，在学科视角上做出了更新。同样是鉴于全球一体化情境，新版试图超越西方中心主义视角而从全球视角来观照人类政治生活，从而更多地关注来自非西方世界的探讨政治理论的方式，也就是说，将非西方世界的思想传统作为理论资源来充实和重构政治理论，进而有望建构起真正意义上的人类政治学（而非西方政治学）。

在学术话语竞争日益激烈的今天，我国政治学人的一项重要学术使命就是建构中国特色的政治学术话语体系。我们是否可以参照《政治的常识（第四版）》这部趋于完善的政治理论教程，基于中国自身的政治经验，通过事件分析和案例研究，提炼出用以分析和解释中国政治事实的概念框架或范式，从而创立起一套既"本己"又"入世"的政治理论话语体系。

第四版序言

本书旨在作为一本政治理论的入门书呈现在读者面前。为此，它解析了政治分析中经常会遇到的重要概念（以三个为一组，形成概念群组的方式出现）的内涵及其使用情况。新版本除了整体上的全面修订，主要做出了以下三个方面的更新：

其一，新版论述的重心扩展到国际领域，它详叙了政治的国际/全球面向，由此反映出一种客观事实，即政治学与国际关系学之间的学科界限变得越来越模糊而难以维持。基于此，新增加的一章（第十二章"安全、战争与世界秩序"）论及了与世界政治的核心维度有关的概念性或学理性议题。鉴于全球化发展趋势（包括全球治理、全球民主、全球社会正义等），新版引入"全球性思考"专栏，就是用于考察传统政治观念或概念是在何处、以何种方式以及在何种意义上被修正的。对此，第四章也做出相应修改，把围绕世界政治关于跨国家主义概念与国家主义意涵之间关系的讨论纳入其中。此外，新添加的"思想传统"专栏也把有关世界主义、民族国家主义和现实主义的内容纳入其中。

其二，新版更多地关注到来自非西方世界的和后殖民主义的探讨政治理论的方式，因而有助于缓和（当然并不能完全消除）本书持有的西方中心主义基本取向。由此，新版引入了"超越西方"专栏。每个专栏针对所讨论的论题或议题探讨了一种非西方视角，这些非西方视角分别援引了伊斯兰教、佛教或者中国、印度、非洲、拉丁美洲及世界其他各地的思想传统。另有一处"思想传统"专栏也聚焦于后殖民主义议题。

其三，鉴于近年来"同一性与多样性"议题的持续凸显，新版扩充了差异政治的内容。为此，新版对第九章做出修改，以便充分地考察有关性别和文化多元主义及其他相关议题的诸多重要讨论，从而更为深刻地揭示出同一性概念的内涵。

　　在新版中，除了上述更新，第一章更全面地讨论了政治理论的性质及其发展趋势。此外，每一章的后面都附加了讨论题。而且，新版所有增添的资料内容都可以在与本书配套的网站上搜索到。最后，我要向帕尔格雷夫·麦克米伦出版社的史蒂文·肯尼迪（Steven Kennedy）和斯蒂芬·韦纳姆（Stephen Wenham）表达谢意，感谢他们给予的建议、支持和鼓励，同时也要感谢马迪·哈米–托马斯（Maddy Hamey-Thomas）在整个编辑过程中所提供的帮助。本书要献给我的俩儿媳——海伦与杰茜。

安德鲁·海伍德

说明性材料一览

思想传统

思想家

超越西方

全球性思考

表

目　录

第一章

何谓政治理论？

- 界定政治理论：作为科学、哲学和理论的政治学

  转型中的政治理论
- 政治概念的使用和滥用

  规范性概念与描述性概念　争议性概念　词与物
- 本书使用指南

内容简介

认为政治冲突所反映的无非是语言使用上的混乱，这显得很愚蠢，肯定会误导人。当然，对手之间往往要争辩、斗争，乃至诉诸战争，双方都宣称自己是在"捍卫自由""支持民主"，或者都断言"正义在我们这一边"。设想一下，某位辞典编撰大家从天而降，他要求争执的双方事先界定好他们所使用的术语，准确地表达出各自对"自由"、"民主"和"正义"的理解——毫无疑问，这样的调解是徒劳的，争辩、斗争或战争会照样发生。换言之，政治学不可能归于纯粹的语义学。不过，语言使用上的随意会助长人们保守无知和维持误解，这一说法还是有一定道理的。语言既是我们用以思考的工具，同时也是我们与他人交流的手段。如果我们使用的语言混乱不堪或令人费解，那么，我们不仅难以以一定的准确度来表达自己的观点和看法，而且连了解我们自身的思想都变得不可能。

我们至少——有人说，最多——所能做的是，可以知晓我们所使用的语词以及我们赋予语词的意义。这是乔治·奥威尔（George Orwell）在其开创性的论文《政治与英语语言》（1957）中所提出的目标，那就是：语言应当是"表达（而非隐藏或阻止）思想的工具"。本书一开篇就要着手考察和厘清政治分析中所使用的主要思想、概念和原理，在此过程中介绍政治理论中一些最经常发生的争议。这一引言或导论式的章节讨论了政治理论的性质和特征，探讨了政治概念学习过程中会遇到的某些难点。政

治理论何以既不同于政治科学又异于政治哲学？政治概念为何经常会成为学术和意识形态争议的主题？

² 界定政治理论：作为科学、哲学和理论的政治学

通常认为，政治研究包含着彼此区分的两大（也有些人说是三大）分支：一支是所谓的政治科学，另一支是政治理论和政治哲学。政治理论和政治哲学通常可以互用，但有时在两者之间也会做出区分。尽管政治科学是 20 世纪的产物，但其实它植根于 17 世纪的经验主义。"科学"是指通过观察、实验和测量而获取知识的一种手段。科学的主要特征即"科学方法"的含义是，借助经验证据尤其是利用可重复操作的实验的检验来证实或否证某种假设。科学在现代社会里逐渐享有的这种几乎无可置疑的地位建立在其声称自己是客观的或价值中立的，进而为揭示真理的唯一可靠的手段的基础之上。可见，从本质上说，政治科学是经验性的，它主张用严格的、不偏不倚的态度去描述、分析和解释政府及其他政治机构的活动。对"政治科学"研究的热情在 20 世纪五六十年代达到了高潮，尤其是在美国，当时出现了一种极端倚重于行为科学主义（behaviouralism）的政治分析形式。行为科学主义是作为一个心理学派［通常也叫"行为主义"（behaviourism）］发展而来的。正如其名称所意指的，它只研究可观察、可测量的人类行为。这使得像戴维·伊斯顿（David Easton，1979，1981）这样的政治分析家相信，政治科学能够采用自然科学的方法论，在诸如选举行为这样可以获取系统而可量化的数据的领域内，产生出众多的研究。

政治理论与政治哲学是交叉的，但各自的侧重点也清晰可辨。从一份计划到一种抽象的知识，凡此种种都可以被描述成"理论"。然而，在学术话语中，一种理论代表某一个解释性的命题、某一个或一套观念，其目的在于以某种方式把秩序或意义施加到现象之上。因此，所有的探究都是通过理论（有时被当作假设，也就是，有待检验的解释性命题）的建构来进行的。可见，同自然科学和其他社会科学一样，政治科学同样拥有某种重要的理论成分。例如，若要使经验证据有意义，那么，社会阶层是选举行为的主要决定因素，革命是在社会期待高涨期间爆发的，诸如此类的理论就是必需的了。这就是所谓的经验性政治理论。

然而，即便政治理论被看作政治科学的一个分支领域（尤其在美国是如此），它通常还是被认为是探究政治主题的一种独特方式。政治理论包含了对已成为政治思想³ 核心的那些观念和概念的分析性研究。传统上，政治理论一直是以政治思想史的形式出现的，它关注的是一大群"大"思想家，如从柏拉图到马克思以及作为经典的古典

文本。由于政治理论研究政治行为的目的和手段,因而它关注伦理的或规范性的问题,诸如"我为何要服从政府?""收益该如何分配?""何谓个人自由的界限?"等。这种传统的研究方式具有文本分析的特性,它最感兴趣的是,考察重要的思想家到底说了些什么,他们是怎样阐发或证明其观点的合理性的,其著书立说的学术背景如何。

与之相对的另一种研究方式则被称为形式的政治理论。它借鉴经济理论的样本,确立了以程序规则(通常涉及相关个体理性的自利行为)为基础的模式。形式的政治理论在美国根深蒂固,同弗吉尼亚学派的关系尤为密切,它力求更好地理解行为者如选举人、政客、说客和官僚的行为,从而形成了"理性选择"学派、"公共选择"学派和"社会选择"学派。尽管形式的政治理论的倡导者们坚信此种理论是严格中立的,但它的个人主义和利己主义的假定还是让人觉得,它本然地偏向于保守的价值观。

从不太严格的意义上说,"政治哲学"这一术语可以用来指称任何有关政治、法律和社会的抽象的思想。一般而言,哲学就是对智慧和理解的探究。然而,同处理经验性问题的一级学科相比,哲学还特地被看成是次级学科。也就是说,哲学不太关注如何以科学的方式揭示真理,而更多地专注于次级问题的探求,如知识是如何获取的、理解是如何表达的。比方说,政治科学家可能会考察特定制度下实际运作的民主程序,而政治哲学家感兴趣的则是厘清"民主"的含义。总而言之,政治哲学致力于完成两大使命:其一,它关注政治信念的批判性评判,注重演绎与归纳双重推理形式的运用;其二,它力图阐明进而提炼政治话语中所使用的概念。这里所说的是,虽然政治哲学家竭力维护中立和客观,但他们还是免不了要为某一种政治观点辩护(论证其合法性),而不惜放弃另一种政治观点;为了捍卫对某一概念的一种理解,而宁愿舍弃对它的另一种理解。由此看来,本书首先可以被看作一部政治理论(而非政治哲学)著作。虽然政治哲学家们的著述为本书提供了大量的素材,但本书的目的只是一般性地分析、解释政治观念和概念,而不是提出任何特定的信念或解说。

转型中的政治理论

4

自古典或古代时期以来,西方政治思想经历了各种不同的发展阶段(见表1-1)。不过,自20世纪70年代复兴以来(在此之前,对科学的笃信使得人们以为规范的理论化是毫无意义的),政治理论在许多方面都获得了重塑。首先,相比于其早期所表明的,现代政治理论往往更加重视历史和文化在建构政治理解中的作用。这意味着,譬如,像柏拉图、卢梭或马克思有可能更多地向我们论述他们生存于其中的社会,而不是过多地着墨于人们认为永恒的政治和道德议题本身。当然，很少有人会据此总结说：对"大"思想家和"经典"文本的研究是毫无价值的，只是到如今，大多数人所能认同的是：对过去阐发的理论和信念的任何解读都必须考虑到它们得以产生的社会情境，同时还要虑及这类解读在多大程度上同我们自身的价值观和假设牵连到一块。其次，政治理论合乎本性地变得越来越扩散和碎片化。自现代早期以来，政治思想就获得了一种确定无疑的自由主义特性，以至于自由主义与政治理论共生共存，同等发展。然而，自20世纪60年代以来，涌现出诸多相互对立的政治思想传统，它们或是作为自由主义理论的批评者或是作为其替代者出现，这方面的例子包括激进女权主义、社群主义、绿色政治和文化多元主义等。此外，对非西方政治思想传统持有越来越浓厚的兴趣，这也是这一趋势的一大表征，因为人们更为广泛地相信：没有一种思想传统能够独占和垄断整个政治智慧。

5

表1-1　西方政治思想的发展

时期	思想家	共同的主题
古典/古代时期	修昔底德 柏拉图 亚里士多德 西塞罗	• 理想社会 • 正义 • 城邦 • 公民身份
中世纪（约500—1500）	奥古斯丁 索尔兹伯里的约翰 托马斯·阿奎那	• 基督教政治 • 真正的共和国 • 自然法 • 正义的战争
现代早期（约1500—1789）	马基雅弗利 霍布斯 洛克 孟德斯鸠 卢梭	• 主权 • 国家 • 自然权利 • 政治义务 • 共和主义
现代（自1789年以来）	埃德蒙·伯克 卡尔·马克思 约翰·穆勒 麦迪逊 尼采	• 自由 • 平等 • 民族主义 • 资本主义 • 社会主义 • 民主
当代（自20世纪70年代以来）	罗尔斯 诺齐克 福柯 哈贝马斯	• 自由市场 • 性别 • 文化 • 身份 • 多样性 • 全球正义

再次，常规的政治理论受到了反基础主义批判的挑战，这种业已出现的反基础主义批判对居于常规政治理论之核心的理性主义提出了质疑。在此，大多数人显然会联系到后现代主义，也会关联（尽管以各种不同的方式）到女权主义、批判理论和后殖民主义等思想传统。反基础主义相信，不存在一种据以评判一切的合乎道义和理性的制高点。基于此，反基础主义强调了所有原则、原理和理论的非本质性。这反映在理论使用方式的改变上（除了在其他方面的反映）。不同于把理论当作分析或解释事件的工具（经验性理论）或是当作界定我们伦理视域的手段（规范性理论）来使用，反基础主义理论家把理论当作拓展或深化我们知觉领域的方式（阐释性理论）来使用——这基于这样的一种看法，即"现实世界"在很大意义上是通过理论建构起来的。最后，政治理论试图以各种不同的方式依从于（尤其是自 20 世纪 80 年代以来）由"加速"的全球化所带来的不断增强的相互依存态势。这就意味着，譬如，过去人们用政治理论去框定民族-国家语境下的议题和问题，伴随着对"跨国家主义"现象（在第四章论述）的不断觉察，这一趋势已经得到了缓解。对不断加深的相互依存状况所做出的另一种回应则关涉"全球性思考"的种种努力，或是将政治观念和概念加以重铸，以置入世界或全球框架内（譬如在"全球正义""世界社会""全球公民权"等案例中所做的），或是在世界主义基础上探讨重新定义政治共同体的可能性。

政治概念的使用和滥用

本书是通过探究核心政治概念（被串联成相互关联的概念群）的使用及其含义来考察政治理论的。然而，概念往往是个"油滑的主儿"，政治概念尤其如此。从最简便的意义上说，概念就是关于事物的一般性观念，它通常在单个词或短语中被表达出来。一个概念不仅仅是一个专有名词或物名。譬如，一只（特定的、独特的）猫与一个关于"猫"的一般性概念之间，是有区别的。一只猫的概念不是一件"事物"，而是一种"观念"，一种由众多属性所构成的观念，这些属性赋予猫独特性："有毛的哺乳动物""小巧的""驯养的""会捉老鼠"等。同样，"总统"这一概念指的不是特定的某一位总统，而是指一套有关组织行政权力的观念。概念可以指称多个对象——实际上，可以指称任何一个符合这个一般性观念本身的对象，正是从这个意义上说，概念是"一般"的。

形成概念是推理过程中最基本的一步。概念是我们赖以思考、批判、论证、解释和分析的工具。仅仅察觉到外在世界，其本身并不能给我们带来知识。从某种意义上说，为了理解这个世界，我们必须赋予它意义，而我们是通过概念的构建来做到这一点的。简而言之，想要把猫当猫来看待，我们首先就必须有一个关于它为何者的概念。这恰好适用于政治推理的过程：我们构筑起关于政治世界的知识，这不仅仅要通过观察政治世界而且要通过阐发和提炼出有助于我们理解政治世界的概念来实现。由此，政治概念是政治思想的基本意义单位。不过，一系列的难题就摆在政治概念面前。

规范性概念与描述性概念

政治概念所面临的第一个问题是，它们通常很难摆脱其提出者的道德观、哲学观和意识形态观念的影响——甚至有人会说，情形总是如此。就通常被划归为价值观的规定性或规范性的概念而言，这一问题是显而易见的。价值观是指道德原则或理念，它引出的是"应该""得""必须"。政治价值观包括"正义""自由""人权""平等""宽容"。与之相对的是另一系列的概念（通常被称作描述性或实证性的概念），基于所指称的是具有客观存在性而且可证实的"事实"，即所指为"那是什么"，因而，它们被认为更为牢靠。从这个意义上说，诸如"权力""权威""秩序""法律"等概念，与其归为规范性的，还不如归为描述性的。由于事实可以被证实（为对或为错），因此，描述性的概念通常被表述成"中立的"或"价值无涉的"（"无主观价值标准的"）。

可是，在政治学领域，事实与价值总是相互关联在一起，即便最明显的描述性概念也往往承载着某些道义和意识形态的含义。譬如，从"权威"这一概念中就可以看出这一点来。如果权威被界定为"影响他人行为的权利"，当然有可能用它来描述谁拥有权威，谁没有权威；也可以用它来考察权威得以被行使的基础。不过，又不可能把权威概念完全同有关权威该何时行使、如何行使以及为何行使等方面的评判剥离开来。总之，对于权威，没有人能保持绝对中立。比方说，强调秩序与法纪重要性的保守主义者往往把权威视为正当的、健康有益的；而认为所有的规则系统本来就令人厌恶的无政府主义者则拒斥权威，纯粹视之为压迫性的东西。因此，所有的政治概念——无论是规范性概念还是描述性概念，都需要从使用它们的人的意识形态角度来理解。

争议性概念

还有一个问题是，政治概念通常会成为学术和意识形态争论的对象。如同前面所指出的，政治论辩就发生在主张相同原则或理念的人之间，这并不罕见。要把对一个概念的独特理解确立为客观正确的东西，如"真正的"民主、"真正的"自由、"真正的"正义等，这种努力恰恰反映了这一点。加利（W. B. Gallie，1955/1956）提出了一条走出此种困境的出路，他指出，就诸如"权力""正义""自由"这样的概念而言，争议如此深入，以至于不可能阐发出中立、确定的定义来。进而，他主张，这些概念应该被确认为"本质上可争议的概念"。事实上，每一个术语都包含着众多并立的概念，其中，没有一种概念可以作为该术语的"真正"含义而被接受下来。然而，确认一个概念是"本质上可争议的"，并不等于放弃对它的理解，而是要认可这一概念并存着的各个定义，它们同样合法有效。

可是，加利的观点遭到了两方面的批评（Ball，1988）。一方面，许多理论家试图运用加利所持的见解［比方说，卢卡斯（Lukes，2005）对"权力"的理解］为他们所偏爱的概念解释辩护，而排斥另一种对立的解释。他们拒绝接受所有的概念形态都同等有效，正是这种拒绝引发了目前的争议和论辩，这极有可能在未来的某一阶段导致单一的、一致认同的概念出现。另一方面，某些曾经获得广泛认同的概念如今引起了争议。譬如，当前围绕"民主"所引发的广泛而深刻的分歧只是自 18 世纪末以来伴随着新的意识形态思想形式才出现的。因此，不妨把有争议的概念看作"当下"受争议的概念（Birch，2007）或"偶然"受争议的概念（Ball，1997）。

词与物

政治概念所面临的最后一个问题是所谓的"概念拜物教"现象。当概念脱离乃至在某种意义上主宰使用它们的人而俨然拥有了具体的存在，就会出现这种"概念拜物教"现象。简而言之，语词被当成了物，而不是理解物的手段。德国社会学家马克斯·韦伯（Max Weber，1864—1920）试图通过把特定的概念归类为"理想类型"（ideal types）来解决这个问题。一种理想类型就是一个观念构造物，它旨在借助逻辑端词（logical extreme）①的呈现，把意义从现实中提取出来——否则，现实就会变得无限复杂多变而难以把握。因而，理想类型是解释的工具，而不是现实的近似物。它们既没有"穷尽现实"，也没有提供任何道德理念。由此，像"民主""人权""资本主义"这样的概念要比它们力图予以描述的"粗糙"现实更为完美，也更融贯。韦伯本人就把"权威""官僚"看作理想类型。把特定的概念认作理想类型，其重要性就在于突出了概念只是分析的工具这一事实。正因为如此，更为可取的做法是，不把概念或理想类型看作"对的"或"错的"，而仅仅把它们看作多少"有些用处的"东西。

①　即三段论法中的"大项"和"小项"。——译者注

如前所述，强调政治概念的非本质性的种种后续努力一直是同后现代主义及其他各种反基础主义的形式联系在一起的。这些努力摒弃了寻找人人所能接受的共同价值的传统诉求，而是认为存在着多元合法的道德立场和政治立场；同时也认为，只有就其被生成和运用的具体情境而言，我们的语言和政治概念才谈得上是否有效。在极端的情形下，比方说，在法国哲学家雅克·德里达（Jacques Derrida，1930—2004）在"解构性"文本中所阐发的情形下，那种认为语言——进而概念——总是能够被说成"契合于"世界的看法无非是一种幻觉。从这一角度说，我们所能做的是，确认现实是如何借助语言由我们并且是为我们所构建的。正如德里达所言："文本之外，别无一物。"不过，对概念的最为激进的批评则是在大乘佛教哲学中被提出来的。这种佛教哲学在"流俗真理"与"绝对真理"之间做出区分，前者鉴于人们愿意以特定的方式使用概念这一基础而制定出一套书面上的常规惯例；后者则意味着通过直接经验而形成一种现实渗透力，由此而超越一切概念化的形式。由此观之，任何形式的思考都无非是强加于现实的一种投射，因而制造出一种错觉。如果我们把"词"错当成"物"（本身），那么，我们就陷入了（用禅宗的话来说）把指向月亮的手指错当成月亮本身这样的危险当中。

9 本书使用指南

本书通过考察政治争论和辩论所围绕的核心政治概念和思想，为读者提供了一个政治理论的入门读本。这些术语如何被使用、被赋予了何种意义以及它们在政治思想中发挥了何种作用，本书一一予以思考和探析。这些概念都被分组讨论，其中，每三个相互关联的概念被分成一组，形成一章。由此，每一章都探讨一个主题，主题的性质在章前"内容简介"里事先予以介绍。不过，章节的顺序是按照一套展开的逻辑来设定的。对此，做出如下解释：

接下来的四章即四组概念所分析的是可以被看作政治理论的基础性概念，该领域的基本论争都围绕它们所涉及的议题展开。

• 第二章考察了个人与社会之间的关系，这一主题几乎关涉所有的政治争议和论争，而且还特别典型地关乎人性的竞争模式。

• 第三章聚焦于政治活动如何以及为何区别于人类其他活动，尤其是通过反观政府和国家的性质和作用来思考"政治的"诸种要素和特征。

• 第四章讨论了政治统治的领土轮廓，思考了政治统治为何如此经常性地同主权要求和民族国家身份主张联系在一起，同时也思考了国家何以被兴起的跨国家主义所颠覆。

• 第五章考察了关乎人们如何相互影响、在何种基础上相互影响等议题，反思了是不是通过权力行使或权威行使来实现人们之间的相互影响的，同时也反思了一个人可以在多大程度上确立其合法性。

接下来的章节聚焦于引发周期性政治争论的诸种议题和概念，这些议题和概念构成了政治理论的日常主题。

• 第六章讨论了由谁来统治，尤其是考察了民主和人民统治观以及相关的代表观和公共利益观。

• 第七章思考了法律的性质和作用，反思了在多大程度上需要法律来保障秩序以及法律与正义的关系这一复杂议题。

• 第八章考察了关于个人与国家之间的恰当关系的争论——尤其是因为这两者关涉到相互关联的权利观、义务观和公民身份观。

• 第九章讨论了自由的性质和恰当限度，同时也聚焦于可以被视为自由，尤其是 10 宽容和身份的揭示的诸多议题。

• 第十章思考了平等的性质和含义，尤其反思了有关公正和福利的争论以及财富或物质报酬在全社会的正当分配这一议题。

最后的章节思考了一系列更为广泛的议题和主题，不过，它们仍然属于政治理论的范畴：

• 第十一章思考了政治经济学这一主题，它讨论了各种有关财产分配的对立观念和两种主要的经济组织形式即市场和计划的优劣短长。

• 第十二章思考了国际政治领域中的理论议题，考察了有关安全和战争议题的争论，同时也思考了21世纪世界秩序的各种相互对立的模式。

• 第十三章作为全书的总结，反思了政治变革议题，思考了理论与实践的关联；同时也聚焦于有关传统、进步和乌托邦的种种各异的观念。

贯穿本书的还有一些附加材料，它们是通过加框的专栏形式提供的，每一类专栏有其各自的作用和目的。

"思想传统"专栏

这类专栏介绍政治理论的主要范式或视角，每一种范式或视角相当于一面观照政治世界的独特"棱镜"。这些思想传统不仅塑造了我们对政治概念的理解，而且架构了围绕一系列相关议题的政治争论和辩论。就思想勾连于确定的政治目的而言，众多的思想传统都应归属于"意识形态"范畴。

"思想家"专栏

这类专栏对政治思想史上的主要人物的生平事迹做了简要的介绍，并讨论了他们对政治理论的贡献的性质和大小。此外，在每一个"思想传统"专栏内的后面也有对其他一些重要理论家的观点的介绍。

"全球性思考"专栏

这类专栏反思了核心的政治观点和概念在全球化趋势的观照下在何处、以何种方式以及在何种意义上被修正。它们也考察了政治理论如何因为不断增强的相互联系的挑战而被改写，以及应该在多大程度上被改写。

"超越西方"专栏

这类专栏通过考察非西方人看待所讨论的某一议题或主题的方式方法，力求缓解政治理论中的西方式基本视角。对西方与非西方的思想进行对比研究的目的在于，通过引发从后者（非西方思想）中所获得的反思，帮助我们深化对前者（西方思想）的理解。

讨论题

1. 政治科学在何种意义上具有理论因素？
2. 应该把政治理论看作政治科学的分支吗？
3. 政治理论同政治哲学有何不同？
4. 何谓概念？
5. 政治概念在何种意义上是政治思想的基本的意义单位？
6. 在何种程度上，可以在描述性概念与规范性概念之间做出区分？
7. 为何政治概念如此经常地成为学术和意识形态争论的对象？
8. 把一定的政治概念看待为"本质上"有争议的概念，这有益吗？
9. 把特定的概念看作一种"理想类型"，这意味着什么？
10. 后现代主义为我们理解政治概念做出了何种贡献？

延伸阅读

Ball，T.，Farr，J. and Hanson R.（eds）*Political Innovation and Conceptual Change*（1989）. 该书讨论了概念与政治信仰和行为之间的关系，特别分析了十三个概念的演变。

Dryzek，J.，Honig，B. and Phillips，A.（eds）*The Oxford Handbook of Politi-*

cal Theory(2008). 这是一本内容完备而富有启发的论文集，它评析了政治理论的现状，其中包含了对非西方思想和后殖民主义思想的思考。

Leopold，D. and Stears，M.（eds）*Political Theory*：*Methods and Approaches*（2008）. 这是一本论文集，它考察了政治理论所采用的研究方式和方法，并反思了政治理论与其邻近概念之间的关系。

Ryan A. *On Politics*：*A History of Political Thought from Herodoutus to the Present*（2013）. 该书对整个西方政治思想做了精深而广博的论述，它反思了各种不同的人类治理方式，可读性极强。

第二章

人性、个人与社会

- 人性

  自然 vs. 环境　理智 vs. 本能　竞争 vs. 合作

- 个人

  个人主义　个人与社群　政治中的个人

- 社会

  集体主义　社会理论　社会分化

内容简介

13　　贯穿全书（实际上是整个政治理论）的一个反复出现的主题是：个人与社会之间的关系。这一主题几乎关涉到所有的政治讨论和论争，如正义的性质、恰当的自由领域、平等的可取性、政治价值等。使人之所以为"人"的人性观念则是该主题的核心所在。几乎所有的政治信条和信念都建立在某种人性论基础之上，这一点有时是直接表达出来的，而在其他许多场合则是暗含着的。我们所要做的是，从政治中领会和揭示复杂的甚至不可预测的人性因素。

　　然而，在政治理论家那里，人性概念一直是一个难解之谜。人性样式千差万别，对社会及政治生活应该如何组织这一问题而言，每一样式有着迥异的意蕴。比方说，人类是自私的还是合群的，是理性的还是非理性的，本质上是道德的还是邪恶的？还有，人类实际上是政治的动物还是私人性的存在？对这些问题的不同回答极大地影响着个人与社会之间的关系。尤其是，人类行为在多大程度上是由自然的或内在固有的力量所引导的，在多大程度上又是由社会环境所决定的？人是彼此独立、具有独特个性的"个体"，还是其身份和行为为所属的群体所塑造的社会性存在？此类问题不仅是哲学论辩——在"自然"（nature）与"环境"（nurture）之间做出选择——的持久议题，同时也被认为是最深刻的一种意识形态分歧——个人主义与集体主义之间的冲突——的基石。

人性

　　通常，人性观以一种概括而简约的方式被使用，它是关于"这是人们实际的情形"的一种简略的表述方式。然而，在现实生活中，谈论"人性"必须对人类与生存于其间的社会做出许多重要的假定。尽管对人性的具体内容可能看法各异，但人性概念本身还是有一种明确而一贯的含义。人性指的是所有人最基本而不可改变的特性，它强调的是人生命中天然固有而"自然"的东西，与人通过教育或社会经验所获得的东西相对。当然，这并不意味着那些认为人类行为更多的是由社会而非由不变、天生的特性所塑造的人就整个地抛弃了人性观。事实上，他们的这一论断恰恰建立在对人本然的品性（一种由外来因素所塑造或影响的能力）的明确假设上。当然，还是有一些（为数有限）政治思想家拒绝了人性观。譬如，法国存在主义哲学家让-保罗·萨特（Jean-Paul Sartre，1905—1980）就认为，不存在某种决定人们如何行动或作为的、既定的"人性"之类的东西。在萨特看来，"存在先于本质"。这意味着，人享有通过自身的动作、行为来界定自己的自由。因此，任何有关人性概念的断定都是对这种自由的冒犯。

　　然而，使用人性概念并不是要把人的生活简化为一幅单面的漫画。多数的政治思想家都清楚地意识到，人是一个复杂、多面的生命体，他是由生理、物理、心理、心智、社会及精神等方面的诸多要素所组成的。人性概念不是要掩饰、忽略这种复杂性，而更多的是要通过对"自然"或"本质"特征的描述，把某种秩序施加到这种复杂性上，使之条理化。而且，合乎情理的似乎是，如果有"人的核心"这样的东西存在，就该表现在人的行为上。因此，人性就应该从合乎规范的、显示人特点的行为模式中反映出来。然而，情况并非总是如此。有些理论家认为，人们并不是以其"真实"本性的方式而作为的。因此，重要的是要记住：人性绝非描述的或科学的概念。即便人性理论家主张有一个经验的或科学的基础，但并无实验的或外科手术式的调查能够揭示人的"本质"。所有的人性样式都是规范性的：它们由哲学的和道德的假定所构建，因而原则上是不可检验的。

　　关于人类的本性，出现了无休无止的争论，而某些争论同政治理论有着特殊的关联。其中，争论的核心通常是所谓的"自然还是环境"的争论。人是天然或生物因素的产物，还是由教育和社会经验所塑造的？显然，这样的问题对个人与社会之间的关系产生了深刻的影响。还有，关于人的行为在多大程度上是由理性决定的，也提出了一些重大的问题。这些问题极大地影响了个体自由和个人自主等议题。例如，人是为理性、推理和算计所指引的理性存在物，还是非理性本能冲动、欲望和激情的囚徒？最后，则是围绕支配人类行为的冲动、动机所产生的一系列问题。其中，特别要指出的是，人本质上是自私、自我的，还是合作、利他和合群的？在判定何谓适宜的经济和社会生活组织形式（包括财富和其他资源的分配形式）时，对上述问题的考虑就至关重要了。

自然 vs. 环境

关于人性，最常见或许也最根本的争论是，到底是什么因素或力量决定了人性。人性的本质是"自然"确定、赋予、塑造的，还是受社会经历或"环境"的影响而构建的？在此，"自然"代表的是生物或遗传因素，它表明，存在某种与生俱来、确定不变的人性本质。这一人性看法的政治意蕴是很重要的。首先，它意味着，政治或社会理论应该建立在先定的人性观基础之上。简而言之，人类并不反映社会，社会也并不反映人类。其次，它表明，政治理解的根基植根于一般意义上的自然科学，尤其是生物学。因而，政治争论就应该建立在生物理论的基础之上，并赋予这种争论"科学"性。

无疑，对政治和社会思想产生过最重大影响的生物学理论是查尔斯·达尔文（Charles Darwin，1809—1882）在《物种起源》（[1859] 1986）一书中提出的自然选择论。达尔文的目标是，解释地球上存在的物种的无限多样性。他提出，每一物种都是通过一系列任意的遗传变异过程而发展起来的，其中，某些变异因素适合物种存活和繁荣，而其他不幸的物种则走向灭绝。尽管达尔文本人似乎意识到了他的理论具有某些激进的政治内涵，但他并没有阐发这些内涵。在推进社会达尔文主义这一理论上，赫伯特·斯宾塞（Herbert Spencer，1820—1903）在《人对国家》（[1884] 1940）一书中进行了最初的理论探索。斯宾塞创造了"适者生存"（the survival of the fittest）一词来描述他所认为的人类当中无休无止的争斗过程，通过这样的争斗，那些最能适应自然的人爬到了顶层，而那些处于不利的自然条件下的人则跌落到底层。从这个意义上说，成功与失败、富有与贫困都是由生物性决定的，而对这个自然选择过程的人为干预只会损害物种的发展。此类观念深刻地影响了古典自由主义，它们为反对经济和社会生活中的国家干预提供了生物学基础。社会达尔文主义还助长了法西斯主义的滋生，法西斯主义所信奉的就是世界上不同民族或种族之间永无止息的争夺。

在 20 世纪，政治理论不断受到生物学观念的影响。譬如，像康拉德·洛伦茨（Konrad Lorenz，1903—1989）和尼古拉斯·廷伯根（Nikolaas Tinbergen，1907—

1988）这样的生态学家在对动物行为的详尽研究基础上，发展了有关人类行为的理论。在《论攻击》（［1963］2002）一书中，洛伦茨提出，攻击是一种存在于包括人种在内的所有物种中的自然冲动。此类观念对战争和社会暴力行为的解释产生了极大的影响，它们把这些行为揭示为本能的、（守护）地盘性的。伴随着20世纪70年代社会生物学的出现以及随之而来的进化心理学（它从所谓的"生物技术革命"和人类DNA的破译中获取了动力）的发展，人们从同我们所认为的与进化式遗传有关的生物编程角度解释社会行为，这种做法逐渐盛行起来。在社会生物学中，最具影响力的著作是理查德·道金斯（Richard Dwarkins）的《自私的基因》（［1979］2006），这本书把人解释成"基因机器"。道金斯指出，无论自私性还是利他性都有其生物学上的根源。

在大多数情况下，上述生物学理论都接受普遍性原则。基于遗传因素方面的考虑，它们认为，人类共享一种共同或普遍的特性。不过，别的理论则认为，人类存在着生物学上的基本差异，这些差异具有重要的政治意蕴。这一点适用于种族主义理论，种族主义理论对不同的种族区别对待，就好似它们分属于不同的物种。种族主义者提出，世界上各个种族间存在着基本的遗传性差异，这种差异反映在它们不一样的身体、心理、智力等方面的遗传特征上。最极端的种族主义就体现在雅利安（日耳曼）的纳粹主义信条上，即日耳曼民族是"主人人种"。激进女权主义学派（有时被称为分离主义的女权主义）也认为，在人类当中，具体来说，在男人与女人之间，存在着生物学上的、不可改变的差异。这一理论断定女人与男人之间的差异植根于他们的"本质"特性（本性）中，因而被称为"本质主义的"。由此可见，性的不平等不是建立在社会熏陶之上的，而是建立在男性支配、剥削和压迫女性的生物学特征上的。譬如，在《违背我们的意愿》（1975）一书中，苏珊·布朗米勒（Susan Brownmiller）指出，"所有的男人"都接受了生物学意义上的编码指令序列或遗传密码控制，从而支配着"所有的女人"。他们是通过暴力或暴力威胁来做到这一点的。这一结论从另一个角度同样获得了某种进化心理学理论的支持。

与"自然"论形成鲜明对照的是，其他的人性理论注重"环境"因素，即社会环境或经历对人的特性的影响。显然，此类观点淡化了固定不变的生物学因素的重要性，而强调人性的柔韧性（易适应性）或所谓的"可塑性"。此类理论的重要意义在于，它们把政治理解从生物学转向了社会学。政治行为透露给我们的不是人的不变的本质，而更多的是社会的体制。而且，由于这类理论把人类从其生物链条中解脱出来，它们往往带有某种乐观（如果不是太乌托邦的话）的意蕴。要是人性是"既定的"，那么进化和社会进步的可能性显然会受到抑制；然而，如果人性是"可塑的"，人类所面临的机遇则大为改观，甚而会变得无可限量。诸如贫穷、社会冲突、政治压迫和性的不平等等灾祸，正因为其根源是社会性的而非生物学的，因而是能够被克服的。

　　人性是"可塑的"，由外在力量所塑造，这一观念是许多社会主义理论的核心所在。比方说，在《新社会观或论人类性格形成之原理及其应用》（[1816] 2013）一书中，英国社会主义者罗伯特·欧文（Robert Owen，1771—1858）就阐发了这样一条简单的原理："从至善者到大恶者，从无知者到大智者，人的任何一种普遍的特性都可以赋予每一个群体。"马克思的著作则进一步阐发了社会环境何以决定并如何决定着人的行为。马克思（Marx，[1856] 1968）宣称："不是人们的意识决定人们的存在，相反，是人们的社会存在决定人们的意识。"马克思和后继的马克思主义者一直认为，社会、政治和精神生活都是由"物质生活的生产方式"即现存的经济制度决定的。不过，马克思并不认为，人性是对其物质环境的消极被动的反映；相反，人是劳作者，他不断地参与到塑造和再塑造所处世界的活动中。可见，在马克思看来，人性是在人与物质世界之间动态或"辩证"的关系中形成的。绝大多数女权主义者也赞同这样的观点，即在大多数情况下，人的行为是由社会因素决定的。譬如，西蒙·波伏娃（Simone de Beauvoir，1906—1986）在她的开创性作品《第二性》（[1949] 2010）中就宣称："女人是被造就的，而不是天生（生就）的。"女权主义者拒绝承认男人与女人之间存在着"本质"的差异，而是接受了男女本质上无分别或无性的人性观念。由于性别主义①是通过社会熏陶过程尤其是在家庭内产生的，它必然会受到挑战，并最终被推翻。

20　　人性在本质上是可塑的，是由社会因素塑造的，这一人性观念也为帕夫洛夫（I. V. Pavlov，1849—1936）、约翰·沃森（John Watson，1878—1958）、斯金纳（B. F. Skinner，1904—1990）这样的行为心理学家所认同。他们断言，单从条件反应或反射的角度看，人的行为是可解释（说明）的；基于此，人性刻有环境的烙印。譬如，帕夫洛夫就揭示了动物如何能够通过严格的条件反射作用（或训练）过程（如因行为得当、表现好而得到奖赏）来学习。在苏联，人们认为，赤裸裸的行为主义为马克思的社会理论提供了科学依据，上述观念在那里成为心理学的基础。美国心理学家斯金纳对内在的过程根本不予理睬，他把人这个生命有机体描述成一个"黑箱"。在《超越自由与尊严》（1971）一书中，斯金纳向人们展示了一种极端决定论的人性观，他否弃了任何形式的自由意志，他所赋予人的尊严或者自尊，比起帕夫洛夫实验室里的那条狗来，实在多不了多少。上述观点已经被广为采纳，它们被用来支持所谓的"社会工程"观，即只要构建起适宜的社会环境，我们就可以"成就"为所要"成就"的人。

---

　　①　即对女性的性别歧视和偏见。——译者注

自由主义：古典传统

古典自由主义是最早的一种自由主义传统。自由主义观念是欧洲封建主义衰落和市场资本主义社会兴起的产物。在其最早的形式中，自由主义是一套政治学说，它抨击专制主义和封建特权，而倡导立宪（而后是代议制）的政体。到 19 世纪，发展出一种独特的自由主义政治信条，它鼓吹自由放任的资本主义的优越性，抨击一切形式的经济或社会干预。虽然古典自由主义时常被称为"19 世纪的自由主义"，但其观点和理论自 20 世纪后半期以来产生了越来越大的吸引力，它是通过所谓的"新"自由主义或"新"古典主义形式表现出来的。

古典自由主义有各种表现形式，但它总是表现出一系列共同的特征：其一，古典自由主义反映了对利己或自我的个人主义的执守，这种个人主义要么植根于自然权利理论，要么植根于功利主义。古典自由主义的视角把人视为理性的自私生物，他具有一种明显的自立能力。这样一种人性观蕴含了社会的原子性，因为社会无非是一个本质上自给自足的个体的集合体。其二，古典自由主义信奉"消极"自由。由此，就个人独立而不受他人干预或被他人胁迫而言，个人就是自由的。这一立场对公共权威的恰当程度有着重要的意义。其三，古典自由主义把国家看作"一种必要的恶"（用托马斯·佩恩的话说）。就其至少奠定了有秩序存在的条件而言，国家是必要的；但就其将集体的意志强加于社会、进而限制了个人的自由和责任而言，它又是一种恶。其四，古典自由主义同自我调控的资本主义经济观念密切相关，它颂扬自由市场和自由贸易的优越性。不仅古典自由主义经济夯实了自由放任原则——因为任何经济干预形式注定是要自我拆台的，而且它还预示了自由贸易的扩张会带来和平和国际和谐——如同所谓的"商业"自由主义者所认为的。

古典自由主义的一大优越性是其毫不动摇地恪守个人自由。它倡导"精炼的"或"最低限度的"的政治秩序，在其中，个人享有最广泛的可能性去追求自己的利益、兴趣和抱负。这种思想的持久吸引力是显而易见的，因为在很大程度上彼此对立的政治传统都拥护古典自由主义观念，尤其是保守的新右翼和新修正主义的社会主义这两种形式。不过，现代自由主义者一直批评古典自由主义高估了人类作为自身命运（幸运或不幸）的设计者的程度，没能意识到非调控的资本主义的缺陷或局限性。事实上，其他人更是把古典自由主义者描绘成市场秩序的粗暴辩护士，认为他们有意或无意地服务于公司和整个富人的利益。

代表人物

托马斯·马尔萨斯（Thomas Malthus, 1766—1834） 英国政治经济学家和牧师。马尔萨斯以他在小册子《人口论》（1798）中提出的观点而闻名于世。它的核心观点是：（不加控制的）人口增长总是会超过人的生存手段（生计）的增长，因为人口增长是指数级的，而食物和其他基本生活资料供给的增长则只是算术级的。因而，人口增长总会引发饥饿、疾病和战争。由此看来，缓减贫困的努力是自拆台脚。

琼-巴蒂斯特·萨伊（Jean-Baptiste Say, 1767—1832） 法国经济学家和商人。萨伊因萨伊定律而闻名。虽然有各种不同的表述方式，但萨伊定律主要表达的是："供给创造自身的需求"。这意味着，通过商品生产创造出市场，从而确保那些被生产出来的商品同时也被消费掉。这一看法支持了自由放任，因为它意味着经济增长是增加产出的商业决策的产物。而任何想要通过刺激消费来提振经济的努力注定是徒劳的。

大卫·李嘉图（David Ricardo, 1772—1823） 英国政治经济学家和政治学家。李嘉图是古典经济学的奠基人之一，他拓展了亚当·斯密的观点。在《政治经济学及赋税原理》（1817）一书中，在其后期的版本中，他概述了劳动价值论（该理论后来影响了马克思的思想），阐发了比较优势理论（它为自由贸易提供了一种经济学上的辩护），并警告说：净劳动的增长可能会削弱资本积累。李嘉图是一位严谨而毫不妥协的自由放任资本主义倡导者。

赫伯特·斯宾塞（1820—1903） 英国哲学和社会理论家。斯宾塞吸收了达尔文的进化论，阐发出对自由放任原则的一种强有力的捍卫。斯宾塞创造出"适者生存"的概念来提示：最适应自然的人能生存和上升、登顶，而最不适应自然的人则会落入谷底。因此，财富、社会地位和政治权力的不平等是自然而然的，也是不可避免的，政府也就不应该做出任何努力去干预这些不平等。斯宾塞最有名的著作是《人对国家》（1884）。

米尔顿·弗里德曼（Milton Friedman, 1912—2006） 美国经济学家。弗里德曼同哈耶克一道在20世纪后半叶重振古典经济思想中扮演了极其重要的角色。作为政府的经济作用的激烈反对者，弗里德曼最主要的批判对象是凯恩斯关于需求管控是保障充分就业的最佳途径的观点。在他看来，"税收和开支"政策只会引发通货膨胀而（在此过程中）不会影响失业的"自然率"。弗里德曼的著作主要包括《资本主义与自由》（1962）和《自由选择》（与其妻罗丝合著，1980）。

理智 vs. 本能

第二场争论是围绕理性在人类生活中的作用展开的。当然，这不能简单归结为在理性主义与非理性主义之间做出非此即彼的选择。问题的症结在于，理性的大脑在多大程度上影响着人们的行为举止。它所要表明的是，注重思维、分析和理性算计的人与注重冲动、本能或其他非理性驱动力作用的人之间是存在差异的。确认非理性因素的重要作用并不等于全盘抛弃理性。事实上，许多确认非理性的理论恰恰是从极其理性主义乃至科学的角度被提出来的。

在 17—18 世纪的启蒙运动时期（所谓的"理性的时代"），对人类理性能力的信心达到了登峰造极的地步。在此期间，哲学家和政治思想家们纷纷背弃了宗教教义和信条，转而把他们的观点建立在理性主义基础之上。他们认为，单靠行使理性，物理世界和社会领域的所有运作都能够得到完美的解释。由此看来，人本质上是理性的动物，受理智、推理、分析及论证过程所指引。这一观念在法国哲学家笛卡儿（René Descartes，1596—1650）所提出的二元论中得到了最清晰的表述。笛卡儿宣称："我思，故我在。"（*Cogito ergo sum.*）在此，他实际上把人描绘成了思维的机器，同时这也意味着心灵完全不同于肉体。理性主义表明，人拥有塑造自身生活及其世界的能力。如果人类是受理性驱动的动物，那么他们显然享有自由意志，能够自我决断，也就是说，人是通过自主选择而自我成就的人。因而，理性主义的人性论往往强调个体自由和自主的重要性。另外，理性主义还支持激进或革命的政治学说。既然人类拥有理解世界的能力，那么他们也就能够完善或改造这个世界。由此，理性是与进步联系在一起的（相关的讨论参见第十三章）。

最早的理性主义观念是古希腊哲学家阐发的。譬如，柏拉图曾断言，最理想的政体是开明的专制政体，应该由知识精英即哲学王来统治。而后，理性主义观念在自由主义和社会主义学说兴起的 19 世纪崭露头角。自由主义思想家，如穆勒（John Stuart Mill，1806—1873），大多把他们的理论建立在"人是理性的"这一观念上。这恰好解释了穆勒本人为何如此信奉个人自由：因为受理性指引的个人能够寻求幸福和自我实现。同理，基于妇女像男人一样是理性的，同样有权发挥政治影响力，他因而为妇女的选举权做过辩护。反过来，社会主义理论也建立在理性主义基础之上。这在马克思和恩格斯的著作中有着鲜明的体现。他们共同阐发了"科学社会主义"——后者（恩格斯）是如此称谓的。马克思与恩格斯并没有沉迷于伦理分析、道德主张和"乌托邦（空想）社会主义"之类的范畴，而是通过科学的分析，力图揭示出历史和社会发展的动力。比方说，他们预言资本主义最终要灭亡，这并不是因为他们认定了

21

资本主义在道德上是"邪恶的"，因而应该被推翻；而是因为他们的分析表明了资本主义的灭亡注定要发生——这是历史发展的必然方向。

然而，自 19 世纪末以来，把人当作思维机器的观点招致了越来越多的批评。启蒙运动本想建立一个有序、理性和宽容的世界；然而，持续不断的冲突、社会掠夺，以及诸如民族主义、种族主义等看似非理性的强大势力的涌现，使得这一梦想遭到了严重的挫败。这倒引起了人们对情感、本能和其他心理冲动（欲望）施加在政治上的影响越来越浓厚的兴趣。不过，从某些方面看，这一兴趣的发展实际上是建立在早已确立了的传统之上的，它大多出现在保守主义思想家身上，他们一直在给理性主义的狂热泼冷水。譬如，埃德蒙·伯克（Edmund Burke，1729—1797）就强调人在理智上是不完善的，这尤其体现在他们所面临的近乎无限复杂的社会生活中。总之，世界过于繁复和迷乱，乃至深不可测，对此，人心难以理喻。伯克的看法有着深刻的保守主义含义。既然自由主义者与社会主义者所持的理性主义假定令人生疑，那么，人类信赖传统、习俗和已知之物，就不失为明智之举；革命乃至于改革则是一条踏入未知世界的险途，它交在我们手中的地图根本就不靠谱。

22　　与此同时，保守主义理论家是最先承认非理性力量的一批人。比方说，托马斯·霍布斯（Thomas Hobbes，1588—1679）虽然相信人类理性的力量，但只是把它当作达到目的的手段。在他看来，人类是受非理性欲望——厌恶、恐惧、希望和情欲的驱使，其中，最强烈的欲望是对他人行使权力的权力欲。这一本质上极度悲观的人性观使得霍布斯得出这样的结论：唯有强有力的专制政府才能避免社会陷入混乱、无序状态。伯克也强调了非理性的情感和偏见在塑造社会生活方面所发挥的作用。相对于他所谓的"赤裸裸的理性"很少给人引导，源于天然本能的、与生俱来的偏见则为人们提供了安全感和社会认同感。

在强调非理性内驱力对人类行为产生影响的理论当中，一些最有影响力的理论通常都与形成于 20 世纪早期的弗洛伊德心理学有关。西格蒙德·弗洛伊德（Sigmund Freud，1856—1939）关注的是，在从事理性算计和判断的意识与包含被抑制的记忆及一系列强有力的心理冲动的无意识之间做出区分。弗洛伊德还特别地突出了人的性欲的重要性。性欲表现为"伊德"（*id*，本我）——无意识内最原始的本能——和"里比多"（*libido*）——发自本我的精神能源（它同性欲直接相关）。弗洛伊德本人强

23　　调了上述观念的治疗学方面，发展出了一系列广为人知的所谓"精神分析"技巧，而他的后人则阐发了它们的政治学含义。基于受压抑的性本能观念，弗洛伊德晚年的一位弟子——威廉·赖希（Wilhelm Reich，1897—1957）基于压抑的性的观点阐发出了一种法西斯主义的解释（Reich，1997）。弗洛伊德的思想为新左派思想家如赫伯特·马库塞（Herbert Marcuse，1898—1979）所接受，它也催生和促成了心理分析的女权

主义思想，这种思想由代表人物如朱丽叶·米切尔（Juliet Mitchell，［1974］2000）
和朱莉娅·克里斯蒂娃（Julia Kristeva，1982）所阐发。

柏拉图（公元前 427—前 347）

古希腊哲学家。柏拉图出生于一个贵族家庭。他是道德和哲学辩证法的创始
人——苏格拉底的追随者。苏格拉底在公元前 399 年死后，柏拉图创立了自己的学
园，以此来训导雅典新的统治阶层。该学园被认为是西方世界的第一所"大学"。

柏拉图教导说，物质世界是由抽象而永恒的"理念"不完善的摹本构成的。他
的《理想国》①（1955）所阐述的政治哲学试图从正义论的角度来描绘"理想国"。
柏拉图心目中的正义国家是绝对专制的，它建立在严格的劳动分工基础之上——这
种分工被认为体现了人不同的性格类型和品质。由此，他断言，政府应该由一小群
哲学王独断地行使权力。哲学王所接受的教育和他们所过的共产主义式的生活方式
确保了他们的统治以智慧来支撑；并且，他们得到了辅佐者（统称为"卫士"）的
支持。在柏拉图看来，知识与道德是一体的。在《法律篇》中，他倡导混合制政
体，可继而又强调个人对国家和法律的绝对服从。柏拉图的著述对基督教和整个欧
洲文化都产生了广泛的影响。

竞争 vs. 合作

第三方面的分歧围绕人类在本质上是自私自利、唯我独尊还是天然地合群和与人
合作展开的。这一争论带有根本性的政治含义，因为彼此对立的人性观支持的是截然
不同的经济和社会组织形式。如果人类在本质上是自私的，那么人与人之间的竞争就
不可避免地成了社会生活的一大特征，而且，从某些方面看，这是一种健全的生活特
征。另外，这种人性论同诸如自然权利和私有财产等个人主义观念密切相关，它经常
被拿来为市场或资本主义经济秩序辩护，在这一秩序下，个人应该拥有最大的机会去
追求自身的利益。

人性被表述成利己或自私的理论，早在古希腊就出现了，它尤其为诡辩论者所津
津乐道；然而，直到现代前期，这类理论才得到了系统的阐发。在政治思想史上，这
刚好体现在不断增长的自然权利论上。自然权利论指出，每个人都从上帝那儿领受了
一整套不可让渡的权利，这些权利只属于个人。创立于 18 世纪末 19 世纪初的功利主

---

① 又译为《国家篇》《共和国》。——译者注

义试图为人的自私性提供一种客观、科学的解释。杰里米·边沁（Jeremy Bentham，1748—1832）曾描摹了一幅人的画像，他把人看作本质上趋利避害、追求快乐的享乐型动物。在边沁看来，快乐或幸福是不证自明的"善"，而痛苦或不幸则是不证自明的"恶"。因而，个人的所作所为都是为了追求快乐的最大化和痛苦的最小化，这完全是从"功利"的角度——简而言之，从使用价值——来算计。这种人性观无论对经济理论还是政治理论都产生了巨大的影响。经济学在很大程度上就建立在"经济人"——物质上自私地"追求功利最大化者"模式之上。此类哲学意义上的"经济人"假定被广泛地运用，譬如，用来解释市场资本主义的活力和高效。这些假定还有力地论证、支持了一系列的政治理论——从 17 世纪的社会契约论到现代政治科学中的"理性选择"和"公共选择"学派。

24 　　对人的自私性的科学论证和支持往往建立在达尔文主义和某种生存竞争的观念之上。然而，达尔文的观点可以以不同的方式来阐释。像洛伦茨（Lorenz，[1963]2000）这样的著作家认为，每一物种的个体成员都被生物"编程"，从而确保该物种自身存活下来。这一观点表明，从终极的意义上说，动物（包括人类）是"为物种的福利"而作为的，这可以从母亲为保护幼子而甘愿自我牺牲的意愿中反映出来。换句话说，个体会做出合作、合群的举动，乃至于把物种（的利益）置于自身（的利益）之上。与此同时，像道金斯（Dwarkins，2006）这样的著作家则断言，每一个基因，包括那些为各自独立的个体所特有的基因，都生性自私，都寻求自身的生存。这一理论表明，从本质上说，个体间的自私和竞争是一种生物编程行为。当然，这并不是说，人类完全是自私的。尽管道金斯接受了个人天性自私的观点，但他也强调指出，如果我们施以慷慨、利他方面的教育，此类自私的行为是可以改造的。

　　与此同时，在世界各大宗教中，另一种截然不同的人性观也获得了阐发。诸如基督教、伊斯兰教和犹太教等都把人类说成是神的创造物。因而，人的本性被看作精神性的，而非心智或肉体上的，这体现在基督教的"灵魂"观念中。这种关于人类是道德受造物、为神的旨意所凝聚的观念，对注重同情、怜悯、仁慈、博爱及人性相通的社会主义学说产生了极大的影响。东方宗教如印度教和佛教就极为强调所有生命形态的归一（一体）性，这再度促进了共通的人性观及非暴力哲学。就佛教而言，此种思想同"无我"教义密切相关。因此，不足为奇的是，宗教学说往往支持伦理社会主义理论。然而，要是认为所有的宗教理论都具有社会主义含义，也是一种错误。譬如，新教信奉个体的自我拯救，注重个人奋斗和勤劳工作的伦理价值（往往被称为"新教伦理"），这同自助和自由市场观念的关系更为密切，而同社会主义的同情感是有距离的。

　　世俗的理论也一直关注着人性的"社会性"。在传统上，这些世俗理论突出的是人作为社会性存在的重要性，它们专注于这样一个事实：个人总是作为公众成员，集体地生活或工作着。自私和竞争绝非本性使然——人之所以如此，是因为他们一直受着奖赏和鼓励自我奋斗的资本主义社会的教化。人的本性原本是社会性的、合群的和合作的。显然，这一理论刚好被共产主义的集体所有制目标或被温和一点的社会主义福利国家理念所利用。彼得·克鲁泡特金（Peter Kropotkin，1842—1921）等人始终做着理论努力，他们试图确立一套与人的合群和合作相契合的科学的人性论。克鲁泡特金接受了自达尔文以来就一直统治着生物学界的那套进化论观点，但他并不赞成"适者生存"学说。在《互助论》（［1897］1988）一书中，克鲁泡特金阐发了一套新的进化论，它对达尔文主义构成了根本性的挑战。他不认为生存是争斗或竞争的结果，而是提出，人种区别于弱势物种的地方在于，它拥有一种高度进化了的合作或者说"互助"的能力。因而，合作不仅仅是一个道德或宗教意义上的理念，同时也是人类进化历程中一种现实的必需，它构成了人性的基本要素。在此基础上，克鲁泡特金既赞同财富归大家所有的共产主义社会，同时也认同人类在和平、合作中自理事务的无政府主义状态。

彼得·克鲁泡特金

　　俄国地理学家和无政府主义理论家，贵族家庭出身。他曾供职于沙皇亚历山大二世政权。在法国与瑞士边界的侏罗地区工作期间，克鲁泡特金最早接触到无政府主义观念。返回俄国后，他参加了以民粹主义运动为形式的革命活动，并因此而遭到监禁，被关押在圣彼得堡（1874—1876）。从大越狱中逃出来后，他一直流亡西欧，直到1917年革命才重新返回俄国。

　　克鲁泡特金的无政府主义是受到两方面的影响形成的：首先，源于他在俄国的经历，尤其是他对传统的俄国村社中所推行的民众自我管理模式的推崇；其次是出于一种愿望，他想赋予自身的工作以科学精神为根底的、牢固的理性基础。在他最有名的著作《互助论》（［1897］1988）一书中，他所概括的科学无政府主义无非是对达尔文进化论的重述。这种新理论把合作和社会休戚与共（而非竞争或争斗）说成是人与动物进化的首要方式。在此基础上，克鲁泡特金成了无政府共产主义的强有力的倡导者，他把资本主义和国家看作人类天然合群性的两大彼此关联的障碍。在其他著作如《田野、工厂和工场》（*Fields, Factories and Workshops*，［1901］1912）和《面包与自由》（［1906］1926）中，他构想了一个由一群（多半）自给自足的公社所组成的无政府社会；同时，他就此种社会何以遏制犯罪和懒惰等一系列问题的解决之道进行了探讨。

个人

　　"个人"这一术语在我们的日常用语中使用得如此广泛，以至于它的意义及政治含义往往被忽略。就其最明显的含义而言，个人就是指单个的人；不过，这一概念所蕴含的远不止这一点。首先，它意指单个人是一个独立而有意义的实体，其自身就拥有一种身份。换句话说，说某个人是个人，也就意味着他是自主的动物，是依照个人的选择而非作为社会群体或集体的成员来行动的。其次，个人不仅是独立的，同时也是有区别的，各有其独特性。这里所暗含的可以用"个体性"一词来表达，它指的是每一个体的特殊性和差异性。由此看来，把社会看作个人的集合，也就是从个体的角度来理解人，并依据各自的特殊性（如性格、个性、才干、技能等）来评判他们。每个人都有一个个人的身份。最后，把人理解成个人，通常也就是信奉普遍主义，即认定每个地方的人共享着某些基本的特性。从这个意义上说，个人不是由其社会背景、种族、宗教、性别或任何其他"出生的偶然因素"来定义的，而是由他同其他所有的人所共享的东西来界定的，如他们的道德价值、个人身份及独特性。

　　当然，迄今为止，个人概念也引发了哲学争议和深刻的意识形态分歧。譬如，相信个人、认同个人主义意味着什么？个人主义指的是某一特定的政治思想，还是可以被用来支持一系列的立场和政策？另外，还没有一个政治思想家把个人看成是完全自立的，相反，所有人都认可的是，在某种程度上，是社会因素在支撑和影响着个人。但个人与社会共同体之间的平衡点在哪里？它该落实到哪里？最后，个人在政治生活中到底有多大作用？事实上，政治是由彼此孤立的个人的决断和行为塑造出来的，还是唯有社会群体、组织和机构才重要？凡此种种，总而言之，个人到底起不起作用？

个人主义

　　个人主义并不只意味着相信个人的存在，而更多的是指，相信个人优先于任何社会群体或集体，它表明，个人是所有政治理论或社会解释的核心。不过，个人主义并不具有太明显的政治特性。尽管个人主义通常同古典自由主义传统以及诸如有限政府和自由市场等观念相关，但它也被用来替国家干预辩护，有时，还得到了社会主义者的拥护。比方说，有些思想家把个人主义与集体主义看作彼此对立的两极；而其他的思想家则认为，这两者是互补的，乃至于密不可分：个人目标只有通过集体行为才可

以实现。问题在于，人们没能就"个人"的本性达成一致意见，于是，个人主义所表 27
现出来的不同形态反映出了人们对人性内容的不同看法。

所有的个人主义学说都张扬个人的固有价值，注重每个人的尊严、价值乃至认为
神圣不可侵犯；不过，其分歧在于，这些个人品性如何能够最大限度地实现？早期的
自由主义者是在自然权利学说中表达他们的个人主义观念的，自然权利学说认为，社
会组织的目标是保护个人不可让渡的权利。譬如，社会契约论就可以被看作一种政治
个人主义。在此，政府被认为是起源于个体公民的一致同意，其职能被限定在保护公
民权利的范围之内。然而，如果把这种个人主义推至其逻辑极端，那么它就具有自由
至上主义乃至无政府主义的含义了。例如，19 世纪美国著名的个人主义者亨利·戴
维·梭罗（Henry David Thoreau，1817—1862）和本杰明·塔克（Benjamin Tucker，
1854—1939）就认为，没有人应该牺牲他（或她）自己的良知去迎合政治家（无论他
是不是民选出来的）的评判，这一立场从根本上否定了政府可以对个人行使法定的管
辖权。

◎ 超越西方

佛教的"无我"教义

28

"无我"（梵语为 anatman）教义不只是佛教思想的基本原则，也是佛教区别于
其他任何宗教信仰、信条和哲学体系之所在。该教义还充当个人主义原则的强有
力批判者，因为后者奠基于孤立、独特、持久而又被整合成一体的自我的观念之
上。佛教教义致力于考察我们通常所谓的"我自己"，它得出结论认为：不可能存
在这样的实体，有的只是一种现象。在这些现象中，"人"是由五蕴所成，即色
（身）、受、想、行、识。而且，由于每一蕴都是暂时的和不断变化的，因而就其
缺乏"自性"而言又都是"空"的。由此，佛教把"识"（最后一蕴）不是看作一
个"物"自身，也不是看作西方的"心"的观念（通常被视为自我的居所），而只
是看作一种使我们得以意识到其他四蕴的精神活动过程。从这个意义上说，佛教
认为：应该是存在没有"思想者"的思想的。

"无我"教义奠定了一系列佛教信条的基础。譬如，痛苦和不幸的根源被追溯
到对独立自存的实体性自我的妄念，因为这一妄念滋生出永远不可能获得满足的
渴望和强烈欲望——这些渴望和欲望只能被其他的渴望和欲望所替换，而不会灭
绝。因而，通往幸福和精神启蒙（极似佛教之所是）之途就在于持续不断地放下
种种确证、强化、提升和丰富自我的努力。关于自我的佛教思想中最具政治意义的

方面源于它对相互依存的强调。放弃自我/他者的割裂不仅意味着人与人之间的天然关系是一种彼此照料和同情的关系——这种信念对福利和经济组织来说有着鲜明的意义（参见"佛教经济学"），而且也意味着人类与自然世界的本然关系——它含有一种鲜明的绿色或生态意蕴。

上述反国家主义（中央集权论）的个人主义传统同时也与捍卫市场资本主义密切相关。此种个人主义通常建立在个体的人是自立和自私的这一理论预设之上。C. B. 麦克弗森（Macpherson，1973）称之为"占有式个人主义"（possessive individualism），并把它定义成"一种把个人看作本质上是自身人身或能力的所有人而对社会无所亏欠的个人观念"。如果个人在本质上是自私的，把自己的利益放在他人或社会的利益之上，那么，经济上的个人主义显然就同私有财产权以及获取、使用和处置财产的自由（无论个人做何种选择）相关。由此，尤其在英国和美国，个人主义成为那些推崇自由放任式资本主义的人所信奉的一大信条。可见，为了调控经济和社会生活，规定工资水平和工作日时长，干预作业条件或引入退休、养老金制度等这样的法规反倒成为个人主义的一种威胁。

然而，从个人主义信条有时可以引申出截然不同的含义来。比方说，现代自由主义者 T. H. 格林（Green，1836—1882）和 L. T. 霍布豪斯（Hobhouse，1864—1929）就利用个人主义来为社会福利和国家干预辩护。他们不是把个人狭隘地看成自私自利的，而是看成有社会责任感的，能够对他人施以无私的关照。他们关注的首要目标是穆勒所谓的"个体性"，即每个人有能力自我实现和充分发挥自己的潜能。于是，个人主义从所谓的"个人贪欲说"转化成一种个人自我发展的哲学。利己的个人主义让位于发展的个人主义。结果是，现代自由主义者获得了思想上的准备，对政府旨在促进机会均等和保护个人免遭破坏个人生活的社会灾祸（诸如失业、贫困和无知）而采取的一切行动，能够予以支持。基于同样的理由，某些社会主义思想家也认同个人主义观念。如果像社会主义者所证明的那样，人本性上是合群的、爱交际的，那么，个人主义并不代表独占和自私，而是代表友善的合作或共同的生活。这正好解释了法国社会主义者让·饶勒斯（Jean Jaurès，1859—1914）何以能够宣称"社会主义是个人主义在逻辑上的完成"。现代思想家如安东尼·吉登斯（Anthony Giddens，1998），也同个人主义达成了相似的和解，他赞同这种"新"个人主义观念。这一新观念强调，自主的个人是在相互依存和互惠互利的环境中活动的。

29 然而，个人主义并不仅仅具有作为规范性原则的含义，它同时也作为方法论工具而被广为采纳。换句话说，社会或政治理论都是在预先确定（所谓"先定"）的个人模式基础上建构起来的，它们予以考虑的是，个人被认为拥有种种需求、冲动、意愿等。这种"方法论个人主义"在17世纪就被用来构建社会契约论，到20世纪，它成了政治科学理性选择模式的基础。个人主义方法支持了古典的和新古典的经济理论，在现代，它为弗里德里希·哈耶克（Friedrich Hayek，1899—1992）等著作家所倡导。无论在哪种情形下，结论都是从有关"既定"或"给定"人性的假设中得出来的，通常都要突出自利的理性行为能力。然而，任何一种方法论个人主义都是有缺陷的，其缺陷在于，它既是非社会的，也是非历史的。个人主义者把政治理论建立在先定的人性模式之上，因而忽略了一个基本的事实，那就是：人的行为因社会的不同而不同，从一个历史时期到另一个历史时期，也是有变化的。如果历史和社会因素造就了人性的内容（就像"环境"论倡导者所指出的），那么，就应该把个人看成社会的产物，而不是相反。

个人与社群

应该指出的是，对个人主义的支持并不是人人认同的。人们对个人与社群的关系产生了政治思想上的严重分歧：个人是应该被鼓励去独立、自立，还是说，这有可能使社会不能聚合，使个人被孤立而没有安全感？赞同前者的人往往会认同英美独特的个人主义传统，这一传统被美国总统赫伯特·胡佛说成"粗鲁的个人主义"（rugged individualism）。这种个人主义传统可以被认作自由主义的一种极端形式，它根源于古典自由主义；它把个人看成是几乎完全脱离社会的人，因而低估或者贬损了社群的重要性。该传统是建立在下述看法之上的，即个人不仅拥有自立和勤奋的能力，而且，个人的努力是道德和个性发展的源泉。也就是说，个人不仅能够关照好自己，并且也应该这么去做。

这种个人主义传统的经典之作是塞缪尔·斯迈尔斯（Samuel Smiles，1812—1904）的《自己拯救自己》（[1859] 2008），该书宣称，"自助精神是个人所有真实成长之根"。斯迈尔斯宣扬维多利亚时代的冒险、勤勉和坚忍不拔的品德，这些品德为"活力成就天资"的信念所确证。自助促进个人的心智和道德成长，并且通过提升进取精神而有益于整个国家；"外来的帮助"（斯迈尔斯意指的社会福利）则剥夺劳作的 *30* 动力乃至劳动的需求，因而只会让个人虚弱乏力。这些观念在赫伯特·斯宾塞及其追随者的社会达尔文主义那里得到了淋漓尽致的发挥。在他们看来，个人主义具有生物学上的基础，它表现为所有个人间的生存竞争。那些适应自然而生存的人应该繁衍下来，弱者和懒汉应该被淘汰掉。

上述观念对新右翼思潮尤其是该思潮对福利国家的态度产生了重大的影响。在20

世纪 80 年代，通过美国的里根主义与英国的撒切尔主义，新右翼思潮获得了长足的发展，它抨击那种人们认为是由过度慷慨的福利扶助所造成的"依附文化"。穷人、弱势群体和失业者都沦为"吃福利的瘾虫"，他们被剥夺了工作的意愿，丧失了尊严和自信心。从这个角度看，解决的办法是促成社会负责向个人负责转变，鼓励人们"自立"。这在 20 世纪 80 年代以来美国和英国重塑救济（抚恤、补助）制度的过程中得到了反映，譬如，降低救济水平，更加注重据实补助而不是普遍施补，着力促使补助的收受者自愿接受培训或从事劳作。不过，上述政策的批评者却指出，只要社会不平等和剥夺现象继续存在，就难以看到个人如何能够对自己的境况完全负责。由此，争论的焦点从个人转向了社群。

众多的政治思想家——社会主义者、保守主义者、民族（国家）主义者以及尤为引人注目的法西斯主义者在不同的场合都曾自我标榜为个人主义的反对者。在多数情况下，反个人主义是以保守社群重要性并确认自助和个人负责是社会聚合的威胁为基础的。从不太严格的意义上说，"社群"指的是某一特定区域内的一群人，就好比某一乡镇、一个城市或一个国家的人口可以被描述成一个社群。然而，在社会和政治思想中，该术语通常有其更深一层的含义，它表示的是一个社会团体、一种邻里关系或同一城镇、地区内的一群劳动者等诸如此类的群体，其中都存在着某种强有力的纽带关系和集体认同感。可见，一个真正的社群是以同志关系、彼此忠诚、职责和义务等为特征的。从这个意义上说，社群指的是个人身份（认同）的社会根源。

在自由主义的个人主义的当代批评者中，有一群社群主义理论家，他们强调共同利益或集体利益的重要性。由此看来，不存在无所滞碍的自我，自我总是通过社群而得以构建。毫无疑问，社会主义者从事的就是社群的事业，他们把社群看作增进社会责任和利用集体力量的一种中介。这就是社会主义者何以经常拒斥个人主义——尤其是当个人主义狭隘地同自私自利和独断独行联系在一起的时候——的原因。尽管现代社会民主主义者承认个人进取与市场竞争的重要性，但他们寻求的是这些因素与合作和利他之间的平衡，而后者只有靠社群感才能培养出来。个人主义也一直遭受着许多保守主义者怀疑的眼光。在他们看来，不受约束的个人主义对社会组织是有破坏性的。个人是怯弱而不可靠的动物，他们总是寻求根基和安稳，而这些东西只有社群身份才能提供。如果个人主义发扬"人人为己"的哲学，那么它就只会导致个人利益至上主义①（atomism），生发出一个由脆弱和孤立的个人组成的社会。这种情形曾促使新保守主义者如美国的欧文·克里斯托尔（Irving Kristol，1920—2009）和英国的罗杰·斯克鲁顿（Roger Scruton，2001）决意同自由主义新右翼对自由市场的那种热情

31

---

① 即所谓的"原子主义"。——译者注

保持距离。

社会主义和保守主义的社群观在某些方面受到了理论社会学的影响。社会学家区分了各种形式的社群生活，它们或源于传统农业社会，或出现于现代都市社会。其中，最有影响力的理论是由德国社会学家斐迪南·滕尼斯（Ferdinand Tönnies，1855—1936）创立的，他把自己所称谓的"社群"（*Gemeinschaft*；community）同"社团"（*Gesellschaft*；association）区分开来。滕尼斯指出，以乡村社群为典型的社群关系建立在自然情感和相互敬重的深厚情谊之上；然而，这种传统的"社群"感遭到了工业化和城市化蔓延的威胁，这两股趋势滋生了自私和竞争。与社群关系形成鲜明对照的是，从都市社会中发展起来的社团关系是人为的、契约性的，它们反映的是获取个人利益的欲望，而不是那种富有意义的社会忠诚。法国社会学家埃米尔·迪尔凯姆（Émile Durkheim，1858—1917）也有功于深化对社群的理解，他阐发了"失范"（或"缺规"，*anomie*）概念，用它来表示社会准则和规范架构彻底解体的状态。在《自杀论》（[1897] 1951）中，迪尔凯姆断言，既然人类的欲望是无止境的，社群的解体，或者说关于何种行为方式可以接受、何种行为方式不可接受的社会和伦理准则的削弱，可能导致的是更大的不幸，最终是更多的自杀现象。在此，社群（而非个人）再一次被视为社会稳定和个人幸福的基础。

不过，从另一方面来说，显然，对社群（而非个人）的过于看重也可能招致危险。特别是，它会导致个人权利和自由在社群或集体的名义下被剥夺。这种危险在法西斯主义的统治历程中最为鲜明地表现了出来。从许多方面看，法西斯主义无疑是个人主义的对立面。在德国，法西斯主义宣扬"国家社会主义"或所谓的"国家社群"至高无上的重要性，旨在消解社会整体中的个体性和实际的个人存在。法西斯主义的 *32* 这一独特目标就体现在纳粹的口号"团结成就实力"上。在纳粹德国和法西斯统治的意大利，用以实现上述目标的方式就是极权式的恐怖，由此，整个国家沦为一个滥施压制、迫害和暴行的警察国家。尽管法西斯主义的社群概念无非是对社会主义自愿合作观念的一种荒诞的歪曲，但极端个人主义还是不时地告诫人们：任何一种对集体的过分倚重都带有压迫性，因为它极有可能会贬损个人的重要性。

社群主义

33

社群主义传统起源于19世纪某些思想家的社会主义乌托邦学说，这些思想家有罗伯特·欧文和彼得·克鲁泡特金等。事实上，对社群的关注可以被看作现代政治思想中一个经久不衰的主题，它以各种不同的方式表现出来，如社会主义对友爱与合作的强调、马克思主义对无阶级的共产主义社会的信奉、保守主义把社会当作靠互尽义务而结成有机整体的观点以及法西斯主义对不可分割的国家社群的推崇等。然而，作为一种确立了自身特定政治哲学的思想流派，社群主义直到 20 世纪八九十年代才出现，它进而发展成为自由主义的批评者。社群主义强调指出，自由主义社会把个人的权利和自由置于社群的需求之上，这种偏向损害了社会的公共文化。由此，产生了自由主义-社群主义之争。

从社群主义的角度看，自由主义的主要缺陷在于，它把个人看作非社会的、原子式的"任性的自我"。在"人类是追逐私利的理性动物"这一功利主义假定中，这一自我观暴露无遗。相反，社群主义则强调，每个人只是塑造了他（或她）的欲望、品性和意志的社会的一个化身而已，从此种意义上说，自我是嵌入社群内的。社群主义关注的不仅仅是个人的社会化过程，它尤为关注的是，不可能去想象个人的经验和信念会同赋予其意义的社会情境分裂开来。社群主义的立场对我们理解正义有着特定的意蕴。自由主义的正义理论往往建立在关于个人选择和个体行为的假定之上。社群主义者则断言，这样的假定是毫无意义的，因为它只适用于脱离现实的主体。由此，普遍主义的正义理论必须让位于受到严格限定的、特定的正义理论。社群主义的这一立场类似于后现代理论所阐发的立场。

社群主义者断言，他们的目标是矫正现代社会及政治思想中的失衡状态，在这种状态下，不受社会义务和道德责任约束的个人被允许乃至于被鼓励只去考虑自身的权益。在这一道德真空中，社会实际上解体了。于是，社群主义事业力图恢复社会中道德的声音；同时，在一种可上溯至亚里士多德的思想传统中，构建"公益政治"。不过，社群主义的批评者声称，社群主义兼有保守主义与威权主义的含义。基于对现存社会体制和道德准则的捍卫，社群主义确实有一种保守主义倾向。譬如，女权主义者就批评社群主义在捍卫家庭的幌子下一味强化传统的性别角色。而社群主义的威权主义特性则根源于它把个人的义务和责任置于其权利和资格之上。

34　代表人物

阿拉斯代尔·麦金太尔（Alasdair MacIntyre, 1929— ）　苏格兰出生的道德哲学家。麦金太尔创立了新古典主义和反自由主义的社群主义哲学。在他看来，自由主义宣扬道德相对主义，因而不能为社会秩序提供一种道德基础。他断言，正义和德行观念是相对于特定的文化传统而言的。为此，他阐发出一套"善的生活"模式，这套模式根源于亚里士多德与奥古斯丁和托马斯·阿奎那（Thomas Aquinas，约 1225—1274）所代表的基督教传统。麦金太尔的主要著作有《追寻美德》（1981）、《谁之正义？何种合理性？》（1988）。

迈克尔·沃尔泽（Michael Walzer, 1935— ）　美国政治理论家。沃尔泽创立了一种公社制的多元自由主义。他拒绝探究普遍的正义理论，斥之为对人的误导，而是去证明"复合的平等"原则。依据这种原则，不同的规则应该施用于不同的社会产品的分配，从而确立起不同的正义"限界"。不过，他也流露出对民主社会主义的同情。沃尔泽的主要著作有《正义与非正义战争》（1977）、《正义诸领域》（1983）和《阐释与社会批判》（1987）。

迈克尔·桑德尔（Michael Sandel, 1953— ） 美国政治理论家。桑德尔尖锐地批判了个人主义即"任性的自我"观。他宣称道德的和社会的生活观，认为它们扎根于独特的社群中；同时，他强调指出，个人选择及其身份都是由社群的"道德纽带"构建起来的。桑德尔警告说，社群的缺失将意味着民主不再持久。他赞同"公民共和主义"，把这种共和主义同美国的政治传统联系起来。桑德尔最有影响的著作有《自由主义与正义的局限》（1982）和《民主的不满》（1996）。

政治中的个人

关于个人在历史中的角色问题困扰了一代又一代的哲学家和思想家。显然，这类问题对政治学研究来说是同等重要的。政治分析是该关注重要人物的意愿、信念和行为，还是该考察构建个人行为的"非个体性的影响力"？从一开始，就可以把探讨这一问题的截然不同的两种方式否弃掉。第一种方式完全从个人的角度考虑政治，它认为，历史是由个人造就的，个人实际上把自身的意志烙入了政治的进程中。这种方式强调的显然是"伟人"及其行为。从这个角度看，政治分析几乎可以被归结为人物传记，因为关注点都聚焦在重要领袖的生平上，如罗斯福、温斯顿·丘吉尔、毛泽东和纳尔逊·曼德拉等。作为一种最极端的表现形态，这种考察政治的方式演变成了法西斯主义的"领袖原则"。受尼采"超人"观的影响，法西斯主义者把墨索里尼和希特勒这样的人物描绘成全能、全知的天才。然而，仅从领导人和个性的角度看待政治，会忽视文化、经济、社会和历史等其他诸多因素，而这些因素无疑也塑造了政治发展的进程。而且，上述看法往往还意味着，个人是先行自我成就而后进入世界的，他（或她）的才能、品质、性格等都不应归根于社会。

尼采（1844—1900）

德国哲学家。25 岁那年，尼采就成了希腊语教授。当年，他放弃了神学转而攻读哲学。受叔本华（Schopenhauer, 1788—1860）的思想影响后，尼采致力于对整个传统宗教和哲学思想展开批判。1889 年后，不断恶化的健康状况和日趋严重的精神错乱迫使他一直处在妹妹伊丽莎白的监护之下。在此期间，妹妹编辑（从某种程度上说，"加工"乃至于曲解）了他的作品。

尼采有着雄心勃勃而高深玄奥的学术事业，一切旨在突出意志（尤其是"权力意志"）的重要性。他强调指出，人创造了自己的世界，成就了自身的价值。由此，他成为现代存在主义的先驱。在第一部著作《悲剧的诞生》（1872）中，尼采声称，希腊文明在苏格拉底之前就达到了巅峰，这一点在它的艺术形式中获得了最为鲜明的体现。而后，《查拉图斯特拉如是说》（1883—1885）一书则阐述了一个被20世纪的法西斯分子严重扭曲的概念——"超人"。关于"超人"，尼采本意是指一种能够创造自身价值并超脱了常规的道德羁绊而活着的人。在诸如《善恶之彼岸》（1886）、《论道德的谱系》（1887）等著作中，尼采猛烈地抨击了基督教及源于基督教的诸多意识形态（包括自由主义和社会主义）。他断言，这些意识形态只是强化了与古典世界的主人道德相对立的奴隶道德。"上帝死了"，这一声宣告恰恰是对整个尼采思想最好的概括。

第二种方式则整个地低估个人。它认为，历史是由社会、经济及其他因素所决定的，这意味着，个体行为者要么无关紧要，要么只是充当傀儡起作用。我们只能说：在任何环境中，都有必要在个人（或个性）因素与非个人（或个性）因素之间保持某种平衡。

如果说个人"造就政治"，那么，他们是在某种知识、体制、社会和历史的特定条件下造就政治的。首先，在个人与其所处的文化传统之间存在某种关系。政治领袖很少是重要的或原创性的思想家。因而，实践中的政治家的行为和决策是受经济学家凯恩斯（John Maynard Keynes，1883—1946）所指的"智囊团"指导的，而且往往是在无意识中发生的。玛格丽特·撒切尔并没有创立撒切尔主义，罗纳德·里根也无功于里根主义。在这两个事例中，他们的观念都有赖于亚当·斯密（Adam Smith，1723—1790）和大卫·李嘉图（David Ricardo，1772—1823）的古典经济学，而古典经济学又得到了20世纪经济学家如哈耶克和弗里德曼的修正。显然，观念、哲学和意识形态在政治生活中的重要性绝不亚于权力、领导才能和个性。当然，这并不是说，政治单单由那些最先构思出观念的个人所塑造。无疑，像卢梭、马克思、凯恩斯和哈耶克这样的思想家，他们的观念都激发起并指导了政治行动，因而都"改变了历史"。然而，与此同时，这些思想家自身又受到他们所处时代的知识传统及当时起支配作用的历史、社会环境的影响。

其次是个人同制度之间的关系。通常，很难让政治领袖的个人魅力脱离开他

（她）从执政地位上所获取的权威或影响力。譬如，从根本上说，美国总统和英国首相的权力都来自他们的官职而非他们的性格、个性。毕竟，政党是领袖的多方面权力的源泉。德国社会学家马克斯·韦伯曾指出，现代工业社会里的合法-合理性权威在很大程度上取代了性格魅力型和传统型权威（如同第五章所讨论的），他所表达的就是这个意思。由此看来，相比于自身所领导的政党、所控制的政府机构及其权力运作的体制，作为个体的政治领袖是次要的。不过，与此同时，也很难否定，公共机构的权力在某种程度上是有弹性的，它会因领导人独具的欲求、能力和信念而得到拓展或扩张。人格魅力型和决策果断型领导人实际上重新界定了其所居的职位，这好比罗斯福在 20 世纪 30 年代任美国总统期间和撒切尔在 20 世纪 80 年代任英国首相期间所做的。其他领导人还确立或重构他们所领导的体制。比方说，就独裁者如德国的希特勒、阿根廷的庇隆（Perón）、伊拉克的萨达姆而言，领导人已超脱了一切法律法规所规定的领导权限，把统治完全建立在个性威权之上，从而实现了对权力的绝对把持。

最后是个人与社会的关系。无疑，没有人可以孤立于他（或她）的社会环境而被理解，也就是说，没有人是已经造就好而后进入世界的。突出"社会本质"之重要的人，尤其倾向于把个人行为看作社会力量或利益的代表。如先前所指出的，从最极端的角度说，这种观点甚至把个人看作无非是非个性的社会、历史力量的玩物。尽管马克思本人并不赞同狭隘的决定论，但他确实认为，个人活动的空间是有限的，他告诫说："一切已死的先辈们的传统，像梦魇一样纠缠着活人的头脑。"然而，政治有着无限的、出人意料的发展潜能，足以挫败所有的预期，就因为它是一种属于人的活动。从终极的意义上说，政治是由个人"造就"的。个人显然是历史进程的一部分，但他们拥有某种按自己的理想和意向引导事态的能力。比方说，很难想象，要是列宁未出生，俄国的历史进程不会受到影响。同样，如果罗斯福在 1921 年就死于脊髓灰质炎而不是瘫痪了，美国还会做出像对待大萧条和第二次世界大战那样的反应吗？

社会

无论个人多么富有活力，多么独立，脱离社会的人类存在是不可思议的。人不是离群索居的鲁滨孙·克鲁索（Robinson Crusoes），不能活在与世永久隔绝的状态下。即便克鲁索赖以生存下去的技能和知识也是从海难前的教育和社会交往中获得的。不过，社会这一概念往往并不比个人概念好理解多少。从最一般的意义上说，"社会"指的是占据同一区域的人群。当然，并不是所有的人群都可以构成社会。社会是以规范的社会交往模式为特征的，它表明存在着某种社会性的"体系"。而且，"社会"关系蕴含着相互的觉悟和至少某种程度的协作。譬如，交战部落之间就没法组建起一个"社会"——即便它们比邻而居，且在有一定规矩的基础上"交往"。从另一方面看，旅游观光和经济生活的国际化以及跨国文化和思想交流的拓展，催生出了一个有关新兴的"世界社会"的概念。当然，界定"社会"行为的协作型交往并不必然地要求共同的身份认同或忠诚来强化。这就是"社会"区别于更深一层的"社群"的地方，社群观念至少要求有一定程度的亲和关系或社会团结，即对社群的认同。

然而，政治理论中的社会往往是从更为特定的意义上来被理解的，它等同于所谓的"市民社会"。市民社会最原初的形态就是政治社群，即生活在同一法律框架内、对同一个国家效忠的全体居民。早期的政治思想家把这样一个被组织起来的社会看作文明生活的基础。不过，现代的理论家通常在社会与国家之间做出明确的区分。在传统的黑格尔和马克思的思想中，市民社会出现在国家之外，指的是一个自治社团和群体领域，它由单个的市民所组成。尽管黑格尔认为市民社会脱离了家庭，但多数人认为市民社会这一概念包括了经济、社会、文化、娱乐消遣和家政等多方面的组织机构。当然，这些机构的性质和作用是备受争议的。争议通常围绕着个人与集体之间的关系展开。例如，个人主义与集体主义可以达成和解吗？抑或，"个人"和"社会"总是彼此对立的吗？何况社会本身也可以用众多不同的方式来理解，每一种方式都有其重要的政治含义。比如，社会是人造物还是有机体？它是建立在一致同意还是彼此冲突的基础之上？社会是平等的还是天然地有着等级差异的？最后，人们的关注点往往聚集到社会的分化或分裂（尤其表现在社会阶级、性别、种族、宗教、民族和语言方面）上。从某种意义上说，这些问题抓住了政治理解的核心。那么，社会分裂为何在政治中如此重要？又是什么样的分裂对政治的影响力最大？

集体主义

很少有政治术语像集体主义那样如此令人困惑，被赋予了如此宽泛的含义。在某些人看来，集体主义是指在中央计划经济下国家行为所达到的一种极致状态，即所谓的"国家集体主义"。其他的人则用集体主义来指称社群主义，它看重的是团体行为，而不是个人奋斗。这种社群主义观念具有自由至上主义乃至无政府主义的意蕴，如同迈克尔·巴枯宁（Michael Bakunin，1814—1876）所谓的"集体主义的无政府主义"。除此以外，集体主义有时还用来作为社会主义的代名词，从而把问题弄得复杂化。社会主义者用集体主义来强调他们对人类公共或集体利益的诉求，而社会主义的批评者则突出集体主义的中央集权倾向。尽管如此，人们还是能够既指出集体主义观念的核心所在，同时又厘清与之对立的各种解释说明和思想传统。

从本质上说，集体主义强调的是人类的集体行为能力，即人类通过共同努力而不是靠追逐个人的自我利益来追求公共目标的意愿和能力。因而，所有的集体主义形式都赞同人是社会的动物这一说法，都承认他人的存在，并相信人们是靠集体的身份认同而维系在一起的。社会群体——无论什么样的社会群体——对人类的存在是有意义的，也是必需的。这种集体主义形式存在于众多的政治意识形态中。用"同志"这一称谓来称呼那些为社会变革而共事的人的共同身份，用"阶级团结"观念来突出所有劳动者的共同利益，这些都充分地显示了社会身份认同和集体行为的重要性。当然，这种重要性还体现在"共同的人性"观中。女权主义也拥护集体主义观念，它强调"性别"的重要性和"姐妹情谊"，认同所有妇女享有共同的身份，并确认妇女从事政治性集体行为的能力。同样，民族主义和种族主义学说也借鉴集体主义的观点，从"民族"或"种族"的角度来解释人性。可见，所有的集体主义形式同那种把人说成是独立而自我奋斗的生命体的极端个人主义形态是相对立的。当然，要是人们因此而被认为是本然地合群和乐于合作的，那么，集体主义也许恰恰是个人自我实现的源泉，而并非是对个体性的否定。

然而，集体主义与国家之间的关联不是偶然的。国家（在第三章有更详尽的讨论）通常被看作集体行为得以组织起来的机构，它代表着社会的集体利益，而非任何个人的利益。这就是新右翼理论家为何把各种形式的国家干预都说成是集体主义例证的原因。由此，社会福利的增长、经济管理的改进以及国有化的推行都被解释成"集体主义的高涨"。

然而，任何一种仅仅同国家相关联的集体主义学说必然会误导人。国家顶多是一个令集体行为得以组织起来的机构。国家的危险在于，它可以自我标榜，代替集体，从而剥夺普通公民的决策权及相应的责任意识。从这种意义上说，集体主义代表的是，自由的个人出于对拥有的共同利益或集体身份的觉悟而采取的集体行动。相比于国家控制，这种宽泛的集体主义更接近于自我管理的观念。比方说，巴枯宁就致力于创造一个无国家的社会，在这个社会中，经济将按照工人自我管理的原则来组织。他把这种集体主义的方式同他所看到的专制主义明显区别开来。同样，以色列的"基布兹"①（*Kibbutz*）体制也是一种集体主义形式。不用说，这些集体主义观念同任何一种个人主义形态（它强调个体自立和个人的私利）都毫无相似之处。当然，出于对自我管理和自主行动理念的执着信奉，这种集体主义形式并不必然地带有反个人主义的含义。

---

① 以色列的合作居留地，尤指合作农场。——译者注

◆ 全球性思考

世界社会

"社会"观念已经被应用于国际政治研究，这一研究传统可追溯到荷兰法学家和哲学家胡果·格劳秀斯（Hugo Grotius，1583—1645），甚至到托马斯·阿奎那。这些所谓的"国际社会"传统的现代阐释者提出了"国家社会"而非"国家体系"的存在，以此来削弱现实主义理论对权力政治和国际无政府状态的过度强调。不过，相比于"国际社会"，"世界社会"概念更具有包容性，也更具有激进的含义。

最早力图阐发世界社会理念的人是马歇尔·麦克卢汉（Marshall McLuhan，1964），他提出了"地球村"概念。对此，麦克卢汉寻求关注到唯一一个相互联系的世界，这个世界因传播技术的快速发展而成为可能，因为传播技术使信息在世界范围内即时流动成为可能。这不仅带来了人类联系（越来越多的人同越来越多的其他人互动）在规模上的巨大增长，而且也导致了人类联系的性质发生了根本性的改变，因为面对面的互动越来越多地被基于媒介（尤其是基于互联网）的互动所取代。这造成了一种"时/空压缩"的现象，这意味着时空曾经加诸传播之上的种种障碍极大地减少了。对此，有些人基于知识流动大大加速、拓展了个人和社会发展的机会而欢呼之，而另一些人则警告说，现代技术的使用导致了社会联系的稀薄化。"世界社会"这一概念在约翰·伯顿（John Burton，1972）和巴里·布赞（Barry Buzan，2004）的著述中获得了更为明确的阐发。在他们看来，世界社会超越了民族-国家边界而囊括了个人、非国家组织乃至于最终整个全球全部的人。全球社会联系的不断增多可以从全球事件（这些事件波及整个世界，影响全球受众）的兴起中看到。这些事例包括"9·11"恐怖主义袭击、1984—1985 年埃塞俄比亚大饥荒和 2004 年印度洋海啸等。

不过，"世界社会"概念也招致了批评。不仅世界范围内的社会联系和公民效忠继续以民族国家而非以全球为取向，而民族主义也顽强地拒绝屈从于世界主义，而且"全球时代"也更多的是以多极化和多样性为特征，而不是以同一化和同化为特征。一个更深刻的问题或许是，70 亿人口还在不断增长，全球人口无非是太多了，以至于没法建构起一个有意义的"社会"。任何全球意识或"全球性"的全球感都如此"稀薄"，它必然在道德和政治上是无关紧要的。

社会理论

对政治分析而言，社会理论同人性概念同等重要。政治生活同社会生活密切相关。毕竟，政治无非是社会产生的张力和冲突的一种反映。然而，政治、社会与个人之间的互动这一问题充满了尖锐的分歧和深刻的意识形态争议。社会存在着什么样的冲突？这些冲突的双方又是谁？这些冲突是否可以克服，抑或它们是政治存在的永恒特征？

第一类理论以个人主义的社会观为基础。它们认为，社会是一个人造物，是由各自服务于自身利益和目标的个人组建成的。其极端的形式可以推导出这样的信念："根本就没有社会这样的东西。"玛格丽特·撒切尔曾如此表述过，但是基于杰里米·边沁的思想。换句话说，所有的社会和政治行为都可以从利己的个人自我选择（而不涉及像"社会"这样的集合体）的角度来理解。此种理论最鲜明的一个范例是古典自由主义。古典自由主义致力于实现个人最大限度的自由。尽管需要国家来确保秩序、体系，但个人还是应该能够最大可能地按自己的方式去追逐自身的利益。这通常被描述成"原子论"式的社会理论，因为它表达的是，社会无非是单位个人或"原子"个体的集合体。

然而，上述观点忽视了这样一个事实：个人是通过社团、商会、行会、工会、俱乐部等群体组织来追逐自身利益的。虽然维系社会的黏合剂是私利，但人们一旦意识到私人利益是叠合在一起的，就有可能缔结契约或达成自愿的协议。显然，社会这一观念奠基于强有力的共识信仰之上，它确信，社会中对立的个人、群体间存在某种天然的平衡或和谐。在 19 世纪，亚当·斯密关于市场中运作的"无形的手"的观念（在 20 世纪被哈耶克解释成经济生活的"自发秩序"）恰好表达出了上述看法。尽管雇佣工人与雇主追求的目标相反，工人想要高薪水，而雇主希望低成本，但无论如何，他们还是被工人需要工作岗位与雇主需要劳动力的事实联结在一起。上述社会观有着非常明显的政治内涵。尤其是，如果社会能够为个人提供追逐私利的机会而又不引发根本性的冲突，那么，托马斯·杰斐逊（Thomas Jefferson，1743—1826）关于"最少（治理）的政府是最好的政府"的名言无疑是对的。

另一类根本不同的社会理论则以有机类比为基础。社会不是由满足自身利益需求的理性个体组建成的，而是作为"有机整体"而运作的。社会表现出同生命有机体（人或植物）密切相关的诸多特性。这意味着，社会研究的整体论方法强调，社会是一张复杂的关系网，其最终的目的是要维系整体的存在——整体比个体更重要。有机类比最早为古希腊思想家所采用，他们称为"法人团体"①（body politic）。某些人类学家和社会学家在阐发功能主义社会观的时候也持相似的观点。这预设了所有的社会活动在维系基本的社会体系中都发挥了作用，因而都可以从其"功能"的角度来理解。有机的社会观为众多的政治思想家所采纳，在这些思想家中，最突出的是传统保守主义者和法西斯主义者，尤其是那些支持"法团主义"②（corporatism）的人。事实上，从一定意义上说，机体论有着非常明显的保守主义意蕴。比方说，它往往把现存的道德、社会秩序合法化，这暗含着，社会是由自然必然性的力量所组建的。可见，诸如家庭、教会、政府等组织机构及传统价值观和文化都有助于加固社会的凝聚力。而且，这种观点意味着社会天然地具有某种等级秩序（差异）。不同的社会要素（社会阶级、性别、经济实体、政治机构等）都有其特有的作用要发挥，即所谓"各就各位""各司其职"。如果认为这些要素在社会中是平等的，那就好比认为心脏、肝脏、胃、大脑和肺在人体内平等一样荒谬；它们也许同等重要，但很显然，它们具有完全不同的职能和目的。

　　无论是个人主义的还是有机体的社会理论都表明了内在的社会契合的存在，然而，与之相对立的理论则突出了冲突的作用。譬如，多元主义的社会理论就可以看出这一点，该理论关注的是社会中不同的群体或利益之间的冲突。然而，多元主义者并不认为此种冲突是根本性的，因为他们毕竟相信，一种开放而有竞争力的政治体制能够确保社会的均衡，避免陷入动乱和暴力冲突之中。而精英主义的社会理论则突出权力集中在少数人手中，进而强调"精英"与"民众"之间冲突的存在。进一步说，精英主义者们更倾向于从组织优势、操纵和公开强制（而非一致同意或共识）的角度来解释社会秩序。不过，法西斯主义思想家赞同的是内含有机和谐的精英主义形式，因为他们相信，民众是愿意接受自身的从属地位的。马克思认为，社会冲突的根源在于私有财产的存在，私有制导致了基本的、不可调和的阶级冲突。简而言之，那些创造社会财富的人即劳动者遭受财产所有者制度化的剥削和压迫。马克思断言，劳动者不是按他们对生产过程的实际贡献得到报酬的，他们的"剩余价值"被别人占有了。在马克思主义者看来，基本的阶级冲突影响到社会存在的方方面面。

社会分化

　　除了极端的个人主义者，所有的政治思想家都承认社会群体或集体的重要性。他

---

　　①　它被视为一个整体性的民众、民族或国家。——译者注
　　②　又译为"社团主义""组合主义"，是指把整个社会纳入极权国家指挥之下的、各种组合的理论和实践。——译者注

们始终关注社会的"聚合"或构成。人们一直试图解释，一定的社会分化为何有助于构建政治生活？这恰好表明了这一关注。"社会分化"是指社会的分离或分裂，它反映了社会构成的复杂多样性。此种分化产生于政治影响力、经济权力或社会地位等分配的不均衡。从社会分化的角度来理解政治，就是要确认一定的社会联系（无论是经济、种族、宗教、文化或性别方面的）具有重要的政治含义，同时要把相关的群体当成重要的政治行为体。不过，上述分化可以诸多不同的方式来理解。在某些人看来，它们是基本的、持久的分裂，因为植根于人性中或社会的有机构成内；相反，另外的人则断言，它们只是暂时的，是可以消除的。同样，这些分化或被看作健康的、可取的，或被看作社会不公正和有压迫的表现。相比于"社会分化"这一说法，现代政治理论家有时更愿意使用"同一"与"差异"这样的语言，并实践着后来所谓的"认同（同一）政治"。这是第九章所讨论的，该章着重聚焦在植根于性别和文化中的种种差异。本章则考察社会阶级、种族和宗教的政治含义。

社会阶级是传统上同政治关系最为密切的分化。阶级反映了以财富、收入或社会地位等不均衡的分配为基础的经济和社会分化。于是，一个"社会阶级"就是一群拥有相似的经济和社会地位的人，因共同的经济利益而团结到一起。然而，就社会阶级的重要性或阶级何以界定的问题，政治理论家们并不是总能达成共识。譬如，马克思主义者把阶级当作社会分化的最基本要素，它最具有政治意义。马克思主义者从经济权力、"生产工具"所有权的角度来理解阶级。"资产阶级"是资本家阶级，是资本或 *43* 生产财富的所有者；而"无产阶级"不拥有财富，被迫以出卖自己的劳动力谋生，其成员可归为"工薪奴隶"阶层。在马克思看来，阶级是主要的政治行为体，它拥有变革历史的能力。无产阶级注定要成为"资本主义的掘墓人"，它一旦获得了"阶级意识"，必将完成其使命。

对社会阶级的非马克思主义的定义通常建立在职业群体中的收入和地位差异之上。由此，在"中产阶级"（或非体力）工人与"劳动阶级"（或体力）工人之间做出区分。尽管这样的划分确立得没有马克思主义者所承认的那些划分那般深刻，因为它们允许通过政府再分配财富来缓和阶级冲突，但这些划分被赋予了深刻的政治内涵，在许多国家被看作选举行为和政党结盟的决定性因素。不过，自 20 世纪 70 年代以来，伴随着发达社会日益成为"后工业"社会，职业阶层与政治之间的关联弱化了。由于服务业以牺牲制造业为代价而得到扩展，中产阶级的地位获得提升，而传统"工人阶级"的规模不断收缩。由此，阶级凝聚感也遭到削弱。然而，毫无疑问的是，社会分化依然存留于最富裕的现代社会——尽管这些社会分化通常是从"下层社会"的意义上被指称的。下层社会是一群因其特有的弱势和匮乏而被打发到惯常社会边缘地带的人。

种族和民族分化也具有政治上的意义。"种族"指的是人类当中的遗传学差异，据此，在诸多生物学基础（如肤发颜色、体格、相貌特征等）上把一群人同另一群人区分开来。实际上，种族分类在很大程度上是以文化类型为基础，而很少有乃至没有遗传基础。于是，"民族"这一术语更能为人所接受，因为它指的是文化、语言和社会上的差异，而并不必然地植根于生物学。种族或民族分裂以两种截然不同的方式影响着政治思想。一类有种族基础的政治理论出现于 19 世纪，其历史背景就是欧洲的扩张主义。像戈宾诺（Gobineau）的《人种不平等论》（[1855] 1970）与张伯伦（Chamberlain）的《19 世纪的基础》（[1899] 1913）等著作为"白色"欧洲人种统治非洲和亚洲的"黑色""棕色""黄色"人种提供了带有伪科学性质的辩护。此类种族主义在 20 世纪最耸人听闻的表现形态无疑是纳粹主义的种族理论，该理论招致了旨在灭绝欧洲犹太人的"最后的解决"。在 20 世纪后期，种族主义学说和运动在欧洲各地再次复兴，这部分地是由苏东剧变所引发出来的。

44

然而，不同的种族和民族政治形态是从（特殊意义上的）反殖民主义和（一般意义上的）反种族歧视的斗争中发展起来的。许多西方社会的少数民族被排斥在政治影响力之外，同时遭受着工场和公共生活的双重劣势。这引发了政治激进主义的新样式。比如，在 20 世纪 60 年代，出现了马丁·路德·金（Martin Luther King, 1929—1968）领导下的（黑人）民权运动；与此同时，更具军事色彩的组织也日渐增多，如马尔科姆·艾克斯（Malcolm X, 1926—1965）领导的黑人权力运动与黑人穆斯林运动。在许多情况下，种族分化被看作可以消除的，反种族主义的任务是改良的，它要建构一个更平等、宽容的社会。而一旦认为种族分化是根本性的——如黑人穆斯林（又称伊斯兰民族主义）所崇奉的，这必然导致种族分离论。

宗教对政治生活的影响一直不断地受到扩散的自由主义观念和文化的制约。这个受制约的过程在工业化的西方世界表现得尤为明显。然而，伴随着新的通常也更为独断的宗教虔诚形式的出现，宗教运动的影响力不断增长，最为重要的是，宗教与政治之间的愈发紧密的关系，尤其是在 20 世纪 70 年代以来，挫败了所谓的"世俗化主题"。这一主题认为，现代化不可避免地伴随有理性对宗教的胜利和世俗价值对精神价值的取代。宗教奋兴运动在 1979 年伊朗爆发的伊斯兰革命中表现得最为显著，这场革命导致了阿亚图拉·霍梅尼（Ayatollah Khomeini, 1900—1989）上台。不过，不久就显现出来的是，这不仅仅是伊斯兰教的一种发展态势，同样的情形还表现在基督教（尤其表现为美国的"新基督教右翼"形式）、印度的印度教和锡克教与斯里兰卡的佛教中出现的激进主义运动上。这种发展趋势还有其他种种表现，包括美国五旬节派在拉丁美洲、非洲和东亚的扩散，以及东正教在俄罗斯的复兴等。

讨论题

1. "人性"概念到底指的是什么？ *46*
2. 所有的政治思想都必须建立在人性概念之上吗？如果是这样，又是为什么呢？
3. 人性在多大程度上是"可塑的"、是被外力所塑造的？
4. 假定人在很大程度上为非理性冲动所驱使，这意味着什么？
5. 基于何种理由，人类被刻画成本性上是乐于合作的？
6. 个人主义是一种必然反国家主义的信条吗？
7. 个人主义可以与社会归属调和起来吗？
8. 个人在多大程度上决定了政治？
9. 集体主义与集体化为何是相互关联的？其关联的根据是什么？
10. 社会是建立在冲突还是共识之上？
11. 阶级政治的理论已经不再适用吗？
12. 种族是一种神话（虚构）吗？

延伸阅读

Avineri，S. and de-Shalit，A.（eds.）*Communitarianism and Individualism*（1992）. 该书是一部涉猎广泛的论文集，它反映了社群主义和个人主义作为两种相互竞争的政治理论范式之间的论争。

Lukes，S. *Individualism*（2006）. 就个人主义在不同的国家传统和思想领域中的含义，该书做了很经典的考察。它认为，个人主义发挥了致命的意识形态的作用。

Stevenson，L. *Ten Theories of Human Nature*（1998）. 该书纵论了各种相互竞争的人性理论，考察了从古代宗教传统到现代科学理论化的种种人性观。

Taylor，C. *Sources of the Self：The Making of Modern Identity*（1992）. 该书对身份的生成做了振奋人心且颇费哲思的论述。它认为，现代主体性是长期努力地规范和实现善的结果。

第三章

政治、政府与国家

- 政治

  统治术　公共事务　权力与资源

- 政府

  为何有政府？　政府与治理　政治系统

- 国家

  政府与国家　国家理论　国家的作用

内容简介

47　　　在学术研究的早期阶段，学者们总免不了要反思学科自身的研究对象，他们往往
要接受这样的追问："什么是物理学？""什么是历史学？""什么是经济学？"等等。这
些反思是有意义的，这会让学者们明了他们所从事的事业：他们要研究什么？什么样
的问题会提出来？然而，对政治学者而言，遗憾的是，"什么是政治学"这一问题更
有可能制造困惑，而不会带来安稳和宽慰。政治学的问题在于，它所存在的诸多争
议、论辩和分歧是内在必然的，即便是有关"政治"的定义也不例外。

　　关于"什么是政治"的争议暴露了政治思想中某些最深层也最棘手的冲突。对政
治的每一种界定都会提出一系列难题。譬如，政治是一项局限于政府或国家内部、受
约束的活动，还是发生在所有的社会生活领域？换句话说，政治会发生在家庭、学
校、社团和工厂吗？同样，政治是否像许多人所认为的那样，是一种腐败、欺诈的活
动？抑或是一件健康、高尚的事情？可以终结政治吗？应该终结政治吗？另外，还有
一系列争议与政府创制有关。政府是必需的，还是没有政府，社会依然稳定和繁荣？
政府应该采取什么样的形式？政府如何同更为广泛的政治程序（通常所谓的政治体
制）相关联？最后，深层次的争议围绕着国家的性质和作用展开。比方说，既然"政
府"与"国家"这对术语通常可以互换，那么，在它们之间是否可以做出某种有意义

的区分来？国家权力是仁慈的还是压迫的：它是为所有公民的利益而运作还是袒护极少数的精英或统治阶层？继而，国家应该做什么？我们应该寄希望于国家履行什么样的职责？什么样的职责又该交到公民个人的手中？

政治

有多少权威人士就政治发表意见，就有多少种关于政治的定义。政治一直被表述为权力或权威的行使、集体决策的过程、稀缺资源的配置以及欺骗、操纵充斥的场所等等。不过，在众多（如果说不是全部）的定义中，还是可以找到许多基本的要点。首先，政治是一种活动。虽然政治也是一门学科——有时使用带有大写字母"P"的"政治（学）"（Politics）字眼来标明，但它显然是对"政治"（politics）行为的研究。其次，政治是一种社会活动，它源于人与人之间或人群内的相互交往，而不可能发生在鲁滨孙·克鲁索所在的孤岛上——尽管在"星期五"出现后确实也发生过。再次，政治是从多样性中发展起来的，它以一系列的意见、需求或利益的存在为基础。复次，政治的多样性同冲突的存在密切相关：政治包含不同意见的表达、对立目标的竞争或不可调和的利益的冲突。哪里有自发的同意或自然的和谐，哪里就不可能有政治。最后，政治涉及决策，而且从某种意义上被认为是把一群人聚合到一起的集体决策。正是通过此类决策，冲突得以解决。然而，不妨把政治看作寻求冲突的解决，而不是实现冲突的解决，因为并非所有的冲突都被或者都能被解决。

可以说，政治是一致同意终结的地方。一旦就何时、何地、以何种方式、与何者发生关联等问题出现了深刻的意见分歧，"政治"就会在此发生。那么，什么样的冲突可以称为"政治上的"呢？什么样的冲突解决形式可以说成是"政治上的"呢？这种"政治"活动发生在什么地方？我们可以对三种明显不同的政治观念予以确认。首先，长久以来，政治一直与正规的政府机构及其中所发生的活动相关联；其次，政治通常同公共生活和公共活动联系在一起，而不同于所认为的私人或个人事务；最后，政治同权力、财富和资源的分配相关，它发生在所有的组织机构及社会存在的各个层面上。

统治术

俾斯麦宣称："政治不是科学……而是艺术。"他心目中的艺术就是统治（government）的艺术，即通过制定和实施集体决策来实施对社会的控制。这算是经典的政治定义，它是从该术语在古希腊的原初意义中发展来的。"政治"一词原本从"城邦"

49 （*polis*）衍生而来，其字面意思是"城市-国家"。古希腊社会分散成众多彼此独立的城邦，每一个城邦都有自己的一套统治制度。最有影响力的城邦是雅典，它通常被认为是古典民主的典范。所有的男性市民都有权参与市民议会（*ecclesia*），市民议会类似于美国的镇（选）民大会，每年至少聚集 10 次，大多数城邦公职由通过抽签、抓阄或轮流方式选举出来的公民充任。不过，雅典社会以极其严格的等级制度为基础，从而把绝大多数人（包括妇女、奴隶和外来居民）排除在政治生活之外。

由此看来，可以这样来理解政治：它是指城邦的事务，其实际含义为"关乎城邦之事"。这一定义的现代对应词为"关乎国家之事"。无疑，这个定义通过政治科学的发展而持久地保留了下来，从传统上看，政治学术一直聚焦于政府的人员构成和机构建制。我们从中也可以看出"政治"这一术语是如何在日常用语中广为采用的。比方说，某人担任了某一公职，我们会说，他在"参政"；而如果他谋求一公职，我们会说，他想"从政"。"政治"的上述定义把政治同权力的行使、个人或机构代表共同体做出决策的权力极为紧密地联系在一起。颇具影响力的美国政治学家戴维·伊斯顿（David Easton，1981）在其著作中把上述关系表述得很清楚，他把政治定义为"社会价值观的权威配置"。于是，政治同"政策"即确立一项共同体行动计划的正式或权威决策联系起来了。而且，政策就发生在某一"政体"（polity）内，即集中于以政府机构为核心的社会组织体制内。然而，应该指出的是，上述定义是高度限制性的。从此种意义上说，政治被限定在政府的组织机构内：它就发生在内阁会议室、立法会议厅、政府部门等场所，参与者也仅限于特定的人群，包括显赫的政客、公务员和说客等。于是，大多数人、大多数组织机构以及大多数社会活动都被认为是非政治的。

然而，在某些批评家看来，政治并不简单地指政府做出权威的决策，而是指这些决策得以做出的特定方式。政治通常被说成是"可能的艺术"，是通过妥协、调解和谈判解决冲突的手段。这一看法是由伯纳德·克里克（Bernard Crick）在《为政治辩护》（*In Defence of Politics*，[1962] 2000）一书中阐发的。在该书中，政治被看作"秩序问题的非暴力、非强制的调解式解决"。对对立的利益或群体的调解要求权力广泛分布于社会，按每个人对全体居民的福利和生存的重要性予以分派。可见，政治不是乌托邦式的解决方案，相反，它只是确认一点：要是人类不能通过妥协和争论来解
50 决问题，那么，他们就会诉诸暴力。基于政治的本质是商讨，克里克断言，政治的对立面是"不惜一切代价追求确定性"——无论这种确定性的诉求是来自封闭式的意识形态、对民主的愚忠、狂热的民族主义，还是来自科学能揭示客观知识的承诺。

上述定义同样鲜明地体现在"政治"这一术语的日常使用中。例如，一个问题的"政治"解决意味着谈判和理性论辩，而区别于"军事"解决。由此看来，使用暴力、强制力或威吓可以被认为是"非政治的"，实际上，这些方式的使用是政治途径本身

的失败。从本质上说，政治被界定为妥协和调解，这具有自由主义的本性。首先，它反映了对人类理性及商讨、辩论效力的笃信；其次，它以一致意见而非冲突的根本信念为基础，它表现为分歧可以不诉诸赤裸裸的权力而得到解决的预设。确实，没有不可调和的冲突。

当然，政治与国家事务之间的关联也产生出极度消极的政治观。在许多人看来，政治不过是个"肮脏"的字眼。政治意味着欺诈、不诚信乃至腐败。此种政治图景源于对政治与政客行为之间的联想，有时也可以说，它根源于尼科洛·马基雅弗利（Niccolò Machiavelli，1469—1527）的著述。在《君主论》（[1531] 1961）一书中，凭借对恺撒·博尔吉亚（Cesare Borgia）权术的领会，马基雅弗利试图从追逐和行使权力的角度阐发一种绝对现实主义的政治观。由于他渲染的是政治领导者对狡猾、凶残等政治手腕无所不用其极，形容词"马基雅弗利的"自然地成了阴险狡诈和诡计多端的代名词。

政客们自身受到的评价通常也极低，因为他们被认为是攫取权力的伪君子，他们把个人的野心掩藏在公务繁忙和意识形态信仰的表面文章下。于是，就形成了一个等同于追逐私利、两面做派和不道德行为的政治概念，显然，这在诸如"官职政治"和"政治活动"等贬义词的使用上得到了反映。上述政治观同样具有自由主义的特性。自由主义者一直警告说，既然个人是自私自利的，那么政治权力的拥有自身就会导致腐败，因为它会刺激那些掌权者利用权势大肆捞取好处，而不惜牺牲他人的权益。这一点鲜明地体现在英国历史学家阿克顿勋爵（Lord Acton，1834—1902）的格言中："权力导致腐败，绝对的权力导致绝对的腐败。"

尼科洛·马基雅弗利

51

意大利政治学家和作家。民事诉讼律师之子。马基雅弗利有关公共生活的知识是从政局动荡的佛罗伦萨朝不保夕的生存状况中汲取的。他做过公务员（1498—1512），奉命出使过法国、德国和意大利各地。马基雅弗利度过短暂的监禁生活之后，面对美蒂奇家族统治的复辟，他走上了写作之路。

马基雅弗利最主要的作品是《君主论》，写于1513年，出版于1531年，出书的初衷在于为未来统一的意大利统治者提供执政指南。该书的内容在很大程度上以作者对恺撒·博尔吉亚的治国之术以及当时盛行的权力政治的第一手观察材料为基础。他的"科学方法"从绝对现实主义的角度描述了政治，突出了政治领导者对狡猾、凶残和操纵等政治手腕的玩弄。正是对政治的这种消极描述使他招致了诸多的恶名、批评和攻击，乃至被贬逐出城区。随后，"马基雅弗利的"成了伎俩与奸诈的代名词。他的《论李维罗马史》，写于 1513—1517 年，在 1531 年出版，该书详述了马基雅弗利的共和主义理想。当然，应该把该书看成对《君主论》观点的阐扬还是背离，批评家们对此众说纷纭。

公共事务

在第一个关于政治的概念中，政治被看作极端限制性的活动，它仅限于权力在政府机构内的正式行使。第二个宽泛的政治概念则超出了狭隘的政府空间，进入通常被认为的"公共生活"或"公共事务"领域。换而言之，"政治的"与"非政治"之间的区分刚好等同于本质上的公共生活领域与人们所说的私人领域之间的区分，两者的界限重叠了。这一政治观根源于著名的古希腊哲学家亚里士多德的著述。在《政治学》（1958，写于公元前 335—前 323 年）中，亚里士多德宣称，"人天生是政治的动物"。他的意思是说，只有在政治共同体内部，人才能过上"善的生活"。因而，政治学是"统治者的科学"；同时，它也是致力于创建"正义社会"的伦理活动。按照这种观点，政治是在诸如政府自身、政党、工会及社区等"共同体"内部运作的，而不发生在"私人"领地（如个人、家居生活和人际关系）内。然而，就"公共"生活与"私人"生活之间该如何划界以及为何要维持这一界限，这方面的解释通常又显得特别困难。

公共领域（有时简称为"公域"）与私人领域（有时简称为"私域"）之间的传统划界同国家与社会之间的划分相吻合。国家的特性将在本章的最后部分予以详细讨论，但在此，可以把国家界定为一个在一定领土范围内行使主权的政治联合体。在日常语言中，国家通常用来指称一组组织机构，它以政府机关为中心，但同时包括法庭、警察、军队、国有化产业、社会保障体系等。从其对集体组织公众生活负责，因而由源于税收的公共支出提供资金的意义上说，这些机构都可以被认为是"公共的"。与此相反，社会是由一系列的自治群体和社团组织所组成的，它包括家庭和亲属关系、私人企业、工会、俱乐部、社区等。从其由个体公民所设立和提供资助，并用于满足自身利益（而非更大范围的社会利益）的意义上说，这些组织是"私人的"。基于这种"公/私"的二分法，政治被限定在国家自身的活动及共同体恰当行使的职责范围内。那么，个人在其中能够自我管理、确实也在自我管理的生活领域——经济、社会、家政、个人、文化、艺术等方面——则显然是"非政治的"。

不过，"公/私"区分有时用来表示某种更深一层，也更为微妙的划界，即"政治的"与"私人的"之间的划界。尽管可以把社会同国家区分开来，但社会包含一系列可以看作"公共的"（从它们是开放的，公开运作，公众可以进入、使用的宽泛意义上讲）机构。这启发黑格尔采用一个特定的术语"市民社会"（civil society）来指代一个居间的社会-经济领域，它一方面区别于国家，另一方面又不同于家庭。由此看来，与家居生活相比，私人工商业和工会具有某种公共性质。据此，只有在侵犯"私人"事务和机构的时候，作为公共活动的政治才谈得上止步。出于这个理由，一方面，许多人倾向于认可某种政治发生在工厂；另一方面，他们又可能受到下述观念的冒犯乃至威胁：政治可以侵入家庭、家政和私人生活领域。

在政治生活与私人生活之间划界的重要性，同时得到了保守主义和自由主义思想家的重视。保守主义者如迈克尔·欧克肖特（Michael Oakeshott，1901—1990）坚持认为，应该把政治看作严格受限制的活动。为维持公共秩序等，政治是必需的；但它应该限定在恰当的职责范围内，即限于调控公共生活。在《政治中的理性主义》（［1962］1991）一书中，欧克肖特阐发了一种本质上非政治的人性观，他强调指出，大多数人远非亚里士多德所说的"政治的动物"，而是寻求安全保护、谨小慎微而又有依赖性的生命体。从这个角度看，人生存的内核是家庭、居所的个人小天地和由人际关系组成的"私人"世界。由此，欧克肖特认为，动荡不安的政治生活是不人道的乃至恐怖的。从自由主义的角度看，维持"公/私"划界对保护个人自由（一般可理解为某种隐私、私事、私生活或不干预）是至关重要的。如果认为政治在本质上是以国家为中心的"公共"活动，那么它总会有某种强制的性质：国家有权迫使公民服从。从另一个角度看，"私人"生活却是一个选择、自由和个体负责的领域。由此，自由主义者明显倾向于社会，而非国家；倾向于"私人"（之域），而非"公共"（之域）。他们因而害怕政治侵犯个人的权利和自由。事实上，上述说法总是从某种非常消极、不利的角度来描述"政治"的。在此种情形下，比方说，政治代表的是对以公平竞争、个人发展和追求卓越为特征的私人领域的多余（过剩）、非正当干涉。

当然，并非所有的政治思想家都持社会优先于国家的鲜明立场，并非都要极力地牵制政治。譬如，还有一种积极描述政治的传统，乃出自政治是"公共"活动。这种传统可上溯到亚里士多德，并一直影响到20世纪，为汉娜·阿伦特（Hannah Arendt，1906—1975）这样的作家所承继。在阿伦特主要的哲学著作《人的境况》（1958）里，她把"行动"置于"工作"和"劳作"之上，作为世俗活动的一个等级序列。她断言，政治是最重要的人类活动形式，因为政治蕴含着自由而平等的公民之间的互动。正是这种互动赋予生活意义，同时确证了每个人的独特性。参与式民主的倡导者一直都把政治表现成一种道德的、健康的乃至高尚的活动。在法国思想家让-雅克·卢梭（Jean-Jacques Rousseau，1712—1778）看来，政治参与本身就是自由的基本要素。只有通过所有公民在政治生活中直接而不间断的参与，国家才能通向公共的善（卢梭所谓的"公意"）。在19世纪，约翰·斯图亚特·穆勒继续倡导政治参与，他指出，参与"公共"事务是有教益的，因为它促进个人的个性、品德和心智方面的全面发展。这样一种看法不仅没有把政治看作不正直的、腐败的活动，相反，把它表现为一种公用事业，作为公益，服务于所有的参与者以及接受者。

还有一种更为积极、乐观的政治观，它源于国家优先于市民社会的偏向。自由主义者一直认为"私人"生活是一个和谐而自由的领域。从另一个角度看，黑格尔把国家表述成一种伦理理念，在道德上要高于且优于市民社会。在《法哲学原理》（[1821]1942）中，国家是以一种不受任何批判的尊崇之心被看待的，它被视为一个无私、利他、相互同情的领域，而市民社会则被当作受狭隘的私利支配的领域。尽管这种思想激发了像 T. H. 格林这样的现代自由主义者对国家持有一种更为积极的态度，而其最极端受欢迎的形态则出现在宣扬"极权国家"优点的法西斯主义理论家那里，套用秦梯利（Gentile，1875—1944）①的话来说，就是："一切为了国家，没有什么可以反对国家，没有什么在国家范围之外。"把个人融入社群、泯灭个体身份的痕迹，这样的法西斯主义理念只有通过社会存在方方面面的"政治化"（确切地说，废除"私人化"）方可实现。

54

黑格尔（1770—1831）

德国哲学家。黑格尔是现代唯心主义的奠基人，他阐发了意识与物质对象本为一体的观念。在《精神现象学》（[1807]1977）里，他力图构建起一整套取代基督教传统的理性主义体系，这套体系从"绝对精神"寻求自我实现的进程这一角度解释了整个人类历史乃至宇宙自身演进的历程。在他看来，历史在本质上是人类精神通达"终点"（先定的理想目标）的一次"进军"。

黑格尔最重要的政治著作《法哲学原理》（[1821]1942）阐发了一套有机的国家理论，它把国家描述成人类自由的最高表现形态。他确认了社会存在的三大"要素"：家庭、市民社会和国家。首先，他表明：在家庭内部，受一种"特殊的无私、利他精神"支配，它激发人们为了亲属而抛开私利。继而，他认为市民社会是一个"普遍的利己主义"领域，其中，个人把自身的利益置于他人利益之上。不过，最终他又认为，国家是一个靠相互同情支撑的伦理共同体，它以"普遍的利他精神"为特征。黑格尔关于国家的这一立场体现在他对当时的普鲁士国的推崇上，上述立场也促发了自由主义思想家转向国家干预事业。黑格尔哲学对马克思和其他所谓的"青年黑格尔主义者"也产生了极大的影响。

---

① 又译为"金蒂雷"，新黑格尔主义者、法西斯极权主义的辩护者。——译者注

权力与资源

就前面两大政治观而言，每一种都把政治视为同某一套组织机构或某一个社会领域内在相关，其中，前者同政府机构相关，后者同公共生活场所有关。与之相对的是，第三个也是最激进的一个政治定义则认为，政治是一种独特的社会活动形式，它渗透到人类生存的每一个角落。正如阿德里安·莱夫特威克（Adrian Leftwich）在《什么是政治?》（2004）一书中坚持认为的："政治是所有集体性社会活动的核心所在——无论这些活动是正式的还是非正式的，是公共的还是私人的。总之，它存在于所有的人群、机构和社会组织中。"在德国政治与法学理论家卡尔·施米特（Carl Schmitt，1888—1985）看来，政治反映了人类生存中一种不变的现实，即朋友与敌人之间是有区别的。在多数解释中，"政治的"这一概念是同社会生存过程中资源的生产、分配和使用相联系的。因而，政治来源于匮乏，产生于这样一个简单的事实：人类的需求和欲望是无限的，而可满足这些需求和欲望的资源又总是有限的。于是，关乎资源配置的冲突而导致的任何一种活动形式都构成了政治（的一部分）。这意味着，政治不再局限于克里克所认为的理性的辩论与和平的调解，它也会包含威胁、恐吓和暴力。这一点在克劳塞维茨（Clausewitz，1780—1831）的名言"战争无非是政治的继续——是另一种政治"中得到了总结。从本质上说，政治就是权力，是通过一切手段获取想要的结果的能力。哈罗德·拉斯韦尔（Harold Lasswell，1902—1978）在他的一本名为《政治学：谁得到什么？何时和如何得到?》（［1936］1958）的书中简明地概括了政治的这一方面。上述政治观被众多理论家所阐发，其中最有影响力的莫过于马克思主义者和现代女权主义者。

在马克思主义者看来，政治连同法律和文化，都是"上层建筑"的一部分，是区别于作为社会生活真实基础的经济"基础"的。然而，马克思并没有把经济"基础"和政治、法律"上层建筑"看作彼此分离的实体，而是认为，"上层建筑"建立在经济"基础"之上，并反映经济"基础"。其次，换言之，从深层次上看，政治权力根源于阶级制度，正如列宁所言，"政治是经济的最集中的表现"。马克思主义者并不认为政治仅局限于国家和狭隘的公共领域，他们应该是相信"经济的就是政治的"。实际上，奠基于阶级对抗制度之上的市民社会恰恰是政治的核心。不过，马克思并不认为政治是社会存在不可缺少的特征，而是趋向于他显然希望出现的政治的终结。他预言，一旦无阶级的共产主义社会到来了，就会出现政治的终结，因为到那时，没有了阶级冲突存在的余地，也就没有了政治存在的余地。

55

现代女权主义思想家对政治的本性表现出了异乎寻常的浓厚兴趣。19 世纪的女权主义者接受的是本质上为自由主义的政治观，他们把政治当作"公共"事务，尤为关注妇女选举运动；而激进女权主义者则致力于扩大"政治"的范围。激进女权主义者认为，传统的政治定义实际上把妇女排除在外了。在传统上，妇女被限定在以家庭、家务职责为中心的"私人"生存领域；相反，男人主宰了常规的政治和其他"公共"生活领域。由此，激进女权主义者一直抨击"公/私"二分法，转而宣扬"私人（的）即政治（的）"的口号。尽管这一口号招致了极大的争议，也引发了诸多的解释，但它无疑浓缩了一种看法，那就是：凡是在家务、家庭和个人生活中展开的事务都是极度政治的。然而，在这个口号的背后，还有一种更为激进的政治观念，在《性政治》（［1970］1990）一书中，凯特·米利特（Kate Millett，1934—　）把政治定义为"权力结构（体制）化的关系，是一个集团由以受另一集团控制的（制度）安排"。由此可见，政治发生于权力及其他资源分配不均的任何时候和任何地方。从这个角度看，是可以谈论所谓"日常生活的政治"的，它表明：家庭内部夫妻之间或父母与子女之间的关系完全像雇主与工人或政府与公民之间的关系那样是"政治"的。可是，从另一方面看，政治领域如此这般拓展令自由主义理论家深感忧虑，他们害怕这种拓展会助长公共权力蚕食个人的私人空间和自由。

女权主义

女权主义政治思想首要关注的是两个问题：其一，分析妇女由以从属于男人的种种制度、程序和做法；其二，探究挑战这种从属关系的最为恰当而有效的途径。"第一波"女权主义同妇女普选运动密切相关，这次运动兴起于 19 世纪 40 年代至 50 年代。"第二波"女权主义兴起于 20 世纪 60 年代，它表达的是不断发展的妇女解放运动的更为激进的——有时是革命的——诉求。尽管自 20 世纪 70 年代早期以来，女权主义政治已经分裂了，并经历了一个去激进化的过程，但女权主义作为一种独特的政治理论学派，获得了越来越多的敬重。

从传统上看，女权主义思想分解为自由（主义）女权主义、社会（主义）女权主义与激进（主义）女权主义三大传统。自由女权主义支配了女权主义的早期形式，它由对个人主义和平等权利的信奉所形塑。这种"平权女权主义"致力于提高女性的法律和政治地位，改善她们的受教育和事业前景。社会女权主义主要源自马克思主义，它强调妇女的从属地位与资本主义的生产方式之间的关联，特别关注妇女局限于家庭或家务生活的经济含义。而激进女权主义则超越了流行的政治传统视界，它把性别分

裂表述为社会上最基本也最具政治意蕴的分化现象，并呼吁在"私人即政治"的口号
下彻底改造私人和家庭生活。由此看来，所有的社会——无论是当代还是历史上的各
种社会——都是以父权制或者说制度化的男权为特征。不过，自 20 世纪 70 年代以
来，伴随着女权主义思想日趋复杂、多样化，女权主义一分为三的三重划分日益变得
多余。这反映在新近出现的诸多女权主义形式中，如黑人女权主义、心理分析女权主
义、生态女权主义及后现代女权主义等，这也反映在"差异女权主义"的兴起上。差
异女权主义拒斥性别平等目标（基于鼓励妇女要"像男性"一样）。由此看来，在女
性与男性之间还存在着深刻而不可磨灭的差异。

　　女权主义政治理论的主要威力在于，它为政治理解提供了一个新的视角，这种全
新的政治理解不受弥漫于流俗的思想中的性别偏见的"玷污"。女权主义不仅重新阐
发了历史上重要的政治学家的理论贡献，对诸如权力、统治和平等等既有概念予以重
新解读，而且还把新的思想感受和语言引入同"姻亲""发言权""差异"等观念相关
的政治理论中。不过，基于当前女权主义的内在分裂如此之大，以至于丧失了理论自
身的融贯和统一，因而也遭到了批评。比方说，后现代女权主义者甚至质疑"妇女"
是不是一个有意义的范畴。其他的人则指出，女权主义理论已经脱离了日益后女权主
义化的社会，主要因为女权主义自身的推动，妇女的家庭、职业及公共的角色都发生
了重大的变化——起码在发达的社会是如此。

代表人物

57

西蒙·波伏娃　法国小说家、剧作家和社会批评家。波伏娃重新开启了性别政治
的问题，并前瞻性地提出了某些后来为激进女权主义所阐发的论题。在《第二性》
（1949）中，她还揭示了男性在多大程度上被社会表述成主动者或规范者，而女性又
在多大程度上被社会表述成"他者"。此种"他者性"从根本上限制了女性的自由，
阻碍了她们把自身的全部人性充分表达出来。波伏娃寄希望于理性和批判性分析，把
它们当作揭露性别真相的手段。

贝蒂·弗里丹（Betty Friedan，1921—2006）　美国政治活动家。弗里丹有时被
视为"妇女解放之母"。在《女性的奥秘》（1963）（该书通常被认为有功于激发第二
波女权主义的兴起）中，她抨击了保守家庭生活传统的种种文化迷思，突出强调了迫
使美国城郊妇女被束缚于家庭主妇和母亲角色的种种挫败和绝望。在《第二阶段》
（1983）中，弗里丹柔化了她的自由女权主义观点，她警告说：对"个体性"（人格）
的寻求并不能促使女性否认孩子和家庭的重要性。

凯特·米利特　美国作家和雕塑家。米利特把激进女权主义发展成一套系统的理
论，该理论同女权主义既有的自由主义和社会主义传统形成了鲜明的对照。在其最主
要的女权主义理论著作《性政治》（［1970］1990）中，米利特把父权制表述成一个贯

穿于所有政治、社会和经济制度的"社会性恒量"，它植根于大多发生在家庭这一
"首要的父权制机构"内的熏陶过程。她力主女权意识的觉醒，把它当作挑战父权制
压迫的手段；同时，她还一直倡导废除和取代传统的家庭。

朱丽叶·米切尔（1940— ） 新西兰出生的英国作家。米切尔是最有影响力的
社会女权主义理论家之一。她采用现代马克思主义的视角，重视社会中经济、社会、
政治和文化因素的相互作用。她警告说，既然父权制有其文化和意识形态上的根源，
它就不可能单靠社会主义取代资本主义就可以废除。米切尔还是最先把心理分析方法
当作解释性别差异的手段而加以运用的女权主义者之一。她的主要作品有：《妇女地
位》（*Women's Estate*，1971）、《心理分析与女权主义》（*Psychoanalysis and Femi-
nism*，［1974］2000）与《女性的性征》（*Feminine Sexuality*，1985）。

凯瑟琳·麦金农（Catherine A. MacKinnon，1946— ） 美国学术和政治活动
家。麦金农对女权主义法学理论做出了重要的贡献。在她看来，法律是女性沉默和顺
从得以维持的重要手段之一，因为女性"规范"的社会地位不可避免要通过采用男性
的价值观及其作为来界定。她所提出的其他论点涉及色情、强奸、家庭暴力和国际人
权等。麦金农的主要著作有《迈向女性主义的国家理论》（1989）、《唯有话语》（*Only
Words*，1993）和《女性人？》（*Are Women Human?*，2006）。

政府

58　　不管如何定义政治，政府无疑是其核心所在。就其最宽泛的意义而言，"治理"
（govern）就是对他人进行管理或实施控制。治理活动因而包含有决策并确保决策得
以贯彻执行的能力。从上述意义上看，可以从大多数社会组成机构内来界定治理的形
式。譬如，在家庭内，它表现为父母对孩子实施的控制；在学校内，它通过老师施加
纪律和守则来运作；在工场内，它靠经理或雇主制定规章来维持。可见，治理存在于
任何有受命的规则发生的时候和地方。不过，"统治"（government）这一术语通常被
更为严格地理解为规则赖以在社区、国家和国际层面上实施的一整套正规而公共（制
度）化的程序。因此，可以把政府界定为一套业已确立的且常设的机构，其职能就是
维持公共秩序和承担集体行为。

　　所有的政府系统都包括三大职能：其一，立法或制定法律；其二，执行或实施法
律；其三，解释法律，宣判、裁定其含义。在某些政府系统中，这些职能是由不同的
机构——立法机构、行政（执法）机构与司法机构——分别行使的。在其他的政府系

统中，这些职能可能都归为某一个主体的职责，如执政党或乃至单个人、独裁者。不过，在某些情形下，单是政府中的执行部门就被称作"政府"（Government），这就使政府几乎等同于"管理者"或"统治者"。此时的政府被更为局限地归为一群在某一首席行政官（通常为首相或总理）领导下行事的部长、大臣或秘书。这种情形最为典型地出现在议会制国家中。

然而，大量有争议的问题就是围绕政府这一概念展开的。首先，虽然人们几乎普遍认为需要某种政府，但也有人认为，任何形式的政府都是压迫人的，是不必要的。况且，世界上出现的政府如此繁杂，以至于难以一一做出划分或予以指称。譬如，政府可以是民主的，也可以是专制的；可以是立宪的，也可以是独裁的；可以是中央集权的，也可以是地方分权的；等等。最后，不可以孤立地理解政府，它不是独立于它所管理的社会的。政府是在某一政治体制下运行的，这一体制是一张通常包括了政党、选举、压力集团和媒体在内的关系网，政府借此就可以回应民众的压力，实施政治上的控制。

为何有政府？

世界各地的人都认同政府这一概念，在大多数情形下，都能够确认各自社会中组成政府的那些机构。而且，绝大多数人都会毫无异议地认为政府是必需的，因为要是没有政府，就不可能有文明、有序的人类生存状况。尽管人们还不太可能就政治的组织方式及其应当发挥的作用达成一致，但他们无疑都确信：需要有某种政府存在。然而，政府在世界范围内的广泛存在以及对它几乎不加批判地接受，这并不表明，一个有序而正义的社会非得借助政府这一行为体才能存在。确实出现过这样一个政治思想派别，它致力于证明政府不是必需的，因而提出要废除政府——这就是无政府主义。"无政府"的确切含义就是"没有统治"。

社会契约论是一种赞同政府的古典理论，它最先在 17 世纪由托马斯·霍布斯和约翰·洛克（John Locke，1632—1704）这样的哲学家提出来。事实上，社会契约论奠定了现代政治思想的基础。在《利维坦》（[1651] 1968）一书中，霍布斯提出，理性的人应该遵从自己的政府，因为一旦没有政府，社会就会陷于"每个人反对每个人"的内战中。社会契约论是借助一个没有政府的假想社会（所谓"自然状态"）来展开论证的。霍布斯把自然状态下的生活形象地描绘成"孤寂的、穷苦的、污秽的、残忍的和短暂的"。在霍布斯看来，人类本质上是争权夺利、自私自利的动物；如果不受法律约束，他们就会肆无忌惮地寻求私利的满足，而不惜牺牲他人的利益。于是，即便至强者也不可能强大到足以令自己活得安稳而无所恐惧，因为弱者还不等彼此背叛就联合起来共同对付强者。简而言之，要是没有政府抑制利己的个人冲动，就不可能有社会的秩序和稳定。在此基础上，霍布斯指出：理性的个人一旦意识到这一点，就会主动与他人达成某种协议，即"社会契约"，从而逃离混乱和无序的状态；借此，一种政府体制得以确立起来。

社会契约论把政府看作对抗罪恶与残暴的一项必要的防御措施，它实际上是以一种本质上悲观的人性论为基础的。不过，还出现了另一种思想传统，它把政府说成本质上是有益的，把它当作不仅避免恶同时也增进善的工具。从亚里士多德的著作中就可以看出这一点来。亚里士多德的哲学对中世纪神学家如托马斯·阿奎那等产生了深刻的影响。《法律篇》是阿奎那在 1265 年开始动笔撰写的《神学大全》（1963）的一部分，在该篇中，阿奎那把国家表述成"完美的共同体"，并断定，法律的真正作用是让臣民一心向善。比方说，他确信：对人类来说，即便没有原罪附身，政府与法律也是必需的。把政府当成让人们互利合作的工具，在现代政治中，这种积极的政府观一直存活下来了，它为社会民主主义传统所保留。

60 然而，从无政府主义的角度看，政府及一切形式的政治权力不仅是邪恶的，也是不必要的。无政府主义者把社会契约论颠倒过来，代之以一幅截然不同的自然状态图景，并以此来展开自己的论证。所有的社会契约论者都不同程度地认定，要是听任人类放任自流，其后果将不可避免地导致对抗、竞争乃至公开的冲突。相反，无政府主义者持一种乐观的人性论，他们突出了人类的理解力、同情心和合作的能力。威廉·葛德文（William Godwin，1756—1836）在其著作《政治正义论》（[1793] 1976）中第一次鲜明地表达了无政府主义原则，他宣称："人是可完善的，或换句话说，可以持续地自我改善。"在自然状态下，"自然"秩序支配一切，使"政治"秩序变得毫无必要。个人一旦意识到，把大家聚合到一起的共同利益要高过离散大家所产生的一己私利，社会和谐就会自然地显露出来；即便出现意见分歧，也会通过理性的论辩和商讨而平和地解决这些分歧。实际上，无政府主义者不是把政府看作避免混乱的防护（措施），反而把它当作引发冲突、动荡和暴力的诱因。政府自上而下把规则强加于人，只会酿造怨恨，加剧不平等，从而压制自由。

无政府主义者往往利用历史事例来支持自己的观点，这样的事例包括彼得·克鲁泡特金所推崇的中世纪城市国家和托尔斯泰（Tolstoy，1828—1910）所心仪的俄国农村公社等。据说，其中的社会秩序完全是靠理性协商和相互同情来维持的。无政府主义者也向往传统社会，在那里，即便不存在通常所谓的政府，社会照样井然有序、安定祥和。显然，不可能笼统地概括传统社会的性质，因为其中有些社会是等级制的、有压迫的，对无政府主义者毫无吸引力可言。不过，社会学家也高度认同人人平等的社会，如卡拉哈里沙漠地区布须曼人的社会，在那里，所有的意见分歧似乎都可以通过非正式途径和人际联络、接触来解决，而无须任何正式的政府机构来干预。然而，若在传统社会结构的基础上去尽力维护无政府主义的观点，这种做法还是存在明显问题的，因为这类传统社会大不同于复杂的、城市化和工业化的现代社会（世界上大多数人口现在都居住其中）。

政府与治理

尽管所有的政府都具有确保有序管理的目标，但它们是以迥然不同的方式来追求这一目标的，因而呈现出各种各样的政治组织形式。譬如，从前的君主专制政体往往不同于现代的立宪民主政体。同样，在冷战期间，政体通常被划分、归属于第一世界、第二世界或第三世界。政治思想家是抱着下述两种目的之一而对政府进行分类的。就政治哲学家而言，他们一心想从规范的角度来评估政府的各种形式，从而确立起理想的政体来；现代政治科学家则试图阐发出一套"政体科学"，以便不带价值偏向地研究不同国家政府的活动——不过，意识形态方面的考虑往往还是会渗透其中的。例如，使用术语"民主"去描述某一特定的政体，而这一术语表达的恰恰是一种普遍认同的立场，因为它提示：在此类社会中，政府是由人民同时也是为人民而运作的。

在政府形式的分类上，亚里士多德做出了最早的一次理论尝试。在他看来，政府可以基于"谁统治"和"谁从统治中受益"来划分。政府可以置于单个人、一小群人或多数人的手里。不过，在上述每一种情形下，政府既可以是出于统治者的私利，也可以是出于全体公民的公益而运作的。由此，亚里士多德确定了六种政府形式。他指出，僭主制、寡头制和平民制都是败坏的或扭曲的统治形式，因为三者分别是单个人、一小群人、（多数）民众出于自身的利益而进行统治，因而牺牲了他人的利益。相比而言，君主制、贵族制和共和制更为可取，因为三者分别是单个人、一小群人、民众出于全体人的公共利益而统治的。亚里士多德宣称，一方面，僭主制显然是所有可能的政体中最恶劣、最糟糕的政体，因为它使所有的公民都沦落成奴隶；另一方面，君主制、贵族制又不切实际，因为它们是建立在类似于神的旨意之上的——统治者竟然把共同体的福祉置于自身的私利之上。既而，亚里士多德认定，共和政体即多数人出于所有人的利益而进行的统治最为切实可行，但他同时又担心，民众会嫉恨少数人的财富，因而很容易受蛊惑人心的政客的摆布。最终，亚里士多德主张"混合"政体，这样的政体可以把政府交到既不太富也不太穷的"中产阶级"手中。

亚里士多德（Aristotle，公元前 384—前 322）

古希腊哲学家。亚里士多德是柏拉图的学生，同时又是亚历山大大帝年轻时的导师。公元前 335 年，他在雅典创立了自己的哲学学派。与人交谈时，亚里士多德往往来回走动（漫步），他的学派——"逍遥派"因此而得名。

亚里士多德保存下来的 22 部著作是以讲授笔记的形式编撰而成的，内容涉及逻辑学、物理学、形而上学、天文学、气象学、生物学、伦理学和政治学。他最有名的政治学著作是《政治学》（2000），它对政治生活的本性及其可能采取的形式进行了全面的探讨。亚里士多德把政治学描述成"卓越的科学"，他强调：人类是在公共领域而非私人领域中追求正义，过"善的生活"的。亚里士多德的政府形式分类法使得他青睐那些致力于社会公益或公共利益的政体，而摈弃那些服务于局部利益的政体，最终推崇一种结合了平民制与寡头制的"混合"政体，该政体采取的是他所谓的"共和制"形式。《政治学》中的社群主义把公民严格表述成政治社群（或共同体）的组成部分。《尼各马可伦理学》等著作坚持人的选择与自主，对社群主义做出了进一步的规定。在中世纪，亚里士多德的著作奠定了伊斯兰哲学的基础，到后来，他的思想还融入了基督教神学中。

然而，现代政府已发展得过于繁复了，再也难以在亚里士多德政体划分的基础之上简单地予以归类了。况且，在苏联解体后，发生了政治、意识形态和经济上的变化。有鉴于此，那种把政体简单地划分成第一世界、第二世界或第三世界的做法已不可能持续下去了。把过去称为第一世界的政体归为"自由民主主义"更为合适。第一世界的中心区域原本是北美、欧洲和澳大利亚等西方工业化世界，但现在却广泛分布于世界各地，这要归因于先后发生在 19 世纪 20 年代至 20 世纪 20 年代、1945 年之后和 1989 年以来的第一波、第二波和第三波"民主化浪潮"（Huntington，1991）。

从推崇有限政府原则（在此种原则下，个人的权利与自由得到了来自政府的某种形式的保护）的意义上说，此类政体都是"自由主义的"。人们一般从三个方面来支持有限政府。首先，自由民主的政府是立宪的政府。宪法确定了各个政府机构的义务、责任和职能，同时也确立了政府与个人之间的关系。其次，政府受如下事实的限制，即政府的权力是分立的，它分散在众多的机构中，从而制造出内在的张力，即所谓"制衡"。最后，政府受到活跃而独立的市民社会的限制，市民社会由自主的群体如工商企业、工会、压力集团等组成。自由民主政体之所以是"民主的"，是因为政府（统治）倚赖于被统治者的认可。这里包含了一种代议制民主形式，在此，行使政府权力的权利是靠常规竞选的成功获得的。通常，上述制度含有成人普选和无记名投票选举,尊重诸如言论自由、集会自由和游行示威自由等一系列的民主权利。自由民主政体的基础是政治多元化,即允许存在多种政治信条、意识形态或哲学,允许多个政党参与公开的权力竞争。这一制度在民主方面的表现将在第六章做进一步的考察。

当然,在自由民主的政体当中,也存在着不少的差异。此类政体中的某些国家如 *63* 美国和法国,是共和制的,它们的国家元首是选举产生的;而有些国家如英国和荷兰,是立宪君主制的。大多数自由民主政体都实行议会制,立法权和行政权统一于其中。在英国、德国、印度和澳大利亚等国家,政府从立法机构中产生,但同时,从它有可能因反对票而被罢黜的意义上说,它又要对立法机构负责。而美国则是总统制的典型,它建立在由孟德斯鸠(Montesquieu)所倡导的立法权与行政权严格分立的基础之上。总统和国会分别选举,各自拥有宪法所规定的权限,从而相互制约。有些自由民主政体拥有的是多数党政府。当某一个政党或因为获得了选举上的支持,或出于选举制度本身的性质而能够自行组建政府时,就会出现多数党政府。通常,多数党民主具有两党制形式,在这种制度下,权力在两个主要的政党之间更迭,这就好比在美国、英国和新西兰所发生的情形。在欧洲大陆,联合政府则是一种通行的政府体制,在该体制下,共享政府权力和分享各自所代表的利益的政党之间持续不断的(权力)"讨价还价"过程,尤为引人注目。

在现代,政治分析家们通常把他们的注意力从政府的体制转向更为宽泛的治理活动及过程。这体现在对治理现象的广泛兴趣上。虽然"治理"(governance)一词尚未有确定、一致的定义,但从最宽泛的意义上讲,治理指的是协调社会生活的诸多方式。由此,不妨把政府只看作治理中的某一机构,还可能存在"没有政府的治理"(Rosenau & Czempiel,1992)。从这个角度看,可以同时认定许多种治理模式,每一种模式都以其独特的方式用于协调社会生活。等级、市场和网络(非正式的交往关系和联合)等提供可供选择的多种集体决策的手段。治理的不断突显源自现代政府与(实际上)更广意义上的社会的两大转型。首先,国家与市民社会之间的界限变得日益模糊,比方说,公/私合作和伙伴关系不断加强、公共实体和国家机构对私人部门中的管理方法的广泛采用,以及所谓的政策网络日益重要。其次,管理不再被认为是发生在独立社会中的独特活动。这导向了"多层次治理"的观念。多层次治理突出的是决策责任从国家政府转移出来的一种转向,这是由于权力既"下引"又"上吸"而形成了一种复杂的互动过程。前一种趋势意味着次国家实体通过本土化或权力下放的过程而得以加强;后一种趋势则反映了国际实体变得越来越重要——这通常被理解为"全球治理"的兴起。

全球治理

"全球治理"概念是在诸如联合国、国际货币基金组织、世界贸易组织和欧盟等组织的重要性不断增强（尤其是在 1945 年以来）的背景下出现的。由此看来，认为国际政治是在无政府状态（没有高于民族国家的权威）下运行的这一传统假定变得越来越难以坚持。与此同时，全球治理则由于缺乏一个全人类都团结在共同政治权威之下的世界政府而止步不前。由此，全球治理可以被定义为在世界政府缺席的情形下国际政治的管理。

不过，全球治理是一种复杂的现象，无法做出简单的定义或解释。全球治理不仅是一种研究对象，更是一个研究领域。虽然全球治理同特定的组织机构和可确定的行为体相关，但它首先是一个过程或过程的复合体，具有以下特征：首先，全球治理是多样化的，不是单一的。尽管联合国在现代全球治理体系中发挥压倒一切的作用，但它还是包含各种不同议题领域内的各种体制框架和决策机制的。其次，国家和各国政府依然在全球治理体系内发挥着相当大的作用，反映了国际组织在一致决策上的整个布局及其脆弱的执行力。再次，与国家层面上的治理相一致的是，全球治理模糊了私人/公共之间的界限，因为它囊括了非政府组织和其他所谓"全球公民社会"组织。最后，全球治理并不只是在全球层面上运作的，相反，它表现为各种不同层面（次国家、国家、区域和全球）上的群体和组织机构之间的互动，没有一个单一层面享有相对其他层面的优先性。

全球治理一直处于两类争议的核心。规范的争议围绕全球治理的兴起该受欢迎还是应被担忧展开。自由主义者支持全球治理，其理由是，全球治理提供了一套国家在不放弃主权的条件下也能合作的机制——而且在此过程中，有助于减少国际体系中猜疑和不信任的程度。与之相对，现实主义者则警告，国际组织会不可避免地滋长出独立于其成员方的利益，在此情形下，全球治理无异于是一种初级世界政府。关于全球治理的经验性论争聚焦于其实践意义。有人认为，自 1945 年以来，国际组织在数量和重要性上无可置疑的增长表明，国家间合作和参与集体行动的意愿越来越大。然而，其他人提出，虽然全球治理的程序复杂，但国家依然保留着主权，从这个意义上说，国际无政府状态会持续主导着整个世界。总之，国家总是追逐自身利益——无论它们置身于何种合作情境之中。

政治系统

显然，政府的划分是同所谓的"政治系统"相关联的。不过，政治是一种"系统"的观念较为时新，它直到 20 世纪 50 年代才出现。该观念受到了塔尔科特·帕森斯（Talcott Parsons，1902—1979）的《社会系统》（1951）等著作所阐发的系统论及其应用的影响。尽管如此，它却带来了对政治运作过程理解上的重大转向。对政府的传统理解集中于国家机器，重在考察某一特定的政治制度中的宪法规定和组织机构。然而，系统分析则拓展了对政府的理解，它突出政府与其所处的更大范围的社会之间复杂的互动关系。一个"系统"是一个有组织的复杂整体，是组成一个集合体的一整套相互关联、相互依存的要素。因此，系统分析拒斥零碎的政治研究方法，而选取整体研究方法：整体比个体的部分更重要。而且，系统分析强调关系的重要性，这意味着，每一部分只有就其在整体内的功能而言才有意义。由此，一种政治制度超出了政府机构自身，而囊括了政府由以同被统治者相互作用的所有程序、关系和组织机构。

这方面的开创性成果是戴维·伊斯顿的《政治系统》（[1953] 1981）。伊斯顿把政治定义为"社会准则的权威性配置"，因而，他关注引导有约束力的决策的所有程序。一种政治制度是由伊斯顿所谓的"输入"与"输出"之间的关联所构成，而政治制度中的"输入"又是由需求与供给所组成。一方面，需求可以表现为对更高的生活水平、更好的就业前景和福利待遇、更多的政治参与机会以及对少数派和个人权利更充分的保护等方面的欲求；另一方面，供给是指通过纳税、臣服、自愿参与公共生活等方式而对政治制度做出公共的贡献。输出是由政府的政策与行为所构成的，它包括决策、立法、征税和配置公共基金等。显然，这些输出会引起"反馈"，而反馈又会进一步引导需求和供给。正如伊斯顿所理解的，政治制度是一个动态的过程，它只有在输出同输入发生某种关联的时候才能获得稳定。换句话说，如果政策输出不能满足广大民众的需求，这些输出就会不断增长，直到出现"系统的崩溃"。政治系统赢得稳定的能力取决于通向政治系统的输入之流如何被诸如利益集团和政党等"把关人"所调控，也取决于政府自身是否成功地把输入转化成输出。

某些政治系统要远比其他政治系统更能获得稳固的地位。有时，人们会这样认为，这恰好解释了自由民主的政治形态何以能存活下来，并扩张下去。自由民主政体包含了一系列运作机制，它迫使政府认真对待民众的需求，开创政府与被统治者之间的沟通渠道。譬如，对立党制度的存在意味着，只有其政纲最能切合广大民众偏好的政治家才能获得政府的权力。即便政治家是追逐私利而不择手段的野心家，他们也得应对选举的压力，从而赢得执政的机会。而未被政党表达出来或未在选举期间提出来的需求还会为利益集团或其他说客所呼吁。进一步说，自由民主政体中通常会出现机构分裂的现象，这恰好为对抗性的利益集团提供了众多参政的门径。

当然，从另一个角度看，压力或紧张照样会在自由民主的制度内积聚。比方说，选举民主有可能堕落成多数人的暴政，而把经济、道德或宗教上的少数派的有效发言权剥夺掉。还有，政党和利益集团能够把有产者、受教育者和雄辩者的需求表达出来，比起他们为穷人和弱势群体的代表行为，这要成功得多。

然而，把政府当作系统性活动过程的政府分析并不是没有批评者。虽然系统分析被说成是研究政府的科学、中立的方法，但规范性的和意识形态上的偏见无不蕴含其中。譬如，伊斯顿的著作就折射出一种基本的自由主义政治观念。首先，它是以普遍认同的社会模式为基础，该模式表明：所发生的任何冲突或紧张关系都可以通过政治程序达成和解。这里暗含的是，一种内在的和谐就存在于自由资本主义社会内。进一步说，伊斯顿的模式本身就假定了，在政治体系内，有一种有利于稳定和均衡的倾向性在起作用。系统是寻求自身永久存在下去的自我调控机制。政治体系也不例外。由此，再一次折射出自由主义理论的"偏见"来，即从自愿对也能够对社会上所有利益及群体做出回应的意义上说，政治机构是保持中立的。最后要指出的是，此等政治信念不仅同特定的社会观相关联，同时关涉有关国家权力性质的独特观点。

国家

"国家"这一术语可以用来表示很多的东西：一套机构、一个领土单位、一种历史实体、一派哲学观念等。在日常语言的使用中，通常把国家同政府混同起来，这两个术语被互换着使用。然而，即便某种政府可能一直存在着（起码存在于更大的共同体内），但现代形态的国家直到 15 世纪前后才出现。不过，国家与政府之间的准确关系高度复杂。政府是国家的一部分，从某些方面上说，还是最重要的部分；但它毕竟只是处在庞大得多也强有力得多的实体内的一个要素。现代国家力量如此之大、范围如此之广，这使得国家的性质成为政治论说和意识形态论辩的中心。这首先反映在有关国家权力的性质及其所代表的利益的意见分歧上，换句话说，出现了众多对立的国家理论。其次，就国家的正当职能或作用——国家应该做什么、又应该把什么事务留给私人，也是见仁见智，分歧重重。

政府与国家

国家通常被狭隘地定义成一个或一套独立的机构，就像我们习惯地看待"国家"那样。据说，路易十四曾宣称"朕即国家"，在此，他把国家当作赋予他作为君主的那种绝对权力。由此看来，国家代表了最广义上的政府机关。基于这些政府机关要负责组织集体性的公共生活，其经费由公共支出提供，因而可以把它们确定为"公共"的。通常，国家是区别于市民社会的。国家包括各级各类政府机构、官僚集团、军队、警察、法庭及社会保障体系等，它可以等同于作为一个整体的"人民"。正是在这个意义上，才谈得上国家的"推进"与"撤退"，也就是说，扩大或收缩国家机构的职责；在此过程中，增添或精简国家机关。然而，上述公共机构上的定义没有考虑到这样一个事实，那就是：在作为公民的身份中，个人同时也是政治共同体的一部分和国家的成员。况且，国家还有一个至关重要的领土因素，其权威就限定在一定的地理空间范围内。这就是为何最好不把国家当作一套机构而是当作一个特定的政治共同体（尤其是在限定的领土界限内确立起了最高管辖权的共同体）的原因。从这个意义上说，国家的公共机关只是国家权威的一种表达。

国家的规定性特征是主权，即它的绝对的、不受限制的权力（在第四章将予以详细讨论）。基于国家凌驾于其他所有的社团和群体之上，国家享有最高的统治权，其法律要求所有生活在其疆域内的人们遵从。托马斯·霍布斯曾展示了一幅作为最高权力的国家图景，他把国家表述为"利维坦"（一个巨型的恶魔，通常指海中怪兽）。正 *69* 是国家的主权把现代国家同早期形态的政治联盟区分开来。比方说，在中世纪期间，统治者只是同其他众多的团体（突出表现为教会、贵族阶层、封建行会）在一起行使权力。事实上，广为接受的是，以教皇为核心的宗教权威凌驾于任何世间统治者的世俗权威之上。不过，最先出现在15—16世纪的欧洲现代国家实行的是中央集权的统治体制，它有效地协调了其他所有的机构和群体——无论是宗教（神圣）的还是世俗的。虽然这样的国家在现在是遍及全世界的最普通的政治共同体形式（通常表现为民族国家），但还是有无国家的社会存在。譬如，就其缺乏集中的最高统治权——即便它们可能拥有某些社会控制机构，姑且称之为政府——而言，那些出现在半游牧民族和（有时）定居部落当中的传统社会就可以说是无国家的。进一步说，如果一个国家行使最高统治权的要求、主张遭到了另一群体或团体的有力挑战（比如在内战期间所发生的），这个国家就有可能解体。20世纪80年代深陷于民兵组织之间的武装冲突中的黎巴嫩（后来，被以色列和叙利亚军队所占领）、20世纪90年代前期的南斯拉夫，都可以被说成是无国家的社会。

除了主权，国家还可以通过其行使权威的独特方式区分开来。首先，国家权威受领土的限制，国家只能在它们自身的疆界内声张主权，从而调控人员和物资的跨边境流动。在大多数情形下，国家之间存在的是陆地边境，当然，国境线也可能延伸入大海数英里。其次，国家在其国界内的管辖权是普遍的，也就是说，生活在一国之内的每个人都要受制于国家权威。这一点通常是通过公民身份（国家成员或国籍身份，同时包含着权利与义务）表现出来的。在一国居住的非公民就不可能享有某些权利，如选举权或担任公职的权利，当然也可免除某些特定的义务，如宣誓效忠或服兵役等，但他们仍然要遵守国土上的法律。

再次，国家行使强制性管辖权。生活在一国之内的人们很少能就是否接受国家权威做出选择。就因为出生在一国国境内，大多数人要服从国家的权威。在其他情况下，这可能是一个征服的结果。独有移民和已归化（入国籍）的公民可以说是自愿接受国家权威的，因而，他们是例外。最后，国家权威要以强制力作为后盾，也就是说，国家必须有能力确保它的法律得到服从。实际上，这意味着它必须拥有惩戒违法者的威力。马克斯·韦伯在《政治作为天职》（又译《以政治为志业》）(1948) 一文中指出："国家是一个（成功地）拥有在某一特定领土范围内合法使用暴力的垄断权的人类共同体。"就此，他指的不仅是国家有能力确保公民的臣服，而且有公认的权利这么做。可见，对"合法性的暴力"的垄断是国家主权的现实表现。

然而，国家与政府之间的关系仍然是复杂的。国家是一个包容性的团体，从某种意义上说，它包含整个共同体，囊括了所有构成公共领域的那些机构。因而，可以把政府仅仅视为国家的一部分。而且，国家是一个连续的乃至永久的实体。与之相反，政府是临时性的，更迭频繁，其体制也不断翻新。但从另一个角度来说，虽然没有国家，政府也可能存在；可要是缺少政府，国家则不可设想。作为集体决策得以实行的一种机制，政府要对国家政策的制定和实施负责。实际上，政府是国家的"大脑"：它代表国家以官方、当局的面貌出现。由此，人们通常认为，政府指挥和控制着其他的国家机构、警察、军队及教育和福利系统等。通过履行各种国家职能，政府足以维持国家自身的存在。

当然，国家与政府之间的区别并不仅仅是一个学术上的区分，国家乃是法治的核心所在。只有不让现时的政府侵占国家绝对而无限的权威，政府的权力才谈得上受制约。在国家与政府各自所代表的利益彼此冲突的情况下，这显得尤为重要。国家被认为反映了社会持久的利益——维持公共秩序、社会稳定、长期繁荣和国家安全，而政府却不可避免地要受到恰好当权的政治家的党派意气、偏好和意识形态偏向的影响。只要政府利用了国家的最高统治权服务于自己的派系目标，那么就极有可能出现独裁、专制。自由-民主政体在政府的人员、机构一方与国家的人员、机构另一方之间做出明确的划分，力求克服上述可能性（的发生）。如果国家机构内的人员如公务员、法庭和军队里的人都是以一种正统的官僚方式招募和培训的，他们就有望恪守严格的政治中立性，能够抗拒现时政府的意识形态狂热。不过，现代首席行政官如美国的总统和英国的首相等拥有如此广博的庇护权力，致使国家与政府间看似明显的界限实际上变得模糊了。

国家理论

虽然国家采取了各种各样的形式，如"专制主义"国家、"工人阶级"或"社会主义"国家等，但围绕国家性质的辩论在很大程度上聚焦于现代西方社会出现的国家模式。该国家模式具有鲜明的自由-民主特征（如同在本章先前讨论过的）。尽管人们就自由-民主国家的典型特征达成了普遍的共识，但关于国家权力的性质以及国家所代表的利益，还是众说纷纭。实际上，有关国家性质的争议日益主导了现代政治理论，成为意识形态分歧的核心所在。从这种意义上说，国家是一个"本质上有争议"的概念：存在许多相互对立的国家理论，每一种理论分别就国家的起源、发展及影响给出了不同的解释和表述。

◎ 超越西方

伊斯兰国家

出于历史和神学上的原因，伊斯兰世界对国家投注了异乎寻常的关注度，伊斯兰教的确立同一种致力于自我保护和推进的统治制度的创建密切相关，这一制度采用了哈里发的形式，它创立于622年的麦地那，一直发展到630年的麦加。哈里发的辖地是一个伊斯兰国家，其领导人（"哈里发"，字面意义是先知穆罕默德的"继任者"）将至高无上的宗教和政治权威融为一体。伊斯兰国家的理论基础是：谋划一种建立在一套神定的、独立于其信奉者意志的内在规范和准则之上的完美的生活方式，神圣的与世俗的、宗教与政治密不可分。在伊斯兰教的理念中，教会与国家是不可分割的，这一立场带有鲜明的神权政治意蕴。

不过，直到20世纪，"伊斯兰国家"这一明确的概念才在伊斯兰神学中凸显出来，才出现了致力于将伊斯兰教改造成政教合一意识形态——经常被称为政治伊斯兰教或伊斯兰主义（伊斯兰文化）——的努力。激进主义的伊斯兰国家先前就已存在——最为显著的是自 18 世纪以来的沙特阿拉伯。但新型的伊斯兰国家超出了尊奉伊斯兰教教法为司法制度之基础的做法，它们把国家看作社会和政治复兴的工具。伊斯兰国家被当作"纯化"伊斯兰教的手段而被拥护，它将伊斯兰教复归到其原初的价值观和做法上，以普遍地对抗来自西方的影响。这部分地是通过抗拒世俗的、"腐败"的西方国家来实现的。这种思想为 1979 年伊斯兰革命爆发以来的伊朗重建奠定了基础，也影响到了伊斯兰国家在苏丹、阿富汗和巴基斯坦等国家的采用。不过，伊朗政治制度是一个民主要素和神权要素的混合体，前者由被选举出来的总统和议会所代表，后者由权力最大的最高领导人（自 1989 年以来是哈梅内伊）所代表。

主流的政治理论被自由主义的国家理论所主导。这一政治理论生发于社会契约论者（如霍布斯和洛克等）的著述中。社会契约论不仅被用来解释在缺失政府的情况下有秩序的文明存在何以不可能，同时也被用来阐发国家权力性质的理论。尽管由霍布斯和洛克所提出的有关国家起源的描述只是假设性的而非历史性的，但他们的目的始终在于劝服公众这样来对待国家——视之为由公众当中自愿达成的共识所建立起来的。每一位公民都受惠于摆脱无序而混乱的"自然状态"——这一事实意味着国家是为所有人的利益行事的，它代表着所谓的"公共的善"或"公共利益"（公益）。在自由主义学说中，国家在社会对立的群体和个人当中充当中立的裁决机构；它是"公断人"，是"裁判"，能够保护每一个公民免受其公民同胞的侵犯。

这一基本的理论被现代著作者们阐发成了一种多元主义的国家学说。从实质上说，多元主义就是主张政治权力散布于各种各样的社会群体而非集中于某一精英人物或统治阶级的学说。多元主义关涉到罗伯特·达尔（Robert Dahl, 1915—2014）所称谓的"多头政治"（polyarchy），即多数人统治。尽管区别于民众自我统治这一古典的民主观念，多元主义仍然认为，在现代国家内部，民主程序始终在起作用：自由选举确保了政府必须积极回应公共舆论，组织起来的利益集团为政治生活中的所有公民提供了发言权。尤其是，多元主义者认为，基于每一个人都不同程度地享有参与政府的权利，而政府也有意公允地倾听所有人的意见，因而，大体上的平等就存在于有组织的群体和同业当中。当选的政治家居于自由-民主国家的中心，由于是在一个公开的、竞争性的体制内行使权力，他们要公开地向社会负责；而未被当选的国家机构工作人员，如文职官员、司法人员、警察和军人等，则要严格、公正地履行他们的职责，要绝对服从他们的长官。

诸如加尔布雷思（J. K. Galbraith, 1908—2006）和查尔斯·林德布洛姆

(Charles Lindblom，1977）等著作家们另立一套新多元主义国家学说。在他们看来，相比于经典多元主义模式所表明的，现代工业化国家日趋复杂，同时也更加缺乏对大众压力的反应力。虽然他们并没有全盘抛弃为公共利益或"公共的善"行事的"公断人"这一国家概念，但他们坚持认为，这一国家形象需要加以修正。新多元主义者通常认为，既然在资本主义经济中工商企业享有其他群体所不可匹敌的优势，那么就不可能把所有有组织的利益集团说成享有同等权力。在《富裕社会》（[1958] 1998）中，加尔布雷思突出商业通过广告的力量引导公众品味和需求的能力，他注意到了大公司对小商号——在某些情形下，包括对政府机构——的主宰。在《政治与市场》（1977）中，林德布洛姆指出，作为社会上主要的投资者和最大的雇主，商业注定要发挥出左右政府的巨大力量——无论其意识形态倾向或声明做何承诺。

自 20 世纪 70 年代以来，新右翼的观念和理论变得越来越有影响力。就像新多元主义那样，新右翼奠基于传统自由主义，如今成了古典多元主义的主要竞争对手。新右翼——或者说，至少是它的"新"自由主义①或自由至上主义派别——的特点在于对政府干预经济和社会生活的强烈反感，这种反感源于这样的看法，即国家是一个既威胁个人自由又危及经济安全的"寄生肿瘤"，即所谓"赘生物"（parasitic growth）。于是，国家不再是一个公正的裁判，而变成了一个谋求私利的巨兽、一个干涉生活方方面面的"保姆"式"利维坦"。另外，新右翼思想家们突出强调了导致国家干预膨胀的种种势力，在他们看来，这些势力都必须予以抵制。譬如，有的批评聚焦于党派竞争过程或萨缪尔·布里滕（Samuel Britten，1977）所谓的"民主的经济后果"。从这个角度看，民主程序助长了政治家们相互"竞价"，向选民做出竞选成功后的种种许诺，同时也鼓动了选民目光短浅，只出于短期的私利而非长期的福利方面的考虑去投票表决。同样，政府同主要的经济利益集团、工商企业，尤其是工会的密切关系也给政府增添了资助、补助、救济、公共投资、高工资、福利待遇等方面的巨大压力，从而带来了"政府超载"（government overload）的问题。公共选择理论家们如威廉·尼斯卡宁（William Niskanen）等也指出，"大"政府从国家机器自身内被催生出来，它源自国家内部公务员和其他公职人员自身的职业利益，因为他们意识到，国家扩张会给他们带来安稳的工作、丰厚的报酬和良好的晋升预期。

多元主义遭到了精英论思想家们更为彻底的拒斥，他们认为，在自由民主政治的幌子背后隐藏的就是"统治精英的永久性权力"。古典精英理论家如加埃塔诺·莫斯

①　"新"自由主义（neo-liberal）不同于或者说迥异于新自由主义（new liberal），前者是在现代以古典自由主义为圭臬的自由主义，而后者才是纯粹现代意义上的自由主义。——译者注

卡（Gaetano Mosca，1857—1941）、维尔弗雷多·帕累托（Vilfredo Pareto，1848—1923）和罗伯特·米歇尔斯（Robert Michels，1876—1936）等人致力于表明，政治权力永远掌握在少数精英的手中，而平等主义观念，如社会主义和民主主义等，只是一个神话而已。与之相对的是，现代精英主义者提出了有关特定社会中权力分配的绝对经验性的理论，但他们得出的结论仍然是：政治权力集中在少数人手中。其中的一个例子是约瑟夫·熊彼特（Joseph Schumpeter，1883—1950）。他在著作《资本主义、社会主义与民主》（[1944] 1994）中提出了一套民主精英论。熊彼特把民主表述成"做出政治决定的制度安排，在此种制度安排下，个人借自由争取民众的选票（竞选）而获得决策的权力"。选民能够决定由哪一位精英来统治，但并不能改变权力总是由某一位精英来行使的事实。激进的精英理论家走得更远，他们全盘否定了选举的意义。在《管理的革命》（*The Managerial Revolution*，1941）中，詹姆斯·伯纳姆（James Burnham）指出，凭借其科技知识和行政能力，一个"管理阶级"已经主导了所有的工业社会——无论是资本主义的还是共产主义的。赖特·米尔斯（C. Wright Mills，1916—1962）或许是最有影响力的现代精英理论家，他在《权力精英》（1956）一书中断言，美国政治被大型的军工企业，即通常所称的"军工联合体"所主宰，他们支配着政府的政策，而自身在很大程度上又免于选举的压力。

74　　马克思主义所提供的国家权力分析从根本上否定了自由主义中中立公断人或裁判的国家概念。马克思主义者断言，不可能脱离社会的经济结构来理解国家。国家是从社会等级制度中诞生的，其职能在于维护和捍卫阶级统治和剥削。马克思和恩格斯所说的那句常被人引用的声明就表达了这一经典马克思主义的国家观，该声明出自《共产党宣言》（[1848] 1976）："现代的国家政权不过是管理整个资产阶级的共同事务的委员会罢了。"对上述观点，列宁在《国家与革命》（[1918] 1973）中做出了更为尖锐的表述，他把国家纯粹地说成"剥削被压迫阶级的工具"。相比于经典马克思主义者突出国家的强制作用，现代马克思主义者则不得不对"资产阶级"国家表面上的合法性给予解释；尤其是考虑到普选的实现和福利国家的发展，他们更得对之予以说明。这促使某些人认为，国家可以赢得脱离统治阶级的"相对自主权"，因而偶尔也能够迎合其他阶级的利益。尼科斯·普兰查斯（Nicos Poulantzas，1973）把国家描述成"一个统一的社会组织"，它可以通过诸如政治权利和福利待遇的普及等方式来缓解阶级间的紧张关系。不过，即便这种新马克思主义理论在把国家看作公断人这一点上应和了自由主义，它同时也指出，现代国家是为资本主义的长远利益而运转的，它确保的是不平等的阶级权力制度永续下去。可见，它所强调的仍然是现代国家的阶级性。

马克思主义

作为一种理论体系的马克思主义是由卡尔·马克思开创的，从他的著作中汲取了思想灵感。不过，作为一套体系化了的思想，"马克思主义"直到马克思逝世后才出现。马克思主义是后来的马克思主义者把马克思的观点、学说聚合成一个系统、完备的世界观的产物，这一世界观适应了不断高涨的社会主义运动的需要。当然，我们可以看到众多的马克思主义传统，包括"经典"马克思主义（马克思的马克思主义）、"正统"马克思主义或"辩证唯物主义"（作为 20 世纪共产主义理论基础的马克思主义形态）与"西方"、"现代"或"新"马克思主义（往往把马克思主义视为人道主义哲学，而质疑它的唯科学主义和决定论的主张）。新马克思主义融合了黑格尔哲学和弗洛伊德心理学，奠定了批判理论的基础。

马克思主义哲学的基石是"唯物主义的历史观"。它突出了经济生活及人们生产与再生产生活资料的条件的重要性，简而言之，这种强调就体现在以下的看法上，即本质上包含"生产方式"的经济"基础"或经济制度制约或决定了意识形态和政治"上层建筑"。由此，马克思主义学说从物质和阶级因素的角度来解释社会、历史和文化的发展。马克思主义传统的基础是历史目的论，它提出：历史是由一种辩证过程推动的，在其中，每一种生产方式的内在矛盾反映在阶级对抗中。那么，资本主义是技术上最发达的阶级社会，它自身注定要在无产阶级革命中被推翻，而无产阶级革命会在创建过渡性的"无产阶级专政"和建立无阶级的共产主义社会之后达到高潮。

代表人物

弗里德里希·恩格斯（1820—1895） 德国实业家、马克思终生的朋友和协作者。为推动 19 世纪晚期不断高涨的社会主义运动，恩格斯阐发了马克思的观点和学说。他强调了辩证法的作用，把它看作一股同时作用于社会生活与自然界的力量，从而促发了辩证唯物主义的出现，并使之成为马克思主义的一大标志；另外，他用特有的一套历史法则来表述马克思主义。恩格斯还把唯物主义分析施用于家庭，断言一夫一妻制婚姻包含了妇女对男人的屈从，并把它归因于私有财产制度。恩格斯主要的著作包括：《反杜林论》（1878）、《家庭、私有制和国家的起源》（1884）和《自然辩证法》（1925）。

弗拉基米尔·伊里奇·列宁（1870—1924） 俄国革命家和（1917 到 1924 年期间的）苏联领袖。列宁是 20 世纪最有影响力的马克思主义理论家，他首要关注的是组织与革命的问题，为此，他极力强调严密组织起来的"先锋"队政党领导无产阶级革命的重要性。列宁分析了作为一种经济现象的殖民主义，并突出了把世界战争转化成阶级革命的可能性。他还坚定不移地投身于通往社会主义的"暴力革命之路"，拒绝沾染"议会幼稚病"的选举民主。列宁最有名的著作有：《怎么办?》（1902）、《帝国主义是资本主义的最高阶段》（1916）和《国家与革命》（1917）。

列夫·托洛茨基（Leon Trotsky, 1879—1940）　俄国革命家和政治思想家。托洛茨基是列宁的政党理论的早期批判者，但他还是在 1917 年加入了布尔什维克。托洛茨基对马克思主义的理论贡献集中在不断革命论上，该理论指出：在俄国，社会主义无须经过资产阶级的发展阶段就可以确立起来。通常，人们在思想上把托洛茨基主义同毫不动摇地坚持国际主义和无情地谴责斯大林主义（后者被说成是一种官僚主义的堕落）联系在一起。托洛茨基的主要作品有：《回顾与展望》（1906）与《被背叛了的革命》（1936）。

安东尼奥·葛兰西（Antonio Gramsci, 1891—1937）　意大利马克思主义者和社会理论家。葛兰西试图重新梳理正统马克思主义对经济和物质因素的倚重，他借助"霸权"（资产阶级观念和信仰的领导、支配权）理论，强调政治斗争和思想意识斗争的重要性，从而拒绝了任何形式的"科学决定论"。葛兰西突出了（资产阶级）意识形态渗透在社会各个层面上的深刻程度，并呼吁确立起与之对抗的"无产阶级霸权"（它是以社会主义原则、价值观和学说为基础）。葛兰西最重要的著作是《狱中札记》（[1929—1935] 1971）。

毛泽东①（1893—1976）　中国的马克思主义理论家和中华人民共和国（自 1949年到 1976 年期间的）领袖。毛泽东继承和发展了马克思列宁主义，使之适应中国社会的需要。毛泽东的主要著述有《论人民民主专政》（1949）和《关于正确处理人民内部矛盾的问题》（1957）等。

当然，对国家权力最极端的贬斥出自无政府主义者的著述。无政府主义者认为，国家及（实际上）一切形式的政治权力既是邪恶的，也是不必要的。他们把国家视为一种最集中的压迫形式：它所反映的不过是当权者（通常不太严格地被说成是"统治阶级"）为谋求自身好处而控制他人的意愿。借用 19 世纪俄国无政府主义者迈克尔·巴枯宁的话来说，国家是"对人性最粗暴、最悲观、最冷酷也最彻底的否定"。即便是现代无政府资本主义论者如默里·罗斯巴德（Murray Rothbard, 1926—1995）也简单地把国家视为一个"犯罪团伙"或"勒索保护费的行当"而予以摈弃，国家没有正当的理由要求对个人行使权力。当然，现代无政府主义者也不再像古典无政府主义思想家那样，他们不太愿意只是把国家当作有组织的暴力工具而加以否弃。譬如，在《自由的生态学》（1982）中，默里·布克金（Murray Bookchin, 1921—2006）把国

---

①　毛泽东是中国伟大的马克思主义者，中国无产阶级革命家、战略家、理论家、军事家，马克思主义中国化的伟大开拓者，中国共产党第一代中央领导集体的核心，毛泽东思想的主要创立者。——译者注

家表述为"一种旨在整饬现实的思想灌输",他所强调的是,除了作为一套强制性的官僚机构,国家还是一种精神状态。

国家的作用

除非是无政府主义者,所有的政治思想家都在某种意义上把国家当作一个值得拥有的或必需的联合体。即便是主张革命的社会主义者也认为,需要有一个无产阶级的国家以无产阶级专政的形式来领导从资本主义向共产主义的过渡。不过,针对国家在社会中应该扮演何种角色这一问题,思想家之间产生了严重的分歧。可以把这些分歧表述为如何寻求国家与社会之间的平衡。

站在这场争论一端的是古典自由主义者以及更为极端的自由至上主义者,他们主张,个人应当享有最大限度的自由,进而坚持认为,应该把国家限定在最低限度的作用范围内。其最低的作用就是,提供一个和平的社会环境和秩序,让无官职的公民(平民)过他们认为最理想的生活。因而,正如洛克所言,国家扮演的无非是一个"守夜人"的角色,只有在社会秩序遭到威胁的时候,才要求发挥其作用。当然,还有三条重要的职能留给国家来承担。其一,"最小的"("尽可能少的")或"守夜人"式的国家的核心职能是维持内部秩序,实际上,就是保护个体公民免受相互间的侵犯。为此,所有的国家都拥有一整套维护法律、法令的机构。其二,有必要确保公民个人间自愿达成的协议或契约得到尊重,这就要求它们能够靠司法制度得以强制执行。其三,需要提供免遭一切可能的外来攻击的保护,这必然要求拥有某种武装部队。此类仅拥有警察、法庭和军队等组织机构的"最小"国家普遍存在于 19 世纪,但进入 20 世纪,这样的国家越来越少了。不过,进入 20 世纪 80 年代,特别是在全球化所产生的压力作用下,在全球范围内又出现了一股"最小化"或"收缩"国家权力的趋势。"最小"国家是自由主义新右翼所持的理念,它主张,经济和社会事务都完全应该交到个人或私人工商业者手中。在他们看来,一种免遭国家干预的经济形态才是有竞争力、有生产力的,是高效的,而免遭政府不散的阴魂控制的个人才可能凭其工作的能力和意愿去造化。

然而,在 20 世纪大部分时期内,总的趋势是国家的作用日渐扩大。这一趋势得到了一个广泛的意识形态联盟的支持,这个联盟包括社会民主主义者、现代自由主义者和家长式保守主义者等。政府行动主义的主要表现始终在于,提供旨在减少贫困和社会不平等的福利保障。不过,社会福利所采取的形式多种多样。在某些情况下,社会保障体系无非是作为一张旨在缓解重大苦难的"安全网"而运作的。在美国、澳大利亚以及后起的英国,福利供给通常同时强调公民自立,把受益对象锁定在那些确有所求的人身上。在许多西欧国家，不仅建立起了发达的福利国家制度，而且在某种程度上，这一制度得到了很好的贯彻。靠累进税制提供财政支持，就有了完备的公用事业和国家补助、救济体系，而通过这种完备的福利体系，这些福利国家致力于大规模、整体性的社会财富再分配。福利概念及相关的争议将在第十章做更为深入的考察。

除了社会福利，国家干预所采取的第二种主要形式是经济管理。经济管理建立在这样的观念之上，即市场是创造财富的唯一可信赖的手段；但若要市场正常发挥作用，就需要有监管或外在控制。总之，市场是良好的仆人，却是糟糕的主人。这就意味着：国家的经济职责最好不限于确保市场力量的有效运作。比方说，自 1945 年以来，旨在降低失业率和刺激经济增长的凯恩斯主义经济政策就被社会民主主义者和现代自由主义者所采纳。在这些政策的影响下，公共财政支出扩大，国家变成了最具影响力的经济行为体。第二次世界大战后，被广为采用的国有化带来了"混合经济"的发展。在"混合经济"中，国家直接控制了主要的战略性产业即所谓的"经济的制高点"，并对其他的经济领域施加了间接的影响。当然，自 20 世纪 80 年代以来，对凯恩斯主义和国有化追捧的热度已经开始消退，这部分地反映了日益加剧的全球竞争所产生的压力。

还有一种更为全面的国家干预形式，不过，它是在诸如苏联这样的国家中发展起来的。这些国家力图整个地取消私有企业，确立起中央计划的经济体制，通过一张由各大经济部委和计划委员会所组成的网络进行监管。于是，经济活动完全从社会转移到了国家，从而创建出集体化的国家。对这种集体化经济生活的辩护出自马克思主义的一大信念，即资本主义是阶级剥削的制度，它指出，中央计划不仅在道义上更为优越，在经济上也更有效率。

最为极端的国家干预形式出现在极权主义（totalitarianism）国家。极权主义的实质是构建起一个无所不包的国家，其影响要渗透到人类生存的方方面面，如经济、教育、文化、宗教、家庭生活等。极权主义国家以遍布的意识形态操纵体系和全面的监视及恐怖监管过程为特征。显然，借以表达反对意见的所有机构——如竞选、政党、压力集团和自由媒体——都不得不弱化乃至被取缔。此类政权的最好例子莫过于纳粹德国。实际上，极权主义取消"私人"所有的一切——这是一个唯有那些指望消解个人在社会整体内身份的法西斯分子才愿公开赞同的目标。从某种意义上讲，极权主义企图把人类生存的方方面面都予以公开化，它要在全社会确立起全面、彻底的国家控制。不过，从另一重意义上说，基于其目标是建立一个把其中的个体性、多样性和矛盾冲突统统消灭掉的一元化社会，因而，也可以把极权主义看作一种政治的终结。

讨论题

1. 从某个层面上说，是否所有的社会行为都是"政治的"？
2. 政治应受"肮脏"这一坏名声吗？
3. 在何种意义上，亚里士多德称政治是"最重要的科学"？
4. "公共"与"私人"生活的界限该在何处划分？
5. 政治实质上总是关乎权力吗？
6. 基于何种理由，无政府主义者认为政府是多余的？
7. 社会契约论为服从政府提出了一种有说服力的论证吗？
8. "治理"如何区别于"统治"？
9. 在政府与国家之间有可能做出一种有意义的区分吗？
10. 在何种程度上，国家相对于社会中各种竞争性的群体是中立的？
11. 新马克思主义对国家的"相对自主权"的看法蕴含着何种含义？
12. 国家的"恰当"角色应当是什么？

延伸阅读

Fukuyama，F. *The Origins of Political Order：From Pre-human Times to the French Revolution*（2012）. 该书就现代政治制度如何演变做了全面的论述，所论横跨历史学、进化生物学、考古学和经济学等学科。

Hay，C. Lister，M. and Marsh D.（eds.）*The State：Theories and Issues*（2006）. 这是一部全面介绍关于国家的理论分析视角、突出其核心议题和争议而可读性极强的著作。

Leftwich，A.（ed.）*What is Politics？The Activity and its Study*（2004）. 这是一部考察不同的政治概念及其迥异的学科视角而颇具实用价值的论文集。

Pierre，J. and Peter B. Guy *Governance，Politics and the State*（2000）. 该书对治理现象及其在国家性质和作用上的含义做出了系统的分析。

第四章
主权、民族与跨国家主义

内容简介

81　　　国家出现于15—16世纪的欧洲,它是作为一套成功地统制了所有其他群体和社团(无论是世俗的还是精神的)的中央集权统治系统而兴起的。认为国家在其疆域内行使绝对的、不受限制的权力的主张是用一种新的主权——特别是领土主权——话语来表达的。由此,政治拥有一种独特的空间特性。总之,国界和疆界是很重要的。这尤其适用于"国内"政治与国际政治之间的区分,前者关乎国家在其疆域内维持秩序和进行管理的功能,而后者则关乎国家之间和(或)国家当中的关系。国内/国际之间的划界有效地区分了政治统治的限度。

　　然而,不太确定的是,什么样的组织机构才是最合适、最恰当的政治统治单位?换句话说,国家权力的运作应该施加到多大的人群之上、多广的领土疆界之内?过去两百年以来,对这一问题的主导性答案一直是"民族"。人们几乎理所当然地认为,民族是唯一合法的政治共同体,因而,民族国家是最高形态的政治组织。不过,由于最近的发展趋势,由诸多主权民族国家所集合而成的世界模式正处于各种压力之下,这尤其同全球化相关。特别是,跨国界或者说跨国商品、货币、人员、信息和观念流动显著增加。这种所谓的跨国家主义对许多关于政治的传统假设提出了质疑。譬如,如果国家边界变得越来越"有穿透力",国内与国际之间的界限有可能遭到致命的削弱，以至于主权概念被抛弃。与之相应的是，民族国家存在的日子变得屈指可数，国家主义应该正处在屈从于世界主义的进程中。

主权

主权概念诞生于 16 世纪，是欧洲现代国家出现的产物。在中世纪，君主、国王和皇帝都承认有高于自己的权威，这种权威表现为神——"万王之王"或者教皇。权威是分裂的，尤其分裂为精神来源与世俗来源两类。然而，随着 15—16 世纪封建主义的式微，超国家机构如天主教会和神圣罗马帝国的权威逐渐被中央集权的君主国的权威所取代。在英国，这在都铎王朝期间实现了。在法国的波旁王朝期间、在西班牙的哈布斯堡王朝期间也都完成了上述转变。由此，世俗统治者第一次可以宣称行使至高无上的权力了。不过这一次，他们是以主权这套新的语言做出上述宣称的。

主权意味着绝对而无限的权力。但是，这条看似简单的原则却隐藏着众多的混乱、误解和分歧。首先，还不清楚的是，这种绝对的权力到底包含哪些要素。主权既可以指至高无上的法律权威，也可以指不可挑战的政治权力。这一争论关系到两种主权之间的区分，这两种主权即为 19 世纪宪法学家艾博·文·戴西（Dicey，［1885］1939）所称谓的"法律主权"与"政治主权"。另外，主权概念还以两种完全不同的方式被使用。在对内主权形式下，它指的是一国之内的权力分配，它带来的是凌驾一切的权力存在的必要性及其在某一政治体系内的定位问题；在对外主权形式下，它关涉国家在国际秩序中的作用及国家能否作为独立自主的行为体发挥作用。

法律主权与政治主权

法律主权与政治主权之间的区分一般可追溯到主权学说倡导者让·博丹（Jean Bodin，1530—1596）与托马斯·霍布斯，他们在其著述中对这两种主权各有侧重。在《国家论六卷》（［1576］1962）中，博丹主张有一个可以订立法律而自身又不受法律约束的最高统治者（君主）。由此看来，法律几乎等同于君主的指令，臣民所要求的无非就是绝对的服从。不过，博丹并不主张专制统治，也从未为之辩护过；而是宣称，至尊的君主要受制于更高一级的法律（体现为上帝的意志即神法或自然法）。由此，世俗统治者的至高无上的权力（主权）得到了神圣权威的护持。而霍布斯则从权力而非权威的角度来表述主权。他诉诸源自奥古斯丁的传统，从存乎人类的道义之恶的角度解释了要君主的必要性。在《利维坦》（［1651］1968）中，霍布斯把主权界定为强制力的垄断，他主张，主权应该授予到单个统治者的手中。虽然霍布斯所偏好的统治形式是君主制，但他同时也愿意接受，最高统治者是一个寡头政治家群体，也可以是一个民主的集合体——只要最高统治权（主权）是不可挑战、不容置疑的。

83

希波的奥古斯丁（Augustine of Hippo，354—430）

神学家和政治哲学家。奥古斯丁出生于北非，后来移居罗马，在那里，他成了一名修辞学教授。386 年，他皈依基督教，而后返回北非担任希波的大主教。在 410 年罗马遭哥特族人洗劫的社会大背景下，奥古斯丁致力于著书立说。

奥古斯丁利用新柏拉图主义哲学、基督教教义和圣经历史，为基督教做辩护。他主要的著作《上帝之城》（413—425）反思了教会与国家之间的关系，同时考察了两类象征性城市即世间（世俗）之城与上天（天国）之城——耶路撒冷与巴比伦的特性。上天之城是以神的恩典和对上帝之爱为基础，它把统治者与臣民一同维系在"公共的善"（社会公益）之上。上天之城的市民会获得救赎，死后可升入天堂。与之相对的是，世间之城是受对自己的爱来引导的，同时以绝对权力或主权为特征。世间之城的市民是为上帝所摈弃的人，注定要遭受永恒的诅咒，被罚下地狱。奥古斯丁认为，堕落的人性是被原罪所玷污的；要是没有罪恶，就无需政府了。政府可以通过威慑或使用惩罚手段来修正不端行为，但它并不能铲除原罪。虽然奥古斯丁坚持认为，教会应该服从国家的法令，但他强调的是基督教教义相对于政治社会的道德优越性，同时，他认为教会应该把这些教义渗透到社会生活中去……凡此种种，都可以被理解为对神权政治的一种辩护。

由此看来，上述区分体现的是权威与权力之间的区分。法律主权是以最终的、终极的权威存在于国家的法律内这一信念为基础的。这就是所谓的"规范（*de jure*）主权"，它是从法律权威的角度来界定的至高无上的权力。换句话说，它以拥有要求某人服从（由法律来规定）的权利为基础。与之相对的是，政治主权绝不是以主张法律权威为基础的，而纯粹关注于实际的权力分配。这就是所谓的"事实（*de facto*）主权"。由此，政治主权指的是一个至高无上的政治权力的存在，它因垄断了强制力而拥有要求他人服从的能力。不过，尽管这两个概念在理论上可以通过分析而予以区分，但它们在实践中密切相关。有理由认为，单靠自身，任何一方都构不成一种可行的主权形式。

从某种意义上说，主权总是包含着运用法律权威的主张和按理（而非靠暴力）行使权力的主张。因而，所有根本性的主权主张都带有至关重要的法律维度。譬如，现代国家的主权就体现在法律的至尊地位上：家庭、俱乐部、工会、工商企业等都可以确立起各自的一套博取权威的规则——但是，这只在法律所规定的界限内才有效。当然，法律自身也确保不了完全的服从。迄今，人类还没有创建出一个法律普遍遵从、犯罪闻所未闻的社会。从一个简单的事实就可以看出这一点来：任何地方的法律体系都是以警察、法庭和监狱系统等惩罚机器为后盾的。换句话说，法律权威要靠行使（政治）权力来保障。如果缺乏实施指令的能力，对法律主权的主张就只有道义上的含义了。

非常类似的缺失也适用于政治性的主权概念。虽然所有的国家都力求垄断强制力，避免——至少是限制——公民私自拥有强制力，但很少有国家是单靠使用暴力来统治的。立宪、民主政府的出现部分地归功于努力劝服公民，使之认可国家有正当权利进行统治和动用（法律）权威（而非仅仅是权力）。对此，最为鲜明的例外或许是那些存在残酷压迫的国家，如纳粹德国等。这些国家大多确立了一种排他性的政治主权形式，因为它们在很大程度上是借助驱迫、操纵和强制等能力来统治的。不过，在上述情形下，令人怀疑的是，从至高无上（至尊）和无可挑战的意义上说，这些国家是否算作真正的主权国家呢？比方说，这其中就没有一个长久成功的国家，它们对恐怖手法的公然使用招致的是无休无止的对立和反抗。况且，诸如希特勒等极权主义领导者在构筑庞大的意识形态机器的过程中，显然也意识到了赋予他们的政权法律权威——哪怕是一块招牌——的必要性。

对内主权

对内主权是指国家的内政和一国之内至高无上的权力。因而，一种对内主权就是一个具有终极、最后而独立权威的政治实体，其决策把社会中所有的公民、群体和组织机构凝聚到一起。所有的政治理论大多试图准确地判定此种权威该落于何处。如前所述，早期的思想家往往都认为，主权应该被授予单个人即君主。专制君主就把自己说成"主权者"，他能够像 17 世纪法国路易十四国王那样宣称自己就是国家。把主权授予个人，最大的优点在于，主权会不可分割，因而，它会以主张最高权威的单个声音表达出来。相对于这种专制主义的主权观，最极端的偏离来自 18 世纪的让-雅克·卢梭。卢梭摈弃了君主制，而选择了人民主权（popular sovereignty）观，他认为：终极的权威是人民授予自己的，这一点从卢梭的"公意"（general will）观念中表达出来了。人民主权学说通常被看作现代民主理论的基础。不过，主权也可能落于某个立法机构的手中。譬如，英国法理学家约翰·奥斯汀（John Austin，1790—1859）就声言，英国的主权既未授予国王，也未授予人民，而是授予了"议会之王"。这就是

85

议会主权学说的由来，它通常被当成了英国政体的基本原则。

　　然而，上面提到的思想家有一个共同之处，那就是：他们都认为，主权能够也应该派定给某一最终的实体；政治统治要求有一个终极的权威。他们之间的分歧只在于：这个终极的权威实体应该是何人，或何物？这就是人所共知的"传统"主权学说。不过，在一个多元主义的民主政府时代，这种传统学说遭到了越来越多的批评。它的反对者要么断定，它与专制主义的过去还内在地关联着，因而其有害性是确定无疑的；要么认为，它不再适用于依据制衡机制而运作的现代政府体制。比方说，有人就指出，基于自由民主原则主张权力在众多组织机构当中分配，任何一方都无权声称是至高无上的，因而它们恰恰是主权的对立物。即便是人民主权说也不免同自由民主原则相对立。虽然卢梭从未动摇过主权归属于人民（"主权在民"）的信念，但他也承认，"公意"是一个不可分割的整体，它只能由单个人（他称之为"立法者"）表达出来。这促发某些政治评论家如雅各布·塔尔蒙（J. L. Talmon，[1952] 1970）把卢梭说成是 20 世纪极权主义的思想鼻祖。英国的议会主权原则也遭到了类似的批评。赢得了众议院多数席位的政府同时也享有无限的宪法权威，这就产生了被称为"选举专政"或"现代独裁"的现象。

　　在现代政府中定位对内主权，其实是一项极为困难的工作。这在像美国、加拿大、澳大利亚和印度这样的联邦制国家中表现得最为明显。在这些国家，政府被分成两级，每一级政府都行使一系列的自主权。人们常说，联邦制含有两级政府之间、中心与边缘之间主权共享之义。然而，联邦制在开创分享的或分割的主权观念的过程中，实际上发展了主权概念，使之突破了关于单一的、不可分割的最高统治权的经典信条。进一步说，联邦制还表明，任何一级政府都不能说成是至高无上的，因为主权要由授权给各级政府的文件即宪法来裁定。就主权的复杂性而言，美国政府是一个绝佳的例子。

　　当然，人们会断言，在美国，法律主权存乎宪法，因为它把义务、权力和职能分派给国会、总统和联邦最高法院，从而界定了联邦政府的权力，进而确立了联邦体制的性质。不过，还有人会认为，联邦最高法院拥有解释宪法的权力，因而主权属于最高法院。宪法所表示的实际上就是最高法院九个大法官中的多数认定宪法所表示的。然而，既然最高法院的宪法解释可以被原初文件的修正案所推翻和废止，那么准确地说来，就不能把最高法院表述成最高的宪法仲裁者。从这个意义上说，可以把主权说成属于被授权修改宪法的机构，即国会两议院中同时 2/3 的多数和美国州立法机关（州议会）中 3/4 的多数，或者说，属于为某一特定目的而召开的代表大会。再进一步，可以认为，美国的主权最终授予了美国人民自己。这一点在美国 1787 年宪法中就表达出来了。该宪法开篇就说，"我们合众国人民……"；在第十修正案中规定，联邦政府只拥有宪法中列举的有限权力，而其余未列明的权力都属于"各州或者人民"。就主权的复杂性而言，多中心的主权概念早已扎根于美国，而显然不同于欧洲国家。

与之相对的是，人们一直认为，在英国，单一的、不可挑战的法律权威存在于威斯敏斯特议会上。用约翰·斯图亚特·穆勒的话来说，就是："除了做不了变男性为女性的事，议会无所不能。"英国议会似乎拥有无限的法定权力，它可以任意地制定、修改和废止任何一项法律。英国议会之所以拥有这种至上的权力，是因为英国不同于其他绝大多数国家，它不拥有规定政府机构（包括议会）权力的"成文"（或者说，被编纂）宪法。而且，既然英国拥有的是统一而非联邦式的政府体制，那么就不存在对抗性的立法机关来挑战议会的权威。所有的立法行为都发自同一个主体，即议会。议会所制定的法律（也就是成文法）也是本土范围内最高的法律，因而支配了其他各种法律，包括普通法、习惯法和判例法等。最后，没有一个议会能够约束后继的议会，因为如果这么做，就势必限制后来的议会所能提出的法律，剥夺其至上的权力。

然而，可以断定，英国议会实际上既不享有法律主权，也不享有政治主权。它的法律主权受到了作为欧盟成员国身份的制约。作为欧盟成员国，英国有义务服从欧洲 *87* 的法律，进而要接受位于卢森堡的欧洲法庭的司法审判。这种状况在 1991 年的法克特塔梅（Factortame）案中得到了强化，当时，欧洲法庭首次宣布英国 1988 年的《商船运输法案》的立法行为是非法的，因为它违反了保障货物和人员在欧共体（当时是这么称谓的）内部自由流通的欧洲法律。如果议会还能够在法律上被称为至高无上的，那么除非有事实表明，它保留有从欧盟撤回去的法定权利，或者基于这样的观念——通过协力工作，欧盟成员国"共用"它们的主权。从政治的角度看，议会也不可能享有过主权，它不能随意行动。实际上，众多的人事、组织机构制约着议会的行为，包括选民、权力下放的机构、有组织的利益集团，尤其是那些拥有财力或经济实力的人物、大的贸易伙伴、跨国组织及国际条约等。

对外主权

对外主权是指国家在国际秩序中所处的位置及其相对于其他国家的至上的独立性。这一原则首次在《威斯特伐利亚和约》（1648）中提出来，该和约是导致 30 年战争（1618—1648）得以终结的一系列条约。从这个角度看，在人民与领土之上，国家可以被认为是至尊的——尽管在内部的政府组织机构中，并没有出现一个所谓的至尊者。由此，即便对内主权尚处在争议中或者说尚不明晰，但对外主权仍是受尊重的。况且，在一个民主的时代，有关对内主权的问题似乎越来越过时了，而对外主权这一论题则变得至关重要。事实上，现代政治中一些最深层的国际分歧就包含有争议的对外主权要求。譬如，阿以冲突就表现为主权问题。在仍是以色列所主张的领土上，巴勒斯坦人一直寻求要建立一个自己的家园，并最终创立一个主权国家；反过来，以色列则在传统上就认为上述要求是对自身主权的一种挑衅。多民族国家之间的分裂进一步强化了对外主权的持久重要性，比如在苏联和南斯拉夫社会主义联邦共和国（南联邦）所发生的情形。截至 1991 年 12 月，苏联 15 个加盟共和国都宣称自己是一个主权国家，坚决维护自身的独立，由此，苏联实际上不复存在了。同样，在 1991—1992 年，以克罗地亚、斯洛文尼亚和波斯尼亚为首的南斯拉夫各成员共和国都声明自己的主权要求，从南联邦中脱离出来。然而，这类行动遭到了最强大的共和国塞尔维亚的强烈反对，它把自己扮演成南联邦主权的坚决捍卫者，至少最初是如此。

88   从历史上看，主权观念同争取人民政府的斗争密切相关。这两个观念——主权与人民政府——相融合，创立了现代"国家主权"观念。由此，对外主权逐渐代表了国家独立与自治原则。一个国家只有是主权国家，它的人民才能够按照自己独特的需求和利益决定自己的命运。要一个国家出让其主权，这无异于要它的人民放弃自由。对外主权或国家主权为何得到如此强烈的认同？在受到威胁时，它又为何得到如此坚定的捍卫？这就是其中的原因所在。政治民族主义的潜在吸引力就是这方面的一大明证。

    虽然对外主权原则得到了广泛的认同——事实上，它被当作国际法中的一条最基本的原则受到尊崇，但它并非就无懈可击。比方说，有人就指出，赋予每一个国家在其领土之上独享的管辖权，使之为所欲为地处置自己的公民，其后果是灾难性的。而遗憾的是，就有大量的事例表明，国家确实有能力虐待、恐吓乃至灭绝自己的公民。由此，人们又普遍认为，国家应该遵循一套更高层次的道德准则，这套准则通常出现在人权学说中。1999 年塞尔维亚从科索沃撤军、2001 年阿富汗塔利班政权被推翻，都出现过"人道主义干预"现象。人们不时会认为，这种现象反映了这样一个事实：对人权的信奉超越了对国家主权的关注。更有甚者，有时还表明，有关主权的经典论证已超出了国家主权范畴。像博丹和霍布斯这样的思想家，他们只是强调了主权是克服混乱、无序和无政府状态的唯一选择。然而，这恰恰是严格执行国家主权原则所引发的国际政治效应。要是缺乏某种至上的国际权威，对立国家之间的争执势必会导致武装冲突和战争，这就好比国内缺乏最高统治权，个人之间的冲突就会导致暴力和不公正现象。由此，经典的主权学说就转换成了对世界国家的论证（辩护）。

    最后要指出的是，如果从政治的角度来理解主权，那么很难看出到底有多少个国家（或许说任何一个国家）可以说成对外是拥有主权的。显然，强制力并不是均衡地配置给世界上的每一个国家的。在 1945 年之后的大部分时间里，世界就是由两个强大无比的"超级大国"——美国与苏联——所主宰，它们不仅拥有世界上数量最多的

核武器，而且各自都发展成为支撑其权力扩张的联盟网络。由此，可以断言，从垄断
了真正独立的经济、军事实力的意义上讲，唯有这两个国家可称得上是有主权的国
家。不过，从另一方面说，其中一个超级大国的存在只是为了挑战另一个超级大国的
至上地位，这必然迫使双方都拼命地扩军备战，大搞军备竞赛。不要以为，苏联的解
体开创了一个由"一超"——美国——所主宰的世界，因而最终造就出了一种新的政
治主权现实。2001 年 9 月 11 日，纽约和华盛顿遭遇恐怖主义袭击，就足以说明这
一点。

民族

　　两百多年来，民族一直被认为是最合适、实际上也是唯一合法的政治统治单位。
这一看法体现在强烈的民族主义诉求中。无疑，民族主义是过去两百年来世界上最有
影响力的政治信条。实质上讲，民族主义是一种确认每个民族都享有自决权的学说，
同时，它认为，只要有可能，民族的界限就应该同国家的界限重合。因而，"民族"
观念一直被作为国家的边界奠定一种非独裁基础的方式来使用。这意味着，政治组织
的最高形态就是民族国家；实际上，每一个民族都是一个至高无上的实体。

　　民族主义重构了世界版图，并且这种重构不会停止：从 19 世纪欧洲民族的建构，
经 1945 年之后的民族解放斗争，到 20 世纪末苏联解体所带来的一群新民族的创建。
不过，在此过程中，民族和民族主义一直持续地成为重大理论争鸣和意识形态论争的
焦点。这主要根源于对民族应当如何理解的分歧。民族的判决性特征到底是什么？民
族是文化实体还是政治实体？同样地，民族和民族身份的有利条件通常被理所当然地
接受下来，而没有得到明确的阐发。民族如何能得到辩护？最后，相关的争论尤其是
围绕着民族主义对世界政治的影响来展开的。民族主义会带来国际和平与稳定吗？或
者，它是促成扩张主义和战争的因素吗？

何谓民族？

　　极为常见的是，"民族"（nation）这一术语同"国家"（country）或"国家"
（state）相互混淆。这种混淆最明显地表现在"国籍"（nationality）一词上，"国籍"
被用来表示某一国家成员的身份，更准确地被称为"公民身份"。这种混淆还表现在
"联合国"（the United Nations）这一称谓上，"联合国"显然是一个国家间组织，而
非字面所指的民族间或人民间组织。从最基本的层面上说，一个民族就是一个文化实

90 体，一个由共同的文化遗产维系在一起的人的集合体。因而，它不是政治性群体，也并不必然地同某一特定的领土范围相关。民族也许缺乏国家地位，这或者是因为它们是某个外来帝国的臣民，像 20 世纪早年所有的非洲民族和许多的亚洲民族；或者是因为它们并入了多民族的国家中，像英国和苏联国内的民族。民族也可能是无领土的，像直到 1948 年以色列建国的现代犹太人和目前的巴勒斯坦人。

通常，用来界定民族的文化因素有共同的语言、宗教、传统、历史意识等。这些都具有客观性，但它们绝对没有提供一幅决定某个民族何时存在、又何时消亡的蓝图。换而言之，世界上有许多历史悠久的成功民族，它们或包含多种语言（如瑞士），或多种宗教（如印度尼西亚），或多样的历史传统和种族背景（如美国）。民族终归只能"主观地"予以界定，它靠一个民族对自身民族特性的觉悟或所谓的民族意识来界定。这种民族意识显然包含对某一特定共同体的归属感或忠诚感，即通常所谓的"爱国主义"，准确地说，是对祖国的热爱。然而，理论家如欧内斯特·盖尔纳（Ernest Gellner, 1925—1995）坚持认为，判定民族意识的特性并不限于忠于或热爱自己民族的那种情感，而是对自治和独立的强烈意愿。实际上，民族是通过对独立国家身份的寻求来自我界定的。如果一个民族被包容在一个更大的国家内，那它就要求从这个国家中脱离出来，重新勾画国家的边界。然而，另一种思潮却把对国家身份的寻求只当作民族主义情感的一种表达，而民族主义的界定特性就在于，它能够代表某一民族群体的物质（或经济）利益。比方说，这种观点就会认为，法国巴斯克人保存他们的语言和文化的意愿就好比西班牙巴斯克人所公开发动的分离主义斗争，同样是"民族主义"的。

由于民族主义的主张往往承载着重大的政治要求，对"民族"的界定自然地引发了激烈的争议。在最持久的政治冲突中，许多的冲突都表现为，某一群体是否被或是否应该被认作一个国家？这表现在锡克教信徒在印度旁遮普邦争取名为"卡里斯坦"独立国家的斗争中、魁北克人力求摆脱加拿大统治的分离运动中以及苏格兰民族党所提出的在欧盟中应当拥有席位的独立要求中。并不罕见的是，众多的民族身份相互重叠，彼此很难分解开来。这在英国表现得最为突出，英国既可以被认作单一的不列颠民族，又可以看作四个不同的民族：英格兰人、苏格兰人、威尔士人和北爱尔兰人。而如果考虑到北爱尔兰人中还分成天主教徒与新教徒，那么实际上，还可以分为五个

91 民族。基于民族性的政治因素与文化因素之间的配重几乎是千变万化的，上述复杂的情形经常出现。在《世界主义与民族国家》（［1907］1970）一书中，德国历史学家弗里德里希·梅尼克（Friedrich Meinecke, 1862—1954）力图解决上述问题，他在他所谓的"文化的民族"与"政治的民族"之间做出区分。当然，当文化上的考虑同政治上的考虑相互交织在一起难分难解的时候，上述任务就变得异常难以解决。

有足够的理由认为，一切民族都是程度不一地由历史的、文化的或种族的因素所塑造的。在《民族的族群起源》（*The Ethnic Origins of Nations*，1986）中，安东尼·史密斯（Anthony Smith）强调了现代民族的产生在多大程度上借助了前现代种族共同体的符号体系和神话传说——他称之为"种族特性"（ethnies）。由此可见，民族是内含于历史的，它深深地扎根于共同的文化传统和语言中，而这些"继承物"的累积过程要远远早于国家地位的获得，甚至要远远先于民族独立的寻求。当这些早已确立起来的"种族特性"同新兴的人民主权学说相交织、同历史地承继下去的乡土相结合的时候，现代意义上的民族就产生了。这就解释了为何民族身份认同如此频繁地体现在过去世代相传的传统和习俗中，这方面最明显地表现在希腊人、德国人、俄罗斯人、英格兰人和爱尔兰人等身上。从这个角度看，可以把民族当作"有机体"，因为它们是由自然或历史的力量而非政治的力量所塑造的。进一步说，这意味着，"文化的"民族被历史传承下来的、强大的民族认同感维系在一起，是稳定而有凝聚力的。

很显然，从性质上讲，某些民族主义的表现形式是文化上的，而不是政治上的。譬如，尽管威尔士党要求建立一个独立的威尔士国家，但威尔士的民族精神主要表现在捍卫威尔士文化（尤其是保留威尔士的语言）的意愿上。法国布列塔尼半岛上的布列塔尼人所拥有的那种民族自豪感同样表现为一种文化运动，而非任何一种想脱离法国的企图。可能的话，我们最好把文化民族主义当作一种种族中心主义形式，这是对某一特定文化的忠诚，而文化被看作身份认同的源泉和解释性参照系。好比民族，族群间（如在美国和英国的美国黑人和加勒比黑人社群之间）共享着某种独特的、往往也是高度发展起来的文化身份。然而，不同于民族，族群往往就满足于保存自己的文化身份，而没有政治独立的要求。不过，实际上，一个"少数种族"同一个充分成熟的"民族"之间的界限可能会被模糊掉。这一点尤其表现在多文化并存的社会，这些社会缺乏种族和文化上的统一性，而这种统一性一直在为民族身份奠定基础。在某种形态下，文化多元主义把族群——而非民族——确立为个人身份和政治身份的首要来源。但是，多文化的民族主义观念表明，作为一套更高层次的文化和公民的效忠体系，民族身份依旧是有意义的。此类事情激发了关于土著或当地人（有时被称为"第一民族"）的讨论。

◎ 超越西方

作为"第一民族"的原住民

"第一民族"这一术语最初使用于20世纪70年代，被用来指加拿大的本地人

（而不是因纽特人及白人与印第安人所生的混血儿），这是一个由 630 多个群落或家族群组成的大群体。随后，它被用来指世界各地所有的本地人（也被称为"本土/当地人""土著""部族人"）。据估算，有 3 亿 7 000 多万原住民（大约占世界人口的 5%）分布在全世界 90 个国家。就原住民的多样性而言，还没有一个正式的"原住民"定义被联合国采用，这就导致了无论在个体还是共同体层面都普遍倚赖于自我认同。不过，这些群体是"第一民族/种族"的这一看法还是确认了他们是由那些在前殖民或前移民时期原本就定居在一个国家或地区的居民后代所构成的。由此，他们独特的语言、艺术、音乐和社会经济习俗深深扎根于历史中，往往存续了上千年。与之相对的是，通常意义上的民族直到 18 世纪后期才出现，它们往往建立于主要在 19 世纪才"创制"出来的传统和习俗之上（Hobsbawm，1983）。

把原住民表述成"民族"，就是主张：原住民在某种程度上是有权享有超越其作为种族或文化上的少数群体所拥有的权利的政治实体。这些权利包括自治权，还可能扩展为原住民共同体有能力限制非原住民的流动、财产和投票权，由此，集体权利被置于与惯常的个人权利的冲突之中。所有权通常也是对包括周围自然资源在内的土地或领地提出要求。原住民以各种不同的方式维系在这些权利上。不过，这类主张要求通常并不是建立在充分独立的要求之上，这部分地是由于主权观念在原住民的政治意识中几乎不发挥作用——因为他们很少有中央集权统治的经历。

92　　在其他的情形下，民族身份则被明显为政治性的状况所塑造。通常，英国、美国和法国都被看作这种情形的经典例子。以英国为例，不列颠民族奠基于四大"文化"民族（英格兰人、苏格兰人、威尔士人和北爱尔兰人）的统一。从某种意义上说，美国是一块"移民的国土"，因而包容了几乎是遍布世界各地的民族。在这种状况下，美利坚民族更多地产生于对自由民主信条（它们在《独立宣言》和美国宪法中获得了表达）的共同忠诚，而不是产生于对文化、历史纽带的共同认同。法国人的民族身份在很大程度上建立在同 1789 年革命及奠定其基础的自由、平等和博爱原则相关联的传统之上。从理论上讲，上述民族是以对某一套共同的准则或宗旨的自愿接受（是政治身份，不同于既定的文化身份）为基础的。有时，人们会说，在这些社会中孕育出来的民族主义精神会显得特别宽容和民主。比方说，美国在一个充满了复杂的宗教、语言、文化和种族多样性的大背景下维持住了高度的社会和谐和政治统一。不过，"政治的"民族有时造就不出社会的团结一致和历史的统一感（而这些却出现在"文化的"民族身上）。同样的情形在英国也可以看到，在那里，尤其自权力下放实施以来，苏格兰和威尔士的民族主义情绪不断高涨，而所谓（政治的）"不列颠性"则在衰减。

　　欠发达世界的国家在争取民族身份的斗争中遇到了特殊的问题。从以下任何一种意义上说，欠发达世界中的民族都可以看作"政治"的。首先，在许多情况下，它们是在经历了反殖民统治的斗争之后才赢得了独立国家的地位，基于此，它们的民族身份深受寻求民族解放的共同斗争的影响。由此，欠发达世界中的民族主义采取的是反殖民主义的形式，而在民族解放以后，又一直表现出独特的后殖民主义特性。其次，这些国家的领土边界通常是从它们的前殖民统治者手中承继下来的。这尤其表现在非洲，那里的"国家"往往包括了众多种族的、宗教的和地区的群体，它们无非是靠共同的殖民历史和国家界限（由早已绝迹的帝国主义列强所造成）维系在一起的。在许多时候，历史遗留下来的种族和部落间冲突被殖民统治者"分而治之"的政策所加剧、激化。

为民族辩护

　　民族和民族主义一直是意识形态和理论论争的焦点，这种论争大大超出了应当对民族做何种理解的问题。为民族提出的最为公共的辩护或许是：民族身份为认同和团结一致提供了理所当然的基础。这是因为，民族，就其本质而言，是有机的共同体。由此看来，人类被天然地分化成一个个民族的集合体，每一个民族都拥有独特的性质和不一样的身份特征。民族主义者认为，这就是民族何以获得比其他任何社会群体或集合体更"高"的忠诚度和更深刻的政治意蕴的原因。相比于阶级、性别、宗教和语言等因素或许在特定的社会很重要，或者在特定的情境下尤为凸显，民族身份的联结则更为根本。民族纽带和忠诚感出现在所有的社会中，它们跨时间地持久存在下来，在本能乃至于最原始的层面上发挥作用。 *94*

　　因此，强盛而成功的社会都是建立在一种鲜明的民族意识和民族感之上的。事实上，"现代主义"地看待民族主义的方式表明：民族并不是被历史地嵌入的，而是兴起于对削弱社会归属感的社会-经济变迁的回应中。譬如，盖尔纳（Gellner, 1983）突出强调了民族主义同工业化进程之间的关联度。他指出，相比于前现代或"精于农业"的社会是由一张封建关联和忠诚网络所建构的，正在兴起的工业社会推动了社会流动、自我奋斗和竞争，因而，它要求有一种促成社会团结一致的新的源泉。这是由民族主义所提供的，尤其是通过民族国家这一工具来提供的。民族国家的强大威力在于，它同时给予、展示了文化凝聚和政治统一的图景。当一个民族因共享一种共同的文化或种族身份而获得自治的权利时，"民族性"和公民身份就重合一致了。鉴于此，通过国歌、国旗、纪念日和宣誓效忠等方式推进爱国主义的种种努力可以被认为是有益于个人和更为广泛的社会的。这一看法也意味着：移民应当具备最基本的民族特性要素，因为文化多元主义的增长会威胁到整个社会，使之更加分裂和冲突重重。

民族还可以基于它是确保（个人）自由的一种关键性手段而得到辩护。这一点体现在法国革命期间民族主义的诞生上。当时，民族共同体的观念遭遇到人民主权学说，后者受到让-雅克·卢梭著述的影响。利用卢梭的"公意"观念，法国革命党人认为，政府应当建立在整个共同体的不可分割的集体意志（而不是君主的绝对权力）之上。由此，至上的权力寓于"法兰西民族"中。在这种民族主义传统中，民族身份和国家身份是内在地联系在一起的。对民族身份的立见分晓的检验是欲求获得或维护政治独立，这通常是在民族自决原则中表达出来的。由此可见，民族主义是围绕民族国家理念而以之为导向的，这一理念是在约翰·斯图亚特·穆勒的如下原则中表达出来的："政府统治的边界应当与民族的边界基本一致。"此种思想在自由民族主义传统中得到了最清晰的阐发，它赋予民族一种广泛类似于个人道德身份的道德地位，因为两者都被赋予了基本的权利。因此，民族自决是个人自由的一种集体表达。民族主义是一种反对一切外来统治形式（无论是来自多民族帝国还是来自殖民国家）的根本性的解放力量。况且，自决还具有针对国内统治权力组织的民主意涵，因而在民族主义与民主之间建立起明确的关联。

民族之所以能得到辩护的最后一个理由是：它构建了一个伦理共同体，为道德行为提供一个有效的基础。这至少可以从三个方面来看。首先，有可能发展为道德义务的道德关切感，最易于从分享共同的文化认同的人、操持同一种语言和实践相似的生活方式的人当中生发出来。这表明：只有在人人相互承担社会责任的民族共同体里，福利配给和再分配制度才成为可能。其次，民族给予道德一种重要的集体维度，有助于把人们从狭隘的利己之心中解放出来。忠诚和义务感是民族意识中的重要因素，是对民族身份所带来的种种益处的认同，使个人的存在更有意义，同时使社会的存在更加稳定和安全。这种义务感如此强烈，有时会升华为一种为"拯救民族"而斗争、流血乃至于牺牲的意志。最后，伦理民族主义即这样一种看法：自身所属的民族成员所有的权利和义务应当享有相对于其他民族成员的权利和义务的道德优先性，使道德更健全，也更为现实。部分地看，之所以如此，正如社群主义理论家所认为的，是因为道德只有在它基于本土、根植于我们所属而塑造我们的生活和价值观的共同体内才有意义。一个简单的事实是，各地方的人都是赋予他最为知晓的人道德优先权，首先，显然是他们的家庭和密友；其次，是他们当地社区的成员；再次，是与他们共享民族身份的人。正如沃尔泽（Walzer，1994）所认为的，"深厚"的道德感只会在一种单一的文化内运行。这不仅意味着道德是由独特的历史、文化和特定社会传统塑造的，而且也解释了义务何以难以超出那些共享相似的伦理（或民族）框架的人的范围。

民族主义

　　民族主义观念诞生于法国大革命期间，在当时，曾经被看待为"国王的臣民"的人们受到鼓励而把自己看作"法兰西的公民"。民族主义可以被宽泛地定义为关于民族是核心的政治组织原则的信念。由此，它建立在两大核心假设之上。首先，人类天然地被分为各个不同的民族；其次，民族是最合适的或许也是最合理的政治统治单位。因此，古典的政治民族主义就开始把国家的边界视同为民族的分界线。在所谓的民族国家内，民族身份和公民身份因而会是重叠的。不过，民族主义是一种复杂的、极其多样的意识形态现象。不仅存在各种政治、文化和种族形态的民族主义，民族主义的政治意涵也是多方面的，有时甚至还是相互对立的。

　　自由主义的民族主义是一种原则性的民族主义。它并不主张某一个民族的利益要高于其他民族的利益，而是宣称民族在拥有自由和自决的权利上是平等的。自由主义的民族主义旨在构建一个由各个主权民族国家所组成的世界，它把民族主义看成是一种确保和平和稳定的世界秩序的机制。保守主义的民族主义则不太关注普遍的民族自决，而更关注体现在民族爱国主义情绪中的对社会团结和公共秩序的期待。首先，保守主义认为民族是一个有机实体，它生发于人类趋向与自身拥有同样观点、习惯、生活方式和形貌的人的基本欲望。沙文主义或扩张主义的民族主义建立在这样一种信念之上，即，一个人自己的民族是独特或特别的，因而在某种程度上是"被拣选的"，其优越性通常要通过军国主义和对外侵略显示出来。这种思想经常与种族优劣论联系在一起，其他民族被视为恐惧或憎恨的来源。反殖民主义的民族主义同自由主义的民族主义有重合之处，它力图将民族解放与社会发展的目标融合在一起。

　　民族主义有某种理由可以被看作一种最具效力的政治教义。它导致了新的国家的诞生、帝国的瓦解和边界的重新勘定。在过去两百年里，不仅政治世界在很大程度上是基于民族国家理念被重构的，而且这种重构还得到了国际法的确认——国际法是建立在民族如同个人具有不可侵犯的权利这一假定之上的。然而，民族主义总是招致深度的敌意。譬如，有批评者声称：所有形式的民族主义都是退化的、偏狭的，至少是潜在的大国沙文主义的，在道德上也是贫乏的（因为其伦理义务只局限于我们"自己"的人民）。民族主义还越来越被认为是不合时宜的，这或者是因为，在一个由民族国家构成的世界里，民族主义的任务在很大程度上已经实现了，或者是因为，全球化的进展已经命定地危及、损害到民族国家。

　　代表人物

约翰·戈特弗里德·赫尔德（Johann Gottfried Herder，1744—1803）　德国诗人、批评家和哲学家。赫尔德通常被描述成文化民族主义之父。作为启蒙运动最主要的知识反叛者，赫尔德注重民族，视之为以独特语言、文化和精神为特征的有机体，赫尔德对民族的关注既有助于为文化历史奠基，又有助于生成一种强调民族文化的内在价值的民族主义。赫尔德的主要著作是《关于人类历史哲学的思想》（1784—1791）。

朱塞佩·马志尼（Giuseppe Mazzini，1805—1872）　意大利民族主义者。他经常被人说成是意大利统一的预言者或倡导者。马志尼践行的是一种自由主义的民族主义，它将视民族为独特的语言和文化共同体的看法同自由共和主义的学说融合在一起。由此可见，民族被有效地升华为被赋予了自治权的个人。自治权是所有民族都应被平等地赋予的一种权利。马志尼是最早将民族主义与永久和平的前景相结合的思想家之一。其作品包括《论民族》（1852）等。

欧内斯特·盖尔纳　英国社会哲学家和人类学家。盖尔纳在诸多学术领域做出了重要贡献，包括社会人类学、社会学和政治哲学。作为民族主义研究中最为突出的现代主义阵营人物，盖尔纳从工业社会需求的角度解释了民族主义的兴起——不同于为有效劳动而形成相同语言和文化的农业社会。盖尔纳的主要著述包括《民族与民族主义》（1983）、《文化、认同与政治》（1987）和《理性与文化》（1992）。

本尼迪克特·安德森（Benedict Anderson，1936—2015）　生于中国，主要成长于加利福尼亚州。安德森关于民族主义的主要出版物是那本享有盛誉的《想象的共同体》（1991）。他把民族和民族主义看作某一类文化产物。民族造就了一种深厚的、同类的友好情谊——而无论民族内部多么实际地不平等，也虽然存在民族并非一个面对面的共同体这一事实。正是在这个意义上，他把民族界定为一种"想象的共同体"。安德森在这一研究领域的其他出版物包括《比较的幽灵》（1998）和《三种旗帜之下》（2005）。

民族主义与世界政治

围绕民族主义的种种最深层的争议都涉及它对国际和平和稳定的影响。这里呈现出两种针锋相对的说法。一派认为，民族主义是和平和秩序的可靠保障；另一派则认为，民族主义内在地是侵略和扩张主义的。这既反映了作为一种意识形态现象的民族主义的高度争议性，也体现出民族主义同其他政治信条相融合并被其所吸收的程度，由此，造成了一系列"对立的民族主义"。由独立的民族国家所构成的世界是以和平和稳定为特征的，这一看法同自由主义的民族主义最为显著相关。这反映出了一种对均衡或自然和谐原则的最基本的自由主义信念——这一原则不仅适用于经济领域中的公司企业和社会中的群体，也适用于世界上的民族国家。尽管这种思想能够在朱塞佩·马志尼的著述中找到，也可以追溯到伊曼纽尔·康德（Immanuel Kant，1724—1804）那里，但对它最清晰、也最有名的表述出自美国总统伍德罗·威尔逊（Thomas Woodrow Wilson，1856—1924），当时正处于第一次世界大战和1919年巴黎和会期间。在威尔逊看来，第一次世界大战是由独裁的和军国主义的帝国主导的"旧秩序"导致的。而民主的民族国家则会尊重其邻国的民族国家主权，没有动力去发动战争或征服其他民族国家。对一个自由主义者来说，民族主义不会使民族之间相互分裂，也不会促发彼此间的不信任、相互对抗乃至于引发战争。相反，民族主义是一股能够促进一个民族内部的团结统一和所有民族当中的兄弟关系——基于对民族权利和特性的相互尊重——的力量。

长久以来，自由主义者一直承认：民族自决是一件利弊并存之事。一方面，它维护自治而阻止外来控制，但另一方面，它同时也造就了一个每一个民族在其中有权去追求自身利益——有可能以牺牲其他民族利益为代价——的主权民族国家世界。自由主义的民族主义者当然认同政治和民主抑制通向军国主义和战争的趋势；但是当主权民族国家在"国际无政府"状态下运行时，为确保康德所谓的"永久和平"，单靠各民族国家的自我约束是不够的。自由主义者往往提出避免诉诸征服和侵吞的两种方式。首先是民族的相互依赖（旨在推进相互理解和合作）。这就是自由主义者为何在传统上支持自由贸易政策的原因，即经济上的相互依赖意味着国际冲突的物质成本如此巨大，以至于战争变得实际上不可理喻。其次，自由主义者提出，民族抱负应当受到国际组织的制衡，国际组织可以给原本没有法纪的国际舞台带来秩序。这就解释了伍德罗·威尔逊对作为世界政府第一次（也是受损的）实验——国际联盟（成立于1919年）——的支持以及对其后续者联合国（创建于1945年）的更为广泛的支持。

不过，自由主义的民族主义的批评者一直声称它忽视了民族主义阴暗的一面，尤其忽视了那种把"我们"同外来的、具有威胁性的"他们"区分开来的非理性黏合心理或宗族主义（同族意识）。自由主义者把民族主义看作一种普遍的原则，但不太理解其情感的力量。民族主义可以生发出一种表现在军事扩张筹划中的不可遏止的野心，由此来看，它一直被看作解释19世纪欧洲帝国主义和两次世界大战之所以爆发的一个极为重要的因素（相比于诸多其他因素）。这种反复出现的——许多人会认为是明确的——扩张主义的民族主义主题思想就是民族沙文主义的理念。"沙文主义"这一名词源自一个叫"尼古拉斯·沙文"（Nicholas Chauvin）的（有可能是杜撰的）法国士兵的名字，他以对拿破仑和法国事业的狂热效忠而闻名。沙文主义因这样一种信念而被强化，即各个民族有各自的特性和品性，因而拥有非常不一样的命运。有些民族适合于统治，而另一些民族则适合于被统治。

一般来说，这种形式的民族主义是通过族群或种族优越性表达出来的，因而它会将民族主义与种族主义融为一体。沙文主义者自身所属的民族被看作独一无二的，在某种意义上被视为"被拣选的民族"，而其他民族则要么被视为软弱、低劣的民族，要么被视为敌对和具有威胁性的民族。民族沙文主义的一个极端例子就是纳粹德国，它的雅利安主义（北欧日耳曼主义）意识把德国民族（雅利安种族）说成是注定要统治世界的"主人人种"。这种意识受到了恶意的反犹太人主义的加持。法西斯主义同一种民粹主义的超民族主义更为广泛地联系在一起，这种超民族主义激发起关于民族的过往伟大和未来复兴或再觉醒的神话。查尔斯·莫拉斯（Charles Maurras，1868—1952）是法国极右翼政治运动——法兰西行动——的领袖人物，他称这种形式的民族主义为"整体论民族主义"（integral nationalism）——一种强烈的，甚至是歇斯底里的民族主义狂热，身处其中，个人的身份会完全被卷入民族共同体内，为之所吞没。不过，有人认为，这类倾向并不局限于"非自由主义的"或"扩张主义的"民族主义形式，因为所有形式的民族主义都建立在派性之上，即偏爱于自身所属的民族而非其他民族。这种派性被认定自身所属民族拥有独特或特殊性的信念所强化。就此而论，民族主义本来就是沙文主义的，它至少蕴含了某种侵略的潜在性。

跨国家主义

从传统上讲，民族（国家）主义是同"国际主义"不同的。国际主义是一套建立在民族或国家间合作的基础之上的政治理论和实践。它根植于一种关于人性的普遍主义假设之上，从而使之同政治民族（国家）主义不同，后者突出强调政治身份被民族（国家）所塑造的程度。不过，就国际主义要求现存的民族国家合作或团结而并不要求整个地清除或抛弃民族国家身份而言，国际主义同民族（国家）主义又是相容的。因此，国际主义不同于"跨国家主义"。跨国家主义是指跨国界交流、联系和社会形塑的持久关系和模式。由此，跨国家主义意味着政治上的国内/国际界限注定要被削弱，主权和国家的持续重要性也都会遭到质疑。

然而，跨国家主义以各种不同的形式和形态出现，也许与某些人类生存的领域而不是其他领域更相关。大多数关于跨国家主义的争论都是围绕它同全球化的关系展开的，全球化通常被认为是跨国家主义的主要动因或是跨国家主义的首要表征。全球化是什么，其主要的含义又是什么？跨国家主义的一种替代性形式在最近数十年来蓬勃兴起，这部分地是被国际迁移的全球化所引发的。这导致了人们对"跨国社区"增长的思考。有边界的民族国家是否正在让位于去边界的跨国社区？最后，跨国家主义的一种最激进的含义是：在不断增强的全球性相互关联的激发下，跨国家主义有可能在作为一个整体的世界范围内重构身份认同、忠诚感和义务感——基于全球人民是一个 *100* 共同的道德共同体的看法。由此，世界主义会成为一种现实吗？

全球化与后主权

全球化是一个复杂、难以表述而又充满争议的术语。它被用来表示一个过程、一套政策、一种市场战略、一种处境甚或一种意识形态。有人力图在作为一个或一套过程的"全球化"（强调变化的动态性）与作为一种状态的"全球性"（强调全球化的终极状态，即一个完全相互联系的统一整体）之间做出区分，以此来进一步地廓清有关全球化本质的争论。另外的人则用"全球主义"这一术语来指称全球化意识形态，即指引或驱动全球化进程的理论、价值观及种种相关的假设（Ralston Saul，2009）。全球化的问题在于：它与其说是一个"它"，不如说是一个"它们"。因为它不是一个单一的过程，而是一个一个过程的复合体——这些过程有时相互重合和相互勾连，而且有时还相互矛盾、冲突和相互反对。因此，很难把全球化缩小成一个单一的主题。不过，关乎全球化（或实际地说，全球性）的各种不同的发展态势和表征是可以回溯到基础性的相互联系现象上的。全球化，无论其形式或影响如何，在先前互不相关的人群、社区、机构和社会之间缔结起关系来。赫尔德等人（Held et al.，1999）将全球化定义为"世界范围内相互联系的拓展、加强、加速及其不断增长的影响力"。

全球化所引发的相互联系是多维度的，是通过各种不同的经济和文化过程展开来的，因而赋予了全球化诸多的维度或"面向"。尽管有些评论者首先关注的是所谓的"文化全球化"，但有关跨国家主义的进展的大多数争论是围绕经济生活的全球化展开的。经济全球化是指所有国家的经济都程度不一地被吸纳到一个相互关联的全球经济体内。然而，应当把经济全球化同"国际化"区分开来。后者导致了各国经济体之间高度的相互依赖性。这种相互依赖性是由诸多因素譬如不断增长的国际贸易所带来的。这种所谓"浅度"整合迫使各国经济更紧密地加强协作，但这并不意味着它们丧失了自身的民族国家特性。而前者则表示出向"深度"整合的一种质的转向。它通过建构一个牢固的全球生产、分配和消费市场而超越了民族国家的边界。从这个意义上说，全球化可以被理解为一套全面而完备的经济跨国家主义体系。

全球性思考

101

文化全球化

　　文化全球化是在世界上某一地方产制出的信息、商品和观念融入全球流动中而往往会"抹平"国家、地区和个人之间文化差异的过程。它同经济全球化、传播技术和信息革命密切相关，并兴起于这种关联之中。

　　这种全球化形式的一大含义是：在民族国家的文化独特性不断弱化的过程中，文化全球化会削弱——也许注定会削弱——民族国家造就社会团结和政治效忠的能力。文化全球化的一个主要面相是同质化的面相，是一个将自身烙印在世界各地的单一的全球体系的确立，它实际上是在创建一种全球性的单一文化。从这个角度来看，文化全球化等同于一种文化帝国主义，它突出强调了发生在不对等的伙伴之间的文化流动，它被用作强势国家对弱势国家实施霸权统治的一种手段。由此，有人将文化全球化表述成"西方化"，或更准确地说，是"美国化"。文化全球化的两大要素一直是消费主义的扩张和个人主义的兴起。前者体现在世界范围内消费资本主义文化的进展上，有时，它被看作"涡轮式消费主义"。这种消费主义的一个方面是"可口殖民主义"，它指的是全球商品和全球品牌（可口可乐是首要的例子）的兴起，它们已经占据了世界上越来越多地方的经济市场，从而造成了一种枯燥乏味的同质化景观。后者是个人主义的兴起，它广泛地被看作工业资本主义确立的一个后果。它首先是西方社会里的一种主要的社会组织形式，而后因为全球化而扩散到西方社会以外的世界。尽管自由主义理论家将不断兴起的个人主义同进步的乃至启蒙的社会价值观（尤其是宽容和机会平等等）的扩散联系在一起，但社群主义者却警告说，个人主义严重削弱了共同体和我们的社会归属感。

　　然而，全球化的同质化形象只是其局部的形象。对同质化的恐惧或威胁，尤其当它被视为"来自上面"或"来自外面"时，激起了文化和政治上的抵抗。这可以从对衰落的语言和少数民族文化的再度关切中看出来。而且，还有事实根据表明，所有的社会（包括经济和政治强盛的社会）因"杂交"和混合（不同文化互动时发生的相互作用）的兴起而正变得越来越多元化和多样化。

102　　很难说，国家和主权从未受到全球化力量的影响。这一点尤其适用于国家的领土管辖权。对外主权原则原本建立在国家对发生在其边界内的事情拥有至高无上的控制权这一观念之上。这意味着，国家也掌控着跨越边界的事务。然而，经济全球化导致了"超国界性"的兴起，这反映在领土定位、地理距离和国家边界的重要性不断下降等方面。联系到越来越全球化了的金融市场，这一点表现得更为明显。这是因为世界范围内的资本流动几乎是即时发生的，譬如，没有一个国家能够免遭发生在世界上其他地方的金融危机的影响。同样显而易见的是，在领土国家与去领土化的跨国公司之间不断变化的均衡关系。如果国家政策不利于利润最大化和追求公司最大利益，它们就可以将投资和生产转移到世界其他地方。由此，经济主权在奥玛（Ohmae, 1990）所谓的"无国界世界"里有可能变得不再有意义。在此，国家统治让位于"后主权治理"（Scholte, 2005）。在超级全球主义者所提出的最极端说法中，国家被认为是"被掏空了"——事实上已经变得多余了。

不过，"无国界"全球经济这种说辞有可能走得太远。譬如，有事实证据表明：全球化或许已经改变了国家为确保经济成功而采取的战略，但它绝没有让国家沦为一个多余的经济行为体。与其说全球化是被超出国家控制的力量强加给无可奈何的国家的，实际上，经济全球化在很大程度上是被国家并且为了国家而开创的。这表现在美国 20 世纪七八十年代在引领世界转向一个更开放和更"自由化"的世界贸易体系上所发挥的作用。况且，尽管国家在单独行动时可能只拥有被缩减的控制跨国经济活动的能力，但它们借助宏观经济调控架构仍旧维护着这种技能——如同世界银行、世界贸易组织和国际货币基金组织的所作所为。

跨国社区与移民社群

跨国社区是其文化身份、政治效忠和心理取向跨越国界的共同体。从这个意义上说，跨国社区挑战了传统的民族国家观念，这种观念将政治-文化认同与一定的领土或"祖国"明确地联系在一起。跨国社区被认为是"脱域了的民族"或"全球部落"。*103*当然，存在仍然保持其文化独特性而抵抗被同化的压力的散落社区，这一说法并不新鲜。犹太人移民社群（其原初含义是"分散"、"流散"或"散布"）最早可追溯到公元前 8 世纪，它是跨国社区最经典的例子。具有讽刺意味的是，犹太民族和希伯来语言在没有犹太人祖国的情况下的非凡恢复力，恰恰可以从一部充斥各种形式的反犹主义的歧视和迫害史中获得极大的解释。其他一些例子包括亚美尼亚人，他们中的许多人都因持续不断的侵略和征服（这一过程应追溯到拜占庭帝国时期）而被迫离乡。不过，许多人认为，跨国社区的出现本来就是全球化的现代世界的一大特征。

国际迁移、移居的兴起自身并不会造成新的跨国社会空间。要建立跨国社区，就必须形成移民群体，而最关键的是，要形成维系其来源地社会与定居地社会之间的持久关系。通过新建各种住宅区，在现代世界做到这一点要更容易。比方说，在 19 世纪前往美国的爱尔兰移民返回故土的希望渺茫，只能靠邮政来维系他们同朋友和家人之间的联系，与之相对的是，海湾国家的菲律宾人、澳大利亚的印度尼西亚人和英国的孟加拉国人所处的现代社区则大大受惠于低廉、便捷的交通和改善了的通信设施。航空使人们可以定期重返"故里"，从而创建出既不固守在来源地社会又不固守在定居地社会的流动社区。移动电话也变成了新移民的一种基本资源，这有助于解释它在广大发展中国家（包括亚洲和非洲的农村地区）的不断渗透等种种现象。而且，跨国社区与家庭关系和经济流动网络紧密联系在一起。譬如，当早期的移民为他们的家庭或村庄成员（他们有可能跟随其后也移居国外）提供了一个生活据点甚至工作机会时，移居维系而不是弱化了不断延伸的亲密关系。

当然，从有领土的民族国家转向脱离领土的跨国社区，这一观念也不应当被过分夸大。现代移居模式及各种形式的全球化的影响要比单纯的跨国家主义概念所蕴含的内容复杂得多。首先，假定被跨国社区的出现置入危险境地的纯一民族在某种程度上总归是一种迷思，这一迷思是由民族主义意识形态自身所造就的。换言之，有关远早于现代超级移动地球出现的文化混合，毫不新鲜。其次，跨国社区不仅是以共有和共同一致为特征，同时也是以差异和分化为特征。流散的移民社区内最显著的分化是性别和社会阶层上的，而其他的分化可能是根据民族、宗教、年龄和辈分而出现的。再次，绝非肯定的是，跨国界的效忠会像在民族国家内部确立起来的效忠那样稳定和持久。简而言之，长期来看，不是根植于领土之内、不在地理上被界定的社会关系是难以为继的。最后，认为跨国家主义总归会取代民族（国家）主义，这样一种看法是误导人的，因为实际上，任何一方都影响了另一方，因而造就了一张由杂糅的身份认同构成的复杂网络。由此，杂糅或"混合"成为现代社会的一个主要特征。这一点将在涉及文化多元主义的第九章来具体考察。

通向世界主义的未来？

全球化所引发的全球相互关联并不仅仅就我们如何理解世界而言来挑战我们，这或许也是就我们的道德关系而言的。鉴于全球化复兴了对各种形式的世界主义的兴趣（通常是通过对诸如全球正义或世界伦理等观念的兴趣表现出来），全球化的进展具有了一种伦理的维度。由于世界在"收缩"，人们更强烈地意识到其他人生活在其他国家（通常距离他们自己较为遥远），因而更难将他们的道德义务只限定在单个的政治社会。他们越是知晓，就越是在乎。在世界主义理论家看来，这意味着世界已经开始构筑成单个的道德共同体。于是，人们对世界上其他所有的人都（潜在地）有义务——无论其民族、宗教、种族等。这样一种思想在对两个维度意义上的民族主义的批判中表达出来。首先，根据对民族主义的建构主义理解，民族被看作"（被）想象的"或"（被）虚构的"而非有机的或"自然的"共同体。民族认同不是植根于社会心理，而在很大程度上是一种意识形态建构；而且，它通常是一种服务于强势群体利益的意识形态建构物。其次，民族主义被认为是向人反复灌输狭隘的或有辱人格的道德见解。在赋予本民族成员道德偏好的过程中，民族主义不仅把非本族人看成是不具有完全人性的，而且激发我们去否认自身的人性。由此，人类有可能也应当不断发展以超越民族主义。

世界主义

　　世界主义可追溯到古希腊的犬儒主义运动和锡诺帕的第欧根尼（Diogenes of Sinope，公元前 400—前 323）声称他是"世界公民"的说法。对世界主义这一主题的兴趣复兴于启蒙运动时期，而在康德的《论永久和平》（1795）一文中得到了最具影响力的表达。该文勾画了建立"国家联盟"的构想。当代世界主义在很大程度上是由一种探求的意愿所形塑的——为了探究在全球化时代不断增长的相互依存所蕴含的道德和政治意义。

　　严格地说，世界主义意指对"国际性都市"或"世界性国家"的信奉。尽管当代世界主义首先持有一种道德取向（它尤其指涉一种把人类当作单个的道德共同体的观念），但它也涉及政治和制度性的主题，尤其是需要改革现存的全球治理体系，以便让它按照世界主义道德原则运作。世界主义思想不同程度地吸收了康德主义、功利主义和人权学说。在康德看来，把人当作"目的本身"，而不仅仅是实现他人目的的手段，这是一种"绝对律令"，是由实践理性决定的。基于此，康德认定：我们持有一种普遍的义务去友善地对待外国人；他认为，作为世界公民，我们应当关心、体贴和尊重每一个人。功利主义的世界主义意涵源于以下的看法：基于求得幸福的最大化而做出道德判断时，"每个人都算一个人，没有人算作多人"。由此，功利原则不分国界，人人适用。譬如，这一立场就支持了消除世界贫困的呼吁（Singer，1993）。不过，大多数当代世界主义论断建立在人权学说之上。人权之所以具有世界主义意涵，是因为它们都强调权利是普遍的，是属于每一个人的——无论何处，也无论其文化背景、公民身份、性别或其他的差异。这种思想，如同其他思想，支持了全球社会正义观，并且为基于"有责任保护"其他国家公民免于大规模受苦受难或丧生而进行人道主义干预提供了一种辩护。

　　不过，世界主义也招致了很多诋毁者。譬如，社群主义者及其他人对支持世界主义的道德普遍主义提出了异议，他们认为，道德体系只有当它们在一种文化或民族语境内运行时才发挥作用。由此看来，给"陌生人"提供的任何帮助都只是基于仁爱，而不能被看作一种道德义务。其他人认为，道德世界主义无非是在一个缺乏可支持其原则的制度框架的世界里的"一厢情愿（痴心妄想）"。这一问题还被这样一个事实复杂化了，即我们很难看到这样一个框架——即便它确实确立起来——何以能够享有一定程度的民主合法性，抑或避免生成一个新兴的世界政府。

代表人物

乌尔里希·贝克（Urich Beck, 1944—2015） 德国社会学家。贝克的工作涉及全球化的危险及其对资本的全球权力的挑战。在《风险社会》（1986）一书中，贝克分析了全球化经济不断制造不确定性和不稳定性的态势。这一思想在《风险中的世界》（*World at Risk*，1999）一书中得到更新，在该书中，他认为，一种共同的全球风险感有助于培育对全球共享的集体未来的普遍信念。在一个"世界性的风险社会"里，世界主义不仅是可能的，而且会成为一种政治和社会的必要。

马莎·努斯鲍姆（Martha Nussbaum, 1947— ） 美国哲学家和公共知识分子。努斯鲍姆的著述甚丰，涵盖诸如教育、性别、性、宗教宽容和人权等议题。她倡导一种植根于斯多葛派思想的世界主义，并且强调：作为一个世界公民并不意味着放弃本土公民的身份，因为两者都是富足之源。她尤其批判了爱国主义助长了人们忽视共同人性的主题。努斯鲍姆最出名的著作有《善的脆弱性》（1986）和《欲望的治疗》（1994）。

查尔斯·贝茨（Charles Beitz, 1949— ） 美国政治理论家。贝茨为国际政治理论、民主理论和人权理论做出了重要贡献。贝茨将约翰·罗尔斯（John Rawls，1921—2002）的分配正义论运用到世界经济中，捍卫了全球正义观。这种理论运用使得他认为，富裕国家有义务帮助穷人，而且这些义务超出了单单的人道主义援助行为，扩展为全球范围内的财富再分配。贝茨在这一领域的主要著作是《政治理论与国际关系》（1979）。

托马斯·博格（Thomas Pogge, 1953— ） 德国哲学家。博格的学术兴趣领域涵盖康德、道德和政治哲学，尤其是全球正义，近年来主要涉及全球健康。博格阐发了一种以右翼为基础的全球正义观，它容许人们对实际地影响其生活的社会制度提出道德主张。基于此，他认同，这些主张只有通过全球制度改革才能解决。因此，不公正的全球体制必须依照正义和基本人权的要求来重构。博格在这一领域的主要著作是《世界贫困与人权》（2008）。

丹尼尔·阿奇布基（Daniele Archibugi, 1958— ） 意大利经济和政治理论家。阿奇布基发展出一种新的世界主义形式。基于以下的看法，即适用于民族国家共同体内部的民主原则应当也可以延展到国界之外，这种世界主义形式强调世界主义民主的重要性。他批判他所认为的不负责任的、不民主的和失败的全球制度，由此，他设想出一种替代性的世界主义形式的制度性结构。阿奇布基的主要著作有《世界主义民主》（1995，与赫尔德合著）和《全球公民联合体》（2008）。

通常会在政治世界主义与道德世界主义之间做出区分，文化世界主义有时也得到确认，它往往是以"世界主义的文化多元主义"的形式出现的。不过，可以断定的是，世界主义总有道德和政治要素蕴含其中，因为政治的论说不可避免地要被道德假定所支持，而道德的论说不能不延伸考虑到最有利于推进道德理论化的政治安排。也 *107* 就是说，当代世界主义往往首先聚焦于道德议题，因为政治世界主义（有时也称为"法律"或"制度"世界主义）是同极其不合潮流、不受欢迎的世界政府观念联系在一起的。道德世界主义的核心是共同的人性观，共同人性中的伦理共情感扩展到全世界以接纳所有的人。托马斯·博格（Pogge，2008）将这种基本的伦理取向解析成三个维度。其一，世界主义信奉个人主义，因为人类或单个的人是道德关怀的终极单元。其二，世界主义接纳平等主义，因为世界主义认为道德关怀平等地施与每一个活着的个人。其三，世界主义认同普遍主义，因为道德关怀适用于任何地方的每一个人，因而把所有的人都当作世界的公民。当然，其他形式的世界主义也被提出来了。奥诺拉·奥尼尔（Onora O'Neill，1996）利用了康德的观念，即我们应当按照我们愿意在任何场合下适用于所有人的原则来行事，由此断定：人们有义务不去伤害他人，这种义务具有普遍适用的范围。而与此同时，彼得·辛格（Peter Singer，2002）则利用功利主义来论证：全球伦理要求我们为降低全球苦难的整体水平而行事，要从"一个世界"而不是各个不同国家或人群的集合体的角度去思考问题。

不过，道德世界主义也有其批判者。鉴于维系所有人和所有社会的价值观不可能确立起来，激进的世界主义批判者拒绝接受诸如全球正义或世界伦理等观念。这种文化相对主义通常被用来论证：特别是人权，从根本上说是一种西方的理念，因而在非西方文化内是没有立足之地的。世界主义的社群主义批判者认为，道德价值观只有当它们奠基于一定历史时期的特定社会里时才有意义。这就意味着：人类是为了迎合与自身共享文化和民族认同的所有人的需求和利益而从道德上组建起来的。由此看来，世界主义可以取代民族主义的说法似乎是毫无根据的。事实上，有理由认为，全球化时代的到来可能导致的是民族主义的复兴而不是衰落。自20世纪晚期以来，作为抵抗移民潮和全球化的工具，民族主义重新获得了驱动力。

讨论题

108
1. 主权与现代国家之间的关联是什么？

2. 在何种程度上法律主权与政治主权之间的界限可以实际地被维护？

3. 主权可以同民主达成和解吗？

4. 对外主权何以可能在缺失对内主权的情况下存在？

5. 对外主权是否还是一条有意义的准则？

6. 如果民族最终是主观地被其成员所界定，那么任何群体是否都可以自我宣称为民族？

7. 文化民族与政治民族之间的区分有多大的说服力？

8. 基于何种理由民族有权自决？

9. 民族主义对国际政治来说意味着什么？

10. 跨国家主义是如何不同于国际主义的？

11. 全球化造成了一个"无国界"的世界吗？

12. 世界主义有可能取代民族主义吗？

延伸阅读

Cerny，P. *Rethinking World Politics：A Theory of Transnational Neoplural-ism*（2010）. 该书广泛考察了全球化是如何改变世界政治的以及新多元主义对解释跨国权力网络的兴起有何种作用。

Jackson，R. *Sovereignty：The Evolution of an Idea*（2007）. 该书对主权概念的发展演变做了很平易的描述，它考察了历史上和当代关于主权的性质和意义的所有争论。

Özkirimli，U. *Theories of Nationalism：A Critical Introduction*（2010）. 该书全面而深入地介绍了民主主义的主要理论，也考察了针对这些理论所提出的主要批评。

Miller，D. *National Responsibility and Global Justices*（2012）. 该书分析了代表民族国家所提出的道德主张，也阐发了一种非世界主义的全球正义论（这种理论赋予民族认同中心地位）。

第五章

权力、权威与合法性

● 权力

  决策　议程设置　思想控制

● 权威

  权力与权威　权威的种类　权威的捍卫者与诋毁者

● 合法性

  宪治与认可　意识形态霸权　合法性危机

内容简介

所有的政治都关乎权力。通常，政治实践被表述成无非是权力的行使；而就本质
而言，政治学术被说成是权力的研究。无疑，政治学者都是权力学者，他们力求弄明
白：谁拥有权力、如何运用权力以及在何种基础上行使权力。在围绕现代社会内部权
力分配而反复出现的一系列深刻的意见分歧中，上述问题显得尤为突出。权力是广泛
分配、均衡分布的，还是集中在极少数人即"权力精英"或"统治阶级"手中？权力
是为了让人们实现他们的集体目标，因而在本质上是有益于人，还是一种压迫人、控
制人的手段？归根结底，上述问题其实是被同一个难题所困扰，那就是：如何界定权
力。或许出于权力是全部政治理解的核心，就其含义产生了尖锐的争执，以至于有人
提出，根本就不存在一个可以一致认可的、单一的权力概念，有的无非是众多对立的
权力观念、学说。

进一步说，如果权力是迫使一个人服从另一个人的一种支配或控制的形式，那
么，这一权力观念就会遇到这样一个问题：在实际的政治生活中，权力通常是通过公
众的认同、认可和自愿服从来行使的。"当权"者并不仅仅拥有迫使人顺从的能力，
而通常还被认为有权利这么去做。这就突显出权力与权威之间的区别。然而，是什么
东西把权力转化成了权威？在什么样的基础上，权威可以正当地行使？这种提问最终

会引向合法性问题。所谓合法性，就是权力以一种正当的、可辩护（证明为合理）的、可接受的方式行使。合法性往往被看作一个稳固的政府的基础，它与一个政权获得其公民的忠诚和支持的能力联系在一起。所有的政府都要寻求合法性，但它们在什么样的基础上获取它？而一旦合法性遭到质疑，又会发生什么？

110 权力

　　权力观念很流行。在自然科学中，权力通常被理解成"力量"或"能量"。而在社会科学中，最一般的权力观念把权力同获取意想结果的能力联系在一起，有时指"有能力做"。它可以包括行为的实现，而这种行为的实现简单得如同走过一间房子或买一张报纸。但在大多数场合，权力被认作一种关系，比方说，一个人对另一个人实行控制——这就叫"对……拥有权力"。不过，有时还进一步在控制方式上即在所谓的"权力"与所认为的"势力"（influence）之间做出区分。在此，权力被看作做出正式决定的能力，而这些决定以某种方式约束他人——不管这些决定是由老师在课堂上做出的、家长在家庭内做出的，还是政要面向整个社会关系网络做出的。相比之下，势力则是通过某种外在的压力影响这些决策内容的能力，它强调正式的、有约束力的决策不是在真空里做出的。由此可见，势力或许无所不包，从有组织的游说到理性的劝服，再到公开的恐吓等。这进而提出了权力的行使是否总是刻意或有意为之的问题。可否把做广告说成是通过推广物质主义价值观而行使权力——即便广告商自身也许只关注自己产品的销售？同理，在对权力的"意象主义"理解与"构造主义"理解之间，也存在争议。前者主张，权力总是某一确定的行为体——无论它是利益集团、政党、大企业，还是别的什么——的一种特性；后者则把权力当作作为一个整体的社会体系的一大特征。

　　旨在解决上述争议的一个做法是，把权力当作一个"本质上有争议"的概念而接受下来，进而突出其多样化的概念形态，并认定不可能阐发出一个一致同意而一劳永逸的定义。这就是史蒂文·卢克斯（Steven Lukes）在《权力：一种激进的观点》（[1975] 2005）中所采用的办法。该书区分了权力的三张"面孔"，或者说，三个"维度"。实际上，一个普遍可接受的、完全的权力定义可以包含所有不同的表征：如果 A 让 B 做了 A 想做而 B 原本不想选择去做的事，那么 A 就对 B 行使了权力。换句话说，权力是一种让某个人做他原本不会做的事情的能力。卢克斯的权力定义的价值就在于，它注意到了权力在现实生活中如何行使以及一个人影响另一个人行为的各种方式。从这个角度看，权力可以说有三张"面孔"。其一，它可能含有影响决策的能力；其二，它可能反映在左右政治议程因而阻止决策的能力上；其三，它可以采取通过操纵人们的观念和偏好来控制人们的思想这样一种形式。

决策

权力的第一张"面孔"可以追溯到托马斯·霍布斯。霍布斯曾指出，权力是"施动者"（agent）影响"受动者"（patient）行为的能力。实际上，从所指权力含有违背某人意愿来驱使的意义上说，这一权力概念类似于物理学或力学之力的观念。此种权力观念是常规政治科学的核心所在，其古典的表述出现在罗伯特·达尔的《对统治精英模式的一种批判》（*A Critique of the Ruling Elite Model*，1958）中。达尔深入批判了那种认为美国的权力集中在"统治精英"手中的说法。他断言，此类说法在很大程度上是基于称谓提出来的，它们所追问的只是，人们认为权力被安置在哪里。相反，他力图把对权力的理解建立在系统的、可检验的假设上。为此，达尔提出了三条标准，它们是使"统治精英"这一命题得以证实所必须满足的。首先，统治精英——如果真的存在的话——必须是一个得到了严格限定的群体；其次，许多"要害的政治决策"必须得以确认，对此，统治精英的偏好与其他群体的偏好是相反的；最后，必须有证据表明，精英们的偏好通常主宰了其他群体的偏好。结果是，达尔把权力当作 *112*影响决策过程的能力来看待。他相信这种认识方法既客观，又可量化。

托马斯·霍布斯

111

英国政治哲学家。霍布斯是一位乡村牧师（最终弃家远遁）的儿子。后来，他成了流亡巴黎的威尔士王子查尔斯·斯图亚特的数学教师。霍布斯的生活和学术事业得到了贵族卡文迪什家族的资助。在英国革命所引发的动乱时期，霍布斯坚持写作，阐发了自亚里士多德以来第一套关于自然和人类行为的完整理论。

霍布斯的代表作《利维坦》（〔1651〕1968）就是为君主专制政体辩护，它把这种政体当作可以替代无序的无政府状态的唯一政体。基于坚信人是追逐权力的自私自利的动物，霍布斯把无国家的社会即自然状态下的生活描述成"孤寂的、穷困的、污秽的、残忍的、短暂的"。他主张，公民要无条件地对国家承担绝对的义务，这是因为，政府的权力一旦受到限制，社会就要冒重新陷入自然状态的危险。比起根本就没有统治来说，任何一种政治统治制度——无论多么专断、残暴——都要更为可取。进而，霍布斯为专制主义做出了一种理性主义的辩护。不过，由于把权威建立在认可的基础上，容许至高无上的权威可以采取不同于君主制的其他形式，因而，霍布斯击败了神圣王权的支持者。霍布斯悲观主义的人性观和对权威至关重要的强调对保守主义思想产生了极大的影响；另一方面，他的个人主义方法论和对社会契约论的运用则启发了早期的自由主义思想。

由此看来，权力是一个谁自主行事、多大频率地自主行事，以及为什么事而自主行事的问题。这种权力看待方式的吸引力在于，它合乎我们日常的看法，即权力关涉做成某件事，因而最鲜明地表现在决策及其如何做出的方式上。正如达尔所指出的，它的另一个优点是，使关于某一群体、社群或社会内部权力分配的经验的乃至科学的研究成为可能。研究方法就是：选取众多"关键"的决策领域，确认相关行为体并判定其偏好，分析所做出的决策，把决策的结果同所知行为体的偏好予以对比。广大的政治学家和社会学家——尤其在 20 世纪 50 年代末和 60 年代的美国——热衷于这一研究程序，并取得了大量的社群权力研究成果。其中，最有名的研究是达尔自己对美国康涅狄格州纽黑文市区权力分配的分析，研究成果汇集在《谁统治?》（[1963] 2005）一书中。这些研究大多聚焦于当地社区——通常是本城市，之所以如此，是基于这些地方比国家层面的政治更能够为经验研究提供可操控的单元要素，而且因为此类研究预先就假定了：有关国家层面权力分配的结论能够顺理成章地从对当地权力分配的认知中引申出来。

在纽黑文市，达尔选取了三个"关键"的决策领域（城市改造、公共教育和政治候选人提名）展开研究。在每一个决策领域，他首先就意识到，在拥有政治特权和经济实力雄厚的人与普通公民之间，各自所施加的影响是悬殊的。不过，他又宣称，有证据表明，不同的精英群体决定了不同领域的政策，因而抛弃了所谓的统治精英或永世精英的观念。他的结论是，"总的说来，纽黑文是民主体制的典范"。事实上，社区权力研究经常得出这样的结论：权力广泛地分布于社会，以至于它们所确认的权力面孔——影响决策的能力——往往被认作表明有多个或许多个权力中心存在的"多元主义"权力观。然而，这是一种误导，因为多元主义的结论既不是源于对权力的这种理解，也不是源于这种确认权力的方法论。比方说，要是某一个团结的群体的偏好被认为总是支配了其他群体的偏好，为何得不出精英主义的结论来呢？这是没有道理的。当然，另一个更为有力的批评是，由于只专注于决策，这种方法就只能确认出权力的一张面孔，而忽略了决策被阻止做出的社会情境——非决策领域。

议程设置

　　把权力单纯地定义成影响决策内容的能力，会生出许多困难。首先，有关权力分配的假定怎样才能得到可靠的验证，就明显存在问题。譬如，在什么样的基础上，可以把被研究的"关键"决策同被忽视的"日常"决策区分开来？有理由假定国家层面上的权力分配会反映出社区层面的权力分配吗？进一步说，这种权力观只专注于行为，即 A 对 B 行使权力。这样做忽视了权力在多大程度上是一种可能体现在财富、政治地位、社会身份等方面的拥有。或许，权力虽存在却不被行使。比方说，群体有能力影响决策，但他们选择自身不卷入其中，就因为他们没有预见到所做出的决策会给他们带来消极的影响。私人企业可能对诸如保健、住房和教育等议题不感兴趣——当然，除非增长的福利支出危及征税，使税负加重。同理，人们服从上级，是因为他们无须等到直白的指示就能预见到自身意愿的结局，这就是所谓的"预期反应律"。不过，还有一个问题就是，第一种方法忽视了权力的另一张迥然不同的面孔。

　　在那篇富有创意的论文《权力的两面性》（［1962］1981）中，巴克拉克（P. Bachrach）与巴拉兹（M. Baratz）把非决策表述成"权力的另一张面孔"。虽然巴克拉克与巴拉兹承认权力体现在决策过程中，但他们还是坚持认为，单个人或群体在一定程度上有意或无意地制造或巩固某种障碍，阻碍政策冲突的公开表达，因而，个人或群体是拥有权力的。正如沙茨奈德（E. E. Schattschneider，1960）所概述的："有些议题被纳入政治议程中，而另一些被排除在政治议程之外。"权力，简而言之，是设置政治议程的能力。这种权力形式更难确定，但也不是不可能确定，它要求理解非决策的动力机制。权力的决策分析方法鼓动人们把目光专注到群体积极参与决策过程的行动中，而权力的非决策分析方法则突出政治组织在阻止某些群体参与、禁止某些意见表达上的重要性。对此，沙茨奈德有一个著名的论断予以总结，即："组织是对偏向的动员。"在巴克拉克与巴拉兹看来，对权力的任何一种恰当的理解都必须充分考虑到"占统治地位的价值观和政治神话、仪式及体制，这些东西往往更有利于某一个或几个群体（相对于其他群体而言）的既得利益"。

　　从多方面看，可以把非决策程序看成是在自由民主的体制内运作的。譬如，尽管党派通常被看作利益得以表达或需求得以阐明的工具，但它们同样能很容易地阻止某些特定的看法、意见表达出来。当所有重要的政治派别都忽视某一议题或某一政策选择，或者当各大党派就此基本上保持意见一致时（也就是说，它们都从未提起过这一议题），就会发生上述情形。这一点同样适用于诸如发展中国家的债务、南北两极分化、环境危机等问题，这些问题从未被主流政治派别当作首要的议题看待过。一个非决策程序就助长了冷战期间的军备竞赛。在冷战的很长时间里，在必须对有攻击性的苏联予以军事威慑的问题上，西方各政治派别达成了一致意见，因而都很少去考虑诸如单方面裁军的可能性。类似的偏向也体现在利益集团的政治中，它有利于阐明某些看法和利益，而阻止其他看法和利益的表达。比起失业者、无家可归者、穷人、老年人和青年人等群体来说，代表了消息灵通者、成功人士及健谈者的利益集团更有机会决定政治议程。

对作为非决策程序的权力所做出的分析往往得出精英主义（而非多元主义）的结论。比方说，巴克拉克与巴拉兹就指出，日常政治中的"偏向动员"通常符合所谓的"现状维护者"、特权者或精英群体的利益。实际上，精英分子有时把自由民主政治表述成一系列的过滤器，借此，激进的主张被层层淘汰掉而被挡在政治议程之外。不过，要是认为某一特定的权力研究方法预先决定了其经验性结论，那又是错误的。即便可以把"偏向动员"视为某一政治体制内发生的事情，有时候，民众的压力也可能（乃至实际上）盖过"既得利益"，就像围绕福利权益、消费改善和环境保护所展开的成功运作那样。这里还存在一个问题，那就是：即使把议程设置看作与决策同等重要的权力面孔，也没人考虑过这样一个事实——权力也可以通过控制人们的思想而予以运用。

思想控制

前面两种权力研究——把权力视为决策或非决策——具有一个共同的假设：个人和群体所需要的就是他们所表达出来的。纵然他们缺乏实现自身目标或让其目标提上政治议程的能力，这也是适用的。事实上，上述两个角度都认为，只有在群体清晰地表达了自身偏好的时候，才谈得上谁有权而谁无权。然而，上述立场存在的问题是：它把个人或群体纯粹看待为理性、自主的行为体，能够知晓自己的利益并予以清楚地表达。可实际是，没有人拥有完全独立的心灵，所有人的观念、看法和偏好都是由社

115 会经验所构建和塑造的，无不受到家庭、同辈、学校、工场、大众传媒、政党等因素的影响。譬如，在对广告力量的经典研究——《隐蔽的劝服者》（*The Hidden Persuaders*，[1957] 1967）中，万斯·帕卡德（Vance Packard，1914—1996）描述了一种通过制造需求来操控人们行为的能力。

这表明，还有第三张更为阴险的权力面孔，那就是：A 对 B 行使权力，不是通过让 B 做他本来不愿意做的事，而是如同史蒂文·卢克斯所言，通过"影响、塑造或决定 B 之所欲求"。对此，新左翼理论家赫伯特·马尔库塞在《单向度的人》（又译《单面人》，1964）中突出分析了发达工业社会的"极权主义"本质。不同于早期的极权

社会（如纳粹德国，靠恐怖手段和赤裸裸的残暴来压制民众），发达工业社会是通过对需求的诱导性操纵（靠现代技术而成为可能）来统治民众的。这造成了马尔库塞所谓的"舒适、安稳、合理而民主的不自由状态"。在此类境遇下，社会不存在冲突，这也许并不能证明民众的普遍知足感和权力的广泛配置。相反，一个"无对抗的社会"或许恰恰是隐秘的灌输和心理控制获得成功的一个明证。这就是卢克斯所谓的"激进的权力观"。

批判理论

批判理论是指所谓法兰克福学派的著述。1923 年建立于法兰克福的社会研究所，在 20 世纪 30 年代迁移到美国。而后，又在 50 年代早期重建于法兰克福。在 1969 年，研究所解散。批判理论的发展历程可以划分为两个阶段。第一个阶段涉及在战前和战后早期领导研究所工作的那些理论家，尤其是霍克海默、阿多尔诺和马尔库塞。第二个阶段源自批判理论在战后的主要阐释者——哈贝马斯的著述。

批判理论并不是也从未构成一个统一的思想整体。不过，某些共同的主题往往能够使法兰克福的思想家们作为一个学派突显出来。批判理论最原初的知识和政治灵感来自马克思主义。法兰克福的思想家阐发了一种新马克思主义形态，这种新形态更多地聚焦于对意识形态的分析，而不是对经济的分析，也不再把无产阶级视为革命的力量。他们还将马克思主义的洞见与康德、黑格尔、韦伯和弗洛伊德等思想家的观点融合起来。批判理论的一大特点是，力图通过把实际的社会研究与哲学联系起来，而将批判概念拓展到所有的社会实践中。由此，批判理论不仅超越了马克思主义的经典学说和方法论，而且影响遍及各门不同的学科，包括经济学、社会学、哲学、心理学和文学批评等。相比于早期法兰克福思想家首要聚焦于对个别社会的分析，后期的理论家则通常将批判理论运用于国际政治的研究中。在此，批判理论家主旨明确地阐发了解放政治，专注于揭示全球政治中压迫和不正义的体制，从而推动个人和集体自由事业。有时，这也促使批判理论家去解决国际理论中一个关涉政治共同体与国家之间的常规关系问题。由此，它就开启了一种更包容或许也更为世界主义的政治认同观的可能性。

不过，批判理论自身也招致了批评。由于提出脱离社会斗争现实的社会改造理论，"第一代"法兰克福学派的思想家尤其遭到了批判。而且，他们还因过分强调资本主义吸纳反对力量的能力、低估资本主义社会内部的危机趋势而备受诟病。与此同时，批判理论打通各门学科而使之相互得益，并且跨越马克思主义与传统社会理论之间的界限，从而提出了许多重要的政治和社会洞见。它还源源不断地提供了富有想象力的视角，借此，现存社会的问题和矛盾得以迎刃而解。

117　代表人物

马克斯·霍克海默（Max Horkheimer，1895—1973）　德国哲学家和社会心理学家。霍克海默倡导跨学科研究方法，这一点后来成为批判理论的一大特征。他的主要关切在于分析阶级社会何以包含冲突的精神和意识形态机制。他从自由资本主义的心理、种族和政治趋势的角度阐释了极权主义，并且认为，"大众社会"的到来使旧有的意识形态分歧变得无关紧要。霍克海默的主要著作有《启蒙辩证法》（与西奥多·阿多尔诺合著）（1944）和《理性之烛》（1974）。

赫伯特·马尔库塞　德国政治哲学家和社会理论家。马尔库塞将发达工业社会描述成一个"全覆盖的压迫体系"，它压制所有的争论和辩论，吸纳同化一切反对因素。不同于这种"单向度社会"，马尔库塞主张一种无愧于时代的个人和性解放的乌托邦前景，同时他看重发展中国家里的学生、少数族群、妇女和工人等群体的革命潜力。马尔库塞的主要著作有《理性和革命》（1941）、《爱欲与文明》（［1955］1969）和《单向度的人》（1964）。

西奥多·阿多尔诺（Theodor Adorno，1903—1969）　德国哲学家、社会学家和音乐理论家。阿多尔诺对大众文化的批判做出了重要贡献。他同霍克海默一道提出了一种新的社会文化理论，该理论聚焦于"工具理性"（而非阶级斗争）的进展。阿多尔诺将文化和大众传播解释为统治阶级意识形态借以被施加于社会的政治工具，由此制造出顺从和麻痹人的思想和行为。阿多尔诺最有名的著作有《权力主义人格》（1950）、《最低限度的道德》（1951）和《否定的辩证法》（1966）。

尤尔根·哈贝马斯（Jürgen Habermas，1929—　）　德国哲学家和社会理论家。哈贝马斯是"第二代"法兰克福学派的主要倡导者。哈贝马斯的著述涉及认识论、发达资本主义的动态、理性的本质、社会科学与哲学的关系等。他突出强调了资本主义社会内部资本积累与民主之间的紧张关系。在 20 世纪 70 年代，他将批判理论发展为一套"交往行为"理论。哈贝马斯的主要著作有《走向一个合理的社会》（1970）和《交往行为理论》（1984，1988）。

激进权力观的核心在于真实与虚妄之间的区分（这反映在主观的或"感受到"的利益与客观的或"真实"的利益之间的分别上）。简而言之，人们并不总能真切地了解到自己的内心世界。这一权力观对马克思主义者和后现代理论家们具有特别的吸引力。马克思主义者断言，资本主义是一种阶级剥削和压迫的制度，其中的权力集中在"统治阶级"——资产阶级——手中。资产阶级的权力不仅是经济上和政治上的，同

时也是意识形态上的。在马克思看来，在任何一个社会中，占统治地位的观念、价值观和信仰总是统治阶级的思想观念。于是，被剥削阶级——无产阶级——深受资产阶级观念和理论的愚弄，因而受困于恩格斯所说的"虚假意识"。结果是，无产阶级再也意识不到自身受剥削的事实。由此，无产阶级客观的或"真实"的利益（它只有废除资本主义，方可得到满足）区别于他们主观的或"感受到"的利益。列宁断言，"资产阶级意识形态"的势力太强大了，如果放任自流，无产阶级只能获得"工联意识"，这是一种但求在资本主义制度内改善物质状况的意愿。这方面的理论将在本章最后部分联系意识形态领导权来详加论述。

后现代思想家尤其受到米歇尔·福柯（Michel Foucault，1926—1984）作品的影响，他们也把目光投向了"权力话语"观即权力与思想体系之间的关联上。一套话语就是一个社会关系与实践的系统，该系统把意义进而把身份赋予生活或工作于其中的个体。在福柯看来，从制度化的精神病学、监狱服刑到学术规训和政治意识形态，统统都可看作此种意义上的话语系统。话语之所以是某种权力形式，是因为它们确立起对抗性，建构了人际关系，其中的个体被界定为主体或客体、"内部的人"或"外人"等。进而，这些身份被个体加以内化，这就意味着：那些屈从于统治的人——在马克思看来——并未觉悟到这种统治存在的事实，也意识不到受统治的程度。如果说，马克思主义者把权力同企图维护阶级不平等的思想控制联系在一起，那么，后现代理论家则进一步把权力视为无处不在的东西，所有的知识系统都被看作权力的表现。

然而，上述"极端"的权力观也遭到了批评。要是没有一条用以评判的真理标准，就不可能认定人们的观念和偏好都是幻象，其"感受到的"需求都不是"真实的"需求。如果人们表达出来的偏好不可靠，那么怎么可能证实他们"真实"的利益是什么呢？"知识是被社会地决定的，通常或总是被权力所污染"，这一后现代观念存在的一个问题是：所有的真理主张充其量都是相对的。此种后现代立场挑战的不仅仅是"科学理论"的地位，而且还攻击科学的后现代理论本身的地位。卢克斯对这一问题做出了一个解答，他提出：人们"真实的"利益就是"在可以选择的前提下想要的和偏好的东西"。换句话说，只有理性、自主的个体才能够确认自己"真实"的利益。可是，这一立场也存在这样一个难题，它回避了问题的实质：我们何以判定个人何时能够做出理性而自主的判断？

后现代主义

后现代主义是一个颇具争议而令人迷惑的术语。最初，它被用来描述西方建筑及整个文化发展中的试验性运动。总的来说，后现代思想起源于欧洲大陆（尤其是法国），它对早已成为英美世界中准则性的政治学术理论形态构成了挑战。自20世纪70年代以来，后现代和后结构主义的政治理论日渐变得时髦起来，它们赖以确立的基础是人们觉察到的社会变迁——从现代性到后现代性及相关的文化和思想转型——从现代主义到后现代主义。一般认为，现代社会是由工业化和阶级团结构筑起来的，而人的社会身份在很大程度上是由他在生产体系中的地位所决定的；后现代社会则被看作一个不断碎裂的多元化"信息"社会，在其中，个人由生产者变为消费者，个人主义取代了对阶级、宗教和种族的忠诚。

作为现代性的文化形态，现代主义在很大程度上萌芽于启蒙观念和学说。在提供了彼此对立的"善的生活"观的意识形态传统中，它获得了政治上的表达，自由主义与马克思主义就是两种最鲜明的表达。现代主义思想以基础主义——确信可以确立客观真理和共同价值为特征。这种看法又往往同坚定的进步信念联系在一起。相反，后现代主义的主旨是，世界上并不存在确定性，必须把绝对而普遍的真理观当作狂妄的主张而予以抛弃。就其本性而言，尽管后现代主义并不构成一个统一的思想整体，但它对真理主张的批判态度源于它关于所有的知识都是不完全的、偏狭的假定。这是一个同某些社群主义（又译为"社区主义"、"社团主义"或"共同体主义"）思想家共享的观点。后结构主义是一个时常与后现代主义互换的术语，它强调指出，所有的观念、概念都是在身处复杂权力关系的语言中获得表达的。那么，政治理论就不可能超然于权力关系之上而被赋予不偏不倚的理解；相反，它就是自身所要分析的权力关系的内在组成部分。

后现代主义思想同时遭到了来自两个方面的批评。一方面，它被指责为相对主义，因为它认为，不同的认知方式都同等有效，而对"科学能可靠地区分真理与谬误"这一观念则予以拒斥。另一方面，它被指责为保守主义，因为它的非基础主义的政治立场未提供一个让现存秩序受到批判的视角，也没有给出一种用以建构一个理想社会秩序的基础。然而，后现代理论的吸引力就在于，它对看似牢固的现实和被普遍接受的信念予以无情质疑。它对商谈、论辩与民主的强调反映出这样一个事实：一旦拒斥了观念的等级制，也就拒斥了政治和社会的等级制。

代表人物

马丁·海德格尔（Martin Heidegger，1889—1976） 德国哲学家。海德格尔也是后现代主义的先驱，他对现象学和存在主义的发展产生了极大的影响。他的哲学体系的根本之处在于对"存在"（Being）意义的追问。他把"存在"理解为自我意识的存在。在他看来，先前所有的政治哲学家犯了同一个错误，他们都是从人性概念出发的，而不是把"人的本质"确认为"揭蔽之域"，这就导致了技术对人的存在的统治。海德格尔确信，通过阐发出一种对"存在"的容纳（亲缘）关系，人类是可以从技术统治中挣脱出来的。海德格尔最有名的著作是《存在与时间》（1927）。

让-弗朗索瓦·利奥塔尔（Jean-François Lyotard, 1924—1998） 法国哲学家。在普及"后现代"这一术语并赋予其简明定义（"对元叙事的不信任"）方面，当首推利奥塔尔。就上述定义，他指的是对建立在普遍的历史理论——把社会看作一个融贯的整体基础之上的所有信条和意识形态一概持怀疑态度。这一思想趋势源于科学的权威性丧失。利奥塔尔最重要的著作是《后现代状态》（1979）。

米歇尔·福柯 法国哲学家和激进知识分子。福柯对崛起的后结构主义产生了重要影响。福柯首先关注的是知识形态和人类主体的建构。他早期的著作分析了作为"考古学"的知识的不同分支，这一分析引发了对话语或他后来所谓的"话语构成"的重视。该分析的核心在于，他认为：知识深陷于权力之网中，真理总归是一种社会构成物。福柯的主要作品有《疯癫与文明》（1961）、《词与物》（1966）和《性经验史》（1976）等。

雅克·德里达 法国哲学家。尽管德里达本人并不愿使用"解构"这一术语，但他却是这一术语的主要倡导者。解构（有时同"后结构主义"互用）的使命是质疑那些构成了人类文化生活的"文本"，揭露其中所含有、而"作者"未充分意识到也不必对此负全部责任的隐秘和矛盾。德里达的"差延或延异"（difference）概念抛弃了关于语言中存在固定差异的观念，同时也容许各种意义之间的持续"滑动"——因为世上原本就不存在两极对立。德里达的主要著作有《书写与差异》（1967）、《哲学的边缘》（1972）与《马克思的幽灵》（1993）。

理查德·罗蒂（Richard Rorty, 1931—2007） 美国哲学家。在语言和心灵的分析中赢得了声誉后，罗蒂越来越关注政治议题。他早期的著作认为不存在一个各种看法得以被评判的客观、先验的立场。由此，他得出如下结论：哲学本身无非是一种会谈。不过，他又赞同那种时常同社会民主主义叠合的、实用的自由主义。基于此，他对后现代主义中某些相对主义倾向持保留态度。罗蒂最有名的著作有《哲学和自然之镜》（1979）、《实用主义的后果》（1982）与《偶然、反讽与团结》（1989）。

权威

　　尽管从传统上讲，政治关注的是权力的行使，但它通常更专注于所谓的"权威"现象，尤其是"政治权威"。从最广义上说，权威是一种权力，它是手段，借助它，个人得以对他人的行为施加影响。不过，通常情况下，权力与权威彼此区分为促使顺从和服从的相互对立的两种手段。如果说，可以把权力界定为有能力去影响他人的行为，那么，权威则可被理解为有权利去这么做。权力靠劝导、压力、威胁、强制力或暴力促成顺服，权威则建立在被领会的"统治权利"基础之上，它是通过被统治者一方道义上的服从义务致使顺服的。虽然政治哲学家们一直就权威得以确立的基础争执不休，但不管怎样，他们都认同权威总归含有某种道义性。这意味着，与其说权威被服从，不如说权威应该被服从。从这个意义上说，英格兰斯图亚特王朝的国王们自1688年被驱逐后仍可继续主张他们的统治权威，即便绝大多数人不再认同这种权利。同样可以说，一位老师拥有要求学生完成作业的权威，即便学生拒不服从。

121   然而，还有另一种权威概念为现代社会学家所采纳。这一做法多源于德国社会学家马克斯·韦伯的著作。韦伯致力于解释，在何种情况下人们愿意把权力的行使当作正当的或合法的而加以接受。换句话说，他把权威纯粹地界定为人们关于其正当性的信念之事——不论这种信念来自何方，是否在道义上获得了辩护。韦伯的做法是把权威看作一种权力形式，是一种"合法的权力"，包藏在合法性下的权力。由此看来，可以把一个民众所服从的政府说成是在行使权威，即便这种服从是靠系统的灌输和宣传导致的。

权威与被承认的"统治权利"之间的关系恰好解释了权威概念何以成为政府运作的核心所在：一旦缺乏自愿的服从，政府就只能动用恐惧、恫吓和暴力来维持秩序了。不过，权威概念既很复杂，又颇具争议。譬如，虽然权力和权威从理论上可以区分开来，但在实践中两者往往彼此重叠，混淆在一起。还有，既然权威是出于多种理由（有时，在截然对立的场合下）而被服从的，那么，重要的是，要区分权威所可能采取的各种不同的形式。最后，权威无论如何也不可能是普遍赞同的对象。许多人把权威看作秩序和稳定的必要保障，因而感叹他们所看到的现代社会"权威式微"现象，另一些人则警告说，权威同独裁主义密切相关，它极有可能沦为自由和民主的敌人。

权力与权威

权力与权威是两个相互排斥的概念，但两者在现实中又难以拆分开来。最好把权威理解成博取忠顺的手段，它一方面免除了劝导和说理，另一方面也避免了任何形式的压力或强制力。劝导是一种影响他人行为的被广为采用的有效手段，但严格说来，它不涉及权威的行使。大多数的选举政治无异于对选民施行劝导：政党竞选、广告、组织集会和游行，所有这一切无不是为了在投票日对选民的选举行为施加影响。劝导总是涉及下述两种影响方式中的一种：它要么采取论理的方式，力求表明某一套政策是合情合理的；要么诉诸人的自利之心，试图表明在某一政党（而非其他政党）领导之下选民的境况会更好。在这两种情形下，选举人就如何投票所做出的决定取决于竞选政党各自所涉及的论题、所提出的论断以及使论断被人接受（使人信服）的方式。简而言之，既然投票人需要被劝服，那么，选举期间的政党并非在行使权威。由于权威是建立在对"服从义务"的认同之上，权威的行使就应该体现在不由自主（不假思索）、无可争议的忠顺上。在这种情形下，可以说，政党只是针对其最忠诚而顺服的支持者——他们无须被劝导——才行使着权威。

同样，在韦伯的意义上，也可以把权威同各种形态的权力区分开来。如果权威包含着影响他人的权利，而权力则指涉影响他人的能力，那么，权力的行使总要借助某种资源。换句话说，权力涉及奖赏或惩罚他人的能力。这意味着权力总要采取施加压力、恫吓、强制力或暴力等形式。不同于说理或劝导，压力通常表现为奖惩措施的使用，但也险些动用公开的强制力。比方说，在所谓的"压力集团"的活动中，我们可以看到这一点。尽管压力集团有可能通过劝导和说理来影响政治决策过程，但它们还有其他行使权力的方式，如资助某个政党或候选人，扬言要发起罢工行动，举行游行示威活动，等等。恫吓、强制力和暴力同权威更是尖锐对立，反差鲜明。既然强制力是以胁迫或暴力使用为基础，那么可以把它看作权威的对立面。政府在行使权威时，公民平和而自愿地服从法律；一旦服从不能被自愿地给予，政府则不得不强制获得它。

不过，即便权力和权威这两个概念可以分析的方式区分开来，但权力的行使与权威的行使往往叠合在一起。权威很少在缺乏权力的情形下行使，而权力通常包含（哪怕是）一定程度的权威的行使。比方说，政治领导权（的实现）几乎总是要求权威和权力的结合。譬如，一位总理或总统赢得内阁成员的支持，这可能是出于党派的忠诚感、出于对高级职位的尊敬或出于对领导个人成就或品性的认可。在此种情形下，总理或总统与其说在行使权力，不如说在行使权威。然而，政治领导权从未单独倚赖于权威。一位总理或总统所获得的支持同时也显示了他所掌握的权力，如他有能力以晋升的方式奖赏同僚或以解雇的方式惩罚他们。同理，如同在第七章要探讨的，法律权威也部分地依靠执行权力做后盾。要是法律没有强制性的国家机器（警察、法庭、监狱等）支撑，安分守己地在法定范围内生活的义务定会变得毫无意义。

要澄清权威的意义，最后的困难源于对该术语彼此对立的使用上。譬如，可以把人描述成"拥有权威（当权）"或本身就是"权威"。说某人"拥有权威"（当权），是指他（或她）在某一体制秩序内的职位。一名教师、警察、公务员、法官或部长正是在这种意义上行使权威的。他们都是公职人员，其权威建立在他们的职位或岗位所负载的正式"权力"之上。与之相反，说某人是"权威"，是指他（或她）被确认为拥有超人的知识或技能，其看法因而会获得特殊的尊重。正是在这种意义上，各界人士如科学家、医生、教师、律师和学者等可能被当作"权威"看待，他们的见解则被认为具有某种"权威性"。这就是通常所谓的"专家权威"。

有些评论家认为，上述区分突出了两类对立的权威。"拥有权威"意味着要求（他人）服从的权利，从这层意思上讲，一名指挥交通的警察可以要求司机服从他（或她）的指令；是"权威"则无疑意味着这个人的看法会被看重，会获得特殊的关注，但它绝不表明这些看法自动受到遵从。一位知名的历史学家有关第二次世界大战起源的论述会引发学界同行的反应，但这类反应不同于他（或她）要求学生按时交上论文所能引发的反应。在第一种情境下，历史学家是作为一位权威而受到尊重的；在第二种情境下，他（或她）是出于"拥有权威"而获得遵从的。同样要看到的是，一个被当作权威看待的人是被人认为在某种意义上优胜于其他人的；而那些只拥有权威的人则自身并不比他们所支配的人要优胜，只是他们的职位或岗位把他们突显出来而已。

权威的种类

无疑，马克斯·韦伯就权威的类型做出了最有影响力的分类。韦伯专注于特定的"统治制度"的分类，突出了在每一种情形下服从得以确立的基础。为此，他构建了三种"理想类型"。他承认，这些"类型"只是概念模型，但同时又希望它们有助于解释极其复杂的政治统治的本质。这三种理想类型是传统型权威、魅力型权威（卡理斯玛型权威，charismatic authority）与法理型权威（法律-理性型权威或合法-合理型权威，legal-rational authority），每一种权威都声称有权在不同的基础上合法地行使权力。在确认政治权威可能采取不同形式的同时，韦伯也试图去理解社会自身的转型，他把简单的"传统"社会中出现的统治制度同典型地出现在现代工业化和高度官僚化社会中的统治制度加以对比。

韦伯提出，在传统社会，权威建立在对长期确立的习俗和传统的尊崇之上。事实上，传统型权威之所以被视为合法，是因为它"一直存在"，并被先辈们所认可。因而，这种权威形式被历史所神化，不断以"古老的习俗"为基础。实际上，传统型权威往往通过等级制度发挥作用，这种等级制度赋予社会中每一个人一定的地位、身份。不过，不同于现代岗位或职位，传统社会中某个人的"地位"没有得到准确的界定，因而不可能赋予那些拥有权威的人韦伯所谓的"自由许可"空间。不过，此类权威还是由一套具体的规则和无可置疑的定型习俗所约定。由于这些规则和习俗反映的是一仍其旧，它们也就用不着论证自身的合法性。在某些部落或小型的人类群落中，可以找到传统型权威的最鲜明的例子，它们是以家长制（表现为家庭内的父亲统治或主人对奴仆的统治）和老人制（老人统治，通常表现为村落"长者"的权威）的形式出现的。由此可见，传统型权威同世袭的权力和特权系统密切相关。很少有传统型权威还存留到现代工业化社会，这一方面是因为传统的影响随着社会变迁步伐大大加速而衰弱下去了，同时也因为很难使世袭地位、身份同现代原则（如民主治理和机会平等）协调起来。不过，传统型权威的残迹还能在君主制国家乃至发达工业社会（如英国、比利时、荷兰和西班牙）中搜寻到。尽管有时在传统的权威观与儒家论主体的思想之间做近似的比较，但后者深深根植于美德观念之中。

◎ 超越西方

儒学与权威

125

儒学是一套由孔子（Kong Fuzi，公元前551—前479）和他的弟子所阐发的伦理体系，它的思想主要概括在《论语》里。作为中国古代的主导性哲学传统，直到20世纪前期，儒学几乎塑造了中国教育的方方面面。儒学思想专注于自我的人际关系与培养这两大密切相关的主题。对"仁"（"人性"或"爱"）的强调通常被解释为对传统价值观尤其是孝顺、尊敬、忠诚和慈爱的主张。对"君子"（有德行的人）的看重则提示着人的发展的无穷能力和人追求完善（尤其是通过教育得以实现）的无限潜力。

儒家关于权威的思想集中体现在关于等级社会的说法中，在这个社会里，有对每个成员所扮演的角色的完美界定。这建立在社会存在三类人的看法之上，即圣人（代表和传播智慧，但人数极少）、贵族或绅士（主导"与世界打交道"，坚持不懈地做正确的事情，遵循自我修养之路）和"小人"（社会大众，不太关注道德而只会一心追随作为楷模的统治者）。然而，虽然这种等级模式反映了一种基本上保守的观念，即道德责任随社会地位的提升而增长，但它奠基于严格的精英统治原则之上，因为孔子认为人们在出身上是平等的，因而他主张建立一种向所有人开放的教育体制。由此，人们基于其内在的品性而在社会上升迁或沉沦，这同财富或家庭背景无关。而且，在孔子看来，权威在本质上是一种善（仁慈）。作为统治集团，绅士首先是出于对他人福祉的真诚关怀而与众不同，他们同时意识到：如此这般即可生成政治稳定——"子帅以正，孰敢不正？"

韦伯的第二种合法性统治是魅力型权威。这种权威完全建立在个人的人格力量即

他（或她）的"魅力"（charisma）之上。"魅力"一词源于基督教，指的是神赐的才能，即"神圣的天赋"，它体现在耶稣基督对他的门徒所发挥的力量上。魅力型权威不归功于个人的身份、社会地位或职位，一切归于他（或她）的个性，尤其是个人对他人那种直接的吸引力。这种权威必然总是在政治生活中行使，因为任何形式的领导权都要求有沟通的能力和激发忠诚感的才能。在某些情形下，政治领导权几乎完全是建立在魅力型权威的基础之上，如法西斯统治者墨索里尼和希特勒，他们自称为"元首"，执意要把自己从任何一种宪法规定的领导权概念中挣脱出来，从而攫取不受约束的权力。不过，把魅力型权威简单地当作一种天赋或自然习性（本性）是不对的。政治领导者经常致力于"制造"魅力，为此，他们或是培植媒介形象和强化演讲（雄辩）技能，或是借助宣传机器的控制精心导演"个人崇拜"，像墨索里尼、希特勒就是这么做的。

无论是天生的还是人为的，魅力型权威常常会遭受质疑。这种质疑体现为，人们认为魅力型权威总是同独裁主义、无可争议的服从以及不顾是否认同的权威相关联。既然魅力型权威建立在人格而非身份、职位之上，那么它就不受任何规则或程序的限制，从而有可能制造出"总体性（包打一切）的权力"幽灵来。进一步说，魅力型权威所要求的不仅是其下属自愿的服从，还要求对方的崇奉乃至牺牲。最终，有魅力的领袖受服膺，是因为服膺带来的是个体生命可以获得改观的期待。由此，魅力型权威常常带有强烈的救世主性质。像拿破仑、希特勒这样的领导者，个个把自我展现为*126* "救世主"，他们来到人世间，就是为了拯救、解放——或者不妨说，改造——自己的国家。在自由民主体制下，这种权威或许不那么关键，因为其中的领导权虽仍显重要，但它的权限以立宪的形式受到了限定。重要的是要记住：政治魅力这一品性不仅表现为玛格丽特·撒切尔或查尔斯·戴高乐这样自信、自负（有时略显生硬粗暴）的领导作风，也表现为相对温和而不失成效的罗斯福式的"炉边谈话"，以及几乎所有的现代领导人所擅长的电视镜头表演术。

韦伯所确立的第三种统治形式是他所谓的法理型权威。在韦伯看来，法理型权威近乎彻底地取代了传统型权威，成为现代工业社会起支配作用的组织模式，因而它是最重要的权威形态。韦伯特别指出，法理型权威是业已支配了现代社会的大规模官僚组织的一大特征。法理型权威通过一套界定明确的规则的存在发挥作用。实际上，法理型权威完全与职位及其正规的"权力"连在一起，而与岗位担当者（任公职者或官员）无关。由此，法理型权威明显区别于任何魅力型权威形态；当然，它也不同于传统型权威，因为它是以界定分明的官僚角色而非宽泛的身份、地位观念为基础。

法理型权威源于对"法治"的尊重，在法治下，权力总是在法律上获得清晰的界定，以确保那些行使权力的人是在法律的框架内行事。譬如，在很大程度上，现代政府可以说是在法理型权威基础上运转的。在几乎所有的情形下，总统、总理或其他政府官员能够行使的权力都被宪法规定的正式规章所限定，这些规章约束或限制官员所能够做的。在韦伯看来，这种权威理所当然比传统型或魅力型权威都更为可取。首先，清晰界定权威的限度并把它施与某个职位（而非某个人），官僚的权威因而不太可能被滥用或引发不公。除此以外，韦伯认为，官僚秩序是由效率和合理分工的要求所决定的。依照韦伯的见解，支配现代社会的官僚秩序是极其有效的。不过，韦伯也觉察到通往官僚式权威之途有坏的一面。他担心，更高效率所要付出的代价是一个更加失去个性的、非人性化的社会环境，它典型地表现为官僚组织形态的无情扩张。

确认权威的另一种方式是在法律权威（*de jure* authority）与事实权威（*de facto* authority）之间做出区分。法律权威是依照某一套指定谁拥有权威、拥有什么样的权威的程序或规则来运作。譬如，被认为"当权"的任何人都可以被说成是拥有法律权威，他们的"权力"可以归结到某一特定的职位上。正如韦伯所界定的，从上述意义上说，无论是传统型权威还是法理型权威都是法律权威形态。然而，也有这样的情形，权威无疑被行使着，但它又不可归结到某一套程序规则上。这类权威可以被称为事实权威。比如，"一位权威"（人）也许建立在对某一限定领域的专长上，但不能说建立在某一套合法的规章上。再举例说，一位路人自发地看管交通事故现场，指挥交通和发布指令；而他并没有得到任何正式的授权去这么做。事实权威也适用于这一事例。相关的人会行使事实权威而又不拥有任何法定的权利或法律权威。所有形式的魅力型权威都属于这种事实权威。它们等同于事实权威，是基于它们完全建立在个体的个性上，而同某一套外在的规则根本无关。

127

权威的捍卫者与诋毁者

权威概念不仅极其复杂，而且极富争议。有关需要权威的问题及是否应该把权威当作一种绝对的神赐物，成为政治理论的核心所在，它同有关需要政府的争论（在第三章讨论过）密切相关。然而，自20世纪末期以来，权威问题尤为引发争议。一方面，现代社会中个人权利和自由持续扩张，宽容或放纵主义的社会伦理观不断推进，这促使某些人更多地从消极的角度去看待权威，把它当成过时、不必要的东西或蕴含压迫的东西；另一方面，这一进程也激起了对抗性的反应，它促使权威的捍卫者们重申它的重要性。在他们看来，权威在家庭、工场、学校、学院和大学的销蚀只会给社会带来混乱、动荡和解体的危险。

17—18 世纪的社会契约论为权威提供了一个古典的辩护。这些理论通过构建缺少某种权威系统的社会（所谓"自然状态"）图景而不断得到推进。它们强调，如果个人为达到各自不同的目的而相互争斗，结果导致的必然是残暴和非正义。然而，这里蕴含着对权威的一种模棱两可的态度。这种对权威既爱又恨的矛盾心理为众多自由主义理论家所传承。它首先表明，权威的必要性被所有理性的个人所认同，他们尊重权威，既因为它能确立秩序和稳定，也因为它能捍卫个人自由使其免遭他人的蚕食。在这个意义上，自由主义者总要强调，权威是"自下"而上生发出来的：权威建立在被统治者的认可上；可与此同时，权威必然束缚自由，它有可能沦为反个人的极权统治。结果是，自由主义者坚持认为，权威要受到制约，因而，他们宁愿选择运作于界限明确的法律或宪法框架内的各种法理型权威。

从传统上看，保守主义思想家对权威则采取一种完全不同的态度。在他们看来，权威很少建立在认同的基础之上，而是出自罗杰·斯克鲁顿（Roger Scruton，2001）所谓的"自然必然性"。由此，权威被看作所有社会组织机构的本质特征。它体现了对领导、操纵、控制和支持的基本需要。譬如，保守主义者指出，从任何意义上说，家长在家庭内的权威绝非建立在孩子的同意之上；相反，家长的权威源自家长哺育、关心和爱护其孩子的本能欲望上。在这种意义上，权威是为了下层的利益而"自上"而下行使的。从保守主义的角度看，权威促进了社会凝聚，有利于强化社会的组织结构，因而，它是任何真正的社会共同体的根基所在。这就是新保守主义者如此强烈地批判放纵主义蔓延的原因，他们认为，通过对（如家长、老师和警察的）权威的削弱，放纵主义造就了一个引发犯罪、过错和一般性非礼高涨的"无路荒漠"。

有人进一步提出，权威的销蚀有可能为极权统治铺就道路。汉娜·阿伦特本人因纳粹主义的兴起而被迫逃离德国，她断言，整个社会事实上是靠尊崇传统的权威而维系在一起的。强有力的传统规范就体现在道德准则和社会行为中，它们充当了把社会凝聚在一起的"黏合剂"。权威的功用在于，为个人提供一种社会认同感和安全感，并帮助找回自信心；"权威的崩溃"则把他们推向孤立无援、无所适从的境地，使他们成为蛊惑人心的政客或未来独裁者捕获的牺牲品。在《极权主义的起源》（1951）一书中，阿伦特指出，传统价值观和等级制度的衰微是可以解释纳粹主义出现的因素之一。她认为，在专制主义和极权主义的社会之间，存在着明显的差别。在前者，政治上的异议和政府的自由通常受到压制，但个人的自由在相当大的程度上仍是被容许的，至少在经济、社会和文化生活领域内是如此。与之相反，极权体制则控制着人类生存的方方面面，确立起"全面的权力"，从而践踏了个人的一切自由。

汉娜·阿伦特

　　德国政治理论家和哲学家。阿伦特出生于一个中产阶级的犹太人家庭。1933年，为躲避纳粹的迫害，她逃离了德国，最终定居美国。在美国，阿伦特完成了她的大部分创作。

　　阿伦特涉猎广泛、别具一格的著述受到了海德格尔和雅斯贝尔斯（Jaspers，1883—1969）存在主义的影响。她把自己的创作描绘成"思想的天马行空"。她最重要的哲学著作《人的境况》（1958）阐发了亚里士多德的思想。在书中，她断言：政治行动是人类本真生活的核心所在。她把公共领域描述成一个得以自由和自主地表达、赋予私人的作为意义的空间。在《论革命》（1963b）一书中，她分析了美国革命与法国革命，并得出结论：两场革命都抛弃了西方革命传统中"失落的法宝"，前者把广大民众排除在政治领域之外，后者则专注于"社会问题"而忽视了人的自由。在《艾希曼在耶路撒冷》（1963a）中，阿伦特以纳粹战犯阿道夫·艾希曼（Adolf Eichmann）的命运为基础，探讨了"平庸之恶"的问题。

　　不过，权威也一直饱受质疑，有时还招致公开的敌意。仇视的核心论点是，权威是自由的大敌。所有形式的权威都可能被视为对个人的一种威胁，因为严格说来，权威要求绝对的服从。在此种意义上，总是有自由与权威之间的拉锯战：权威的领域一旦扩大，自由必然受到限制。因此，似乎有足够的理由庆幸权威的衰微。如果家长、老师和国家不再拥有无可争议、无可置疑的权威，那么相应地，它自然反映到孩子、学生和个体公民不断增长的责任和自由上。由此看来，恐惧无限度的各种权威形式是有一定理由的。魅力型权威以及任何"自上"而下行使的权威，都会造就出不受制衡的权力幽灵。比方说，如果家长可以正当地对自己的孩子行使的权威不是建立在认同基础上，那有什么来制约这种权威呢？

　　可见，可以把权威看作对理性和批判性理解的一种威胁。权威要求无条件的、绝对的服从，因而可能制造出某种言听计从的气氛，引发责任的放弃，以及对他人的判断不加批判地信任。这种趋向受到了心理研究的高度重视，该研究把权威的行使同专制主义特性——受支配或顺服的倾向性——的发展联系起来。在《法西斯主义大众心理学》（［1933］1977）一书中，威廉·赖希提供了一种有关法西斯主义起源的说法，该说法集中关注了由父亲在传统型专制家庭内的主宰所带来的破坏性压抑。在《权威人格》（1950）一书中，这一分析得到西奥多·阿多尔诺等人的进一步发挥。他们宣称，有证据显示，在测定"法西斯倾向性"的人格量表（F-scale）中，处于高位的个

130 体就包括那些有着服从权威的极端倾向性的人。心理分析学家斯坦利·米尔格拉姆（Stanley Milgram，1974）就宣称找到了支持上述理论的实验证据。这表明带有强烈的遵从权威倾向的人更易于被诱导干野蛮的事情，比方说，把他们认为是相当大的苦痛强加于人。米尔格拉姆断言，他的证据有助于解释纳粹死亡集中营中看守的非人性的行为，它同样有助于解释越战中美国军队所实施的暴行。

合法性

合法性通常被简明地定义为"正当性"。因而，权力与权威之间的区分就很关键了。合法性就是把赤裸裸的权力转化成正当的权威的一种特性。它赋予某种秩序，或者说，拥有某种权威的、有约束力的品性，从而确保自身是出于义务而非恐惧而受到遵从的。显然，在合法性与权威之间，有一种密切的关系，有时，这两个术语还被当作同义词使用。不过，正如最通常使用的那样，相对于人被说成拥有权威，政治制度才被描述成是合法的。实际上，大量的政治理论无非是对政府在何时、以何种理由拥有合法性的讨论。这个问题极其重要，是因为，如前所述，一旦缺乏合法性，政府就只能靠恐吓、威逼和暴力来维持。正如卢梭在《社会契约论》（［1762］1969）中所指出的："即使至强者也绝不会强大到能够永远做主人，除非他把强力转化成权利，把服从转化成义务。"

可是，围绕合法性概念，还是存在着深刻的分歧。"合法性"最广泛使用的含义同样源自韦伯。韦伯拿合法性来指称的不过是对"统治权利"的一种信赖，即信赖合法性。换句话说，某一套制度，只要民众愿意遵从，就可以说是合法的。这同大多数政治哲学家的习见截然不同，这种习见力求为合法性确立一种合乎道德或理性的基础，从而显示出合法的统治形式与非法的统治形式之间一种清晰、客观的区别。譬如，亚里士多德认为，统治只有为全社会的利益而非为统治者的一己私利运作时，才是合法的。卢梭则认为，政府只有建立在"公意"基础之上才是合法的。在《权力的合法性》（2013）中，戴维·比瑟姆（David Beetham）力图阐发出一种社会科学型的合法性概念，它从根本上脱离韦伯的合法性概念。在比瑟姆看来，把合法性只是定义为"对合法性的信赖"，忽略了合法性是如何产生的。这在很大程度上把事情交托给

131 了强权者，他有能力借助公共关系活动等手段虚构出正当性。由此，比瑟姆提出，只有符合下述三个条件，权力才可以被说成是合法的：首先，权力必须依照业已确立的规则去行使，无论这些规则体现在正式的法规中还是非正式的习俗中；其次，这些规则必须在统治者和被统治者拥有共享的信念这一点上得到辩护；最后，合法性必须通

过被统治者一方认同、一致同意的表达显示出来。

除了对合法性术语的含义有分歧外，就权力得以合法化的手段也存在争议，这反映了关于"合法化程序"的性质存在着截然不同的观点。在自由主义传统中，依循比瑟姆所提出的条件，当权力是依照既定的、被认可的准则行使时，或是当统治是在公众同意的基础上进行时，合法性就出现。不过，其他人则表明，大多数（或许是所有的）政权都力图通过操控其民众的所知、所思或所想来制造合法性。实质上，合法性可能只是一种意识形态的霸权或统治。况且，还存在这样的问题，如政治制度是在何时、如何、又为何丧失了自身的合法性，而遭受所谓的"合法性危机"的。既然某种合法性危机要对政权或政治制度的存在提出质疑，那么，它就显得尤为严重了。迄今，尚无一个政权单靠强制力的行使就永久地维持下来。

宪治与认可

"历史的终结"理论家们，譬如弗朗西斯·福山（Francis Fukuyama，1992），将自由民主主义说成是唯一稳定而持久成功的政体形式。自由民主主义的拥护者们认为，自由民主主义的优点在于，它包含自我维护的手段——因为它能够确保持久的合法性。这主要通过以下两条途径来实现，即宪治与认可。宪治在自由主义和共和主义思想中发挥了核心的作用。宪治可以被界定为由宪法的存在所带来的有限政府的实践。在此，就其最简单的意义上说，宪法就是统治政府的规则。由此，宪治则可以被说成存在于政府机构和政治程序有效地受到宪法规则的制约之时。更广泛地说，宪治是指一套分解权力、由此在政府系统内制造出权力制衡网络的政治价值观和装置。这样的装置包括权利法案、权力分立、两院制和联邦制。不过，宪治采取各种不同的形式。在大多数国家——实际上在所有的自由民主政体中，都存在着所谓"成文的"或编纂好了的宪法。这些国家将重要的法治规则汇编成一部权威的文献——"宪法"。宪法制定出了"最高的"或至高无上的法律。此种文献的最早范例就是美国宪法，它是在 1787 年的费城会议上起草的。

共和主义

共和主义政治思想可以追溯到古罗马共和国。最早的共和思想可见于西塞罗在《论共和国》一书中为混合政体所做的辩护。在文艺复兴时期的意大利，该思想又作为意大利城邦的一种组织模式而得以复兴，并且被认为是对公民自由与政治稳定之间关系的一种平衡。后来的共和主义形态诞生于英国、美国和法国革命。随后，虽然共和主义观念因自由主义的普及和对作为隐私和不干预的自由的强调而不再时兴，但自20世纪60年代以来，尤其在社群主义思想家当中，对"公民共和主义"的兴趣又在不断增长。

在同君主制的对比中，共和制获得一种简单而明确的界定。不过，"共和"这一术语所表示的并不仅仅是不存在君主；就其拉丁语的词源"共和国"（Res publica）而言，它所意味的是一种独特的公共领地和人民统治。共和政治理论的核心论题关注的是某种自由的形态。在佩蒂特（Pettit, 1999）看来，共和主义的自由是免受独裁或暴政统治的自由与充分而积极地参与公共的政治生活的结合。共和主义思想家联系道德训诫或制度结构探讨过这种自由观。对共和主义的道德关注表现在对公民德行的推崇上，而人们所理解的公民德行包括热心公益事业、荣誉感和爱国主义。当然，正如20世纪在汉娜·阿伦特的著作中所阐发的，首要的是，共和主义同对公共活动高于私人活动的强调相关联。共和主义在制度上关注的焦点随时间而转移其重点。古典共和主义往往同与君主制、贵族制和民主制等因素相互结合的政府联系在一起，美国和法国革命则将共和主义应用于整个国家（而不是小型的政治共同体），并深入思考了现代民主政府的含义，从而重塑了共和主义。

共和主义政治理论的吸引力就在于为个人主义的自由主义提供了一种替代方案。它提倡一种公民人道主义，为此，它力求重建公共领域（作为个人得以自我实现的源泉），从而抵制政治的私有化和市场化［这一倾向为某种力量（如理性选择理论）所鼓吹］。然而，共和主义的弱点是，它在理论上并不太明晰，其政治主张也不确定。共和主义理论之所以遭到批判，或是因为它认同了一种本质上"积极的"自由理论（这是"公民共和主义"所特有的立场），或是因为它试图对"消极／积极"自由之间的分野持骑墙的态度（还可能是不自洽的）。在政治上，共和主义可同众多的政治形态联系在一起，包括立宪君主制下的议会制政府、激进民主政治以及通过联邦制和权力分立而达成的分治政府。

133　　## 代表人物

孟德斯鸠（Montesquieu, 1689—1755）　　法国政治哲学家。孟德斯鸠倡导了一种议会自由主义，它建立在洛克的著作之上，而在某程度上，它又是对英国政治经验的一种误读。孟德斯鸠强调有必要对政府权力进行分割，尤其是通过分权即三权分立的方式来抵制暴政。三权分立主张政府应当分为三个不同的部门：立法机构、行政机构和司法机构。孟德斯鸠最重要的著作是《论法的精神》（1748）。

托马斯·佩恩（Thomas Paine, 1737—1809）　　英国出生的作家和革命者。佩恩是君主制的激烈反对者，同时又是共和主义事业的热烈倡导者。他阐发了一派激进的自由主义思想。这派自由主义思想把对个人权利的强调同对人民主权的信奉融合在一起。佩恩还抨击现行的宗教，同时赞成平等主义，这种平等主义曾为福利国家和财富的再分配提供了早期的模式。佩恩最重要的著作有《常识》（1776）、《人权论》（1791—1792）和《理性时代》（1794）。

本杰明·康斯坦特（Benjamin Constant，1767—1830） 法国政治学家及作家。康斯坦特作为宪治的拥护者并以他对自由的分析而闻名于世。康斯坦特区分了"古代人的自由"与"现代人的自由"，他把前者等同于直接参与和自治的观念，而把后者等同于不干预和私权利。卢梭和雅各宾党人强调古代自由，康斯坦特则主张通过代议制和宪法制约来实现古代自由与现代自由之间的平衡。康斯坦特的主要著作有《适用于所有代议制政府的政治原则》（1815）。

　　宪法把治理变成一种受法规约束的活动，从而赋予一个政权合法性。由此，立宪的政府行使法理型权威，其权力由符合宪法的法律所授予。从历史上看，在早期有关合法性奠基于上帝意志——神圣的王权——之上的宣称遭到质疑时，要求立宪政府的呼声就高涨起来。可是，仅有一部宪法的存在本身并不能保证政府权力会正当地行使。换句话说，宪法不仅仅赋予合法性。它们自身就是易于遭受合法性问题困扰的法规体。实际上，正如比瑟姆所坚持的，一部宪法只有自身的原则反映了社会广泛持有的价值观和信仰，它才授予合法性。因而，政府权力只有依照被统治者心目中合理而可接受的规则行使，才是合法的。譬如，尽管连续颁布了四部宪法——1918、1924、1936 和 1977 年宪法，但苏联在赢取合法性的努力中只获得了极其有限的成功，这种情况的出现，既因为许多宪法条款（尤其是那些规定个人权利的条款）从未受到过尊重，又因为其主要的原则同苏联人民大众的价值取向和意愿并不一致。

　　遵照、服从可接受的规则也许是合法性的必要条件，但这也不是充分条件。立宪的政府如果不以某种方式确保政府仰赖于人民的认同或一致同意，那么也不可能确立起合法性。认同的观点源自社会契约论和这样一种信念，即政府大抵是从自由的个人所达成的自愿同意中产生出来的。比方说，约翰·洛克充分意识到，政府实际上不是从某一个社会契约中产生的，公民应该像政府真从社会契约中产生的那样去行动。进而，他阐发了"默许"（tacit consent）观念，即在公民当中达成一种服从法律和尊重政府的默示性同意。不过，就把合法性授予一个政权的认同而言，所采取的方式不能是默示的同意，而必须是自愿而主动地参与到社群的政治生活中去。政治参与才是认同的能动表达。

　　许多政治统治形式都是通过激发公众认同的表达来寻求合法性。这甚至也适用于法西斯主义的独裁统治，比方说，墨索里尼治下的意大利和希特勒治下的德国。在那些国家，付出相当大的努力来举行公民投票、集会、游行、示威等活动，从而发动民众对政权的支持。当然，民众认同得以表达的最常见的方式是选举。即便在一党制国家，为制造合法性，坚持选举也是最理想的方式。不过，由于是一党制和单一候选人制的选举，其意义也只限于其宣传价值了。简而言之，很少有选举人会把这种非竞争性的选举当成有意义的政治参与形式或表达自愿同意的机会。与之相反，公开的竞选制度（典型地出现在自由民主国家）则为公民提供了有实际意义的选择，给予他们权力去罢免被认为有负他们期望的政治家和政党。在这种情形下，选举行为是自主认同的真实表达。从这个角度看，可以说，自由民主政权是借助同广大民众分享权力的意愿来维护合法性的。

意识形态霸权

自由民主国家的一般形象是，它们享有合法性，这一方面是因为它们尊重个人自由，另一方面是因为能积极回应舆论。然而，批评者却提出，宪治和民主不过是掩盖"权力精英"或"统治阶级"统治的一种面具。比方说，新马克思主义者，如拉尔夫·米利邦德（Ralph Miliband, 1982）就把自由民主主义描述成"资本主义民主"，他指出，在其中，充斥着为私产利益服务并确保资本主义持久稳定的偏向性。

普遍认同的是，意识形态控制可以被利用来维护稳定和确立合法性。比方说，这一点就反映在我们前面所讨论的激进的权力观上。这种观点突出了对人的需求的操控能力。最鲜明的意识形态操控的例子是极权政权，它宣扬"官方的意识形态"，无情地压制所有与之对抗的信条、学说和主张。操控得以实现的手段也是明确的：教育沦为意识形态灌输的一个过程，大众传媒被转化成宣传机器，"不可信赖"的信仰遭到严格的审查，政治对立面被残酷镇压，等等。

"意识形态"概念有着一段不寻常的历史，主要是由于它被赋予了多种多样的含义。该术语是特蕾西（Destutt de Tracy, 1754—1836）在 1796 年提出来的，当时被用来描述某一门新的"观念科学"；不过，这重含义在法国大革命结束前就消失了；直到 19 世纪，该术语在卡尔·马克思的著作中又被重新提起。在马克思主义的思想传统中，"意识形态"意指成套的观念，这些观念往往掩盖着所有的阶级社会赖以确立的诸多矛盾。因而，意识形态宣传虚假、谬见和神化的东西。不过，它们却承担着一项强有力的社会职能：让被剥削者甘心于被人所剥削，从而稳固和强化阶级秩序。可见，意识形态是为"统治阶级"的利益而运作的。就像物质生产过程的控制，统治阶级全面控制了精神生产过程。譬如，在资本主义社会，资产阶级主宰着整个教育、文化、精神和艺术生活。如同马克思与恩格斯在《德意志意识形态》（[1846] 1970）中所说的那样："统治阶级的思想在每一时代都是占统治地位的思想。"

　　然而，这并不表明，这些"占统治地位的观念"垄断了精神活动，而排除了所有与之对抗的观念。事实上，现代马克思主义者明确意识到，文化、意识形态和政治上的竞争确实存在；但他们同时也强调，相对于提出质疑或挑战的观念和理论，捍卫资本主义秩序的观念和观点享有压倒一切的优势，基于此，这种竞争是不对等的。实际上，正因为这类灌输是在自由言论、公开竞争和政治多元主义的假象背后运作的，因而它要比一般的灌输成功得多。持有这种观点的最有影响力的代表人物是安东尼·葛兰西，他关注阶级秩序在多大程度上并不简单地由不平等的经济和政治权力所支持，而是由他所称的资产阶级"霸权"——资产阶级观念在各个生活领域中的统治或支配地位——所维护。意识形态统治有着清晰的含义：无产阶级被资产阶级的理论和哲学所蒙蔽，因而不能够获得阶级意识，也不会意识到自身的革命潜力。霸权概念也被用于国际或世界政治，表现为"全球霸权"观的形式。

◆ **全球性思考**

全球霸权

　　霸权，从其最简单的意义上说，是一种体制要素对其他要素的领导或统治。葛兰西用这一术语来指称资产阶级对从属阶级进行统治的意识形态方面。虽然"全球霸权"这一术语自20世纪80年代以来才被广泛使用，但它或许指代了一种远早于当代全球化阶段的现象。不过，"全球霸权"至少可以三种不同的方式被加以使用。

　　其中，前两种全球霸权观念都是以国家为中心的，因为它把霸权视为一个国家独有的属性，一个"霸权"就是一群国家当中的那个领袖国家。由此，霸权存在于一个——也是唯一的一个——大国出现的时候。最鲜明的例子是19世纪的英国和1945年以来尤其是1991年以后的美国——当时，苏联解体使得美国成为世界上唯一的超级大国。从现实主义的角度看，霸权包含恶性和良性两方面的意思。一方面，它是恶性的，是因为单极性导致国际体系的结构性紧张，既促发霸权国一方追逐权力的行为，又在其他国家行为体当中制造恐慌、敌意和仇恨；不过另一方面，霸权也可能是良性的，因为只有主导性的军事和经济大国才能确保一个自由的世界经济体的稳定和繁荣。与之相对，激进的理论家如诺姆·乔姆斯基（Chomsky，2003）则完全从消极的角度来看待全球霸权，他们认为，国家越是强大，其走向专制和压迫的趋势就越明显。此种分析通常聚焦于"美帝国"所代表的种种危险上。借助集团力量的增长、新殖民主义的扩张以及规模大小不等的军事干预，美国将它的影响力扩展到全球。正因此，美国被说成是一个"邪恶的超级大国"。

第三种全球霸权模式源自新马克思主义理论，它主要吸收了葛兰西的思想。它在两个方面不同于国家中心主义模式。其一，它不是把霸权看作国家的一种属性，而是当作全球资本主义体系的一大特征。由此，霸权更关乎全球阶层体系的经济剥削过程和动力机制，而非单一国家的政治-军事统治（Cox，1987）。其二，全球霸权突出强调了国际事务中各种经济、政治、军事和意识形态势力之间的互动。在新马克思主义者看来，全球霸权在很大程度上是借助新自由主义经济思想在几近全世界范围内的支配地位来运作的，新自由主义经济思想有助于使全球资本主义体系及其制度性的不公正和不平等合法化。

类似的思路也为所谓的"知识社会学"所贯彻。知识社会学有时被看作替换马克思主义关于"统治"或支配性意识形态观念的思想。卡尔·曼海姆（Karl Mannheim，1893—1947）是这一派社会学的创始人之一，他把学科目标定位为揭示"我们的知识之社会根源"。曼海姆（Mannheim，1960）认为，可以把"人们实际上如何进行思考"归根于他们所处的社会地位和所属的社会群体，而每一个社会群体都有其看待世界的独特方式。由此可见，意识形态是"由社会决定的"，反映了社会的境况以及让他们得以成长的群体的意愿。在《现实的社会建构》（1991）一书中，伯格和勒克曼（Berger & Luckmann）拓展了上述分析，他们提出，不仅条理化了的信条和意识形态，而且在社会中被看作"知识"的一切都是由社会建构起来的。此种分析的政治意义在于，它阐明了人类在多大程度上不是如其所是地看待世界，而是如他们所认为的那样去看待，或者说，如社会告诉他们的那样去看待。既然知识社会学意味着不能把个人简单地看作独立而理性的、能够把合法的统治形式同非法的统治形式区分开来的行为体，那么，它就为任何一种合法性概念提供了激进的含义。归之，合法性总是某种"社会的建构物"。

138   对意识形态的操控过程，美国激进知识分子、无政府主义理论家诺姆·乔姆斯基阐发了一种最有影响力的现代性解释。在诸如《制造共识》（与爱德华·赫尔曼合著，1994）等著作中，乔姆斯基揭示了一个大众媒介的"宣传模式"，该模式解释了新闻和政治报道是如何被媒介自身的体制所歪曲的。这种歪曲是借助一系列"过滤器"来运作的，像媒介渠道私有制的影响、媒介对广告商和赞助商的看法和利益关切的敏感、源自政府和由商业支撑的思想库等"权力机构"的新闻和消息来源等。乔姆斯基的分析强调了大众传媒可能败坏或妨碍民主的程度，尤其是在美国，它有助于动员民众支持帝国主义的外交政策目标。不过，大众传媒的主导型意识形态模式也遭到了批评。反对的意见有：该模式低估了报刊和广播电台（尤其是公共服务电台）关注反当局的观点及运动的程度。而且，认定媒体决定政治态度也是决定论的做法，忽视了人们自身的价值观在过滤——还可能抵制——媒介消息方面所发挥的作用。

合法性危机

无论合法性是自愿同意所授予的还是靠意识形态的灌输所制造的，但正如前面所强调的，对任何政治统治制度的维护来说，它都是必需的。由此，关注力不仅集中于合法性得以维护的机制，也聚集到某一政权的合法性遭受质疑、最终土崩瓦解的情境上。在《合法化危机》（1988）一书中，尤尔根·哈贝马斯断定，在自由民主主义体制内，存在着"危机倾向"，它削弱合法性，对此类政权的稳定构成了挑战。这一论断的核心是一方的私有企业或资本主义经济同另一方的民主政治体制之间的紧张关系。实际上，资本主义民主体制天然地不稳固。

民主程序驱使政府去回应来自民众的压力，这要么是因为政党间相互"竞价"，争取掌权，要么是因为压力集团对当权的政治家无休无止地提出要求。这一点反映在公共开支的持续攀升和国家责任的不断扩展上，而尤其体现在经济和社会生活领域。安东尼·金（Anthony King，1975）把这个问题表述成政府的一种"超载"现象。政府被超载，就是因为民主的政治家在竭力满足向自身所提出的各种要求时，他们必然要去追逐那些威胁到资本主义经济秩序健康而长久发展的政策。比方说，不断增长的公共开支造成了财政危机，其中的高税收变成了抑制企业发展的因素，而不断攀升的政府借贷导致了永久性的高通货膨胀率。哈贝马斯的分析指出，自由民主主义并不能既持久地满足大众对社会保障和福利权利的要求，又总能满足以私人利润为基础的市场经济需求。在他看来，或者出于被迫抵制民主的压力，或者是不得不冒经济崩溃的危险，资本主义的民主会发现，维持自身的合法性变得越来越困难了。

在某种程度上，对合法性危机的恐惧给 20 世纪 70 年代的自由民主主义政治勾勒了一幅灰暗无比的图景。哈贝马斯主张对"危机倾向"予以确认，它已超越了自由民主主义的控制能力。不过，实际上，选举机制容许自由民主主义调整政策来回应对抗性的要求，从而使制度在整体上能够维持高度的合法性——即便某些特定的政策可能遭到批评、招致冷遇。一般而论，大多数自由民主主义政治往往从干预主义政策转向自由市场政策，而后又转回干预主义政策，这就取决于权力在左右翼政府之间的流转。然而，还是可以把自 20 世纪 70 年代以来新右翼的兴起看作对合法性危机的一种回应。首先，新右翼认识到，"超载"问题的出现，部分地是出于这样的观念，即政府能够也必然会解决所有的问题（政治问题，还有经济、社会问题）。于是，新右翼思想寻求降低民众对政府的期待。为此，他们全力把责任从国家转移到个人身上——无论这些责任关涉保险救济制度、养老、医疗、住房还是就业。更为极端的是，新右翼试图挑战并最终取代了那些先前把不断扩展的国家责任合法化的理论和价值观。从这种意义上说，新右翼无异于是一种"支配性规划"，它力图将那种曾经强调社会正义、福利权利和公共责任的政治文化改造为突出选择、创新、竞争和个人责任的政治文化。

相比而言，在工业化的西方，民主政权仍未太受合法性危机的影响，发展中国家的民主政府则不然（没那么幸运）。很少有发展中国家成功地维持住了建立在公开的权力竞争和尊重公民基本自由之上的政治制度。尽管越来越多的发展中国家已培育出自由民主主义的特征，但持久成功的例子（像印度）还是微乎其微。有时，自由民主主义实验在军政权或一党制内发展到高峰。不过，这种发展给它们带来的却是合法性危机的某些征兆。比方说，体制性问题，诸如长期不发达、过度依赖经济作物、向西方银行举债等，使发展中国家的政权难以（也许根本不可能）满足民主统治所预定的期待。进一步说，当社会面对压倒一切的单一目标即社会发展需要时，多党制民主往往就显得不合适，乃至被看作发展的一大障碍。不过，从另一角度看，此类政权是否享有过合法性（在此种情形下，不可能把它们的垮台说成是一种合法性危机）本身就是成问题的。

140

讨论题

141

1. 权力同影响力有何不同？

2. 认为权力是影响决策的能力这一权力观有何局限性？

3. 作为非决策的权力为何具有精英主义的含义？

4. 如果权力包含思想控制，那么我们如何能证明其存在呢？

5. 权威同权力有何不同？

6. 权威在权力缺失的情况下还能存在吗？

7. 魅力型权威是否应当总是被质疑地看待？

8. 权威是基于何种理由而被捍卫？

9. 合法性是否可以被简单地界定为"对合法性的信仰"？

10. 合法性为何关乎宪治？两者又是如何关联的？

11. 合法性是否更多的是为统治者（而非被统治者）的利益服务的？

12. 资本主义民主是否不可避免地要遭遇合法性危机？

延伸阅读

Beetham，D. *The Legitimation of Power*（2013）. 该书对运用于政治制度的合法性概念做了全面而颇具影响力的介绍，它还探讨了超国家的合法性这一议题。

Furedi，F. *Authority：A Sociological History*（2013）. 这是对整个社会和政治思想史上的权威概念的一项专题研究，它还考察了奠定权威基础的持续的（也是具有争议的）努力。

Hearn，J. *Theorizing Power*（2012）. 该书对权力如何被界定、被概念化和被理论化做了清晰而富有批判性的评析，它突出强调了权力跨所有社会生活领域（包括性别、宗教、道德和身份）的重要性。

Lukes，S. *Power：A Radical View*（2004）. 在这个关于权力的经典文本的扩展版中，鉴于近期对其原初论述的争议和批评，作者重新思考了他的三维权力理论。

第六章

民主、代表与公共利益

- 民主

  直接民主与间接民主   自由民主主义   民主的优劣

- 代表

  代表还是代理人?   选举与授权   典型代表

- 公共利益

  私人利益与公共利益   存在公共利益吗?   民主的困境

内容简介

自政治思想开启以来,"谁该来统治?"就成了一个反复出现的争议、论辩的焦点。不过,自 20 世纪以来,这一问题逐渐导向了一个几乎普遍接受的唯一答案,那就是:人民应该统治。也许还没有一种政治理念像民主这样赢得了如此毫无疑义的认同乃至尊崇。世界各地的从政者,无论是自由主义者、保守主义者、社会主义者、共产主义者还是法西斯主义者,都迫不及待地声明他们的民主主张,并全力投身到民主理想中。然而,正是这种普及性使得民主成为一个难以理解的概念。当某一术语对任何人都意味着任何东西时,它极有可能变得毫无意义。当下,民主无非是一个"欢呼语",它被从政者一遍又一遍地挂在嘴边,可是空洞无物。

事实上,在不同的历史时期,在世界各地,众多彼此对立的民主模式被创立。这些民主模式包括直接民主与间接民主、政治民主与社会民主、多元民主与极权民主等。什么样的政府可以被合理地说成是"民主的"呢?民主为何能获得如此广泛的重视?可以把民主当作一种无条件的善吗?不过,现代民主观念很少建立在民众自我管理这一古典观念之上。相反,它们是以从政者在某种意义上"代表"了人民并以人民的名义行事这一看法为基础的。这就提出了诸如代表意指什么以及代表如何被实现之类的问题。譬如,被代表的是什么?是人民的观点、他们的最高利益,还是构成人民

142

的众多群体？代表是民主的一个必然特征，还是仅仅为民主的替代物？最后要指出的是，民主的政府都声称是为国家或公共利益而统治。然而，"公共利益"指的是什么？是否可以说，人民有一种单一的集体利益？如果真存在这样的集体利益，那么它实际上又是如何被界定的？

民主

"民主"（democracy）这一术语与民主统治这一古典概念都深深植根于古希腊。民主源自古希腊词语"*kratos*"，其意为"权力"或"统治"；而"*demos*"代表的是"多数人"或"人民"。因此，民主意味着"普通民众（或人民）的统治"。与民主的现代用法相对的是，民主最初是一个消极、贬义的术语，意为由无产者或未受教育的民众统治，而不是指由所有人统治。因而，民主被当成自由和智慧的敌人。亚里士多德等经典著作者愿意承认大众参与的好处，不过，他们仍担心，这种不受限制的民主会沦为一种"暴民统治"。事实上，直到20世纪，民主一直还带有这种贬斥、轻蔑的含义。

然而，几个世纪以来，民主政体发生了相当大的变化。最根本的区别也许就存在于不同的民主制度中，像古希腊的民主制度，是以民众直接参与政体为基础的；而另外的民主制度则通过某种代议机制来运作。这里突出强调的是两种对立的民主形式：直接民主和代议制民主。还有，对民主的现代理解被西方工业化国家发展起来的选举民主（通常被称为自由民主主义）形式所主导。虽然自由民主主义取得了不容否认的成功，但它也只是众多可能的民主模式中的一种，况且，它的民主表现还常常受到质疑。最后还要指出的是，民主在当前所赢得的普遍认同不应当模糊这样一个事实，即几个世纪以来，民主的好处一直备受争议，而且从某些方面看，这种争议在20世纪末愈演愈烈。换句话说，民主不仅有优点、长处，还有缺点和短处。

民　主

虽然民主政治传统可以追溯到古希腊，但直到19世纪，民主事业才广泛地被政治思想家们担负起来。在此之前，民主一直被看作由无知而缺乏启蒙的民众统治而遭到唾弃。不过，如今我们所有的人似乎都是民主主义者。自由主义者、保守主义者、社会主义者、共产主义者、无政府主义者乃至法西斯主义者都迫不及待地宣扬民主的好处，并对他们的民主作为加以展示。

　　这里强调了这样一个事实：民主思想传统并没有提出一个统一的、大家一致同意的人民统治（popular rule）观念，它只是一个就人民统治概念以及实现这种统治的途径展开讨论的论辩场所。从这种意义上说，民主政治思想涉及三大核心问题。首先，谁是人民？既然没有人可以把政治参与扩展到全体民众，那么问题是：它应该在什么样的基础上受到限制——关乎年龄、教育、性别、社会背景还是其他什么因素？其次，人民应该怎样统治？这不仅仅涉及直接民主和间接民主两种民主形式之间的选择，还关系到对各种代议的形式以及不同的选举制度的争论。最后，人民统治原则应扩展到何种地步？民主应当只限于政治生活，还是也该适用于诸如家庭、工作场所或贯穿整个经济活动？

　　可见，民主并不是一种明白无误的单一现象。在现实中，存在大量的民主理论或民主模式，其中的每一种理论或模式都给出了自己的人民统治形态。这里存在的不仅仅是大量的民主形式和机制，更根本的是，还有民主统治赖以获得辩护的众多极为不同的理由。建立在雅典模式之上的古典民主，是以公民直接而连续不断地参与治理过程为特征。保护性民主是一种有限的、间接的民主统治形式，它旨在向个人提供一种抵抗政府的防护手段。由此，它同自然权利论和极权主义联系在一起。发展性民主关乎的则是基于促进自由和个人兴盛而扩大民众参与的诸种努力。这种民主观为20世纪六七十年代的新左翼思想家以激进的或参与式民主形式提出来。最后，协商式民主则强调公众论辩和讨论在塑造公民身份和利益以及强化其公益感等方面的重要性。

　　民主的批评者采取了各种各样的立场，他们以不同的方式警告说，民主没能认识到一些人的意见要比另一些人的意见更有价值；民主支持大多数人的意见而牺牲了少数人的意见和利益；民主统治往往助长政府的扩张而威胁到个人的权利；民主建立在公共利益或公共的善等虚假概念之上。民主的观点进一步为现代社会的多元化特质所削弱。

145 代表人物

约瑟夫·熊彼特　出生于摩拉维亚（位于捷克）的美国经济学家和社会学家。熊彼特所提出的资本主义分析突出了资本主义的官僚化倾向及其日益增长的与社会主义的相似性。他的民主理论提供了一种不同于"古典学说"的新说法，它以存在共享的公益概念这一观念为基础；它把民主的过程说成是一个权力的竞技场，追逐权力的政客们为赢得人民的选票而在其中相互争斗。他关于政治民主和经济市场具有相似性的观点对后来的理性选择理论产生了相当大的影响。熊彼特最重要的政治著作是《资本主义、社会主义与民主》（[1942] 1994）。

罗伯特·达尔　美国政治学家。达尔是多元主义理论的主要倡导者。他把现代民主制度同古希腊的古典民主进行了对比，在此，他用"多头政治"（polyarchy）这一术语来指称多数人的统治，而区别于全体公民的统治。通过实证研究，他总结说：竞选制度阻止了永久精英的出现，确保了参与政治进程的广泛（虽不完美）渠道。他后期的著作反映出他对民主与资本主义大公司的权力之间紧张关系的逐渐觉悟。达尔的主要著作有《民主理论的前言》（1956）和《多元主义民主的困境》（1982）。

本杰明·巴伯（Benjamin Barber，1939—2017） 美国政治理论家。巴伯的《强势民主》（1984）倡导全民参与观（就自治方面至少是某些时候而言）。他抛弃了过剩的民主可以毁坏自由主义制度的观点，而是认为，过剩的自由主义会削弱民主制度。因而，自由主义的或"薄"的民主会助长对政治的怀疑和公共机构的瘫痪。巴伯的其他主要著作有《圣战与麦当劳世界》（1995）和《民主的激情》（1998）。

卡罗尔·佩特曼（Carole Pateman，1940—　） 英国女权主义者和政治理论家。佩特曼的《参与和民主理论》（1970）致力于复兴对参与式民主的兴趣。受卢梭的影响，她认为，相比于将参与的作用最小化的修正主义民主理论，把参与置于核心位置的经典民主理论更为可取，这是因为后者自身就可以调解普遍的形式上的权利与阶级不平等之间的相互矛盾。在《女性的失序》（1989）一书中，佩特曼探讨了妇女参与和认同及其同社会契约传统之间的关系等诸多问题。

直接民主与间接民主

在美国内战期间，林肯在他所发表的葛底斯堡演讲中高度颂扬了他所谓的"民有、民治、民享的政府"的优越性。在此，林肯定义了两种相互对立的民主概念。其一，"民治（政府）"是建立在公众参政并实际地管理自己即民众自治这一观念的基础之上。其二，"民享（政府）"同公共利益概念和政府为人民谋福利（不管人民是否自我治理）的观念联系在一起。一直持续到 19 世纪的古典的民主概念深深植根于民众参与的理念中，并且充分借鉴了雅典式的民主典型。雅典民主的基石是所有公民直接而不间断地参与到他们的"波利斯"或城邦生活之中。如第三章所述，实际上，这等同于一种民众集会的治理形式。每位公民一旦通过抽签或轮值而被选中，都有资格出任公职。因而，雅典民主是一种"直接民主"制度或是有时所指的"参与式民主"。*146* 通过消除对职业政治家这一独立阶层的需求，公民自己就可以直接进行统治，从而抹平了政府与被管理者、国家与公民社会之间的界限。在美国的一些地区，尤其是在新英格兰，类似"城镇会议式民主"制度仍旧在地方层面上运行，它还为瑞士的社区议会所采纳。

然而，城镇会议并不是实施直接民主的唯一途径。最显而易见的途径是公民投票或公民表决。这是一种就某一特定问题的人民选举行为，它使选举者可以自己直接做出决定，而不是选出政治家代表他们去做决定。在瑞士，投票表决在国家各个层次上都被广泛采用，在像爱尔兰等国家，它被用来批准宪法修正案。英国在 1975 年就当时的欧共体成员国身份问题举行了公民投票；在 1979 年，就苏格兰和威尔士建立下移式议会问题举行了公民投票；并且在 1997 年布莱尔政府上台后，就向苏格兰和威尔士移交权力、北爱尔兰和平协议以及伦敦市长直选等问题举行了公民投票。在美国，公民表决已经以"提案"或人民立法提案权形式日益广泛地应用于地方政治中。还有一种直接民主的形式仍继续存在于现代社会，即根据抽签或轮值选举陪审团，这一做法就好比在雅典时期填补公职空缺。直接民主的倡导者进一步指出，现代技术的发展已经为大众参与政府开辟了更广阔的渠道。特别是一种所谓的互动电视可以让市民们既能观看公共辩论又能参与投票而不用离开住所。此类技术方面的试验已在美国一些地方社区展开了。

不消说，现代政府和雅典的直接民主模式几乎毫无相似之处。政府控制在职业政治家手中，这些政治家被赋予了代表人民做出决定的职责。代议制民主充其量不过是一种有限的、间接的民主形式。就民众参与的非经常性和短暂性而言，它是有限的，它简化为民众几年一次的选举行为，这要取决于政治任期的长短；就公众同政府保有距离而言，它是间接的，公众只能通过选择谁该统治政府来参与政治，却从来不能或很少能直接行使权力。基于投票行为仍然是公众权力的一个最重要的来源——不管它显得多么有局限性和形式化，代议制民主还是够得上一种民主形式的。简而言之，公众有能力"把无赖踢出去"，这一事实确保了公众的责任感。虽然代议制民主没能充分地实现古典的"民治（政府）"目标，但它还是使"民享（政府）"形式成为可能。

147　　有些代议制民主的倡导者承认代议制的局限性，但他们认为，它毕竟是当今社会条件下唯一可行的民主形式。高度的民众参与在相对小规模的社群（如古希腊的城邦或小镇）内是可能的，因为在市民当中或市民之间可以采取面对面的交流方式。然而，如果要在容纳数以千万乃至过亿人口的现代民族国家搞民众会议，这样的治理观念显然是荒唐的。况且，如果就每一个问题都向公众咨询，并允许广泛的论辩和讨论，这会威胁到决策过程而使之处于瘫痪状态，进而使整个国家实际上变得无法控制。当然，对直接民主根本性的反对意见是，普通民众缺少时间，也没有成熟而专业的知识去英明地代表自己进行统治。在这种意义上，代议制民主只不过把劳动分工的优势运用到了政治上：职业政客可以把他们所有的时间和精力都投入治理活动中，显然会比普通民众工作得更为出色。尽管如此，自 20 世纪 60 年代以来，对古典民主尤其是对参与观念的兴趣在不断回潮。这一方面反映出现代政府越来越官僚化和缺少

（对民众呼声的）回应性，因而在民众中的吸引力锐减，它同时也表明，人们对职业政客的敬意大不如前了——政客越来越被认为是自私自利的野心家。除此之外，投票表决行为经常被看作毫无意义的仪式，它对决策过程几乎没有影响，而只是对民主理想的嘲弄。在世界许多地方都出现了公民不参与和选举集会日益减少的现象，有时，它们被当作代议制民主所产生的不适和败落的症状。

自由民主主义

伯纳德·克里克（Bernard Crick，2000）曾指出，民主是最笼统的一个政治术语。并不存在一种固定不变的或公认的民主模式，有的只是互相对立的诸多模式。尽管如此，还是有一种特别的民主模式已经主导了人类的思想，以至于西方许多人都把它视为唯一可行的或者说唯一有意义的民主形式，那就是自由民主主义。自由民主主义几乎出现在所有发达的资本主义社会里，并以这种或那种不同的形式向各地发展中国家扩展。实际上，美国新右翼理论家弗朗西斯·福山宣称，自由民主主义在全世界范围内赢得了胜利，他把这种胜利说成是"历史的终结"，而"历史的终结"指的是两种政治理念之间斗争的终结。然而，这种必胜主义并没有抹杀一个事实：尽管自由民主主义具有吸引力，但它却不是民主政权的唯一模式，像所有的民主概念一样，它也遭到了一些人的批判和贬斥。

148

◎ 超越西方

非洲政治思想中的民主

149

在非洲有两个主要的政治思想传统。第一个传统包含本土的非洲思想，它兴起于所谓非洲历史上的黄金时代，所关涉的是古代王国和帝国（如埃及、库施/努比亚、加纳、马里和桑海）的统治。第二个传统兴起于 19 世纪后期和 20 世纪前期，是在殖民主义背景下出现的。阐发该传统的学者和政治家们不同程度地受到西方政治观念或制度的影响，但又力图从出现在非洲的价值观、传统和历史环境的视角重塑这些政治观念和制度。从这一传统所生发的两股最具影响力的亚传统是非洲民族主义和非洲社会主义。尽管本土的非洲思想在其中发挥着越来越边缘的作用，但它也不是无关紧要的。譬如，这种本土思想就促使坦桑尼亚总统朱利叶斯·尼雷尔（Julius Nyerere）宣称："在非洲，我们没有必要改宗去信仰社会主义，正如我们没有必要被教导去信奉民主。"

本土的非洲政治制度通常以负责任和应急响应机制为特征，它们有助于维护一种更为广义的民主文化（Martin，2012）。首先，它们往往将权力相互制衡的协商制度同充当对领导者（元首、国王或皇帝）滥权的有效制约的内室或枢密院和长老院等机制结合起来。其次，政治继任行为被非常谨慎地制度化，由此，家庭、部族和种族的权力争夺被最大限度地减少了，那些不合适（身体或心理上）的未来领导者也自动地被淘汰出局。再次，基本的政治单位是村社，由它做出关乎整个社会的最重大的决策，从而容许普通人表达意见和积极参与到基于多数人统治的决策过程中。又次，由于诸如长老院等机构往往是通过达成一致同意来决策的，因此，少数人的意见就不得不予以考虑。最后，妇女在传统非洲社会中扮演着关键性的角色。譬如，在古埃及，妇女是家庭的主人，地位高于丈夫，孩子随母亲取姓。

从历史上看，自由民主主义中的"自由"要素在这些国家能够真正被称为民主国家之前就出现了。例如，许多西方国家在 19 世纪发展出立宪政府的形式。但在当时，选举权仍然只限于有财产的男性。事实上，瑞士的女性直到 1971 年才获得投票权。一个自由主义的国家是建立在有限政府的原则之上的，该原则认为，个体应当一定程度地享有免于国家（干预）的保护的权利。从自由主义的角度看，政府是一种必要的恶，如果政府的权力不受制约，那么它极有可能变成反个人的暴政。这导致人们努力去寻求各种旨在制约政府的措施。如宪法、权利法案、独立的司法机关以及政府各大组织机构之间的制衡网络。此外，基于对公民自由和财产权的尊重，自由民主主义尊重富有活力而健康的社会的存在。因此，自由民主主义的统治典型地是同资本主义的经济秩序共存的。

然而，虽然上述特征可能是民主的必要前提，但不应当把它们误当作民主本身。自由民主主义中的"民主"因素是大众同意的意思，这在实践中通过投票选举表现出来。因此，自由民主主义是一种选举民主，在此，民众选举被当作政治权威的唯一合法的来源。不过，这类选举必须遵循政治平等的原则；必须建立在普选制和"一人一票"观念的基础之上。鉴于此，任何基于性别、种族、宗教信仰、经济状况或别的什么原因而限制投票权的制度都将经不起民主的检验。最终，为了实现充分的民主，选举应该是经常性的、公开的——而最重要的是，竞争性的。民主进程的核心是人们有能力要求政治家负起责任。因此，政治多元主义、不同政治哲学、运动、政党等之间的公开竞争都被视为民主的精髓。

自由民主主义的魅力就在于它有能力将精英统治同相当程度的大众参与结合在一起。政府被委托给职业政治家，但在公众首先能把他们推上政坛而后也能把他们赶下政坛这一简单的事实面前，这些政治家被迫对民众压力做出反应。约瑟夫·熊彼特在《资本主义、社会主义与民主》（［1942］1994）一书中做了总结，他把民主方法说成是"为达到政治决策的制度安排，在其中，个人通过人民投票的竞争方式获得决策的权力"。可见，可以拿精英统治——由专家、接受过良好教育的人或见多识广的人来治理——的优点同对公众负责的需求来权衡。事实上，这一看法蕴含的是，在自由民主政体内，政治权力最终还是掌握在选举期间的投票人手中。投票人在政治市场内行使权力就好比消费者在经济市场内行使权力。这一向人民负责的过程被公民通过形成压力集团和利益集团向政府直接施加压力的能力所强化。自由民主主义也因此被说成是多元主义的民主：在其中，政治权力被广泛地分散在众多竞争集团和利益群体当中，每一方都有介入政府的渠道。

尽管如此，自由民主主义并没有赢得普遍的赞成和尊重。它最主要的批评者一直 *150* 是精英主义者、马克思主义者和激进的民主主义者。精英主义者因主张政治权力集中在少数精英手中而出名。古典精英主义者认为这一主张是政治生活中的一个必要的——在很多情况下，还是可取的——特征，相比之下，现代精英主义者已经阐发出一种本质上的经验分析，通常还抱憾政治权力的集中。从某种意义上说，熊彼特阐发出一种民主精英主义思想，因为他提出，虽然权力总是掌控在精英手中，但众多精英之间的竞争却确保了民众的声音得以被听到。然而，在赖特·米尔斯（［1956］2000）看来，像美国这样的工业化社会是由"权力精英"主宰的，这是一个控制着"现代社会的主要统治阶层和组织"的有凝聚力的小集团。这种理论表明，权力在本质上是制度性的，它在很大程度上被授予了国家体系内的非民选机构，包括军队、官僚机构、司法部门和警察系统。米尔斯指出，事实上，行使权力的手段在当前社会中要比历史上以往任何时代都更狭隘地集中在少数人手中。由此看来，自由民主主义由以建立的基础即政治平等原则和选举竞争程序不过是一个骗局而已。

对自由民主主义的传统，马克思主义的批评集中在民主与资本主义之间内在的紧张关系上。对自由主义者和保守主义者来说，既然拥有财产权为个人自由提供基本的保证，那么它几乎是民主统治的基石了。只有当公民可以独立自主地生活并做出自己的决定时，民主才有可能存在。换句话说，资本主义是民主的必要前提。马克思主义者强烈地反对这个观点，他们指出，在自由民主主义所表明的政治平等与资本主义经济不可避免地滋生的社会不平等之间存在着天然的紧张关系。因而，自由民主主义是"资本家"或"资产阶级"的民主，为私有财产所确立的权势者所操纵和控制。这样一种分析致使革命的马克思主义者如列宁和罗莎·卢森堡（Rosa Luxemburg，1871—1919）否认有可能存在一条通向社会主义的"民主道路"。不过，另一种传统则认为，选举民主让劳动大众发出自己的声音，它或许也是一种引发意义深远的社会变革的工具。德国社会主义领导人卡尔·考茨基（Karl Kautsky，1854—1938）就是这种观点的倡导者，这也一直是现代欧洲共产主义者的主张。

151　　最后，激进的民主主义者也攻击自由民主主义，把它视为一种表面上的民主。他们回归到把民主当作民众自治的古典民主概念上，并特别地突出民众政治参与的必要性。直接的或参与式的民主理念得到了思想家卡尔·马克思与理论家如卡罗尔·佩特曼和本杰明·巴伯的支持。激进的民主主义批评的核心在于，自由民主主义把民众参与退化成一种毫无意义的仪式：每隔几年投一次票，选出政治家，而这些政治家又只有在选出另一拨谋取私利的政治家后方可被替换。总之，人民永远不可能去统治，惰怠、冷漠的扩散以及共同体的破裂反映了政府和人民之间日益加深的鸿沟。因此，激进的民主主义者更加强调政治参与所带来的好处，还常常援引卢梭和穆勒的著述来说明这一点。虽然他们并没有提出一套可替代自由民主主义的方案，但他们还是一直有意去支持任何一种使基层民主得以出现的改革。这不仅包括动用前面讨论过的公民投票和信息技术，还包括激进地分权及更为广泛地利用行动主义的竞选压力集团（而非官僚化和层级化的政党）。

民主的优劣

　　在现代政治中，对民主持有一份奇怪的——或许是不健康的——默认。人们如此普遍地尊崇民主，有关民主的一切都被视为理所当然——对其优点，很少有人质疑；而它的缺点也很少被曝光。这同英国、美国及法国革命时期的情形大不一样，当时的人们见证了有关民主优劣的激烈而持续的争论。事实上，在19世纪，当民主被视为一种激进、平等乃至革命的信条时，还从未有这样一个话题让政治见解如此分化和对立。然而，当下对民主的一致认同不应当掩饰这样一个事实：在不同时期的民主主义者是以极其不同的方式为各自的观点辩护的。

　　直到19世纪，民主（或至少是投票权）还通常被看作保护个人免遭过于强大的政府侵犯的一种手段。也许，对民主最基本的感怀在罗马诗人尤维纳利斯（Juvenal）的一声质问"谁来监护监护人呢？"（*Quis custodiet ipsos custodes?*）中就表达出来了。17世纪社会契约理论家同样把民主视为个人牵制政府权力的一种方式。譬如，在约翰·洛克看来，投票权是建立在自然权利，尤其是财产权上的。如果政府通过税收拥

152　有没收财产的权力，公民就有权通过控制课税机构的组建来保护自己。换句话说，应该是，"没有代表就不能征税"。可是，按20世纪的标准，将选举权局限于财产所有者的做法是不配称为民主的。更为激进的普选观是由杰里米·边沁等功利主义理论家提出的。在他的早期著作里，边沁倡导一种开明的专制主义，他相信它会促进"最大

多数的幸福";然而,他随后又转而支持普选制,因为他相信,每个人的利益都具有同等的价值,并且只有他们自己才可放手去追求自己的利益。

不过,关于民主,还有另一个更为激进的例子,它是由那些认为政治参与本身就是一种善的理论家提出来的。如前所述,让-雅克·卢梭和约翰·斯图亚特·穆勒通常被看作这一立场的主要代表。在卢梭看来,民主就是人类由以实现自由或自主的手段。根据这种观点,个人只有在遵守自己所制定的法律时才是自由的。由此,卢梭高度赞扬了他们积极主动而持续不断地参与共同体生活的好处。然而,这一观点完全超出了惯常的选举民主观念,为更激进的直接民主理念提供了支持。比方说,卢梭就嘲笑过英国所施行的选举做法,他认为:"英国人只有在他们选举他们的议会议员时才是自由的;而议员一旦被选举出来,人民就成了奴隶,他们就什么也不是了。"虽然穆勒还没有这么激进,仍然是位选举民主的倡导者,但他相信,政治参与无论对个人还是社会都是有利的。穆勒主张给予妇女投票权而把选举权扩大到除文盲以外的所有人。他指出,基于教育上的考虑,这样做会促进个人智力的发展、道德品质的提高以及对实践的理解;进而,它将逐渐创造出一个更加均衡而和谐的社会,从而促进"共同体心智的普遍提高"。

其他有关民主的论辩更明显地建立在对共同体而非对个人的益处之上。例如,民主可以让所有的成员在决策过程中拥有发言权,为他们提供一种与共同体的利害关系,从而营造出一种社会团结感。卢梭正好表达出了这样一种观点,他认为,政府应该建立在"公共意志"或共同的善之上,而不是立于每个公民私人的或自私的意愿之上。由此,政治参与增强了在个体公民当中那种认为他们"归属于"同一个共同体的感受。很类似的一些考虑促使社会主义者和马克思主义者支持民主——虽然表现为"社会民主"形式而非仅仅为政治民主。从这个角度来看,可以把民主看作同任何特权或等级形式相对立的一股平等主义力量。民主代表共同体而不是个人,代表着集体的利益而非个别人的利益。

即便打响了争夺民主的"战役",刺耳的反对之声仍不绝于耳。就反民主而言,*153*最主要的一个观点是,普通大众完全不可胜任,不能够为自身的利益而去明智地统治。最早的这样一种观点是由柏拉图提出来的,他提出由有德者来统治的观点,即政府应该由一群哲学王作为监护人来管理。与民主理论家尖锐对立的是,柏拉图持有一种极端形式的自然不平等观:人生来就有三类不同的灵魂,即金的、银的和铜的,因而注定要被分派到极不相同的生活岗位上。柏拉图提出民主会产生坏的政府,古典精英主义者如帕累托、莫斯卡和米歇尔斯则认为,民主原本是不可能的事。民主只不过是一种愚蠢的幻觉,因为政治权力总是操纵在少数特权者即精英手中。在《统治阶级》([1896] 1939)一书中,莫斯卡宣称,在所有的社会中,"只出现过两种阶级——统治的阶级和被统治的阶级"。在他看来，统治所必需的才智和品质总是非均等分配的，进一步说，有凝聚力的少数人总能够操控大众——即便在议会制民主中。帕累托指出，统治所需要的品性符合以下两种心理类型中的一种：或是"狐狸"，它靠狡诈来统治，能巧妙地操控大众的意见认同；或是"狮子"，它的统治典型地建立在强制和暴力之上。米歇尔斯提出，精英统治遵循他所谓的"寡头统治铁律"。这表明，符合所有组织——无论表现得有多民主——本性的是，权力集中在一小群支配性人物（能够组织政府并做出决策）的手中，而不在漠不关心的普通民众手里。

还有一个反对民主的观点，它视民主为个人自由的敌人。这种担心来自这样一个事实，即"人民"不是一个单一的实体，而是个人和群体的集合，它由不同的意见和相互冲突的利益组成。对冲突的"民主解决"需诉诸人数，是对多数人统治原则——多数人或最大多数人的统治应该支配少数人——的运用。换句话说，民主归结为51%的统治，这一看法被托克维尔（Alexis de Tocqueville，1805—1859）称为"多数人的暴政"。由此，个人的自由和少数人的权利在人民的名义面前被践踏。穆勒曾做出过类似的分析，他不仅认为，民主选举绝非判定真理的方式——这就好比智慧并不能靠举手（表决）来决定，而且，他还认为，多数主义会促成平均化和麻木的盲从，从而败坏人的心智生活。在1787年美国费城召开的立宪会议上，詹姆斯·麦迪逊（James Madison，1751—1836）也表达过类似的观点。麦迪逊断言，抵制此类暴政，最好的防护措施是建立一个制衡的网络，创建一种高度分权的政体，这就是常被人称为的"麦迪逊体制"。

在其他情形下，对民主的担忧不仅仅源于多数人统治的危险，而更多地来自大多数——即便不是全部——社会中的人的本性。与古代社会对大众统治（或人民统治）有所保留的做法相呼应，上述这些理论表明，民主是把权力放到最不能胜任统治的人即未受教育的民众手中，他们很容易被情感和本能冲动而非智慧所支配。例如，在《大众的反叛》（[1930] 1961）一书中，奥尔特加·加塞特（Ortega y Gasset，1883—1955）警告说：大众民主的到来导致了文明社会和道德秩序的瓦解，为独裁统治者诉诸大众最粗俗的本能冲动来夺权铺平了道路。相对于民主主义者赞成平等主义原则，像奥尔特加这样的民主批评者则往往把持着保守的天然等级制观念。在很多人看来，对民主的这种批判尤其针对的是参与式的民主，它对大众的欲望几乎毫无节制。譬如，塔尔蒙（J. L. Talmon，[1952] 1970）就指出，在法国大革命中，卢梭的激进民主主义理论使恐怖分子不受节制、无以复加的暴行成为可能，塔尔蒙称这一现象为"极权主义民主"。很多人在20世纪法西斯主义国家发展起来的公民投票式民主中已经见证过类似的教训，这些国家试图通过集会、游行、示威及其他政治鼓动形式在领导者与人民之间建立起直接而即时的联系。

詹姆斯·麦迪逊

美国政治家和政治理论家，弗吉尼亚人，是 1774 年和 1775 年大陆会议上美国国家（统一）主义的热烈倡导者。他协助筹划了 1787 年的制宪会议，并在宪法的起草中扮演了重要的角色。麦迪逊是杰弗逊总统时期的国务卿，任期从 1801 年至 1809 年。他还是美国的第四任总统，任期从 1809 年至 1817 年。

麦迪逊最著名的政治著述是他在《联邦党人文集》（1787—1788）上所发表的文章，这些著述对宪法获得批准起了相当大的动员作用。麦迪逊是多元主义和分权治理的首要倡导者，他认为，"野心必须用野心来对抗"。由此，他力促采用联邦制、两院制以及分权制。可见，麦迪逊主义带有倚重权力制衡的浓厚色彩，把制衡当作防止专制的主要手段。尽管如此，在当政期间，麦迪逊还是有意加强联邦政府的权力。他对民主的看法通常被称作"麦迪逊主义的民主"，它强调，有必要意识到社会存在的多样性或多元性，从而抵制多数主义；并且，它着力指出要有一个独立于竞争性个人和部门利益的公正无私而见多识广的精英群体。麦迪逊的观点对自由主义、共和主义及多元主义思想都产生了影响。

代表

现代民主理论和代表紧密联系在一起。如前面所述，当市民不再直接统治的时候，民主就开始建立在要求政治家充当人民代表的主张之上。然而，说一个人"代表"另一个人，这意味着什么呢？用日常用语来说，代表意味着表现或表示，这就好比说，一幅画表现某一场景或某个人。在政治上，代表指的是某个人或团体以某种方式代表更大的一群人或为之代言。因而，政治意义上的代表承认在两个全然不同的实体——政府和被统治者——之间有联系，它同时也表明，通过此种联系，人民的观点得以表达出来，或者说，他们的利益可以得到保障。不过，这一联系的确切性质则是一个存在深刻分歧的问题，这好比去问：代表能否确保民主的政府存在。

在实践中，并不存在单一的、一致同意的代表模式，而只有众多相互竞争的理论，每一种理论都建立在一定的意识形态和政治假设上。代表通常被看作比其他人"懂得更多"的人，因而能够代表他们的利益明智地行事。这意味着政治家不应当像代理人（delegate）那样被他们选民的观点所束缚，而应该有能力自己思考并动用自己的判断力。不过，对很多人来说，选举是代表机制的基础。当选的政治家可以称他们自己为代表者，因为他们得到了人民的授权。然而，这种授权意味着什么？它又是如何委托政治家采取行动的？这些仍是极富争议的问题。最后，还有一个截然不同的观点，代表并不是一个以另一个人的名义行事的人，而是一个群体或社会中具有代表性或典型性的人。如果政治家在年龄、性别、社会地位、种族背景等方面类似于他们的社会，那么他们就是代表。坚持认为政治家是社会的缩影，那就等于呼吁世界上每个国家的政府人事做出激进的变革。

代表还是代理人？

在 1774 年向布里斯托尔选民发表的著名演讲中，埃德蒙·伯克告诉他未来的选民："你的代表不仅要为你们勤奋工作，而且还应为你们做出判断；如果他处处牺牲自己的意见而屈从你们的意见，那他不是在为你们服务，反而是在背叛你们。"对伯克来说，代表的实质在于，行使"成熟的判断"和"开明的是非之心"来服务于他的选民。简而言之，代表是一种道义上的职责：那些有幸拥有良好的教育和理解力的人

156 应当代表不幸者的利益行事。在伯克看来，这一立场可以从下面的担忧中获得辩护，人们担心，如果下院议员也像大使那样直接从他们的选民那里接受指示去行动，那么议会就会变成一个争夺地方利益的角斗场，而没有人去为国家的利益代言了。就此，伯克强调指出："议会是国家的协商机构，它只代表一种利益，那就是全体的利益。"

在 19 世纪，约翰·斯图亚特·穆勒也持有相似的立场，他的观点构成了自由主义代议制的理论基础。尽管穆勒是主张把选举权扩大到工人阶层的坚定信奉者，也是妇女选举权的早期拥护者，但他拒绝承认，所有的政治观点都具有同等的价值。尤其是，他认为，受教育者的看法要比没受过教育的人或文盲的看法更有价值。比方说，这就促使他提出复合选票制度，把四五成的选票投给持有文凭或学问的人，把二三成的选票投给高级技工或管理阶层，把一成的选票投给普通工人，而不给文盲任何选票。此外，就像伯克那样，他坚持认为，代表一旦当选，就应该独立地思考问题，而不能牺牲自己的判断去迎合他们的选民。事实上，他认定，理性的选民应该希望候选人拥有比自己更好的理解力，他们拥有专业的知识、受过全面的教育并拥有广泛的经验。他们所需要的政治家是能够代表他们的利益明智地采取行动，而不仅仅是反映他们的意见。

基于职业政治家是受过教育的精英，这种代议制理论把他们说成是代表。它建立

在如下的观点之上，并非所有的公民都能够认识到他们自己最大的利益，在这个意义上，知识和理解力并不是均衡地在社会上分配的。如果政治家像代理人（他们就好比大使，从更高一级的权威机构那里接受指示，而不能够去质疑它们）那样去行动，那么，他们有可能屈从于来自民众的非理性的偏见和错误地形成的判断。而与此同时，提倡代表而不是代理（delegation）也招致了严厉的批评。首先，这种理论最基本的原则带有反民主的含义：如果政治家因为公众无知、没接受过良好的教育或易于被蒙骗而应当自己独立思考，而不是反映被代表者的观点而已，那么，在第一步上，允许公众选择他们的代表本身就是一个错误。事实上，如果教育是代议制的基础，那么就可以断定，政府应该委托给非民选的专家们管理，他们在考试成功的基础上被遴选、选拔。实际上，穆勒的确认可基于此种理由而产生出非民选的行政官的必要。进一步说，代议制与教育之间的关系也是令人质疑的。教育对促进复杂的政治经济问题的理解当然是必要的，但它是否有助于政治家对他人的利益做出道义上的评判，这远非明了。譬如，就很少有证据去支持那个用以证实穆勒理论的观点，或含蓄地去支持伯克的学说，即教育可以给人提供一种更宽广的社会责任感和一种使人更乐于采取利他的行动的意愿。

　　当然，对这种代议制民主最严肃的批评还在于，它给予代表相当大的自由空间来控制他人的生活。尤其是，存在着这样一种危险，政治家在一定程度上得到鼓励去独立思考，因而，他们有可能超然于来自民众的压力，其最终的结果是，他们为自己的私利去谋事。由此，代议制极有可能成为民主的替代物。从传统上看，激进的民主主义者托马斯·佩恩就表达过这样的担忧。作为民主的人民主权论的热烈倡导者，佩恩积极地投身于美国和法国的革命。不过，与卢梭不同的是，他意识到需要有某种代表的形式。尽管如此，他在《常识》（[1776]1987）中所提倡的代议制理论接近于代理的理念。佩恩倡议代表和他们的选民之间的"频繁交流"，这种交流表现为常规选举的形式，它旨在确保"当选者永远不可能形成脱离选民的自我利益"。除了频繁的选举，激进的民主主义者提出人民动议权的思想，通过动议权制度，普通民众都可以提出立法提案，他们同时还主张罢免权，使全体选民有权要求他们不满意的当选官员对自己的所作所为做出解释，承担责任，直至撤除其职务。从这一点来看，只有当代表尽可能地接近被代表者的意见时，民主的理念才能实现。最后，还有人认为，只有代表们在身体上"贴近"他们所代表的人，代议制才有意义。同时，他们认为，选区的规模应当相对的小。这样一种民主立场不仅表明，去集中化是民主的一项基本原则；同时也表明，力求将民主施用于国家范围之外——如同"世界主义民主"所做的，是极其不明智的。

◆ **全球性思考**

世界主义民主

伴随着全球化的进展和聚焦于民族国家的国内民主进程的"空心化"，世界主义民主观吸引了越来越多的关注。如果决策的权力从国家政府转向了国际组织，那么民主必然会照此予以改造吗？世界主义民主的诸种竞争性模式的确被提出来了。

第一种模式蕴含着一个事实上的世界议会结构。该组织机构的作用应该在于赋予全球决策进程更大程度的审查度和更多的开放性，因为它一直在呼吁现存的国际组织（如联合国、世界贸易组织、国际货币基金组织和世界银行）应当负起责任。不过，很少有这种观念的倡导者去思考创建一个成熟的世界政府或全球国家。相反，大多数人倾向于构建一个多层面的后主权治理体系，在其中，超国家机构、国家层面的机构和亚国家机构互动而任何一方都不行使最终的权力。在此，戴维·赫尔德（David Held，1995）提出建立一个"全球议会"、经过改造而更负责任的地区和全球性政治机构，以及"不断增长的民族国家的强制力向地区和全球机构的持久转移"。第二种世界主义民主模式不那么富有雄心，也不那么正式、规范。它旨在改革现存的国际机构，而不是去建构新的国际机构。这尤其表现在，促进国际组织在非政府组织和其他公民机构中发挥作用，至少有助于去抗衡跨国公司和全球市场的影响力。那种"来自下层的全球化"也发挥了作用，以至于非政府组织和跨国社会运动能够制造一种对国际机构、会议、峰会等运作负责而予以公共审查/监视因素，同时也提供了沟通个人与全球机构的渠道。

不过，世界主义民主观很可能完全被误解。任何全球性机构——无论是被建构起来还是被组织起来的，只要是被委以承担公共责任的使命，就注定要失败。民选的全球性政治机构与全世界的普通公民之间不可避免的鸿沟（地理上和政治上的）意味着，任何关于此类机构是代理的或民主的宣称都是空洞的。由此看来，或许只有在本性上是当地的或民族国家的，民主才是有意义的。任何国际机构——无论是地区的还是全球性的，都注定要遭受脆弱的"民主赤字"。况且，非政府组织和社会运动的民主证明只不过是假冒的。譬如，当非政府组织完全是非选举的和自我任命的机构时，它如何可能处于民主化的前沿？因此，非政府组织和社会运动不可能被说成是在行使民主权利——尤其是由于没有办法去检验其观点相对于作为一个整体的全球公众观点的优势。

选举与授权

在大多数人看来，代表和选举是紧密相连的，以至于在某种程度上，政治家通常就被称为代表——就因为他们是被选举出来的。然而，这并不能解释选举是如何作为代议的机制发挥作用的，或者说，它们是如何把被选举人同选举者的意见联系起来的。选举是依照民众的偏好来填补公共职位的一种手段。可以说，选举制度千差万别，有些制度被认为要比另一些制度更民主或更具代表性。譬如，很难说，只有唯一的候选人摆在选民面前供挑选的非竞争性选举（非竞选）可认作是民主的——既然选民没有挑选的余地，也没有机会去罢免公职人员。而即便在竞争性的竞选制之间，也是有差别的。像英国、美国、新西兰以及印度这样的国家，实行的是多数票制，它建立在简单多数票当选规则之上，也就是说，胜出的候选人只需获得比其他任何一位竞选人多的选票即可。这种体制并不寻求把每个政党所赢得的全部席位数与它在选举中所获得的选票数等同起来。典型的是，多数票制"过多代表"大党，而"较少代表"小党。例如，在 2010 年英国大选中，保守党获得 36％ 的选票，赢得议会 47％ 的席位。工党获得 29％ 的选票，赢得议会 40％ 的席位。自由民主党获得 23％ 的选票，则只赢得了 9％ 的席位。与此相对的是，广泛应用于整个欧洲大陆的比例选举制则采用了诸多不同的方式来确保投给每个政党的选票同它最终所赢得的席位之间有一种直接的——或至少是更为接近的——关系。

不管采用何种体制，把任何形式的选举看作代议制的基础，都是存在问题的。只有当选举的结果可以被解释为将民众的权力赋予一定形式的政府行为，它才是代议制的。换句话说，每次选举都必须有它自己的意义。给选举结果赋予意义的最常用的办法是，将选举理解成为获胜的候选人或政党提供了"授权"，这种观点已经发展成为一种代议制理论，即所谓的授权学说。授权就是权威性的指示或命令。授权学说首先是基于政党或候选人愿意将他们的政策主张通过演讲或发表宣言的方式陈述出来。这些主张实际上是他们的竞选诺言，它们表明，候选人或政党一旦当选将致力于这么去做，去兑现。因此，投票行为可以被理解为对众多备选的政策方案予以最优选择的一种表达。因而，选举中的胜出反映出某一套主张要比其对立的主张更受欢迎。从这个角度来看，可以断定，获胜的政党或候选人不仅享有民众的授权来履行其宣誓承诺，同时也有义务这样做。可见，代表行为包含政治家要始终忠于他们得以当选所凭借的政策纲领，这也进一步明显地为严格的政党纪律提供辩护。

授权学说最大的好处是，它似乎把某种意义施加给了选举，从而为行使政府权力的人提供了来自民众的指导。然而，这种学说也有其弊端，譬如，它好似充当了"拘束衣"，把政府政策限定在竞选期间政党所持有的立场和主张上，从而使政治家们没有能力根据不断变化的环境去调整政策。因此，在关乎突然爆发的国际危机和经济危机面前，该学说没有丝毫的价值。结果是，更加灵活的"授权统治"观念时常被提出来，取代了惯常的"政策授权"。不过，授权统治观念极其模糊，近似于赋予了政治家毫无节制的权威，而这仅仅是因为他们赢得了竞选。

此外，还有人指出，授权学说是建立在大可质疑的选举行为模式之上的。尤其是，这种选举模式把投票人说成是理性的行为体，他的政治偏向是由议题和政策主张来决定的。可在现实中，大量的证据表明，许多投票者很少了解政治议题，对宣言的内容也不甚明了。从某种程度上说，投票者深受"非理性"因素的影响，这些因素有政党领袖的个性、政党形象或是在社会条件下形成的习惯性效忠。事实上，现在大多在电视上展开的竞选活动聚焦于个人魅力而非政策、形象而非议题，由此强化了上述趋势。因此，绝不能把投给某个政党一票理解为是对其宣言内容或任何政策条款的认可。即便选举人真受其政策影响，那也可能是被其中的某种宣言承诺所吸引，而对宣言中的其他承诺不感兴趣乃至持反对态度。因此，并不能认为，投给某一个政党一票就是对它整个宣言的认可。除非某些特殊的情形，如竞选活动受压倒一切的某一个问题宰制，从本质上说，选举是模糊不清的，它难以提供任何可信的指南来说明什么样的政策导致一个政党获胜，而致使另一个政党败北。

最后，实行多数票选举制的国家还面临一个问题，即政府可以在简单多数票而非绝对多数票的基础之上组建。比方说，2005 年在英国，工党虽获得 35％的选票，却赢得了下院 66 个席位中的绝对多数席位。当更多的投票人反对当选政府或行政机构而非支持它时，宣称它享有来自人民的授权看来是十分荒唐的。而从另一个方面看，比例（选举）制往往导向联合政府的组建，这也影响到授权民主。在这种情况下，政府政策通常是通过政党联盟合作方谈判所达成的选举后交易敲定的。在这个过程中，最初吸引了支持者的那些政策可能被修改或成为权衡之下折中的一揽子政策。因此，不可能认定，所有投票给政党联盟内某一政党的选民会对最终的政府纲领感到满意。事实上，可以断定，这种一揽子政策没有得到任何授权，因为没有一位选民被请求去支持它。

典型代表

最后一种代议制理论不是建立在代表由以产生的方式上，而是建立在代表是否作为他们声言要代表的群体的典型或是否与其所代表的群体具有相似性之上。这种代表观就体现在"具有代表性的实例（典型）"这一概念中，它为市场调研员和民意调查者所采用。从这种意义上说，要成为"代表"，就必须来自某一特定的群体，并分享该群体的特性。由此可见，一个代议制政府就会是一个大的社会的缩影，它容纳了来自社会中所有的群体和各个组成部分的成员，这些成员分属于不同的社会等级、性别、宗教、种族、年龄等，在数量上则是同他们在社会上的实力大致成比例的。

这种代议制理论在广大的理论家和政治活动家当中得到了普遍的支持。譬如，它为许多社会主义者所接受，他们认为，一个人的信仰、态度以及价值观往往是由他们的社会背景塑造出来的。因此，在大多数情况下，人们的观点可以追根溯源到他们的阶级出身、家庭环境、教育、职业等。这也是社会主义者为何长期认为民主的障碍在于政治精英们——部长、大臣、公务员、法官、警察、军事首领——不是按比例取自特权和富裕阶层这一事实。由于工人阶级、穷人和弱势群体在"权力的走廊"①里"未被充分地代表"，因此，他们的利益也往往被边缘化或完全被忽视。女权主义理论家也对这种代表观表示了赞同，他们指出，在父权制社会，一切由男性主宰，这部分地是通过把女性排除在生活方方面面的权势阶层之外来运转。因此，在美国，像全国妇女组织（NOW）这样的群体已发起运动，增加女性在政治和职业生活中的数量。同样，反种族主义运动者也认为，在政府部门或其他地方，在少数民族"未被充分代表"的现象中充斥着偏见和固执。民权组织（尤其是在美国）已经把提高少数民族在公共生活中的代表数作为一个主要的目标。

这种代议制理论建立在这样一种认识之上，那就是：只有来自某一特定群体的人才能真正地表达该群体的利益。代表意味着为他人代言，或是以他人的名义说话，如果代表对他们所代表的人群没有亲近的个人知识，就不可能做到这一点。简单地说，这种观点表明，人们只是受他们的背景所决定，他们没有能力也不愿意去理解不同于他们自身的人群的想法和看法。然而，更深入地说，这种观点做了这样的区分，一方面是通过想象去同情或去"设身处地"（"站在别人的立场上想问题"）的能力；另一方面是，对他人所经历过的生活的直接或亲身体验，可引起更深层次上的情感共鸣。这就意味着，譬如，虽然所谓的"新男人"或"亲女权主义"的男性可以同情女性的利益并支持性别平等的原则，但他永远都不可能像女性自己那样严肃认真地对待女性的问题。因此，男性不会把强奸罪看得像女性那样严重，因为他们远不可能成为强奸的受害者。同样地，白人自由主义者也许会对少数民族的困境表现出值得称道的关切，但他们从来没有体验过种族主义，因而对它的态度不可能同少数人社区内的众多

---

① 指暗中左右决策的权力中心。——译者注

成员所感受到的热情和执着相比拟。类似的还有，那些出身于富足和安全背景下的人就不可能完全体会到贫穷和处于社会不利地位意味着什么。

162   尽管如此，代表应当像被代表者，政府应该是人民的一个缩影，这种看法还远远没有被普遍接受。事实上，很多人还把这种看法当作对民主的实际威胁，而不是民主的一个必要前提。首先，可以断言，人们并不希望被像他们一样的政治家统治。况且，如果政治家是基于他们具有典型性或反映了大的社会的特征而被挑选出来的，那么，政府自身则可能仅仅反映出这个社会的局限性来。例如，在社会民众中的大多数人都冷漠、闭目塞听、受教育程度低的情况下，如果政府真像社会一样，那么政府会有什么优势呢？如同穆勒所强调的那样，这种代议制观念的批评者指出，好的政府要求政治家是从接受过良好教育、有能力的成功人士阶层中选拔出来的。

     还有一个更深层的危险，那就是：这种理论是从排他的或者说狭隘的角度来看待代表的。于是乎，只有某一女性才可以代表女性，只有某一黑人才可以代表其他黑人，只有工人阶级中的一员才可以代表工人阶级等。如果所有的代表都只关注他们所来自的那部分人群的利益的增进，那么又有谁来捍卫公共利益，增进国家利益呢？事实上，这种代议制形式可能只是医治社会分化和冲突的一剂良药。除此以外，典型代表必然要面对其目标如何实现的问题。如果目标是使政府成为被统治者的一个"缩影"，那么，实现这一目标的唯一办法就是对选举人遴选和个人自由予以有力的限制。例如，政党或许就不得不强制性地选出一定比例的女性和少数民族的候选人；或者，某些选民可能出于候选人特殊的背景而被取消选举资格；或更令人吃惊的是，选民还可能不得不根据阶级、性别、种族等而被分隔开，只允许他们投归属于自己群体的候选人的票。

公共利益

     当民众直接参与的机会受到限制时（如同任何代议制那样），民主统治的主张是建立在这样一种观念之上：从某种程度上说，政府是服务于人民的，或者说，是为他们的利益而行事的。几乎每一种政治制度下的政治家都迫不及待地宣称，自己是为"共同的利益"而工作的，或是说，是出于"公共利益"而工作的。事实上，这些口号的不断重复只能使它们不断"贬值"，使这些字眼变得苍白无力而毫无意义。在太多的时候，公共利益概念只是用来为政治家的观点或行为罩上一层道德责任的外衣。

163 然而，集体利益或公共利益概念却在政治理论中发挥了至关重要的作用，并以"民享"的形式构筑了民主理念的主要基础。不过，公共利益观念一直遭到了严格乃至经

常是敌意的审视，尤其是在 20 世纪末期。例如，有人就指出，很难——乃至不可能——在每个公民的私人利益与可以被视为他们的集体利益或公共利益之间做出区分。在一些批评者看来，概念本身就是有误导性的，充斥着矛盾。此外，很多注意力还转向了公共利益在现实中是如何被界定的。这也招致了有关所谓"民主的困境"的争论，并进一步提示出，虽然民主统治会令人向往，但并不存在民主统治由以产生的宪法机制或选举机制。

私人利益与公共利益

政治争论通常围绕某一特定的行为或政策是否符合某人的利益来展开，而很少甚至没有在意，这种利益本身会是什么以及它何以被看重。从最广义的角度来说，一种"利益"是指某种益处或优势；那么，公共利益就是对人民的"益处"。然而，这种"益处"是由什么构成的？谁可以来定义它呢？利益或许无非是愿望或意愿，它们是由每个人从自身出发主观地界定的。如果果真如此，那么利益就不能不有意识地确认或表现在某种行为上。例如，社会学家把利益等同于个人"显示出来的偏好"。此外，利益可以被看作某种需求、要求乃至必需品，它们或许是个人完全没意识到的。这里所表明的是"感受到的"或主观的利益与有某种客观基础的真实的或"实际的"利益之间的区别，这种区别在第五章中讨论过。

利益界定问题贯穿于整个公共利益的讨论，却掩盖了围绕这个问题在意识形态上的争论和分歧。有人坚持认为，所有的利益都是"感受到的"利益，或者说，是"显示出来的偏好"，他们认为，个人是判定什么对他有利的唯一的也是最佳的裁判。与之相对，采用"实际"利益概念的理论家则可能断言，由于公众是无知的，易于受骗，或在某种程度上是受操纵的，因而没有能力去确定自己的最佳利益。然而，布莱恩·巴里（Brian Barry，2011）试图把个人的利益定义为"可以增加他（或她）获得自己所欲之物的机会的东西"，由此在上述两种概念之间架起一座桥梁。在此，他所接受的观点是，利益是只能由个人主观地加以确认的"需要"，但这同时也表明，不可以说，那些没有能够选定达到他们目的的理性的或适当的方式的个人确认出了他们自己的最佳利益。

所谓"个人"利益通常被认作特定的个人或群体自私而且往往是物质主义的利 *164*益。这种看法是建立在久已确立起来的有关人性的自由主义信念之上，即个体是分散而独立的行为体，每个人都倾向于增进他（或她）自身所认识到的利益。简而言之，个人是自我中心、自私自利的。这一私人利益观念不可避免地同冲突或至少是同竞争有关联。如果单个人是理性地行动的，那么就可以认定他们会选择自身的利益而不是他人的利益，并首要地为自身的"利益"（good）而奋斗。社会主义者认为，不能把人类狭隘地看作是自私自利的，他们是好交际的、合群的，由相通的人性维系在一起。人性在本质上是合群，这一看法对任何一种私人利益观念都产生了深刻的影响。基于个人同样关心他们人类同伴（同胞）的"利益"，从一定程度上说，他们的私人利益变得同所有人的集体利益密不可分。

然而，大多数政治理论家都认同在私人利益与公共利益之间所做出的区分。首先，任何公共利益概念都必须建立在对"公共"之义的清晰理解之上。"公共"代表着一个共同体的所有成员，而不仅仅是最大多数甚至压倒多数。如果说，私人利益是多元的、竞争性的，那么，公共利益则是不可分割的，它让公众中的每一位成员都受益。可是，就什么可以构成公共利益而言，存在着两种截然不同的观点。第一种观点建立在共享或共同的利益观念之上。从这个角度看，如果个人认识到同一种行动或政策会有益于群体中的每一个人（从这种意义上说，他们的利益是重叠的），就可以说个人是在分享一种利益。公共利益由此构成了共同体中所有成员共同拥有的私人利益。这方面最明显的一个例子是抵抗外来入侵，面对这个目标，人们可以理性地预期，所有公民都会认识到它是有益于他们自身的。

另一个更为激进的公共利益观点更多地建立在作为一个集合体的公众利益之上，而不是建立在共享的私人利益之上。这种公共利益观不是把公众视为个人（个人之间的利益可能重合，也可能不重合）的集合，而是把它表述成一个集合体，它拥有特定的共同利益。这种观点的古典支持者是卢梭，他以"公意"的形式阐发这一观点。在《社会契约论》一书中，卢梭将"公意"定义为"总是关切整体的保全和福利"的意志。公意也因此代表了社会的集体利益；它会使全体公民受益，而不只是有益于私人个体。于是，卢梭在公意与每个公民自私的、私人的利益之间划定了一条清晰的界限。实际上，公意就是人民所意愿的东西——假定人民是无私地行动的。这样一种公共利益观念的问题是，只要人们仍然是自私的，就不可能在公民个体所显示出的偏好之上确立起公共利益。换句话说，卢梭显然认为公意反映了每一位社会成员的"更高的"利益，即便如此，公民并没有认识到它就是他们自己的意志，出现这种现象是可能的。

卢梭

165

卢梭出生于日内瓦，是法国道德哲学家和政治哲学家。他在思想上对法国大革命产生了最重要的影响。卢梭完全是自学成才的。1742年，他移居到巴黎，并成为法国启蒙运动的主要成员，尤其是成了狄德罗的密友。他的自传体《忏悔录》（1770）以非凡的坦率精神省察了自己的一生，折射出敢于袒露自己的错误和弱点的意愿。

卢梭或许是法国革命最主要的思想影响者，其著述涉猎甚广，囊括了教育、艺术、科学、文学及哲学等诸多领域，反映了他对"自然人"的善良和"社会人"的腐败的深刻认识。他在《爱弥儿》（[1762] 1978）一书中概括了自己的政治学说，并在《社会契约论》（[1762] 1969）中予以进一步的阐发。他提倡一种激进的民主形式，这种民主形式影响了自由主义者、社会主义者和无政府主义者，甚至还有人说，它影响了法西斯主义思想。卢梭不愿将自由的个人同公共治理的进程分裂开来，从而背离了早期的社会契约论。他致力于设计一种既可以让人服从又不至于丧失个人自由的权威形式。他指出，政府应该建立在"公共意志"（公意）之上，应体现共同体的集体利益，而不是某个公民"特有的"、自私的意志。卢梭还认为，自由在于政治参与和服从公意，这就表明，他认定个人是可以被"强制自由的"。卢梭构想出的政治制度运作于由共享的市民宗教所维系的、相对平等的小型共同体内。

存在公共利益吗？

虽然像"社会公益"和"国家利益"这样的术语持久地流行下来了，但公共利益观念却遭到了越来越多的批评。批评者不仅指出，政治家们往往无不讥讽地来使用此类术语；而且还提出，或许概念本身就站不住脚：公众本来就没有什么集体利益。这一看法的主要倡导者赞成个人主义或古典自由主义的信条。例如，杰里米·边沁在追求他所谓的"效用"（从每个人所体验到的快乐多于痛苦的数量角度来衡量）最大化的基础上阐发了他的道德和政治哲学。换句话说，只有个人才有利益，每个人都可以单独地定义利益是什么。从这个角度来看，任何公共利益观念都是假的；共同体的利益顶多是边沁所谓的"组成共同体的诸成员的利益的总和"。由此，作为共享的私人利益的公共利益概念变得几乎毫无意义，因为共同体中的每个人各自所追求的目标不同：各异的私人利益的集合并不能汇合成一种一致的"公共利益"。

个人主义者指出，所有人或者说至少是绝大多数人都会一致同意的事项实在是太少了，如要有公共秩序、要抵御外来入侵等。即便就某一广泛的目标（像维持国内秩序）达成了普遍共识，但就目标何以最佳地实现，仍会存在严重的分歧。例如，秩序更多的是通过社会平等和尊重公民自由还是通过严刑峻法来促进？边沁的上述观点同卢梭视公共利益为共同体集体利益的观念形成了尖锐的对立。在边沁看来，公共意志观是毫无意义的，就因为集体式的实体如"社会""共同体（社区）""公众"根本就不存在。边沁差不多承认的公共利益只是他的"普遍效用"概念，它被定义为"最大多数（人）的最大幸福"。然而，这个公式只接受了公共政策应当旨在用来满足"最大数量"的私人利益，而并不承认它能服务于所有公众成员的利益。

当代的多元主义理论家也提出了类似的观点，他们从不同集团和利益之间竞争的角度来看待政治。"理性选择"或"公共选择"理论家从理性的自利行为的角度解释了有组织的集团的出现。个人在单独行动时会显得无能为力，但通过与共享相似利益的他人集体行动，他们就能发挥影响力。譬如，这样的分析可以用来解释工联主义的出现：单个工人的罢工行为的威胁可能被雇主轻视，但如果是全体工人全力以赴地罢工，其威力就不可小觑了。这种解释承认了共享利益的存在和集体行动的重要性；不过，它也挑战了传统的公共利益观。利益集团是"部门的"压力集团，代表的是社会的某个部门、种族、宗教集团、工会、行业协会、雇主集团等。每个部门集团都有着特殊的利益，它力求通过运动或游说程序增进这种利益。可是，这并没有为公共利益留下任何空间：每个集团都把它自己的利益放在整个社会的利益之上。事实上，这种多元主义社会观把社会当作彼此竞争的利益的集合，根本就不允许社会自身拥有任何集体的利益。

167　　　公共利益概念虽然遭到了越来越多的批评，但并不是所有的理论家都放弃了这一概念。对它的辩护采用了以下两种形式。第一种辩护形式摒弃了个人主义责难赖以确立的哲学假设。尤其是，它对绝对自私自利的人类形象表示了质疑。譬如，很显然，卢梭就认为自私不是本能冲动而是社会腐化堕落的证据；在卢梭看来，人在本质上是道德的乃至高尚的生物，他们真正的本性只有当他们充当共同体的一个成员时才会显露出来。社会主义基于同样的理由也支持公共利益观念。从社会主义的角度看，公共利益概念表达出这样一个事实：个人不是分离、孤立而彼此竞争的生物，而是分享着人类同类（同胞）彼此诚挚关切的社会动物，他们被人类共同的需求紧密维系在一起。

168

理性选择理论

理性选择理论拥有许多分支，包括公共选择理论、社会选择理论以及博弈论。在20 世纪 50 年代，理性选择理论是作为一种政治分析的工具出现的；自 70 年代始，它逐渐获得日益显著的地位。理性选择理论时常被称为形式的政治理论，它大量借鉴和吸收了经济理论的范例，在程序规则（通常是关于理性而自利的个人行为）的基础之上建立起理论模型。理性选择理论最牢固地确立于美国，而同所谓的"弗吉尼亚学派"关系尤为密切。它被用来洞察选民、说客、官僚和政治家的行为。它以所谓的制度性公共选择理论的形式对政治分析产生了最广泛的影响。

理性选择理论家们所运用的方法可追溯到霍布斯，这种方法曾用于功利主义的理论分析中。由此，理性选择理论家假设，政治行为者连续不断地选择最有效的方法来达到他们各种各样的目的。理性选择理论以公共选择理论的形式关注着所谓的公共物品供给。而公共物品就是由政府而不是由市场所提供的物品，因为就像清新的空气，这些物品的益处不可能阻挡某个人享用——即便他选定不对政府的这种供给做出任何贡献。在博弈论的形式下，理性选择理论则更多的是从数学领域（而不是从新古典主义经济学假设）中发展来的，它要求使用第一类原理来解析个人行为之谜。最著名的博弈论的例子就是"囚徒困境"，它表明，理性的自利行为通常不如合作那样让人受益。

理性选择理论的支持者认为，该理论容许政治分析家以经济理论的形式提出解释模型，从而把更多的严谨融入政治现象的讨论中。然而，理性选择的政治分析方法远没有被普遍接受，它因高估了人类的理性而遭到了批评。实际上，它忽视了这样一个事实，即人们很少拥有一套套清晰的优选目标，也很少能够掌握充分而准确的知识来做出决定。此外，只靠某个个性化的抽象模型来推导，理性选择理论没能对社会及历史因素给予足够的重视，因而没有认识到，人类的自利性或许只是一定社会条件下的产物，而不是内在固有的。最后，理性选择理论有时还被认为具有某种保守主义的价值观偏见——这源于它对人类行为的那种原初假设。

代表人物

詹姆斯·布坎南（James Buchanan，1919—2013） 美国经济学家。布坎南运用公共选择理论为自由市场辩护，并赞同小政府。他提出了宪政经济学观点，用来解释宪政安排在多大程度上影响着一个国家的社会和经济发展。这也引发了对民主的缺陷和经济扭曲的分析，譬如，它强调了利益集团以牺牲大共同体为代价谋取私利的能力。他支持强有力的宪政限制，以确保政治市场处在掌控之下，从而阻止国家权力的膨胀。布坎南的主要著作有《同意的计算》（与戈登·图洛克合著，1962）和《自由、市场与国家》（1985）。

安东尼·唐斯（Anthony Downs，1930— ） 美国经济学家、政治分析家。唐斯提出一个建立在经济理论假设之上的民主理论。他关于政治行为的"空间模型"是理性选择理论的一个分支，它假设有一个政治行为者、候选人、选民用以权衡自己相对于其他政治行为者所处的位置的"政策空间"。受熊彼特的影响，唐斯把政党说成是追逐选票最大化的机器，它们千方百计地提出最能提供掌权预期的政策。在此基础上，他解释了政党行为和特定的政党体制的特征。唐斯的主要的政治著作是《民主的经济理论》（1957）。

曼库尔·奥尔森（Mancur Olson，1932—1998） 美国政治科学家。奥尔森运用公共选择理论来分析群体行为。他指出，人们加入利益集团只是为了获取"公共产品"。个体收获群体行动好处的同时而又不让其他成员承担任何代价，因而可以成为"搭便车者"（free-rider），既然如此，那么就没法保障，共同利益的存在会导致一种能增进或捍卫此种利益的组织机构的形成。奥尔森质疑集团权力分配的多元主义假设，他指出，强大的利益集团网络将威胁到一个国家的经济运行。他最著名的著作有《集体行动的逻辑》（1968）和《国家兴衰探源》（1982）。

威廉·尼斯卡宁（William A. Niskanen，1933—2011） 美国经济学家和里根经济学的设计师。尼斯卡宁对公共选择理论所提示的官僚权力和政府过剩供给提出了颇具影响力的批判。尼斯卡宁认为，由于立法机关如美国国会的预算控制往往是薄弱的，制定预算的任务在很大程度上是由政府机构和高级官僚的利益所左右。由此可见，官僚的利己之心不可避免地支持了"大"政府和国家干预。尼斯卡宁的主要著作是《官僚制与代议制政府》（1971）。

第二种有可能从理论的角度获得辩护，而无需诉诸对人性的社会主义假设。这可以通过经济学家所谓的"公共产品"（所有人都从中受益、但又没有人有动力去生产的物品或服务）来予以解释。对环境的关注，如能源保护和污染防治，非常清楚地表明了公共利益的存在。鉴于对人类健康乃至对人种的长久生存至关重要，避免污染以及保护有限的能源资源毫无疑问都是公共产品。

可以断定，这些利益恰恰构成了相关个人的"真正的"利益，而并非他们"感受到的"利益。可是，依照巴里的观点，这也许可以被看作一个实例，它表明个人或集团并没有认识到他们自身的最大利益。所有的人都承认需要一个清洁、健康的环境；但如果任其自然，他们绝不会采取行动来争取这样的环境。在这种情况下，公共利益只能靠政府干预来确保实现，政府干预就是为了整个社会的集体利益而抑制人们对私人利益的追逐。

民主的困境

从诸如公共意志这样的抽象概念中推导出的公共利益观有一大缺陷，那就是：它使政府疏远其公民业已显示出来的偏好，而听任政治家任意地去界定公共利益。这种危险在"极权主义民主"中淋漓尽致地表现出来。极权主义民主是在法西斯独裁者如墨索里尼和希特勒的统治下发展来的,在这种民主中,政权民主的凭证是以"领袖"或者说领导者个人表达真实的人民利益这一主张为基础的。以这种方式,法西斯主义头目把专制独裁统治当作了"真正的"民主。然而,事实上,并没有切实可行的民主统治形式可以仅仅建立在表达公共利益的声明上——这种声明必然受制于某种公共的责任。简而言之,除非对公共利益的界定在某方面、以某种方式对公众所显示出来的偏好予以回应,否则,这种界定是毫无意义的。而此种回应只有通过民选的机制才能得到保障。

关于选举过程何以确保政府治理符合公共利益,安东尼·唐斯在《民主的经济理论》(1957)一书中提出了最有影响力的一种解释。唐斯借用经济学原理上的观点来 *170* 解释民主的过程。他认为,竞选实际上创造了一个政治市场,在其中,政治家就像企业家,热衷于攫取政府权力;而个体选民的行为很像消费者,他们投那些其政策最能反映他们偏好的政党一票。唐斯还认为,一种公开、竞争的选举制度有助于保障民主统治,因为它将政府交到那些人生观、价值观及政策最符合最大规模选民群偏好的政党手中。此外,民主竞争还为政策共识的出现制造了强大的动力,因为它促使把它们的政策移向"中间地带",以期迎合和吸引尽可能最大多数的选民。虽然"民主的经济学理论"并不包含某个明显的公共利益概念,但在解释竞选何以确保政府对至少是多数选民人口的偏好予以正常关注上,它无疑是一种尝试。事实上,它至少可以充当一种接近于公共利益的理论。

唐斯的民主政治模型本来就不是对现实世界的精确描述,相反,如同经济理论,它很近似于帮助我们理解这样一种制度是如何运作的。不过,它也有其局限性。首先,它假定了一个相对同一的社会,它迫使政党提出竞选吸引力更为广泛的、温和的中间派政策。显然,在出于种族或宗教差异或社会不平等而深刻分化的社会里,政党竞争只可能确保政府符合最大部门集团的利益。进一步说,就一般趋势而言,可以断定,既然竞选鼓励各政党制定出迎合选民私人的切身利益和局部利益(而不是他们更为抽象的共享利益)的政策,那么政党竞争已经使他们的政纲远离了任何的公共利益概念。例如,政党显然不愿意提出提高税收(它会抑制有限的矿物燃料的使用),也不愿解决全球变暖以及臭氧层破坏等问题,因为这样的政策在下届选举中会赢不到选票——虽然它们符合长远的公共利益。

唐斯模型还可能建立在对全体选民的理性和选举政治的实用主义本性所做的令人质疑的假定之上。如同前面章节所讨论过的,选民可能对相关的政治议题一无所知,而他们的选举偏好可能是由一系列"非理性"因素(如个人习惯、社会条件、政党形象以及领导者的人格魅力等)造就的。同样,政党并不总是满足于把政策就建立在它们的竞选吸引力上;在某种程度上,它们还试图设置政治议程并影响普通选民的价值

171 观和政治偏好。譬如，政治市场的运作可以被政党宣传所扭曲，这就好比经济市场被广告的使用所扭曲那样（有效）。最后，政治市场对选民偏好的反应还可能受政党竞争程度——或根本上就缺乏竞争——的影响。在日本和英国这样的国家，单一的政党享有长期不被打断的权力，政治市场被强烈的垄断倾向所扭曲。两党制（像在美国、加拿大、新西兰和澳大利亚）则可以被说成是双头垄断的。即便是欧洲大陆的多党制，充其量也不过可以看作（少数）寡头垄断——因为从政党联盟伙伴竭力抑制竞争并阻碍其他政党进入政治市场的意义上说，它们的运作很像卡特尔。

还有一个——有人会认为——更难驾驭的问题，那就是：没有一种合乎宪法的选举机制可以可靠地用来表达集体或公共利益。唐斯的"经济"型的民主政治是依如下的假定运作的，即由于传统的选举制度只给选民投一票的权利，选民只能有一种偏好（可供表达）。然而，在复杂的政府政策领域内（通常会提供大范围的政策选择），可以合理地推断，选民可以拥有一定范围的可取性选择，这些可取的选择可以通过一种优先选举制度显示出来。这种优选权的重要性最先被肯尼思·阿罗（Kenneth Arrow，1921—2017）所强调，它突出表现在福利经济领域。阿罗在《社会选择与个人价值》（［1951］2013）一书中探讨了"转移性"（transitivity）问题。这表明，当选民可以表达出很多种偏好时，也许就不可能确定哪项选择真正赢得公众支持。例如，在一次选举中，候选人 A 获得 40％的选票，候选人 B 获得 34％的选票，候选人 C 获得 26％的选票。在这种情况下，有可能很清楚地断定，没有任何一个政党代表公共利益，因为没有政党获得绝对多数的选票——尽管候选人 A 明显可以对此做出最强有力的声明，因为他赢得了简单多数的选票，比其他任何单个的候选人的选票都多。然而，一旦把第二偏好考虑进来，情形可能就变得扑朔迷离了。

让我们假设一下，候选人 A 的所有支持者的第二偏好投给了候选人 C，候选人 B 的支持者的第二偏好选择了候选人 A，候选人 C 的支持者的第二偏好给了候选人 B。这便出现了这样一种情形：每个候选人都可以宣称自己是多数选民的选择。投给候选人 A 的第一偏好和第二偏好的总数达到 74％（40％＋B 的 34％），候选人 B 可以宣称自己在选举中获得 60％的支持（34％＋C 的 26％），而候选人 C 也可以宣布自己获得66％的选票（26％＋A 的 40％）。换句话说，对单个选民的第二或次要偏好的考察会引起"循环多数"（cyclical majorities）的问题，在这种情况下，企图达到可以被合理

172 地说成是符合公共利益的集体选择是很困难的，甚至是不可能的。虽然 A 要求当选的主张仍然是最有力的，但这种实力被 B 和 C 同样享有多数选民支持的现实严重地削减了。阿罗把这种情形说成"不可能（性）定理"。这表明，即使公共利益的概念是有意义的，并且是融贯的，但也不可能在现实中通过任何现行的宪法或选举安排予以界定。

阿罗为民主理论所做的工作，其意义深远而又令人沮丧。如果在个人偏好与集体选择之间不可能有任何可靠的联系，那么便会有两种可能的选择。詹姆斯·布坎南和戈登·图洛克（Gordon Tulloch）在《同意的计算》（1962）一书中提出了第一种选择，即由集体选择来决断的议题范围应该受到严格的限制，而把尽可能多的议题留给自由的个人去决断。布坎南和图洛克提出，集体决定只有在那些政策获得一致认可——至少在被选举的代表当中——的地方才是合适的，这一立场只可能同最低限度的政府相合。另一个选择是接受这样一个现实：既然选举结果不能说明一切，那么，使用"公共利益"这一术语的政治家往往会把自己的意思施加于它。因此，从某种程度上说，所有涉及公共利益的事情都是独断的。不过，这种独断的自由度并非绝对不受限制，因为，在下一任选举时有可能要求政治家做出相应的解释。从这一点来看，民主过程也许只是一种减少专断的方式而已，为此，它要确保那些声称代表公众利益的政治家最终必须由公众来裁决。

讨论题

1. 为何民主概念曾带有贬义？

173

2. 间接民主是民主的唯一初始形式吗？
3. 为何自由民主主义用确切的词语被说成是一个矛盾体？
4. 民主政体是善治的基石吗？
5. 代议制是民主的先决条件还是民主的替代？
6. 基于何种理由可以认为，代表可以对他们所代表的人的看法不予理会？
7. 选举的成功是否让获胜的政党有权拥有民众的授权？
8. 统治者是否应当尽可能地接近于他们统治的民众？
9. 能否在私人利益与公共利益之间做出有意义的区分？
10. 为何公共利益观被视为反自由主义的？
11. 为何很难用选举的手段来建立公共利益？
12. 是否有可能在不拥有民治的政府的同时拥有一个民享的政府？

延伸阅读

Archibugi, D. , Keonig-Archibugi, M. and Marchetti, R. （eds）*Global Democ-*

racy：*Empirical and Normative Perspectives*（2011）. 该书是一部分析包括民主的全球化和全球化的民主化等核心议题的论文集。

Held，D. *Models of Democracy*（2006）. 该书对从古希腊到当代的民主的主要实践做了明白晓畅而富有说服力的介绍，它还囊括了关于当今民主该有何种含义的广泛讨论。

Vieira，M. B. and Runciman，D. *Representation*（2007）. 该书对"代表"概念做了非常清晰的论述，它考察了"代表"的历史、对"代表"的不同分析路径以及有关超国家的代表等当代相关议题。

Weale，A. *Democracy*（2007）. 这是一部界定和评价主要的民主概念（从参与式到精英主义）的完备文献。基于对民主概念的界定和评价，它还考察了民主理论中的核心议题。

第七章

法律、秩序与正义

- 法律

  法治　自然法与实在法　法律与自由

- 秩序

  纪律与控制　自然的和谐　为惩罚辩护

- 正义

  程序正义　实质正义　为违法辩护？

内容简介

法律存在于所有的现代社会，它通常被当作文明生存的一个基本事实。法律管辖 174
着公民，告知他们必须做什么；它制定禁令，指示公民不能够做什么；同时，它配置
应得的权利，界定公民有权做什么。尽管人们普遍认为，法律是任何一个健康、安定
的社会必然的表征，但围绕法律的性质和作用，还是引发了极大的争议。譬如，关于
法律的起源和主旨，就出现了意见上的冲突。法律是解放还是压迫？法律的存在是为
了保护所有的个人并促进公共福利，还是仅仅服务于少数有产者和特权者的利益？还
有，就法律与道德之间的关系问题也有争议。法律是否强化着道德准则？它该试图这
么去做吗？法律应该允许个人享有多大的自由？它又是基于何等事由允诺这些自由的？

上述问题也关系到个人的人身安全和社会秩序的需要。实际上，在政治家嘴里，
秩序概念和法律概念往往被搅和成一个复合的概念"法律-秩序"。这种搅和把法律看
作秩序得以维持的首要工具，但这也进一步提出了一系列问题。特别是，秩序只有通
过一套规则的执行与惩罚的体系才能维系，还是通过社会的聚合和个人良好的理性鉴
别力的影响就能自然生成？最后，在法律与正义之间还存在着复杂的关系问题。法律
的目的是确保正义的实现吗？如果是，这又需要满足什么条件？进一步说，何以区分正
义之法与非正义之法？而这种区分是否表明，在某些情形下，违法也可以获得辩护？

法律

　　"法"这一术语以各种各样的方式广为人们所使用。首先，有科学法则或所谓的描述性法则。这些法则描述了在自然或社会生活中所出现的有规律的、必然的行为模式。最明显的例子出现在自然科学中，譬如，由物理学家所提出的运动和热力学规律。但法则概念同样被社会理论家们所采用，用来突显可预见的乃至不可避免的社会行为模式。这一点可以既从恩格斯关于马克思揭示了历史和社会发展"规律"的声明中看到，也可以从奠定经济理论基础的供需"规律"中看到。不过，有关法则，还有另一种使用方式，它一般地被看作强化社会行为规范或准则的工具。社会学家从一切有组织的社会中都看到了各种法则形式在运作，从通常在传统社会中出现的非正式程序到现代社会所典型代表的正规司法体系。

　　与之相对，政治理论家往往更为具体地理解"法"，把它看作明显不同于其他社会法规或规范的独特的社会规则，它只存在于现代社会。一般而言，法律是由一整套规则构成的，如前所述，它包括了命令、禁止和授权。然而，是什么东西把法律同其他社会规则区分开来的？首先，法律是由政府制定，因而适用于整个社会。由此，法律反映了"国家的意志"，它被置于其他所有的规范和社会规则之上。譬如，要是公民违反了土地法，那么，即便他们遵守了运动俱乐部、教堂或工会的规则，也不会因此而获得豁免权。其次，法律是强制性的，不允许公民选择遵守什么样的法律，而无视什么样的法律，因为它是以一套强制力和惩罚系统为后盾的。最后，基于法律是由被颁布和认可的规则组成的，因而具有公共性。这种公共性是通过一套正规的（通常是公共的）立法程序制定出法律而部分地实现出来。而且，施加在违法行为之上的惩罚具有预见性，是可预期的，而武断的抓捕或拘禁具有任意性和独裁性。还有，法律通常被认可为对适用于它的人有约束力，即便特定的法律可能被认为是"非正义的"或"非公平的"。由此可见，法律不仅仅是一套被执行的命令，同时也包含了道德主张，这意味着合法的规则是应该得到遵守的。

法治

　　法治（法的统治）是宪法所规定的原则，这一原则在自由民主国家获得了倾力的维护和尊重。从本质上说，法治只是原则而已，它规定：法律应该"统治"一切，应该为所有公民的行为提供一个范围，任何人——无论个体公民还是政府官员——都不可逾越它。法治原则是从长期确立起来的自由主义法学理论中发展而来的。自约翰·洛克以来，自由主义者从未把法律当作对个人的约束，而是当作个人自由的根本保障。实际上，要是没有法律的保护，每个人总是处在其他社会成员的威胁之下，如同其他人总会处在这个人的威胁之下。对于不受约束的个人行为，其危害最鲜明地体现在"自然状态"的野蛮上。法律的根本宗旨是保护个人的权利，在洛克看来，它包含生存权、自由权与财产权。

法治的最大优点是，它服务于保护个体公民免遭国家的侵害；它确保"法的治理而非人的治理"。此种观念为德国人的"正义国家"（*Rechtsstaat*）概念所青睐。"正义国家"是建立在法律之上的国家，它在整个欧洲大陆被广为采纳，并促进了成文而专门的法律体制的不断发展。不过，法治更多地具有英美国家的特色。在美国，法律的至上性为美国的宪法条文所强调，它从宪法所确立的制衡原则和《权利法案》所罗列的个人权利中突显出来。它也鲜明地体现在宪法的第五和第十四修正案中，这些修正案特别规定，联邦政府或州政府不得在无"正当的法律程序"的条件下剥夺个人的生命、自由和财产。"正当程序"原则不仅制约了公职人员的滥权行为，同时也维护了诸多的个人权利——尤其是公正审判权和法律面前人人平等的权利。当然，这一原则也赋予了法官相当大的权力，他通过司法解释来有效判定政府行为的适当范围。

在传统上，英国被拿来代表另一种法治观。在著作《英国宪法研究导论》①（[1885] 1939）中，A. V. 戴西对这一观念有一个经典的表述。依戴西之见，法治具有四大特征。其一，除非违法了，任何人都不应受到惩罚。其二，法治要求具备戴西所谓的对法律的"平等服从"，可以把它更通俗地理解为法律面前人人平等。其三，一旦某人违反了法律，就必然受到惩罚。其四，法治要求，个人的权利和自由要体现在国内"普通法"中。尽管如此，《人权法案》（1989）（将《欧洲人权公约》整合到英国的成文法内）的通过把美国和英国的法治观紧密联系在一起，尤其是它减弱了英国对普通法权利和义务的倚赖。不过，英国还是继续充当着一种不典型的法治案例。这是因为，作为英国不成文宪法的核心原则，议会主权可以被看作对这种法治观的侵犯。如果立法机关自身不受任何外在约束的制约，就很难表明是法律在"统治"。因此，在英国，尽管推行了《人权法案》，议会（而非法院）在规定公民自由的范围上仍然发挥着根本性的作用。

从广义上说，法治是自由民主主义的一条核心原则，它包含着宪治、有限政府等诸如大多数现代国家孜孜以求的理念。特别是，就法律如何制定，又如何裁决，法治做出极其重要的限定。比方说，它要表明，从法律适用于所有公民（而不是挑出某些人或某些群体区分对待——无论待遇是好还是坏）的意义上讲，所有的法律都是普适

---

① 又译《英宪精义》。——译者注

的。还有，更为关键的是，它要显示，公民知晓自己所处的位置，而法律则应当精确地制定出来，从而为公众所掌握。譬如，基于上述理由，有追溯力的立法显然是不可取的——因为它让公民为当时原本合法的行为而遭受惩罚。同样，人们通常认为，法治与残忍而非人性的惩罚是不相容的。不过，首要的是，法治原则意味着，法庭应当公正无偏，对任何人敞开。只有在司法人员（其职责是解释法律，并在争议的当事双方之间做出裁决）享有不受政府干预的独立性时，这一法治原则方可实现。确立司法人员的独立性，目的就在于确保法官凌驾于政府机器之上或超脱于政府机器之外。换句话说，法律必须严格地同政治保持距离。

当然，法治也遭到了批评。比方说，有人提出，不证自明的是：说法律"统治"，无非承认了公民是被迫服从法律的。严格地说，法治可规约为这样一个声明——"每个人都必须服从法律"。也有人认为，法治原则忽视了法律的内容。另外，还有人认为，法治之所以为某些国家所奉行，就因为压迫披上了合法的外衣。即便最热忱的法治捍卫者也承认，虽然法治是公正政府的必要条件，但它本身并不是一个充分条件。在马克思看来，如同政治和意识形态，法律是"上层建筑"的一部分，由经济"基础"（在此，是资本主义的生产方式）决定。可见，法律维护私有财产、社会不平等和阶级统治。女权主义者还关注了在整个法律体系中盛行的性别偏见，它们袒护男人的利益，而以牺牲女人为代价，如表现为：在司法、法律界，男性占绝对优势。对文化多元主义理论家而言，他们则断定，法律反映了占支配地位的文化群体的价值观和态度，而对少数群体的价值取向和利益则不予关切。

文化多元主义

透过20世纪60年代黑人意识运动中的活动，文化多元主义首次以一种理论立场登场了，它主要出现在美国。在这个阶段，文化多元主义致力于确立黑人的自信，通常，这通过重建有特性的非洲身份认同来实现，因而在很多方面都与后殖民主义叠合在一起。文化多元主义还取决于世界各地现存的文化族群日渐高涨的政治自信力——时常表现为种族文化式的民族主义，它同时也受到许多西方社会不断增长的文化和种族多样性的影响。

从根本上说，文化多元主义反映出人们对因人种、民族和语言差异而通常导致的社群多样性的积极认同。由此可见，文化多元主义更像是一种独特的政治立场，而不是一套连贯而系统的政治学说。文化多元主义理论家提出了两大套赞成社群多样性的主张，一种主张建立在社群多样性对个人的益处上，另一种主张则基于它对社会的益处。对个人来说，文化多元主义承认，人类是文化的载体，因为在很大程度上，人类对世界的理解、道德信念的框架及个人的身份感都来源于自身生存和发展所处的文化。因而，独特的文化是值得保护乃至加强的——特别是当它们属于少数群体或弱势群体时，更应如此。这导致了在政治上强调承认和支持少数民族或多元文化的权利，就少数民族或"第一民族"而言，这种权利可能扩展为民族自决权。然而，在文化多元主义中，有一股更为激进的思潮，它认同这样一种价值多元主义形式：由于人们必然会对人生的终极目的意见不一，自由主义的和非自由主义乃至于反自由主义的看法与做法都是同等合理合法的。从这种多元主义或"后自由主义"的角度看，自由主义将诸如宽容和个人自主等价值观"绝对化"，从而为多样性提供了一种不充分的基础。在文化多元主义理论中，还有一种派系试图调和文化多元主义与世界主义，它特别强调文化杂糅和融合。

文化多元主义的吸引力在于，它努力寻求应对文化多样性所带来的挑战的解决之策，而这又是无法通过其他途径来解决的。因为只有对少数民族或少数派文化实行强制性的同化或排斥，才能重建单一文化的民族国家。事实上，在某些方面看，文化多元主义是同似乎势不可挡的全球化浪潮携手并进的，但是，文化多元主义绝不是被普遍接受的。其批评者指出，既然文化多元主义认为，只要价值观念和做法能生成某种群体认同感，它们就是可被接受的，那么，非自由主义的文化多元主义形式就有可能去认同反动的和压迫性的做法，尤其是那些奴役妇女的做法。除此之外，文化多元主义的群体身份认同模式并没有充分关注文化或宗教群体内在的多样性，从而导致仅仅基于群体的成员身份来界定人的危险。然而，对文化多元主义最为普遍的批评在于，它是公民团结和凝聚的敌人。由此看来，共享的价值和共同的文化才是一个稳定而成功的社会赖以存在的必要的先决条件。

代表人物

查尔斯·泰勒（Charles Taylor, 1931—　）　加拿大政治哲学家。泰勒主要关注自我构建问题。他将个人社群主义式地表述成"物化的个体"，这使得他能够主张"认同的政治"，这一主张是建立在认为个人需要成为他人积极态度的对象以及文化有其自身独特而本真的实质等看法之上。泰勒赞成自由社会应当建立在有保障的基本自由之上。他最有名的著作是《自我的根源》（1992）和《文化多元主义和"承认的政治"》（1994）。

比库·帕勒克（Bhikhu Parekh, 1935—　）　英国政治理论家和种族平等委员会前主席。帕勒克赞成从多元视角看待文化的多样性，并着重指出了自由主义的文化多元主义的缺陷。帕勒克的文化多元主义建立在人性与文化之间辩证互动的基础之上。在这种互动中，人的态度、行为和生活方式都是由他们各自所属的群体所塑造的。从这个意义上来说，人是文化地构建起来，而人性的复杂性由此便体现在文化的多样性中。帕勒克的著作有《反思文化多元主义》（2000）和《一种新的身份认同政治》（2008）。

詹姆斯·塔利（James Tully，1946——　） 加拿大政治理论家。塔利提出一个容纳本土民众的需求和利益的多元化政治社会。他将强调主权和统一的现代宪治说成是一种否认自治和土地拨发等本土模式的帝国主义。由此，他倡导尊重多样性和多元主义，允许传统价值观和实践被视为合理的而被加以接受的"古代宪治"。塔利在该领域的主要著作是《陌生的多样性》（1995）。

杰里米·沃尔德伦（Jeremy Waldron，1953——　） 新西兰法学家和政治理论家。沃尔德伦提出了一种对文化多元主义的世界主义理解。这种世界主义的理解突出强调了文化"杂糅"的兴起。沃尔德伦对人的自我的流动性、多面向性和通常表现为断裂性的强调，为把世界主义发展成一种规范的哲学奠定了基础。这种哲学同时挑战了自由主义和社群主义。它拒斥蕴含自主生活的那种"严格"的自由主义观念，同时也抛弃了社群主义中那种在一种单一"本真"文化内界定人的趋势。

威尔·金里卡（Will Kymlicka，1962——　） 加拿大政治理论家。金里卡一直在探求将自由主义同社群观念和文化身份观念协调起来的途径。他认为，文化是独特的、有价值的，它为个人提供了一个从中被赋予意义、方位、身份和归属感的环境。在此基础上，他提出了多文化的公民身份观。不过，金里卡区分了少数民族的权利（享有代表权乃至充分自治权）与由移民形成的民族群体的权利（只有资格享有"多重族群共存权"）。金里卡主要的著作有《多元文化公民权》（1995）和《多元文化中的奥德赛》（2007）。

---

180 自然法与实在法

　　法律与道德的关系是政治理论中最棘手的问题之一。长期以来，哲学家一直为有关法律的性质、根源和目的等方面的问题所困扰。比方说，法律只是实施一套更高一级的道德原则，还是在法律与道德之间有明确的界限？社群的法律为寻求贯彻伦理行为准则付出了多大努力，又该付出多大的努力？此类问题已触及两大对立的法学理论——自然法与实在法——之间的区分。

　　从表面上看，法律与道德是截然不同的两码事。法律指的是一种以强制力做后盾的、特殊的社会控制形式，因而，它就什么可以做、什么不可以做做出界定。道德则关注伦理问题和区别"对"与"错"，因而规定什么是应当做的、什么是不应当做的。不过，有重要的一点，法律是一个比道德更易于把握的概念。可以把法律理解成一个社会事实，它具有可供研究和分析的客观性。与之相对，道德在本质上是一个主观的实体，关涉的是意见或个人判断。因此，术语"道德"所指的往往并不明确。道德只是盛行于某一社区的习俗和惯例，还是不止于此？道德是否得建立在界定清晰、广为接受的原则（理性的或宗教的）之上，这些原则赞许某些行为而谴责另一些行为？道德理念是每个人都有权强加于自己身上的理念？抑或，简而言之，道德只关注个人？

那些坚持认为法律植根于或应该植根于道德体系的思想家认同某种所谓的"自然法"理论。自然法理论可追溯到柏拉图和亚里士多德。柏拉图认为，在不断变化的社会、政治生活形态的背后是不变的原型即理念，只有启蒙的精英或哲学王能洞悉到它们。"公正"的社会是一个人类法律在其中尽可能遵从这种先验智慧的社会。这一思路为亚里士多德所延续，他认为，法律和有组织的社会生活的目的在于，鼓励人们遵循美德去生活。在他看来，存在一种完美的法律，它适用于任何时代，为公民身份和其他所有的社会行为方式提供永久的根基。中世纪思想家如托马斯·阿奎那也理所当然地认为，人类的法律有一个道德基础。他断言，自然法可以渗透到我们神授的自然理性中，它引导我们在地球上去实现善的生活。

托马斯·阿奎那

意大利多明我会僧侣、神学家和哲学家。阿奎那出生于那不勒斯附近，是贵族家庭子弟。他违背家庭意愿加入多明我修道会，并于1324年（死后）被封为圣徒。在19世纪，罗马教皇利奥十三世把阿奎那的著作正式定为天主教神学的"元典"。

阿奎那参与了当时的神学论辩，他辩称，理性与信仰是相容的，他曾为亚里士多德的著作编入大学课程辩护。他那部未完成的巨著《神学大全》（1963）（从1265年开始动笔）探讨了上帝、道德和法律的性质——永恒、神圣、自然而又属人的。他把"自然法"看作政治社会所倚赖的基本道德法则，他认为，这一点可以通过对人性的理性反思来揭示。由于如同阿奎那所认为的那样，人类法应当遵照自然法来制定，因而，其最终的目的是"引导人向善"。这里体现出阿奎那这样一种看法，即法律、政府与国家是人类状况的自然特征，而不是（奥古斯丁曾经认为的那样）原罪的后果。但是，他也意识到，人类的某些道德缺陷是不可能通过法律去禁绝的，禁绝其他道德缺陷的企图又可能引发更大的恶，而不是善，就此而言，人类的法律是一种不完美的工具。阿奎那所奠定的政治传统后来以托马斯主义著称于世。自19世纪晚期以来，新托马斯主义力图复活这位"天使博士"的精神。

自然法的要求逐渐通过自然权力观念获得了表达。自然权利被认为是神或自然授予人类的。洛克和托马斯·杰斐逊主张，人创制法律的目的在于保护这些神授的、不可让渡的权利。然而，到 19 世纪，理性主义和科学思想的兴起促使自然法理论明显过时了。不过，在 20 世纪，还是见证了各种法学观点之间的对抗，这部分地是因暗中制造了纳粹的恐怖政治的合法性幌子而引发的。譬如，得确立一套国家的法律赖以被评判的、更高级的道德价值观，这一意愿是纽伦堡审判（1945—1946）不得不回应的一大问题。在新成立的联合国的主持下，大多数纳粹头目因犯战争罪而被起诉——虽然在纳粹政权本身看来，他们大多是依法行事的。尽管他们的行为被现代人权话语所粉饰，但只要参照一下自然法概念，就可以理解上述情形（这一观点将在第八章予以讨论）。实际上，如今广为人们所接受的是，无论国内法还是国际法，都应符合在人权学说中所阐明的那些更高层级的道德原则。就国际法而言，这便生产出了有争议的"超国家"法或"世界"法观念。

◆ 全球性思考

世界法

就其传统的或"经典"的观念而言，国际法始终是国家中心主义的。正是在这个意义上它才被恰当地称为"国际"法，即它是一种适用于国家和规定国家间关系的法律形式，其首要目标是促进国际秩序。由此，国家主权是国际法的基本准则。国家在一种纯粹横向的意义上从法律上相互关联，它承认主权平等原则。不仅没有世界政府，没有可以将其更高权威施加于国家—体系之上的国际共同体或公共利益，而且，由条约和协定所规定的法定义务完全是国家意志的表达。这种经典的国际法观念由确立于 1945 年的国际法院的作用和权力所体现。

然而，部分地由于 20 世纪工业化竞争的出现和两次世界大战的经历，经典的国际法观念不断遭受致力于确立世界秩序的努力的挑战。鉴于其旨在在具有更高且有约束力的权威的规则和规范框架内以宪法的方式来"捕获"国家，这种国际法观念是宪法意义上的。在赋予法律超国家的权威时，"国际"法被转化为"世界"法。这种转化所蕴含的意义是深远的。尤其是，它提示出国际法的范围将扩展到维持国际秩序之外的领域，以至于囊括对全球正义的最低标准的维护。这是显而易见的，这不仅表现在在诸如妇女权利、环境保护和难民处置等领域确立国际标准的努力上，也体现在通过利用专门的国际法庭来实施国际刑法的行动中。

不过，现实主义理论家对国际法走向世界法的趋势提出了批判，他们认为，任何企图建构世界秩序的努力都会威胁到国家主权，使之被削弱，并将国际秩序置于危险的境地。由此可见，一旦国际法不再根植于对国家主权的恪守，它就不再具有合法性了。进一步来说，从"世界"法——如果它确实存在——整合和扩展"国际"法而又尚未取代"国际"法这一事实中，已经产生了紧张和困扰。因此，国际法会继续确认国家主权的奠基性作用，同时还接纳人权原则和人道主义标准设定的需要。这种困扰尤其表现在有争议的人道主义干预的合法性上——这要么被看作"拯救陌生人"（因为他们也是人）的义务，要么被看作对国家主权的侵犯。

所有的自然法观念都有一个核心的观点，那就是：法律应该合乎某些先在的道德准则；法律的目的在于贯彻道德。不过，在 19 世纪，上述观点遭到了"实在法的科学"的非难。实在法观念试图把对法律的理解从道德、宗教及神秘的预设中解脱出来。许多人从托马斯·霍布斯的法的命令理论中找到了这一观念的来源："法律是某人（主权者）正当地对（有服从义务的）他人发出的命令。"实际上，法律无非是最高统治者的意志。到 19 世纪，约翰·奥斯汀把这种观念阐发成"法律实证主义"理论，该学说以为，法律的判定性特征不是法律对高一级的道德或宗教原则的遵从，而是法律由政治权势者（"至高无上的个人或群体"）所确立和执行这一事实。这可以归结为如下看法：法律之所以是法律，在于它被遵守。那么，举例说，这一看法就意味着，国际法概念是很成问题的。如果条约和联合国的决议（它构成了所谓的"国际法"）不能够贯彻执行，那么就应当把它们看作一群道德原则和理念，而不是法律。为完善法律实证主义，哈特（H. L. A. Hart，1907—1992）的《法律的概念》（[1961] 2013）一书展开了现代意义上的探讨。哈特不是从道德原则的角度解释法律，而是致力于参照法律在人类社会中的意向去解释它。他指出，法律源于"主要规则与次要规则的结合"，每一层次的规则起着不同的作用。主要规则的作用是调节社会行为，可以把它们看作法律系统的"内容"，如刑法。而次要规则则是把权力授予政府机构的规则，它们规定主要规则如何被制定和判决，因而决定了后者的有效性。

相比于自然法论被当作哲学上的绝望主义而受到批判，实在法论则面临着同道德完全分离开来的威胁。就此，最极端的一个实例就是霍布斯，他坚持认为，既然不服从法律的话，就会冒陷入混乱无序的自然状态的危险，公民就有义务服从所有的法律——无论有多大的压制性。不过，其他法律实证主义者容许法律可以也应当接受道德审查；法律如果在道德上有缺陷，它还应做变更。可是，他们的立场无非是，道德问题并不影响法律是否为法律。换句话说，自然法理论家力求把"法律是什么"与"法律应该是什么"这两个问题联系在一起，法律实证主义者则把这两个问题严格区分地看待。当然，在 20 世纪前半期还出现过第三种法律观，它同美国著名的法学家小奥利弗·温德尔·霍姆斯（Oliver Wendell Holmes, Jr., 1841—1935）的观念相关。这就是法律实在论，该理论认为，真正制定法律的是法官，因为是他们决定如何判决案子。从这个意义上说，所有的法律都可以被认为是由法官制定的。然而，由于在绝大多数的案例中，法官并不是民选的，上述观点对民主政府的前景产生了破坏性的影响。

法律与自由

政治哲学家们一直关注诸如法律本身的性质等一般性问题，有关法律与道德之间关系的日常讨论则往往聚焦于特定法律的道德内涵上。什么样的法律在道德上证明是合理的？什么样的法律不能获得这样的证明？法律应当在多大程度上寻求道德说教？诸如此类的问题时常从当今的道德论争中涌现出来，它们试图明确法律是否应该允许或禁止堕胎、卖淫、色情作品、代理母亲、基因工程等做法。而个人的自由问题则是这些问题的核心所在，它所关涉的是，在应由个人恰当地做出的道德选择与靠社会决定和法律执行的道德选择之间如何平衡。

从多方面看，在 19 世纪，约翰·斯图亚特·穆勒对这一论争做出了经典性的贡献。他在《论自由》（[1859] 1972）一书中断言："对一个文明群体中的任何成员，如违背其本人意愿而对之正当地行使权力，则只能以避免损害他人为目的。"穆勒的这一立场是自由至上主义的：他希望个人尽可能享有最广阔的自由空间。穆勒声称："对自身、对自己的身心，个人是最高的主宰。"然而，这一原则①（通常被称作"伤害原则"）蕴含着"涉己"的行为（其影响大体或完全局限于当事人）与被认为是"涉他"的行为之间极为明确的区分。在穆勒看来，法律无权干涉"涉己"行为，在此范围内，个人有权行使不受限制的自由。法律只应当在"涉他"行为范围内、在伤害他人的事态中限制个人。这一原则的严格含义显然会对当前存在的一系列法律——尤其是对那些家长（管束）式的法律——构成挑战。譬如，法律禁止自杀和卖淫，这显然是不可接受的，因为这些法律的首要意图是避免人们损害或伤害他们自身。这同样适用于法律禁止吸毒或强制使用安全带或防撞头盔（安全帽），以至于可以看出，这些法律体现的是对相关个人的关注，而不是对社会所遭受的代价（伤害）的关注。

穆勒的主张体现出对个人自由的深切关注，它源于对人类理性的信赖和确信：唯

---

① 根据这一原则，对个人自由的限制只是为了防止伤害他人或社会的公益，唯其如此，这种限制才是合理的。——译者注

有行使个人的选择（权），人类才能生成并实现"个性"。然而，他的观点招致了一大堆的困难。首先，"伤害"是什么意思？显然，穆勒所理解的伤害是身体上的伤害，但起码有理由扩展一下伤害概念，把心理、智力、道德乃至精神上的伤害也包括在内。比方说，虽然辱骂显然不会带来身体伤害，但它会引发"冒犯"，它可能挑战某个宗教群体最神圣的教义，从而威胁其安全。这一论点恰好为宗教激进主义者所利用，他们发动起来，一齐反对萨曼·拉什迪（Salman Rushdie）的《撒旦诗篇》（1988）。同样也可以认为，在经济生活中，商家之间达成的价格协议可能是非法的，因为商家双方会因此而损害消费者的利益，也损伤其他商业竞争者的利益。其次，谁算得上是不受伤害的"他人"？诸如堕胎和胚胎研究就把这个问题最鲜明地提出来了，这涉及未出生婴儿的身份、地位问题。如同在第八章将要充分讨论的，如果某人的胚胎被当作"他人"看待，那么以任何方式干预或伤害它在道德上都应受指责；可是，如果胚胎在出生前仍是母亲的一部分，那么，她有充分的权利随意地处置它。

第三个问题同个人自主有关。无疑，穆勒希望人们对自己的命运尽可能行使最大限度的控制权，但他也意识到，这不可能总能做到，比如小孩就做不到。他承认，孩子既不具有经验，也不拥有代表自己做出明智决定的理解力。因而，他把行使父母权威当作完全可以接受的东西。然而，这一原则同样可适用于年龄之外的理由，比方说，有关酒的消费和吸毒。显然，这些行为是"涉己"行为，除非扩展"伤害"原则而使之涵盖给相关家庭带来的悲痛以及社会所要承担的保健成本。但是，上瘾品的使用还是提出了另外的问题，这些东西剥夺了使用者的自由意志，也夺走了他（或她）做出理性决定的能力。正是基于上述理由，家长（管束）式立法很可能获得辩护。实际上，上述原则几乎可以无限地扩展其适用范围。譬如，或许可以证明，基于尼古丁使人的身心上瘾，那些因吸烟而危及自身健康的人肯定未被充分告知，也不能够代表自己做出明智的决定，因而，吸烟应该被禁止。总之，他们必须被人从自身中解救出来。

确立法律与道德之间关系的另一条基本原理是，不去考虑伸张个人的自由，而思考不受约束的自由可能给社会组织带来的损害。在此，分歧在于穆勒的观点所容许乃至鼓励的道德和文化多样性。这另一种立场在帕特里克·德夫林（Patrick Devlin，1905—1992）的《道德的法律强制》（1968）中有一个经典的表述。该书断定有一种"公共道德"，社会有权借助法律手段来实施它。德夫林对这一问题的关注是在20世纪60年代由同性恋和其他诸多所谓的"宽容（放纵）主义"的立法的合法化引发的。作为他的立场基础的是这样一种信条，即社会是靠一套"共享"的道德规范（就什么是"善"和什么是"恶"达成的基本共识）维系在一起的。因而，当生活方式和道德行为上的变化威胁到社会组织和生活在其中的所有公民的安全时，法律有权"实施道德"。不过，上述观点不同于家长管束主义，因而后者更为严格地专注于使人们做对自己有利的事情——虽然可以认为，像禁止色情活动等情形下，家长式管束与道德的实施恰好相契合。可以说，德夫林已经拓展了穆勒的"伤害"概念而把"冒犯"包含其中，至少像行为招致德夫林所谓的"实际（存在）的反感或厌恶感"（而不是简单的不喜欢）时。自20世纪70年代以来，这一立场还被保守主义新右翼采纳。这同当时新右翼所认为的"道德污染"现象有关，反映在它对性描写、电视暴力以及男女同性恋权利的扩展的担忧上。面对放纵主义和文化多元主义的双重威胁，保守主义思想家往往高扬"传统道德"和"家庭价值观"的重要性。

186

上述观点的核心在于，道德规范真是太重要了，因而不可以交托给个人。在"社会"利益与"个人"利益相冲突的情况下，法律必须总是站在前者的一边。不过，这样一种立场也会提出某些严重的问题。首先，有"公共道德"这样的东西吗？是否有一套可以同"少数人"的价值观区别开来的"多数人"的价值观？事实上，除了像谋杀、身体暴力、强奸和偷盗这样的行为，道德观念在代际、社会群体之间和个人之间大不一样。这种伦理多元主义在个人道德和性道德领域——同性恋、堕胎、电视暴力等——尤为明显，这些领域也是道德新右翼特别关注的。其次，还存在的一种危险是，在传统道德的旗号下，法律所做的无非是强化社会的偏见。如果某些行为只因为冒犯了多数人而被禁止，那么这无异于说，道德规范可归结为举手表决。无疑，道德评判应当总是批判性的——至少，从它们建立在明确而理性的原则而非仅仅广为持有的看法之上来看是如此。譬如，仅仅因为反犹观念在社会上广为持有，迫害犹太人的法律在道德上就是可接受的吗？最后，健康而稳定的社会只有在共享的道德规范占主导地位的情况下才存在，这一点绝不是确定无疑的。比方说，多文化和多宗教信仰的社会观对此就持有异议。然而，还是下面有关社会秩序及维持秩序的条件的分析对上述问题做出了最好的解答。

秩序

一直以来，对混乱无序和社会动荡的担忧，也许是西方政治哲学最基本而持久关注的东西。上溯到17世纪的社会契约论，政治思想家们一直为秩序问题所困扰，不断探求避免人类生存陷入无序和混乱中去的途径。要是没有秩序和稳定，用霍布斯的话说，人类生活就会是"孤寂的、穷苦的、污秽的、残忍的、短暂的"。此类担忧同样显现在对"无政府状态"这个词的日常使用中，它指的是混乱、无序和暴力。基于上述理由，秩序获得了政治理论家们几乎是无条件的赞成，至少可以说，还没有一个人有心为"无序"辩护。然而，与此同时，"秩序"这一术语在不同的政治思想家那 *187* 里所唤起的是极其不同的图景。一个极端是，传统保守主义者认为，秩序同控制、法纪和服从等概念密不可分；另一个极端是，无政府主义者指出，秩序同自然和谐、均衡和平稳相关联。这些观念上的不一致不仅反映了秩序概念上的深刻分歧，同时也折射出秩序何以确立、又该如何维护上的严重分裂。

存在着相互对立的秩序观，但从中还是可以确认出某些共同的特征。在日常语言中，秩序指的是规范而有条不紊的格局，这好比说，士兵有次序地站立，或表述说，宇宙是"有秩序"的。在社会生活中，秩序描述的是规范、稳定而可预见的行为模式，基于此，社会秩序表达出持续性乃至恒久性；相反，社会无序则意味着混乱、随意而暴烈的行为，就其本性而言，它不稳定，变动不居。当然，关乎秩序的首要问题是，它的益处在于个人的安稳，这既指身体上的安全（免于威吓、暴力和恐惧），又指心理上的安全感、舒适和稳定（唯有正常而熟悉的环境才能营造）。

纪律与控制

秩序通常同纪律、规章和权威等观念联系在一起。从这个意义上看，秩序代表着某种社会控制形式，它在某种程度上是"自上而下"强加的。社会秩序之所以不得不强加，就是因为它不会自然地生成。所有的秩序观念都是建立在无序概念和造成无序的暴力概念之上的。是什么引发失职行为、败坏行为、犯罪和社会动荡？那些认为缺乏控制或纪律的实施就不可能有秩序的人往往把无序的根源归为个体的人。换句话说，人类天生是堕落的，如果不受约束或控制，他们就会以反社会的、不文明的方式行事。有时，上述观点带有宗教性的根源，像基督教中的"原罪"学说。在其他情形下，无序现象是通过人在本质上是自私自利的或自我主义的看法来解释的。如果放任自流，个人所作所为只为增进自身的利益或目的，这样做只会以牺牲他人为代价。在关于人性的最为悲观的表述中，有一种表述出现在像托马斯·霍布斯这样的专制主义思想家的著作里。霍布斯在《利维坦》（［1651］1968）里把人的天性表述为"永恒地、不知疲倦地追逐权力的欲望，无休无止，直到死亡"。这就解释了他关于自然状态的描述为何如此鲜明。在他看来，自然状态的主要表征乃是战争——"每个人对每个人的"野蛮而无休止的战争。

专制主义

188

专制主义是指专制统治的理论或实践。政府是专制的，是从它拥有不受约束的权力即政府不受一个外在于自身的机构的制约而言的。专制政府通常让人联想到 17—18 世纪在欧洲占统治地位的政治形式，它最突出地表现为专制君主制。然而，君主制同专制政府并没有必然的联系。虽然不受约束的权力可以放在君主手中，但它也可以赋予某个像最高立法机构之类的集体组织。不过，专制主义不同于现代专政形态，尤其不同于极权主义。专制主义政权追求政治权力的垄断（通常是靠把民众排除在政治之外来获得的），极权主义则意味着，把社会和个人生存的方方面面全盘政治化，从而确立起"绝对的权力"。由此可见，专制主义理论同其他理论如法西斯主义学说迥然不同。

然而，专制政府和绝对权力并不是一回事。专制主义原则体现在无限的统治权利的主张上，而不在于行使不可挑战的权力。这种专制主义理论同主权概念密切相关，它代表着一种不可挑战、不可分割的合法性权威的源泉。同时存在着理性主义的和神学的两种专制主义理论形态。理性主义的专制理论提出的看法往往是，唯有专制政府才能确保秩序和社会稳定。被分割的主权或可挑战的权力是导致混乱和无序的缘由。神学的专制理论则建立在神圣的权利学说之上，据此，君主对臣民的绝对控制源自——也等同于——上帝凌驾于它的创造物之上的权力。可见，君主的权力之所以不可挑战、侵犯，是因为它是上帝权威的一种世俗表达。

专制主义理论有其自身的价值，它们阐明了某种亘古不变的政治真理。尤其是，它们强调了秩序政治的极端重要性，同时提示我们，政治社会的首要目标是维持稳定和安全。不过，专制主义理论还是可能遭到批评，说它们在政治上是多余的，在意识形态上是不可取的。面对宪治和代议制的推进，专制主义政府土崩瓦解。在专制统治残存的地方，专制政府具有了一种完全不同的政治特性。实际上，到 19 世纪"专制主义"这一术语造出来之时，专制现象本身大体也不存在了。专制主义引起人们反感的表征在于，它现在已经被人广泛地看成仅仅是暴政和独裁政府的一个代名词。现代政治思想同诸如个人权利和民主责任等观念联系在一起，它在很大程度上致力于防范专制主义的威胁。

代表人物

189

让·博丹　法国政治哲学家。博丹是第一位重要的主权理论家，他把主权定义为"共同体内绝对而永久的权力"。在他看来，政治和社会稳定的唯一保障是拥有最终立法权的主权者（君主）的存在。从这个意义上看，法律体现了主权者的"意志"。尽管基于主权者不可能受其意志表达，即法律的约束，因而他在法律之上，但博丹还是意识到了自然法和他所谓的"基本法"对主权者所施加的限制，他并不认为主权包含独断的权力。博丹最重要的作品是《国家论六卷》（[1576] 1962）。

罗伯特·菲尔默（Robert Filmer, 1588—1653）　英国勋爵士。菲尔默通过阐发父权制理论捍卫君权神授说。在《论父权制》（写于 1632 年，但直到 1680 年才出版，当时，它为英国内战期间的保皇党人所接受）一书中，菲尔默认为，君主的权威就是父亲的权威，它是从作为我们人类之父的亚当那里传承下来的。这意味着在实在法中所表达出的君主的意志应当被视为绝对的、专断的和不可遗赠的。

约瑟夫·德·迈斯特（Joseph de Maistre，1753—1821）　法国贵族和政治思想家。迈斯特是法国大革命的激烈批判者，也是世袭君主制的支持者。他的政治哲学建立在对"主人"自愿而绝对的服从上。迈斯特认为，社会是有机的，如果不靠"宝座（君权）和圣坛（神权）"双重原则维系在一起，它就会分裂或瓦解。在他看来，世俗的君主最终要服膺罗马天主教皇至上的精神权力。迈斯特主要的政治学著作有《对法兰西的思考》（1796）和《天主教皇》（1817）。

传统的保守主义秩序观一直深受这种悲观主义人性观的影响。比方说，保守主义者一般表现为，不能容忍那种从贫困或社会剥夺的角度解释犯罪的做法。犯罪以及实际上大多数其他种类的反社会行为——流氓行为、伤风败俗行为、渎职，乃至一般性的粗鲁、非礼——无非是一种个人现象，它反映的是每个人身上的道德沦丧。可见，罪犯从道德上说是"坏"人，理应受到惩罚。这也就是保守主义者为何往往会看到秩序观念与法律观念之间的内在联系，并习惯于谈论"法律-秩序"这一合成概念的原因。事实上，离开明确实施的法律，公共秩序是不可思议的。基于此，保守主义者通常站在旨在强化警察权力的运动的前列，呼吁对罪犯和败坏者施予更为严酷的刑罚。这在某些场合导致他们将用准军事化术语表述的刑事司法看作是"对毒品宣战"。这一做法最先是在 20 世纪 70 年代早期由美国总统理查德·尼克松所推行。

不过，保守主义的分析有时走得更远。保守主义者不仅认为人在道德上是堕落 *190* 的，而且还着重指出社会秩序以及实际上人类文明本身脆弱的程度。从埃德蒙·伯克在 18 世纪的著作可以看出，保守主义者在传统上就把社会说成是"有机的"，它如同一个生命体，其中的每个要素都同其他任何一个要素相关联，维持某种微妙的平衡关系。由此可见，"社会整体"不简单地是个体的集体，如果某一部分遭到破坏，整体就会受到威胁。保守主义者还特别强调，社会是靠维持诸如家庭等传统的组织机构，靠尊重建立在宗教、传统和习俗之上的现有文化而维系在一起的。捍卫社会"组织"已成为新保守主义的核心问题，新保守主义在美国为欧文·克里斯托尔和丹尼尔·贝尔（Daniel Bell，1919—2011）等社会理论家所阐发。贝尔提醒人们警惕市场压力和纵容主义所带来的精神价值观的沦丧。由此看来，法律不仅可以被看作给违法犯罪者以惩罚相威胁而维持秩序的方式，同时也是张扬传统价值观和既定信仰的手段。这就是保守主义者通常何以认同帕特里克·德夫林的原因，他们都认为法律的恰当功能是"道德说教"。

最后，替秩序所做的辩护有其心理学上的依据。此种看法强调，人人都是有局限的、在心理上不安稳的动物。首要的是，人要寻求安全保障。他们本然地趋向于熟悉的、已知的和传统的东西。可见，秩序是人类需求中关键的——也许是最关键的——要素。这意味着，人会从不熟知的、全新的和异己或外在的东西中退缩回来。在此，譬如埃德蒙·伯克就可以把对不同于自己的人所怀有的偏见说成既是自然的又是于己有利的，他认为，这会给予个人一种安全感和社会认同感。不过，这样一种观点在维护秩序上有其非常极端的一面。比方说，它可能同多文化－多信仰的现代社会特性格格不入，因为它表明，无序和忧惧确定无疑地附着在这些社会的表层上。结果是，某些保守主义者反对不加控制的移民，或者要求鼓动移民融入他们所在"东道主"国的文化中去。

自然的和谐

在社会主义者和无政府主义者的著作中还出现了另一种完全不同的秩序观。譬如，无政府主义者主张废除国家和一切形式的政治权威力量，当然也包括法律和层级机构。马克思主义的社会主义者一直也赞同这一观点。马克思本人也认为，一旦社会不平等废除了，国家及其法律等社会控制形式将逐渐"消亡"。议会社会主义者和现代自由主义者则提出了相对温和的主张，但他们仍然是那种认为只有严刑峻法方可维持秩序的看法的批判者。尽管上述观点批评了流俗的"法律秩序"观，但并不等于它们彻底否定了"秩序"本身。相反，它们是建立在另一种看法的基础之上，即认为：社会秩序可以呈现为自发和谐（只由自然而良好的个体感所调节）的形态。

这样的秩序观以无序非源于个体自身而源于社会体制的假设为基础。人并非天生堕落，背负"原罪"，而是被社会所败坏的。这一观念在卢梭的《社会契约论》（［1762］1969）的著名开篇语中道出来了："人生而自由，却无往不在枷锁之中。"这是乌托邦政治思想中一个最基本的预设，这一点将在第十三章做更为详尽的考察。社会可以多种方式败坏个人。社会主义者和许多自由主义者都指出了犯罪和社会剥夺之间的关系，他们断言，只要贫困和社会不平等持续存在，保护财产的法律注定要被人违犯。这一观点表明，秩序最好不靠人们对受惩罚的恐惧而靠社会改革事业——比方说，旨在改善居住状况、反都市腐败与减少失业等——来推进。对此，马克思主义者和古典无政府主义者做出了进一步的论证，他们呼吁进行社会革命。在他们看来，犯罪和无序根源于私有财产制度及其引发的经济上的不平等。

除此以外，社会主义者还提出，实际上，经常因社会无序而遭受责备的自私和贪婪行为是由社会自身造成的。资本主义唆使人自私自利和相互竞争，并实际地奖赏他们把自己的利益置于他人的利益之上。因而，社会主义者认为，社会秩序在一个鼓励和奖赏社会团结和合作行为的社会内更容易维持，这个社会建立在集体主义原则而非利己原则之上。至于无政府主义者，他们直指法律本身，指责它是无序和犯罪的主因。譬如，彼得·克鲁泡特金在《法律与权威》（［1886］1977）一文中就断言，"犯罪的主要支柱是懒散、法律和权威"。对无政府主义者来说，法律不单单是保护财产免受无产者侵犯的手段，同时正如俄国作家列夫·托尔斯泰所言，是一种"有组织的暴力"形式。法律是对他人赤裸裸地行使权力，所有的法律都是压迫的。这就是法律只有通过强制力和惩罚系统——用托尔斯泰的话说，"要靠重拳、靠自由的剥夺、靠谋杀"——方可维护的原因。可见，解决社会无序问题很简单：废除一切法律，容许人民自由行动。

上述信念植根于对人类行为的一个极其明确的假定之上。人们不需要被训诫和控制，他们被认为能够和平而自然和谐地相处。从秩序自发地源自自由个体的行为这一重意义上说，秩序是"自然的"。对"自然秩序"的信念以以下两种人性论中的某一种为基础。第一种人性论把人说成是理性的存在，能够通过论辩、谈判和妥协（而不是暴力）的方式解决人与人之间的任何分歧。比如，正是对理性的深刻信念促使穆勒主张，应该把法律限定在避免我们彼此伤害的有限任务上。无政府主义思想家威廉·葛德文进一步宣称，"健全的理性和真理"会在任何场合避免冲突引发混乱。另一种人性论基本上是一种社会主义观点，它认为，人本然地是社交、合作和合群的。既不需要主导的文化或传统道德，也不需要任何自上而下实施的社会控制形式来保障秩序与稳定。相反，秩序与稳定会自然而然地、不可阻挡地从每个人对所有人类同胞所怀抱的同情、怜悯和关照之心中生发出来。基于非西方的思想传统——尤为显著的是道家思想，也得出了类似的结论。

192

◎ 超越西方

道家学说与自然和谐

193

道家学说（道学或道教）是一种宗教和哲学思想传统，它同儒学和佛学构成了中国的三大思想流派。由于自19世纪以来道家的文本越来越被西方世界所熟悉，这些文本同反对和反动力的关联使得道家学说被吸纳到西方无政府主义话语的范围内（Clarke，2000）。基于对自然和谐和自发秩序的共同信奉以及似乎对最低限度的治理的共同持守，道家学说与无政府主义之间的关联被确立起来。正如公元前 6 世纪道家圣人老子所言，"治大国，若烹小鲜"。

然而，道家的自然和谐观在许多重要的方面并不同于西方无政府主义观念。自然和谐的无政府主义模式是人类中心主义的，因为它建立在强调社会性和合作的人性论基础之上；与之相对的是，自然和谐的道家模式是宇宙主义的。自发的秩序被看作内在于宇宙自身，因而同时容纳了自然和人类。在道家看来，宇宙和谐体现在对立面——善与恶、明与暗、动与静、女性与男性、负（消极）与正（积极）——的严格均衡上。这一观念被体现在"阴"（Yin）"阳"（Yang）符号上：一个由两个相互盘绕、蝌蚪形的半圆所构成的圆圈，一半为暗，一半为明。阴为暗、为女性、为负，阳为明、为男性、为正。任何存在的事物都是阴和阳的平衡。只要维护这种平衡，就可以实现宇宙和谐。由此观之，道家学说对出于自身目的而削弱或取消国家权力并不那么关切，相反，它成了统治者的领导指南，他们想确保自身是按与"道"相和谐的方式去进行统治的，从而铲除那些被认为是阻碍国家自发而自然地运转的人为障碍。

为惩罚辩护

有关秩序的讨论不可避免要涉及惩罚问题。比方说，运用"法律秩序"一词的政治家经常把它当成严刑峻"罚"的委婉语。同样，如果政治家被说成在法律和秩序上"强硬"，这意味着他们往往主张更为广泛地动用拘留、长期监禁和严酷的监狱制度等。自 20 世纪 80 年代以来，随着犯罪和无序变成日益突出的政治问题，这种"强硬"姿态越来越盛行（对它的拥护已不局限于保守党和保守主义政治家），结果是，在大多数发达国家关押的人数激增。不过，常见的是，惩罚被无明确目标或目的地提倡。

"惩罚"指的是因违法或犯罪而施加在某人身上的处罚。不同于可能是任意、独断的报复，从特定的惩罚同特定的冒犯行为相关联的意义上说，惩罚是正规的。而且，惩罚具有道德性，这一点把它同简单的报复区别开来。惩罚不受恶意或纯粹施加痛苦、不适、不便的欲求驱动，而是因为作"恶"了。这就是为何所认为的残酷而不人道的惩罚（如严刑拷打乃至死刑）往往被禁绝。然而，如果惩罚具有道德性，那么它必须从道德的角度获得辩护。一般而言，提出过如下三种辩护，它们分别建立在报应、威慑与矫正三种观念之上。每一种辩护奠基于完全不同的道德和哲学原则之上，服务于完全不同的惩罚形式。尽管三种辩护之间的张力是显而易见的，但实际上，还是有可能从其中的两种乃至三种辩护中阐发出一套惩罚哲学来。

从多方面来看，对惩罚最古老的辩护是建立在报应观念之上。因果报应的意思是，向作恶者报复。这一观念植根于宗教的原罪概念中，即认为：某些特别的行为（还可能是，特别的念头）存在着清晰可辨的"恶"性。这是一个对保守主义思想家 *194* 很有吸引力的观点，他们强调，人是不完美的，也是不可完善的创造物。在此，对作恶的惩罚是一种道德审判，它严格划分出"善"与"恶"。作恶者应受惩罚，惩罚是他们"不多不少应得的"。除此以外，现代人所做出的报应论证通常还指出，报应带来的好处扩展到了整个社会。惩罚作恶者不仅仅是因为他们理应受此待遇而如此对待他们，而且表达出了整个社会对他们的罪恶的厌恶。这么做，惩罚向所有人突出了对与错之间的区别，从而强化了社会的"道德根基"。

报应论表达了某些特定的惩罚方式。正因为惩罚是一种报复，它就应该同所作的恶相对等。简而言之，"罪罚相当（当量）"（惩罚当对应于罪恶）。《圣经·旧约》中有一个关于这一对等原则的最有名的表述，它宣称："以眼还眼，以牙还牙"。可见，报应论为死刑（因谋杀而被判）提供一种清晰的辩护。因而，杀人犯被剥夺了他们自身的生命权，死是他们"不多不少应得的"。事实上，从某种意义上说，报应表明，社会有道德上的义务处死一个谋杀者，为的是表达出社会对罪恶的憎恨。当然，上述原则倚赖于一个既定而严格的道德框架，在其中，"对"明显不同于"错"。由此看来，在传统的道德准则（通常以宗教信仰为基础）仍广受尊重的社会里，报应论最为重要；但在世俗化、多元化的西方工业化社会，它就不太适用了。况且，报应论把作恶的责任完全归于个人身上——实际上，放在"个人邪恶"现象上，它不能顾及社会及其他外在因素对个人的影响，因而不可能理解现代社会中犯罪的复杂性。

第二种主要的惩罚理论是威慑论。它所关注的不是作为作恶的应得"回报"的惩罚，而是利用惩罚去塑造其他人的未来行为。正如杰里米·边沁所指出的："一般性预防应该是惩罚的首要目的，因为这是它真正获得正当性辩护的东西。"因而，惩罚是一种手段，它旨在让人们意识到自身行为的后果，从而警诫人们不要去犯罪或做出反社会的举动。由此可见，对惩罚的恐惧是秩序和社会稳定的关键。相比于报应建立在明确而稳固的道德准则之上，可以把威慑当作一种社会监督形式。换句话说，"犯罪"一词也许并不是应受惩罚的个人邪恶的一种表示，而是一种要谨慎劝诫的反社会行为。用功利主义的话说，惩罚是增进社会总体幸福的一种手段。

不同于报应论，威慑并不指向某一特定的惩罚形式。实际上，威慑表达的是，被 *195* 选用的惩罚应当能够警诫其他潜在的作恶者。基于此，威慑论时常比报应论更能替严酷得多的惩罚辩护。惩罚作恶者就是以儆他人。警诫越显著，其威慑价值就越有效。譬如，它可能替砍断小偷的手以期预防未来偷盗行为的做法辩护。施加在某个人身上的刑罚的严酷必然同防止类似的犯罪在未来发生的好处相称。然而，问题是，威慑观念很可能致使所作的恶同所施与的惩罚分离开来，因而要冒牺牲初犯的危险。事实上，威慑论并没有对可能适用的惩罚形式予以任何限制，即便是对待小小的冒犯也如此。

还有一大难题是，威慑是以假定罪犯和作恶者理性地行动——至少就他们会权衡自身行为可能的后果而言——为前提。如果不是这样，威慑论就不成立了。譬如，有理由相信，许多谋杀者并不会被惩罚（哪怕死刑）的威胁所震慑。这是因为，从谋杀发生在派系内部的角度说，它往往是内部事务，谋杀者通常是在最极端的心理和情感紧张状态下采取行动的。在此种情形下，人们并不能做出公允的判断，更别提考量行为可能的后果了。要是这些人是以一种理性的、精明的方式行动，这样的冲动犯罪就不可能发生。

为惩罚所做的最后一种辩护是以改善或矫正观念为基础。这一理论把作恶的责任从个人转嫁给了社会。罪犯并不被当作在道德上邪恶或应该被树为警诫的人，相反，罪犯应当获得帮助、支持，实际上还要受到教导。这一观念同报应观念形成鲜明的对照，因为它建立在本质上是乐观主义的人性观的基础之上，这种人性观不太容纳乃至根本就不容许有"个人邪恶"的观念存在。这就是它对自由主义者和社会主义者有吸引力的原因，他们强调教育的好处和个人自我完善的可能性。流氓行为、伤风败俗之举和犯罪行为所彰显的只是社会的缺陷而不是个人的过失。实际上，犯罪和无序是由失业、贫困、恶劣的居住条件和不平等等诸多社会问题"诱发"的。对此，矫正论予以认可的唯一的例外情形是，确实某些人从传统的角度看是疯癫的，他们只会满足于非理性的心理冲动。可是，即便如此，人们也不应当对他们自身的行为独自地负责任。

显然，矫正表现出了一种完全不同于报应和威慑的惩罚形式。事实上，如果目标 196 在于"改良"作恶者，那么惩罚在人们心目中就不再是那个含有施加痛苦、予以剥夺——或至少是制造不便——的处罚形象。自然，无论在何种情形下，矫正论都不可能为死刑做任何辩护了。而且，如果惩罚的目的是教育而不是处罚，那么非监禁刑就应当比监禁刑更为可取；社区设施会比监狱更可取；监狱制度的设计应当是为了促进自我评价和个人成长，应当给予犯法者获取技能和资格的机会，帮助他们刑满释放后重新融入社会中。在恢复式正义概念中，可以发现现代逐渐盛行的矫正理论。现代形态的矫正理论致力于促使作恶者"补偿"由他们的罪行所造成的一切损失和伤害，如有可能，还敦促他们与受害者见面，从而让他们明了自己罪行的性质和后果。

然而，一般性矫正理论存在一大难题，它把惩罚看作一种旨在通过再教育过程培育出"更好的人"的个人调控形式。由此，矫正论试图塑造、再塑造人性本身。而且，矫正论取消"个人邪恶"的观念，几乎免除了个人的任何道德责任。说"憎恨犯罪却又喜爱罪犯"，就会冒把所有的不和与作恶归罪于社会的风险。这就混淆了解释与辩护之间的区别。譬如，毫无疑问，人是在一系列社会压力下行动的，但如果把他所做的一切归咎于社会，则无异于表明，他只是机器人，不能够行使任何形式的自由意志。然而，要确切地判定个人何时是作为一个独立的行为体行动、在道德上对他（或她）自己的行为负责，这不仅是一个同惩罚有关的问题，同时也是政治理论本身最大的难题之一。

正义

两千多年来，正义一直对政治哲学起着至关重要的作用。一代又一代的政治思想家把"善的社会"表述成"正义"的社会。然而，就正义究竟代表什么，远未达成共识。实际上，在日常语言中，正义用得极其含混不清，被用来表示"公平""正确"，或就是表示为"在道义上是对的"。无疑，正义是一个道德或规范性概念，凡是"正义的"理所当然在道义上是"善的"，说某事是"非正义的"，就是谴责它在道义上是"恶的"。但正义并不简单地意味着"道义"，而是意指某一种特定的道德评判，尤其是有关赏罚配给的评判。简而言之，正义就是给予每个人他（或她）所"应得的东西"。可是，要界定什么该是"应得的"，则困难得多。正义或许是"本质上有争议的"概念的一个典范。并不存在一个定型的或客观的正义概念，有的只是一套相互对抗的概念系统。

进一步说，虽然正义是一个配给性概念，但并不清楚，它力求配给的是什么。正义概念指涉的到底是什么样的奖赏和惩罚？正义几乎可能关注任何东西的配给：财富、收入、闲暇、自由、友谊、性爱等。正义概念可以适用于所有这些"物品"的配给，但没有理由表明，同一条配给原则为何应该在每一种情形下都被认为是"正义的"。譬如，那些主张物质财富平等分配的人也许就认为性爱平等分配的观念太不可思议了——即便这不能说完全是非正义的。从这个意义上说，根本不可能建构一条适用于生活方方面面、放之四海而皆准的支配性正义原则。正如瓦尔泽所认为的，不同的正义原则可能适用于不同的生活领域。比方说，在 20 世纪，对正义的讨论往往同整个社会生活联系在一起，尤其是关系到物质报酬的分配。这就是通常所谓的"社会公正"。这一点将在第十章详细考察。

在本章，正义的讨论首先是同法律相关联，进而通过"法律正义"概念来展开。

法律正义关注的是法律给作恶施与刑罚、给伤害或损害予以补偿的方式。这层意义上的正义显然含有某套公共准则的创制和实施；而这些准则要是"正义的"，就必得有道义上的支撑。在法律程序中，可以确认出两种正义在运作。其一是程序正义，它同准则如何制定和实施相关；其二是实质正义，它关涉的是准则自身以及它们是"正义的"还是"非正义的"。无论从哪一种意义上说，有关正义的问题都是至关重要的，因为它们都与合法性问题有关。人们认定法律是有约束力的，因而承认有遵守它的义务，就是因为他们相信法律是正义的。可是，如果法律并不按照正义去施行，或者说，法律本身被认为是非正义的，那么公民就可能为自己的违法行为获得道义上的辩护。

程序正义

程序或"形式"正义指的是决定或结果获取的方式，它同决定本身的内容相对。譬如，有些人就提出，法律正义不那么关注法律的结果——判决、裁定和刑罚等，而更关注这些结果是如何达成的。毫无疑问，在某些场合，正义完全是程序上的事情：一个公正而可接受的结果要靠一定程序性规则的实行来保障。比方说，这显然适用于运动比赛。简而言之，赛跑的目的就是确定谁是最快的赛跑者。如果程序性规则的运用确保了除赛跑技能之外的所有因素同比赛的结果不相干，那么，这方面的正义就实现了。由此可见，正义要求每一个竞赛者跑同样的距离，要求他们同一时间起跑，要求无人靠服用兴奋剂而获取不公平的优势，要求比赛的裁判员公正无私，等等。

法律制度可以完全相同的方式声明是正义的：它们按照一套旨在确保公正结果的既定规则运作。总而言之，正义"被看作贯彻下去的"。当然，这些程序性规则可以采取两种形式。在约翰·罗尔斯所谓的"纯粹的程序正义"情形下，正义问题只由公正程序的采用决定，这就好比赛跑或抽彩。与之相对，在法庭上，则预先存在着有关什么构成了公正结果的认识（"先在知识"），在此，程序上的正义包含了产生出那个（公正）结果的整个趋向。比如，在刑事审判中，程序性规则旨在确保有罪者受惩罚、罪罚相当、当量（惩罚对应于罪恶）等。

不过，许多这样的程序性规则不仅仅为法律制度所拥有，同时也适用于其他生活领域——从立法院或立法委的正式辩论到朋友间或家庭内的非正式讨论。事实上，这些规则往往表明，它们反映了一种广为人们所接受（乃至内在固有）的关于何谓公平、何谓合理的正义感，这通常被称为"自然"正义。比方说，这一点可以从一个普遍的看法中看到，那就是：在争论和论辩中，所有各方都拥有表达他们意见的机会，或者在做出决定时，事先征求受决定影响的人的意见，这些就是公正。由于这样一些规则的公正性被许多人当作是不证自明的，因而就什么使法律的施行在程序上是公正的，经常有着相当大的共识。

程序正义的核心是形式平等原则。法律应当以一种不歧视个人——基于性别、种族、宗教信仰或社会背景等因素——的方式实施。这又要求，法律被公正无私地运用；为此，只有在法官是绝对独立、毫无偏袒的条件下，才可实现。在司法人员有明显的政治偏向的地方（像美国的联邦最高法院），或者，当法官被认为有偏见（由于他们主要是男性、白种人和有钱人）的时候，这也许可以被看作不公正的一大原因。陪审团制度的广泛采用（至少在刑事案件中）也可以从程序正义的角度获得辩护。陪审团在案件审判中的价值在于，其成员可以任意地选择，因而更可能是公正而不偏袒的，能够采用社会普遍持有的公正标准。被告由他（或她）的"同辈"来裁判。

与此同时，法律体系必须承认有犯错误的可能，并且能提供某种纠错的机构。在实际操作中，这是通过一套法庭等级制来实现的。高一级的法院可以受理、判定来自低一级法院的上诉。不过，如果申诉过程完全掌控在法官手里，而法官又害怕法院系统乃至司法人员本身名誉扫地，误判（审判不公）可能难以纠正。这在英国吉尔福德四人案和伯明翰六人案中突出地表现出来。对他们的恐怖主义定罪在 1989 年和 1991 年被推翻，但这已是他们分别在监狱服刑 14 年和 16 年之后的事了。也可以说，程序正义要求以被告"在被判明有罪之前都是无罪的"①为前提。这一预设被说成是贯穿英国整个法律体系及其生成的其他法律体系的"黄金线索"。无罪假设确保单纯的指控事实本身并不构成证据，取证的责任在检察机关，由它来提供能够证明有罪而不止于"正当（合理）怀疑"的证据。这也是某种证据（比方说，有关被告先前犯罪记录的证据）不太可能被法庭采信的原因——既然它可以干扰陪审团的看法，妨碍达成的判决建立在"诉讼事实"之上。同样，基于检察机关的职责就是证实罪状，从传统上看，被指控的人是被给予沉默权的。譬如在美国，这一点明文载入宪法第五修正案中，以此来保障免于自认犯罪的权利。

公平对待原则贯穿于法律程序中的每一处地方。比方说，它提出，在应对警察、检察官或审判员的时候，普通公民不应因其无知而受到损伤。由此，被广为接受的是，被指控者应该被明确告知受指控的罪状，他（或她）一开始就应该被告知其权利（尤其是法定的建议权）。美国对上述程序正义的规则做出了明确的界定。譬如，在"米兰达诉亚利桑那州案"（1966）中，联邦最高法院制定了非常严格的程序，警察在讯问嫌疑人时必得遵照这些程序行事；在"吉迪恩诉温赖特案"（1963）中，它保障（穷苦的）被告有得到辩护律师（协助）的权利（无论其财力状况如何）。当然，在另

①　即所谓"无罪推断""疑罪从无"。——译者注

外的场合，政府却无视上述准则，它认为，这些准则大可不必去妨碍对罪犯或其他威胁公共秩序的人的追捕。譬如，在英国，20 世纪头十年的一系列反恐怖法允许恐怖主义嫌犯被扣押高达 28 天（后来减为 14 天），而在美国，《爱国者法案》（2001）则许可无限期羁押移民。

实质正义

如同在前面所指出的，法律正义的要求并不能完全从程序性规则的实行中得到满足——无论这些规则多么公正，无论对它们的运用多么严格、认真。正是在这种意义上，法律不同于竞技运动，还要主张法律结果（而不仅仅是其程序）的公正。法律过程产生出不公正，这或许不是出于法律执行的不公正，而是因为法律本身就是不公正的。比方说，禁止妇女参与选举的法律或禁止少数民族拥有财产的法律就不是"公正地"制定出来的，因为有一个事实是，它们在法院的执行程序上是公正而不偏袒的。由此可见，法律的内容要从实质或"具体"正义原则的角度来评判。

对程序正义的规则存在着广泛的共识，可不能说实质正义也如此。从传统上看，法律正义一直同这样一个观念相关联，即法律旨在按其"应得（正当所得）"来待人，或者，用东罗马帝国皇帝查士丁尼的话说，正义就是"给予每个人他应得的部分（各得其所）"。要做到这一点，其困难在前面有关对立的惩罚理论的讨论中已阐明了。报应论的支持者主张，从原则上说，正义要求谋杀者因其罪行要受惩罚而被剥夺生命；力主警诫的人则只在经验证据表明极刑会减少谋杀数量的时候才接受极刑；而矫正论者拒绝任何情形下的极刑，认为它无非是一种合法化了的谋杀形式。尚没有什么讨论和分析转移上述立场，因为它们各自是以根本不同的道义原则为基础的。同样的困难也存在于公平分配物质报酬的努力中。有人认为，基于财富应该按个人需求分配，社会正义要求高层次的物质平等；另外的人则出于分配原本建立在相关个人不均等的才能之上，从而欣然接受高层次的物质不平等。就像所有的规范性原则，实质正义观念是主观的。从实质上说，它是一种意见。因而，正义观念因人而异，不同的群体、不同的社会以及不同的时期有其不同的正义观。宗教信仰和传统价值观的衰落、社会交往和地理流动的增多，促进了道德多元主义的发展。伦理和文化上的多样性使得人们不可能对法律的道德内容做出牢固或权威的评判，也不可能确立起区分正义之法与非正义之法的可靠标准。从这个意义上说，正义是一个相对的概念。它也许只对特定的个人或群体有意义，而不适用于整个社会。

围绕这个问题，有一个解决的办法是，力求把正义同某一套在社会上占主导地位的或普遍持有的价值观联系起来。这恰好是帕特里克·德夫林（Devlin，1968）在主张法律应当"贯彻道德"时所指的东西。在德夫林看来，法律以普通公民（或者用他的话说，以"克拉芬姆大街公交车上的乘客"）的伦理价值观为基础。由此，他提出了他所谓的"共识法"与"非共识法"之间的区分。共识法是指同普遍持有的公平或公正准则相一致的法律，在德夫林看来，就是人们"有心去容忍的法律"；与之相对，非共识法是指被广泛认为不可接受或不公正的法律，它们通常体现在普遍拒绝服从的事实中。德夫林尚未提出，违犯非共识法可证明是合理的，但他还是警告说，实施非共识法只会使司法机关和法律程序声名狼藉。一个非共识法的案例是英国的"人头税"，1990 年它在英格兰和威尔士采用的时候，曾引发了广泛的抗议活动和不缴纳现象——这源于以下的看法：该税种损害了广泛持有的社会正义观。

德夫林认为，那些绝对公正、超然于政治程序的法官最能够运用共识法与非共识法之间的区别，毕竟，法官有多年判决争端和裁定彼此冲突的法律解释的经验。不过，这种司法能动主义已证明是极具争议的，因为它容许非民选的法官做出有明确的道德和政治内涵的决定。鉴于联邦最高法院在公共政策的制定中所发挥的公认的作用，这一问题在美国尤为突出。譬如，在 20 世纪 30 年代的新政期间，法院取消了重大的社会福利计划；可到了五六十年代，沃伦（所主持的）法院又负责从多条战线推进民权。此种"能动主义"的危险在于，没法知道法官对法律的解释（司法解释）反映了关乎何谓正当的或可接受的广泛持有的观点，还是只反映他们纯然个人的看法。显然，既然他们不是民选出来的，他们对共识道德（规范）的界定并未赢得选民的授权。况且，出于司法在社会上的非代表性，法官究竟有多了解德夫林所谓的"克拉芬姆大街公交车上的乘客"的事情，是值得怀疑的。

无论谁被授权去界定共识道德，都有理由相信，观念本身也许就经不起严格的审查。首先，它意味着，可以在"共识法"与"非共识法"之间做出可靠的区分。实际上，很少有（如果有的话）论题能够引起广泛的共识，更别说一致同意了。所有的政府所通过的立法都是在政治上有争议的，因为它会招致抗议或（至少是）大量的批评。这一点适用于政府决策、经济管理、税务、产业关系、教育、保健、住房、法律秩序、种族关系等几乎所有的领域。德夫林的论断的危险在于，它极有可能基于某个人或别的人"无心去容忍"而把大多数法律归为非共识法。这导致的难题是，如果一部法律要被当作非共识的法律，到底需要多少人去反对？他们的反对需要采取什么样的形式？况且，此类难题只不过是反映出一个更深层次的问题。从多方面看，共识道德观只是从传统的同质化社会的时代中遗留下来的东西。在以民族、宗教、种族、文化和道德多元主义为特征的现代社会，任何旨在确立共识信念的企图是注定要失败的。

为违法辩护？

在大多数情况下，法律为那些被说成是"劣迹昭彰的罪犯"的人所违犯。无论这些所谓的劣迹昭彰的罪犯多么不愿被抓捕和起诉，他们通常也会承认，他们本该服从法律；因而，他们也是把法律认作有约束力的东西。另外，还有些违法事件，从道德或政治的角度看，它们是有原则的，乃至是可以获得辩护的。替违法所做的道德辩护可以从两个方面来考察。其一是，提出这样的问题："我为何要服从法律？"这里提出的是政治义务问题（将在第八章做更详尽的阐发）。此外，把上述问题倒过来问："对违法有什么样的辩护？"此处提出的是所谓的公民的不服从（可以援引宗教、道德或政治原则而获得辩护的违法现象）问题。公民的不服从有着悠久的、令人敬畏的传统，它在发展的过程中吸收了作家如亨利·戴维·梭罗和政治领袖典范诸如圣雄甘地（Mahatma Gandhi，1869—1948）和马丁·路德·金（Martin Luther King，1929—1968）的思想。在甘地的影响下，非暴力的公民不服从成为印度独立运动中强大的武器，印度最终在1947年被获准独立。20世纪60年代早期，在美国南部的黑人民权斗争中，马丁·路德·金也采取了类似的政治策略。

莫罕达斯·卡拉姆昌德·甘地

印度的精神和政治领袖，被尊称为"圣雄"。甘地最早在英国受训，成为一名律师；后来，在南非工作期间，他创立了自己的政治哲学，在当地还组织了反种族隔离的抗议活动；1915年返回印度后，他成为民族主义运动的领袖，坚持不懈地开展独立运动，最终在1947年获得成功。1948年，甘地被一名狂热的印度教徒暗杀，成了伴随独立而来的印度教与伊斯兰教之间激烈暴力冲突的牺牲品。

甘地的非暴力抵抗伦理，为他的苦行主义生活方式所强化，从而赋予了印度独立运动巨大的道德权威性，也为后来的民权活跃分子提供了一个典范。非暴力抵抗伦理最先出现在《印度自治》（1909）一书中，它奠基于一种源自印度教（认为世界是由至上的真理所主宰）的哲学。出于人类"终归一体"，爱、操心、对他人的关怀是人际关系天然的基础。事实上，甘地就把爱说成"我们人类的法则"。在甘地看来，非暴力不仅表达了人们内部真正的道德关系；如果与自我牺牲联系起来，它同时也是一套强有力的社会和政治行动纲领。甘地谴责西方文明的实利主义和道义空虚，认为它是暴力和不公正的根源。他钟情于小规模的、自治的、（同时大体上）自给自足的乡村社区，同时，倡导土地的再分配，并力主社会公正。

公民的不服从是一种公开、公共的行动：它旨在为"建立为人公认的论点"而违反法律，而不是企图侥幸成功、逍遥法外。由此可见，公民的不服从以其动机而区别于其他的犯罪行为。从意在引发法律上的或政治上的某种改变的意义上说，其动机是有良知的或者说是有原则的，而不仅仅服务于违法者本人的利益。事实上，在许多情况下，正是对违法所附带的惩罚的自愿接受，赋予公民的不服从道德上的权威和情感的力量。起码在梭罗、甘地和马丁·路德·金的思想传统中，公民的不服从最终是非暴力的，这一事实有助于突出不服从行为本身的道义性。甘地尤其始终如一地坚持这一点，他称他的非暴力不合作形式为"真理之途"，本义是捍卫真理并为真理所捍卫。可见，公民的不服从截然不同于政治违法传统，后者采取的是民众暴动、恐怖主义和革命等方式。

在某些情形下，公民的不服从可能含有对法律的违犯，而法律本身被认为是邪恶的、不公正的，不服从的目的在于对被怀疑的法律提出抗议，进而废除它。可是，在其他情形下，不服从所包含的对法律的违犯为的是对更大范围的不公正提出抗议——即便被违反的法律本身也许并不那么令人生厌。就前一种情形，举例说，有焚毁征兵证或拒绝缴纳用于军事目的的税收份额。这就是美国的反越战人士所采取的抗议形式。同样，英国的锡克教教徒公然蔑视强迫摩托车手戴头盔的法律，因为该法律威胁到他们戴头巾的宗教义务。除此以外，在反对19世纪40年代墨西哥-美国战争和南方存留奴隶制的抗议行动中，梭罗拒斥一切形式的税收征缴，这个例子则属于后一种情况。

无论是意在抨击特定的法律，还是推进更广的目标，所有的公民不服从行为都通过声称法律与正义有区别而获得辩护。公民不服从的核心是一种信念，即相信：个人（而非政府）才是终极的道德权威。要不然，则意味着所有的法律都是公正的；于是，正义沦为简单的合法性。在现代，法律与正义之间的区别通常以人权学说为基础，它断言，在人类法律之上还存在着一套更高层次的道德准则，人类的法律由以被评判，并且应该去遵守。由此，在违犯法律以突显人权受到侵犯或挑战那些威胁人权的法律的过程中，个人获得了辩护。有关上述权利的存在以及它们何以得到界定的讨论将在下一章展开。

替公民的不服从所做的其他辩护聚焦于政治程序的本质以及用以表达意见、施加压力的可替代机会（法定的机会）的缺失。比方说，对那些在纳粹德国期间违犯法律的人，很少有人不会去同情他们的行为，人们会为犹太人提供庇护或者帮助他们逃离祖国。之所以如此，这不仅是因为相关的法律在道德上是反人性的，而且因为在法西斯独裁下，不可能有合法的或者合乎宪法的抗议形式。同样，在19世纪和20世纪早期，动用公民的不服从而赢得妇女的选举权，这也可以从这样一个简单的事实中获得辩护，那就是：被剥夺了选举权的妇女没有别的办法来发出自己的声音。在美国南部和南非，公民的不服从运动还被用来争取黑人选举权。即便在普选存在的时候，还可以断定，仅有一个投票箱并不能保障个人和少数人的权利得到尊重。因而，像北爱尔兰的天主教团体这样持久的少数派就可能诉诸公民的不服从，他们还不时地支持政治暴力——即便他们拥有正式的政治权利。最后，有时还会提出，当人类生活本身处在迫在眉睫的威胁之下时，民主政治和民选政治会太迟缓、太费时，难以提供施加政治压力的充足手段。举例说，反核运动人士和环保活跃分子的行为就印证了这一点，他们认为，他们事业的紧迫性压倒一切，要远远盖过相比之下显得微不足道的守法义务。

自20世纪60年代以来，公民的不服从日益广泛深入，在政治上被接受下来。从某些方面看，如今它被认作一种旨在修正某一不公正现象的、合乎宪法的行为，它有意去符合某一套既定的规则，特别是有关和平非暴力的规则。比方说，公民的不服从在今天被许多人当作一种提供给压力集团的合法武器接受下来。占座抗议或静坐示威有助于吸引公众的注意，显示抗议者的坚强信念，最终可能大大赢得公众的同情。当然，这样的行为也可能事与愿违，适得其反，使参与的个人或群体变得不负责任或成为极端分子。在这种情况下，公民的不服从成了一个策略问题（尚不是道德问题）。不过，公民不服从原则的批评者还是断言，这会带来许多潜在的威胁。第一个威胁是，当公民的不服从盛行起来，它会危及其他可替代的合法、民主的施加影响的手段，使之受到削弱。更深一层的是，公民的不服从会侵蚀对违法的恐惧感，最终可能危及社会秩序和政治稳定。当人们不再自动地服从法律，而只是出于个人选择这么去做时，那么，法律本身的权威就会成问题。结果是，公民的不服从行为可能逐渐地削弱某种体制赖以确立的行为准则，进而引发造反运动乃至革命。

讨论题

1. 法律何以不同于其他社会规范？
2. 法治的主要特征是什么？其原则为何受到如此高度的评价？
3. 自然法和实在法观念是基于何种理由而被批判的？
4. 法律为何、在何种程度上应当主张和捍卫个人自由？
5. 对无序和社会不稳定的恐惧为何成为西方政治思想中一种如此持久的关切？
6. 秩序是否不可脱离法律和对惩罚的畏惧而存在？
7. 秩序是基于什么原因被认为是自然和自发产生的？

8. 何种惩罚理论是最有说服力的？为何如此？

9. 正义代表了何种道德评判？

10. 程序上的法律正义的首要要求是什么？

11. 是否有可能对实质上的法律正义达成一致标准？

12. 违法在何时、为何是可以得到辩护的？

延伸阅读

Bingham，T. *The Rule of Law*（2011）. 该书对法治做出了一种清晰而又极具可读性的辩护，它把法治说成是确保和平与合作的最佳方式。该书着墨于法治原则的历史和最有助于其运作的条件上。

Campbell，T. *Justice*（2010）. 该书对正义概念做了精练而清晰的介绍，同时也提供了在各大理论家的著作中揭示出的九种关于正义解读方式的详尽阐述。

Honderich，T. *Punishment：The Supposed Justificaitons Revisited*（2006）. 这是有关为惩罚提出的辩护的经典文本的一个更新和扩展版，该版本提出：惩罚的主要原则应当是人性。

Wacks，R. *Philosophy of Law：A Very Short Introduction*（2006）. 该书简明扼要地探讨了法律的性质及其在我们生活中的作用，着重考察了法学理论背后的核心问题以及法律同正义、道德和民主之间的关系。

第八章

权利、义务与公民身份

- 权利

    法定权利与道德权利　人权　动物权利及其他权利
- 义务

    契约性义务　自然义务　反抗与义务的限度
- 公民身份

    公民身份的要素　社会的公民身份还是主动的公民身份？　普遍的公民身份与多
样性

内容简介

206　　　自古以来，政治思想家们就个人与国家之间的恰当关系一直在展开争论。在古希腊，这种关系就体现在本义是国家成员的"公民"概念上。在希腊城邦，公民身份就反映在参与共同体政治生活的权利与担任公职（如果被推选出来）所应承担的职责上。然而，公民身份严格限定在这些国家生活着的少数人身上，实际上，只限于有财产的男性自由民当中。相比之下，现代公民身份概念则奠基在普遍的权利与义务原则之上，它植根于 17 世纪的自然权利观念，这一观念在 20 世纪被阐发成人权学说。虽然上述观念在目前已成常识，它像在政治论争中那样频频出现在日常讨论中，但实际上，人们并不明了"权利"这一术语的所指，还有，它该如何被使用？譬如，说某人"享有某种权利"，是什么意思？人们在什么样的基础上才可谈得上享有权利？权利法则可以扩展得多远——也就是说，我们到底有权享有哪些权利？

　　当然，公民并不仅仅是权利的享有者，不仅仅可以声讨他们自己的国家，同时也要为保护、养育和关照他们的国家承担相应的责任和义务。实际上，这些义务就包括义务服兵役，这意味着要履行为保卫自己的国家去打仗、杀敌（有可能的话）乃至牺牲的义务。不过，这提出了另一个难题。尤其是，这些义务源于何处？它们对公民有何种要求？进一步说，这些要求是绝对的，还是在某些情形下，公民是可以免除的？所有这些问题都同公民身份概念即公民的权利与义务之间恰当的平衡观念联系在一起。一方面是政治家和政治理论家极力张扬作为公民的品性，而另一方面，公民身份概念本身又总是背负着沉重的意识形态包袱。比方说，"好公民"是自立、勤劳而对所在的共同体要求甚少的个人，还是能够充分地参与公共生活和政治生活的个人？还有，在日益增长的文化多样性及其他形态的多样性的观照下，普遍的公民身份观念还能适用于今天吗？

权利

政治讨论的展开都关涉权利，如工作权、受教育权、堕胎权、生存权、言论自由权以及财产权等。不过，权利观念在日常用语中也同等重要，像孩子有主张晚睡或选择自己衣着的"权利"；而在父母一方，他们有坚持对他们的孩子吃什么或看什么电视节目予以控制的"权利"。从原初意义上说，"权利"一词代表着一种权力或资格，如贵族权利、教士权利，当然还有神圣的王权。然而，在现代意义上，它指的是以一定的方式去行事或被对待的资格。有人提出，权利学说是广为人所接受的，虽然这样的提法是错误的，但现代政治思想家还是很愿意从权利或资格的角度来表达他们的观点。在这种意义上，权利的观念在政治上并不像平等或社会公正等观念那样富有争议。不过，关于这些权利建立在何种基础之上、谁应当拥有这些权利，以及人们应当享有哪些权利等问题，人们尚未达成共识。

首先，在法定权利和道德权利之间就有区别。有些权利植根于法律或一套正式的规则中，因而是可以强制执行的；而另外的权利则只是作为道德或哲学主张而存在。其次，还有诸多的难题困扰着人权观念。比方说，谁可以被当作"人"看待？"人"是否包括儿童和胎儿？像妇女和少数民族这样特定的群体能否依据他们的生活需求或社会地位而享有某些特殊的权利？最后，我们对权利的习惯性理解还受到了日益兴起的生态环境运动和动物解放运动的挑战。这些运动提出了有关非人的权利、动物权利和其他物种的权利等方面的问题。是否有理由拒绝把权利延伸到所有的物种上？抑或，这种拒绝只是一种类似于性别歧视或种族主义的非理性偏见？

法定权利与道德权利

法定权利是受到法律确认并通过法庭被强制执行的权利。法定权利被说成是"实在"的权利，因为它们可以不必理会道德内容来享有和主张。这刚好同上一章所讨论的"实在法"观念相一致。实际上，有些法定权利即便被普遍认为是非道德的，但多少年来它们一直是有效的。法定权利广泛地适用于一系列的法律关系上。在《法律的基本概念》(1923) 一书中，为区分这些权利，韦斯利·霍菲尔德（Wesley Hohfeld，1879—1918）做出了最权威的一种尝试，他确定了四类法定权利。第一，基本权利或称为自由权，这些权利容许某个人做什么，这是从个人不必承担不去做它的义务而言的，也就是说，个人可以无拘无束地去做，例如使用公路；第二，主张权，在此基础上，每个人要求另一个人对自己履行相应的义务，如一个人享有不受他人侵犯的权利；第三，法定权力，最好把它当作法定的能力，它许可某人做某事，如婚育权、选举权等；第四，豁免权，照此，一个人可以免遭另一个人的权力（压迫），如儿童、老年人、伤残人士不用服兵役的权利。

在不同的国家，这些法定权利在政治制度中享有极其不同的地位。在英国，从传统上看，法定权利的内容一直很模糊，而且其地位也受到质疑。在 1998 年的《人权法案》出台以前，言论自由、政治运动的自由及宗教信仰自由等大多数个人权利并未写入成文法中。事实上，英国的成文法在很大程度上是由禁令构成的，它们约束着个人的言行，比如，英国虽然没有法定的言论自由权利，但却存在着大量的法令，出于诽谤、污蔑、中伤、辱骂、煽动暴乱或种族仇恨等方面的考虑而限制英国公民的言论。由于英国的法定权利是建立在"未被禁止即是合法的"这一习惯法假设之上，因而，这些权利被说成是"剩余的"。这种状况的危险在于，由于缺乏明确的法律界定，就难于或根本不可能在法庭上主张个人权利。虽然 1998 年的《人权法案》给权利的界定带来了一定的明晰度，但它并没有赋予这些权利确定的地位，这仍会容许议会违背法案（虽然是以特定的程序）。相比之下，在美国或其他许多国家，运作的是《权利法案》。《权利法案》是一整套庄严载入宪法或"高级"法律之中的关于个人权利和自由的法案。这通常被说成是"确保"个人权利的，因为这样的文献很繁复，不太容易被修正。因而可以看出，《权利法案》有着众多的优点：首先，不像英国传统的"剩余"权利，《权利法案》对个人权利给予了明确的法律界定；其次，可以认为《权利法案》具有教育的价值，因为它让人们更好地意识到自己所拥有的权利，从而能促进所谓的"人权文化"在政府、法庭和民众当中普及。当然，最重要的是，《权利法案》确立了一种机制，借此，权利可以合法地受到保护，从而使个体免于强势政府的干涉。这是通过授予法庭"司法审查"的权力来实现的。一旦其他公共机关侵犯个人的权利，这种司法审查权能够让法庭去审查它们的权力。

不过，《权利法案》也可能带来不利的一面。譬如，从传统上看，英国的保守党人一直认为，个人权利最好靠习惯法来保护，因为当时的权利是植根于习俗和传统之中的，这些习俗和传统恰恰处于法律体系的核心。相比之下，《权利法案》则可能显得既不灵活，也过于造作。另一个方面，基于《权利法案》为保护阶级利益、进而维护社会的不平等服务，社会主义者也频频反对《权利法案》。由于《权利法案》确立了财产权，就会发生上述的问题，它使得没法开展国有化，阻碍激进的社会改革。可是，《权利法案》最大的缺陷在于它过度地扩大了司法的权威。鉴于权利定义极其模棱两可和过于宽泛，由法官最终来决定这些权利的适用范围，这实际上意味着，做出政治决策的是法官而不是民主选举出来的政治家。最后，单是《权利法案》的存在本身显然并不能确保个人的自由会得到完全的尊重。例如，1936 年和 1977 年的苏联宪法确立了一系列真正令人叹服的个人权利，但苏联的司法机关对共产党的从属关系只是保证了极少数权利能付诸实施。同样地，虽然 1870 年美国宪法第五修正案的颁布授予公民选举权——不论种族、肤色和先前受奴役状况，但直到 20 世纪 60 年代，南部许多州的黑人才得以参与投票表决。

然而，另一系列的权利也许不具有任何法律上的含义，它们只不过以道德主张的形式而存在，最简单的一个例子是承诺。自由而理性地做出的承诺赋予个人履行其承诺的道德义务，从而使相关的他方获得承诺应当被履行的权利。但如果承诺不采取有法律约束力的合约形式，它就只能靠道德上的考量来贯彻。简而言之，实际的情形是，承诺是自由地做出的，它产生出承诺会得到也应该得到履行的期待。然而，在大多数情况下，道德权利是建立在内容上的。换句话说，更为常见的是，道德权利无非是"理想"权利，它授予人们必需的或应得的利益。因而，道德权利是从一定的道德或宗教体系的角度反映出一个人应当拥有的东西。

然而，道德权利的危险在于，它们有可能变得极其模糊，并且几乎蜕变成一种纯粹的道德意愿的表达。这正是英国功利主义哲学家杰里米·边沁所持的观点。他否弃的就是这种道德权利观念，他认为它们无非是对应当存在的法定权利的一种错误的描述方式。不过，尽管边沁抱有怀疑的态度，但至少在理论上，大多数的法定权利体系还是通过某种道德回报机制而得到了加强。例如，类似于美国的《权利法案》、联合国的《世界人权宣言》（1948）、《欧洲人权公约》（1950）等法律文献都是从哲学家们界定"人的权利"的努力中发展而来的。为了对道德权利做更进一步的探究，有必要来考察一下最有影响力的一种道德权利形式——人权。

人权

人权观念是从现代早期的"自然权利"理论中发展来的。这些理论首要地是出于这样一种意图，希望订立起某些针对个人如何被他人尤其是被掌控政治权力的人对待的限制性规定。然而，如果权利起的是对政治权威的制约作用，那么它们从某种意义上必然是"前法律的"，因为法律只是政治权威的产物而已。在 17 世纪时，约翰·洛克将自然权利确认为"生命权、自由权及财产权"，一个世纪后，托马斯·杰斐逊将它们定义为"生命权、自由权及追求幸福的权利"。这些权利之所以被说成是"自然的"，是因为它们被认为是上帝赋予的，因而是人性的核心部分。自然权利不仅仅是作为道德主张而存在，而且被认作对人最基本而内在的本能冲动的反映。它们是真实的人类生存的基本条件。由此可见，好比说，自然权利学说是伦理体系，它们也完全同等地是心理学范式。

212

托马斯·杰斐逊

美国政治哲学家和政治家。他是一个富有的种植园主，曾于 1779 年至 1781 年担任过弗吉尼亚州的州长，并于 1789 年至 1794 年期间出任过美国政府第一任国务卿。他还是美国第三任总统（任期为 1801 年至 1809 年）。杰斐逊是《独立宣言》（1776）的重要起草人，并且撰写过大量的演讲稿和书信。

杰斐逊强烈地表达出对人类可臻完善的启蒙信念，他坚信，通过运用科学的方式，人类能够解决一切政治问题。他运用洛克的自然权利学说，阐发了捍卫国家独立和由人民同意产生政府的古典思想。杰斐逊主义通常被当作一种民主的平均地权论，它试图将天生贵族统治的观点同对有限政府和自由放任的信奉结合起来，后者就体现在"最少管理的政府是最好的政府"这一信条上。不过，杰斐逊同样也表现出对社会变革的同情，他主张扩大公共教育的范围、废除奴隶制和争取更大的经济平等。虽然杰斐逊被当作民主联盟的缔造者之一，但他也尖锐地批判过党派和派系斗争，认为这些争斗只会助长冲突，破坏根本性的社会统一。

至 20 世纪前，宗教信仰的衰微就已经导致了自然权利理论的世俗化，它们以"人"权的形式获得了再生。人权是人之为人而被赋予的权利。因此，人权是普遍的权利。这就意味着：人权是属于全人类的，而不属于某一特定民族、种族、宗教、文化群体的成员——尽管人们做出努力，尤以"亚洲价值"观为例，来限定这种普遍性。基于人权是不可让渡的，既不能交易，也无法撤销，人权也是"基本的"权利。这在美国《独立宣言》（1776）的用语中被鲜明地表达出来了。这份由杰斐逊起草的"宣言"宣称："我们认为以下真理是不言而喻的：人人生而平等；造物主赋予他们若干不可剥夺的权利。"在此，许多人进一步指出，人权是"绝对的"权利，因为它们在任何时间、任何情形下都应当予以捍卫。不过，既然权利在实践中往往是相互权重的，要把上述观点坚持下去就相对困难了。比方说，对生命权的主张是否就排除了死刑及所有的战争形式——无论受到何种挑衅？如果自卫的权利同样被认可，那么生命权就不可能是绝对的。

◎ 超越西方

亚洲价值

211

亚洲文化和信仰构成了对西方文化和信仰的一种替代，这一观念在 20 世纪 80 年代和 90 年代颇为流行。这是因为日本作为一个经济超级大国的出现以及东亚和东南亚的经济体——中国香港、中国台湾、韩国、泰国和新加坡——的成功引发并助长了这一观念。这种地位在 1993 年的《曼谷宣言》中被鲜明地勾画出来，当时，亚洲国家代表（从伊朗到蒙古国）为准备维也纳世界人权大会（1993）聚到一起，发布了一份提倡他们的"亚洲价值"的大胆宣言。这是一些被认为反映了亚洲社会的历史、文化和宗教背景的价值观。亚洲价值包括社会和谐、责任、对权威的尊重和对家庭的信仰。这种价值观的热烈倡导者包括马哈蒂尔·穆罕默德和李光耀，当时他们分别是马来西亚和新加坡的总理。

一方面，关于亚洲价值的观念并没有拒绝普遍的人权观念，但与此同时，它特别关注西方与亚洲价值体系的差异，以此作为赞同在人权阐发中要考虑文化差异的一大证据。由此来看，人权从传统上是基于偏倚西方的文化预设而被建构起来的。尤其是，个人主义一直被突出地置于共同体利益之上；权利被赋予相对于义务的优先性；公民和政治自由被捧在社会-经济福利之上。对亚洲价值的承认则力求纠正这种价值取向。亚洲价值的核心在于：建立在对各种形式的权威——包括对家庭里的父母、学校里的老师和整个社会里的政府——的忠诚和尊重之上的社会和谐和合作观。与勤勉的工作伦理和节俭相关的是，这些价值观被看作社会稳定和经济繁荣的药方。尽管亚洲价值观念遭遇了 1997—1998 年亚洲金融危机的致命打击，但中国的崛起复兴了对它的兴趣——尤其是鉴于它同儒学的关系。

人权的概念引发了一系列极其不同的问题，它们既关乎谁可以被视为"人"，也关乎人有权享有的权利，比方说，"人"的生命起于何处？个人从何处开始要求获得某种资格或权利？围绕这些问题，存在着激烈的争议。尤其是，人的生命始于受孕那一刻，还是始于出生？一方面，持前一种观点的人捍卫他们所认为的尚未出生的人的权利，绝对反对堕胎和胚胎研究等做法。而另一方面，如果人的生命被认为是从出生

之时开始的，那么，堕胎就应该是完全可以接受的——既然它体现的是妇女控制自己身体的权利。类似对立的立场不仅反映了不同的生命观，同时也基于极其不同的理由而把权利配置给人。有人把胚胎当作成人意义上的"人"，他们所凭借的信念是：生命是神圣的。依据这一看法，任何生命体都有权享有权利——无论它们被赋予了何种生命的形式或特性。可是，如果生命本身就可以被视为权利的基础，那为何权利只限于人类而不延伸到动物及其他的生命形态上去呢？这一问题将会变得难以回答。相比之下，认为"人"的生命只是始于出生，这就为权利的配置奠定了一种更为严格的基础，如独立生活的能力、享有一定的自我意识或进行理性或道德选择的能力等。可是，如果上述标准被采用，那么就难以理解人权何以能够赋予那些自身无法满足这类要求的人群，如孩子和有身心残障的人。

人权是普遍的，而人又各有不同，这一事实引发了一个更深层次的问题。从女人在某种意义上享有不同于男人的权利这一观念上，这一点可以很清楚地看出来。要促进"女权"事业，就得确认，最初围绕男人发展起来的人权应当扩展到女人身上，这适用于妇女受教育的权利、进入特定职业领域的权利、同工同酬的权利等。不过，妇女的权利主张还要基于如下事实，即女人自身有其特殊的需求和能力，这就使得赋予她们的权利对男人而言或许是不必要的或是毫无意义的。这类权利包括一系列关乎生育及哺育孩子的权利，如产假。不过，更有争议的是这样一种观念，即女人有权享有一套除了男人权利之外的权利，以此来对她们在社会中所遭受的不公正待遇做出补偿。比如，社会习俗把生育与抚养连在一起，从而把妇女引向母亲的身份和家务劳动中，这就削弱了她们获得教育和谋求事业的能力。在此种情形下，女性的权利可扩展成一种"反向歧视"（或逆歧视），它力求制定出高等教育和某些职业岗位上的女性人数的比例，为之提供配额，从而矫正过去对女性的不公平。女性的上述权利建立在对平等待遇的信奉之上，就此而言，它们肯定是借助了人权概念；不过，在此种意义上，又很难把妇女的权利当作基本的人权，因为它们并未赋予所有的人。那些为自身存在辩护的不平等或不公平现象只有维持下去，源于不平等或不公正对待的权利才显得有意义。

即便将上述争议搁置一边，就人类应当享有什么样的权利而言，分歧依然很深。有一个观点是：以权利为基础的理论在某种意义上要高于意识形态和政治分歧，这一观点一开始显然就被误导了。从一开始，自然权利观念就同自由主义的有限政府观念密切相关，传统上关于人与生俱来就享有生命、自由、财产或追求幸福的权利的阐述是把权利当作私人领域，在其中，每个人都享有免受他人侵犯尤其是来自国家干扰的独立性。这些权利因而被当作"消极"权利或"忍让的"权利，它们只有在对他人（包括国家政府）施以限制的前提下才能够被享有，比如，财产权就要求限制政府征税的权力，这显然是一种体现在"没有代表，就不能征税"原则之上的权利观念。

不过，在20世纪，另一序列的权利被追加到了这些传统的自由主义权利之上，这是对政府在经济和社会生活中日益承担起责任来的一种认同。这些权利是福利权利、社会和经济权利。就它们所要求的不是忍让而是政府的主动干预这种意义而言，它们是"积极的"。譬如，如果没有提供公共资助的卫生供给体系，保健的权利就要求有某种健康保险形式。联合国《世界人权宣言》不仅包括古典的"消极的"权利，如"思想自由、良心自由和宗教信仰自由的"权利（第18条），也含有"积极的"权利，如"工作权利"（第23条）、"受教育的权利"（第26条）。不过，这些福利权利引发了社会主义者与保守主义者之间的严重分歧，导致了两种截然对立的公民身份模式的发展。在本章的最后部分，将联系社会公民权和积极公民权对这一争议予以考察。

最后，正是这种自然权利观念或人权观念受到了抨击，尤其遭到了功利主义者、马克思主义者和后殖民主义理论家的批判。如前所述，边沁只愿意承认"积极的"权利或法律权利的存在。自然权利是主观的或形而上学的实在物，边沁视之为"站在笔杆子顶上的不通谬论"。而马克思将"人的权利"学说只是当作一种推进私有财产利益的手段。在他看来，既然权利是把同样的标准施用于不一样的个人身上，那么，每一项权利都是"不平等的权利"，比如：可以把财产权当作"资产阶级"的权利，因此它对穷人和富人来说有着迥然不同的含义。后殖民主义理论家基于两个理由批判人权。首先，与社群主义和后现代主义思想相一致的是，他们认为，环境因社会、文化的不同而如此迥异，因而要求有不同的道德价值观，至少要有不同的人权观念。其次，更为激进的是，后殖民主义理论家将一般意义上的普遍价值和特殊的人权说成是一种文化帝国主义的形式。

后殖民主义

后殖民主义思想兴起于第二次世界大战结束之后初期欧洲帝国的瓦解。其主要的特征是：它力求赋予发展中国家一种独特的政治声音，这种声音是独立于西方思想中的普遍主义的，它尤其通过自由主义和社会主义表达出来。1955年的万隆会议就是在这方面所做出的最早的也是最具影响力的努力。当时，29个新近独立的亚非国家，包括埃及、巴基斯坦、印度和印度尼西亚发起了后来所称的不结盟运动。成员国不同任何冷战权力集团缔结正式的政治和经济关系，而是寻求用一种独特的"第三世界"视角来观照全球政治、经济和文化的优先性。这种"第三世界主义"将自身界定为既有别于西方的发展模式，又不同于苏联的发展模式。不过，一种更为激进的第三世界政治出现在 1966 年哈瓦那举行的亚非拉人民团结会议上，它首次把拉丁美洲（包括加勒比国家）同非洲和亚洲勾连起来，因此而有了"三洲"之名。

作为一种理论立场，后殖民主义是以一种文学和文化研究趋势出现的，它寻求探讨新近独立的社会所处的文化状况。不过，从 20 世纪 70 年代开始，后殖民主义思想具有了一种越来越政治化的取向，它被用来揭示和颠覆殖民统治的文化和心理维度。这其中的关键在于，它意识到：在殖民主义的政治制度被推翻后的很长时间里，"内在的"屈从关系依然顽固地存在着。后殖民主义的一大要旨是要确立其非西方——有时是反西方——的政治观念和传统的合法性。然而，由于是从本土宗教、文化和思想传统中汲取灵感，后殖民主义理论往往是极其分裂的。这反映在甘地试图将印度民族主义同非暴力伦理融合在一起的努力上，而这种非暴力伦理最终根植于印度教以及各种宗教激进主义的形式中。或许是作为一种剖析欧洲中心主义的价值观和理论的手段，后殖民主义显示出最大的影响力。它考察了欧洲中心主义的价值观和理论是如何助力西方在世界各地确立和维护文化与政治霸权的——尤其是通过东方主义手法。东方主义是由西方对"东方"或对整个东方文化的诸多刻板描述所构成的，它建立在（东方）被扭曲的、肯定被贬损的西方预设之上。

后殖民主义深远地影响了政治理论。通过努力赋予发展中世界独特的政治话语权，后殖民主义引发了对政治思想的广泛重估，在此，譬如，伊斯兰教的和自由主义的观念越来越被认为在表达其自身共同体的思想传统和价值观上具有同等的合法性。不过，有批评者认为，后殖民主义在反对西方知识传统的同时，也抛弃了进步的政治，而更通常地被用作传统价值观和威权体制的一种辩护。譬如，这明显表现在对文化本真性的诉求与对女性权利的呼吁之间的紧张关系上。

215
代表人物

马库斯·加维（Marcus Garvey, 1887—1940） 牙买加政治思想家和社会活动家。加维是黑人民族主义思想的先驱，他的政治主张把唤醒黑人的自豪感同维护黑人经济的自给自足结合在一起。作为"回到非洲"运动的领袖，加维阐发了他的一整套建立在反种族隔离主义和重建黑人意识（此种重建要通过强化非洲文化和身份来实现）之上的政治见解。加维的思想促发了 20 世纪 60 年代的黑人运动，并对广大的民族群体产生了深刻的影响。

阿亚图拉·鲁霍拉·霍梅尼 伊朗宗教和政治领袖。霍梅尼是伊朗最杰出的军政一体化的倡导者。他的世界观根源于二元论，世界被看作一个分裂为被压迫者（广大欠发达国家中的穷人和边缘群体）与压迫者（两大并立的"撒旦"，即美国和苏联）的二元世界。霍梅尼的神学-政治方案旨在建立一个制度化的神权统治体制——"伊斯兰共和国"，并确认它以对伊斯兰教义的创造性解释为基础。

弗朗茨·法农（Franz Fanon, 1925—1961）　生于马提尼克岛（法属殖民地）的法国革命理论家。法农因强调暴力是反殖民斗争的一大基本特征而闻名。他的帝国主义理论突出了殖民征服中的精神、心理因素。由此，在他看来，非殖民化不仅仅是一个政治过程，也是创生一种新的人"种"的过程。他认为，只有暴力的净化经历才有足够的力量唤起这种心理-政治上的再生。法农主要的作品有《黑皮肤，白面具》（1952）、《全世界受苦的人》（1962）。

爱德华·萨义德（Edward Said, 1935—2003）　生于巴勒斯坦的美国学术和文化批评家。萨义德是巴勒斯坦事业的首要倡导者，他对反殖民和后殖民理论产生了重大的影响。他开创了对西方启蒙运动的人道主义批判，这种批判揭示了它同殖民主义的内在关联，同时也揭露出（殖民者的）"压迫性叙事"——这是文化与意识形态上的偏见，它们通过把被殖民化的人民表现成一个非西方的"他者"，从而剥夺了他们的言说能力，使他们无法表述自己（而必须被别人所表述）。最具影响力的是，萨义德把"东方学"（东方主义）说成是一种文化帝国主义形态。萨义德最有名的著作有《东方学》（1978）和《文化与帝国主义》（1993）。

动物权利及其他权利

20 世纪最后十年见证了动物福利和动物解放运动的兴起，这些运动成为广泛发展的生态主义的一部分。它们发动了一系列活动，如提倡素食主义、改善农场动物的"待遇"、反对皮革交易及动物试验。这些活动一般都是在"动物权利"的旗号下开展的。这等于主张，动物在同人类一样的意义上拥有权利。实际上，它意味着，人类一旦被赋予权利，就不可能不把同样的这些权利扩展到动物身上。事实上，人权学说无可阻挡地被引向了动物权利。可是，在什么样的基础上可以说动物拥有权利？动物权利观念究竟有意义吗？它在逻辑上是自洽的吗？

在西方，对动物和整个自然的传统态度是受基督教信仰所影响的，这种信仰认为，人类享有上帝赋予的统治世界的权力，这体现在他们对世界上所有其他物种的监护上。在中世纪的欧洲，基于动物作为上帝的创造物而像人一样受自然法则的支配，因而，如果动物因被指控的"恶行"而在教会法庭上接受审判，这并不稀奇。不过，与此同时，基督教教示：人类是万物的灵长，而动物被安置在地球上只是为了满足人类的需求。既然动物不拥有永恒的灵魂，那么，它们就不可能被等同于人类。与之相对，环境保护主义理论则认为，人类既不凌驾于自然世界之上，也不脱离于自然世界之外，而是自然世界不可分割的一部分。这一看法同"大地母亲"的异教观念极其接近，也趋同于某些东方宗教（如印度教、佛教等）对所有生命形态归一（合一或一体）的强调。在这一进程中，那种曾被认为存在于人类与动物之间的明确区分已经面临着越来越大的压力。

然而，重要的是，要把"动物福利"观念同更为激进的"动物权利"观念区分开来。动物福利反映的是对其他物种福祉的一种利他主义关切，但它并不一定把其他物种置于同人类同等的水平上。譬如，彼得·辛格（Peter Singer，1946—　）在《动物解放》（1995）一书中就阐发了这样的看法。辛格认为，对动物福利的关注建立在以下的事实之上，即作为有感觉能力的存在物，动物也能够遭受苦痛。就像人一样，动物显然也有避免肉体痛苦的关切。对辛格来说，动物和人类在这方面的利益关切是平等的。他把任何企图将人类利益置于动物利益之上的做法谴责为"物种歧视"①。这是一种专断的、非理性的偏见，同性别歧视或种族歧视没什么两样。一方面，动物福利的观点强调需要对动物以礼相对，抱之以尊重，如有可能，还要尽量地减轻它们的痛苦。然而，也应该承认，就像所有的物种，人类更喜欢自己所属的类（人类），会把人类自己的利益放于其他物种的利益之上，这是自然而然，或者说，是不可避免的。动物福利运动反对工厂化的农业，因为那对动物太残忍了，但也不至于到坚持素食主义的地步。利他主义的关注并不意味着平等相待。而另一方面，动物权利的观点则带有更激进的含义——这恰恰是因为它直接起源于人权理论。

绿色政治思想

绿色政治思想根植于生态学观念。"生态学"这一术语是由德国动物学家厄恩斯特·海克尔（Ernst Haeckel）于1866年创造的，被用来指"对动物与其有机环境和无机环境之间的整个关系的探究"。绿色政治或生态主义可追溯到19世纪人们对工业化和都市化不断扩张的反抗上。20世纪60年代，随着人们对由污染、资源过度消耗及人口爆炸式增长等引起的环境破坏问题的再次关注，现代绿色政治出现了。这类关注是由不断增多的绿党以政治的方式清晰地表达出来的。目前，这些绿党在大多数发达国家社会里发挥着独特的作用，譬如，在这方面，德国绿党就分享了治理权。它们是通过环境保护主义者强有力的院外游说来施加影响的。

绿色政治建立在这样一种观念之上，即自然是一个相互联系的整体，人类、非人类以及非生命世界都被包含其中。这一看法是采用生态中心主义或生物中心主义的视

---

① 指人类对动物的歧视或苛待。——译者注

角表达出来的，而该视角赋予自然或地球优先性，因而不同于传统政治思想的人类中心主义视角。不过，通常可以确认出绿色政治的两条脉络来。其一是"深层生态学"，它超越了传统政治信条的视角，完全否弃了认为人类在某种程度上优越于、也重要于其他任何物种（或实际上，就是自然本身）的看法。与之相对，"浅层生态学"或人本主义生态学则在接受了生态学教训的同时，主张利用它们来为人类的需求和目标服务。换句话说，它呼吁：如果我们能够为自然界服务并珍惜自然界，那么，它反过来就会延续人类的生命。浅层的或者说人本主义的生态主义同众多其他的学说是相容的，由此创立出诸多混合的政治思想传统。譬如，生态社会主义通常受现代马克思主义的影响，它从资本主义贪婪攫取利润的角度解释了生态环境的破坏；生态无政府主义则运用社会生态学观念，在自然的自然平衡与人类社会的自然平衡之间做了对照；生态女权主义则把父权制说成是生态危机的罪魁祸首。

绿色政治的一大优势在于，它引起了人们对人类与自然界之间关系失衡的关注，这种失衡已经显现在对二者福祉不断增长的诸多威胁上。而且，在质疑和超越西方政治思想有限的关注点上，绿色政治要比其他任何思想传统都走得远。作为政治理论与世界哲学最为切近的一部分，绿色政治使政治思想得以被源自异教思想、原始文化以及包含佛教、印度教、道教在内的东方宗教的洞见所丰富。不过，绿色政治的缺陷在于：其反增长或至少是可持续增长的经济模式的吸引力太有限了；它对工业社会的批判通常是从某种田园式的反技术角度提出的，这在很大程度上是与现代世界格格不入的。因此，有些人将绿色政治只是简单地视为一种都市风潮、一种后工业的浪漫主义而予以否定。

代表人物

E. F. 舒马赫（Ernst Friedrich Schumacher, 1911—1977）　出生于德国的英国经济学家和环境理论家。舒马赫反对人类规模的生产事业，并推动阐发了一种生态哲学。他的"佛教"经济学（"关乎人人的经济学"）观念突出了道德和"权利生存"的重要性，同时对有限的能源资源行将耗尽发出了警告。虽然他是工业大型化趋向的反对者，但他也认为，人类要有适度规模的生产。舒马赫还是"居间"技术的热烈倡导者。他有重大影响的作品是《小的是美好的》（1974）。

詹姆斯·洛夫洛克（James Lovelock, 1919—　）　加拿大大气化学家、发明家和环境理论家。洛夫洛克以提出了"该亚假说"而闻名于世，这一假说将地球生物圈视为一个复杂的、自我调控而充满生机的"生命存在"，"该亚"（Gaia）一词取自希腊神话中的大地女神"该亚"。虽然"该亚假说"将生态学观念运用到地球上，视地球为一个生态系统而拓展了生态学本身，同时以整体主义的方式对待自然，但洛夫洛克同样赞同技术和工业化，是"回归自然"的神秘主义和诸如"大地崇拜"观念的反对者。他的主要作品包括《该亚》（1979）和《通往未来的艰难旅程》（2014）。

默里·布克金 美国无政府主义社会哲学家和环境保护主义者。布克金是"社会生态学"的领军人物。作为一个无政府主义者，他强调了在"后匮乏"状况下非潜力等级合作的潜力所在，并积极地推进现代社会中的权力分散和共同体建设。他的社会生态学说提出可以将生态学原理应用于社会组织，并且认为，环境危机同时是自然与社会有机结构崩溃的结果。他的主要著作有《后稀缺时代的无政府主义》（1971）、《自由生态学》（1982）。

鲁道夫·巴罗（Rudolph Bahro，1936—1998） 德国作家和绿色行动者。他尝试着把社会主义同生态学理论整合在一起。巴罗关于资本主义是环境问题之根源的论断致使他主张关注人类生存的人应当转向社会主义，而支持社会公平的人必须考虑生态的可持续性。巴罗后来又超越了一般意义上的生态社会主义，他总结说，生态危机太紧迫了，其严峻性已居于阶级斗争之上。巴罗的主要著作有《社会主义与生存》（1982）、《由红到绿》（1984）。

卡罗琳·麦钱特（Carolyn Merchant，1936—　） 美国学者和女权主义者。麦钱特的工作主要关注于性别压迫与"自然的死亡"之间的关系，她对科学革命提出了社会女权主义的批评，最终从男人采用机械主义自然观的角度解释了环境的破坏。依据她的批评，全球生态革命将重建性别关系及人类和自然的关系。她的观点对环境历史和哲学以及生态女权主义都产生了相当大的影响。麦钱特的主要著作有《自然之死》（1980）和《激进的生态学》（1991）。

动物权利理论是从考察权利赋予人类的依据着手的。一种可能是，权利源于生命本身的存在：人类拥有权利，是因为他们是有生命的个体。然而，如果这种可能成立，那么可以很自然地推断，同样的权利也应当赋予其他的生命体。比如，美国哲学家汤姆·里根（Tom Regan）在他的《为动物权利辩护》（2004）中提出，所有作为"生命主体"的创造物都有资格享有权利。他进而指出，由于生命权是所有权利中最基本的部分，因此，从道义上讲，无论多么不带苦痛，屠杀动物就如同杀人一样是不可宽恕的。然而，里根也承认，在某些情形下，权利是基于迥然不同的原因而赋予人类的，尤其是，不同于动物，他们能够理性思维和道德自主。言论自由、信仰自由和受教育的权利若给予动物，则显得很荒谬。当然，里根也指出，这样一种说法并不能在动物和人类世界之间做出明确的划分。譬如，存在一些里根所谓的"边缘情形"，有人因智力障碍就没有能力运用理性和享有自主。如果权利是基于理性和道德的能力而非生命本身而被赋予的，那么，这些人势必被当作动物一样来对待；就像动物在传统上被看待的那样，他们就可以被用于衣、食、住、行及科学实验等。与此同时，有

一些动物显然拥有同人类关联通常更为密切的智力。比方说，研究表明，海豚的交流系统完全像人类的语言系统一样复杂。因此，从逻辑上推断，这一观点可以证明，将"边缘"人被拒绝授予的权利配给某些动物是正当的。

然而，很难看出，上述这些观念何以局限于动物。如果人和动物之间的区别都成问题，那么，哺乳动物与鱼之间或动物与植物之间的区分恰当吗？从生物学家如莱尔·沃森（Lyall Watson, 1973）那里得到的证据表明，与通常的假定相对，植物的生命可能拥有感受身体伤害的能力。有一点可以明确，倘若权利属于人类和动物，那么，基于鱼活在水中就拒绝把权利给予鱼，或仅仅因为植物不是靠两条腿或四条腿走路就拒绝把权利给予植物，就很荒谬了。尽管从惯常的西方观点看，这样的观念似乎不同寻常，但它们实际上只是重申了关于所有生命即万物相通的信念，这一信念很早就表现在东方的宗教里，也为前基督教"异教"信条所承认。而与此同时，也有理由记住，人类所取得的物质和社会进步之所以能获得，部分地是出于人类有把其他物种——实际上是自然界——当作供人类使用的资源来看待的意愿。为改变这种人与自然的关系而承认其他物种的权利，这一举动无论对道德行为还是对人类生活的物质和社会组成都具有深刻的影响。

义务

220

义务是以某种特定的方式行动的要求或职责（责任）。H. L. A 哈特（Hart, [1961] 2013）区分了"只得做某事"（being obliged to do something）——它暗含了强制因素，与"有义务做某事"（having an obligation to do something）——它所表示的只是一种道德责任。譬如，某个银行的出纳虽然不得不将钱交给劫犯，但他并没有义务（在第二重意义上的）去这么做。这一点可以从法律义务与道德义务之间的区分看出来。法律义务如要求纳税和遵守其他法律，是通过法庭强制执行并以惩罚体系为后盾的。这些义务可能是基于这样一种简单的考虑而获得支持的，即无论法律是对是错，遵守它们是出于对受罚的恐惧。而道德义务（这是本章所关注的）之所以被履行，不是因为这么做是明智的，而是因为这样的行为被认为是正当的，或者说，在道义上是对的。比方说，如果许下承诺，就有道德义务去履行它——不管违背承诺会带来什么样的后果。

从某种意义上说，权利与义务是同一枚硬币相反的两个面，某人拥有一种权利往往把另一个人置于支持或尊重这种权利的义务之下。在这个意义上，前一部分所讨论的个人权利是把重大的义务交托给了国家来承担。比方说，如果生命权是有意义的，那么政府就有义务来维持公共秩序，确保个人安全。"消极的"权利则要求国家有义务限制和约束自身的权力；"积极的"权利则强令国家组织管理起经济生活来，提供一系列的社会福利保障等。可是，如果公民只是权利的享有者而把所有的义务都推给国家来承担，那么，就不可能有有序而文明的生活：因为拥有权利而不承认义务的个人会目无法纪，不受约束。因此，公民权包含着权利和义务的结合，而从传统上讲，其中最根本的就是所说的"政治义务"，即公民有责任承认国家的权威并遵守国家的法律。

那些只准备抛弃政治义务的政治思想家是哲学上的无政府主义者，如罗伯特·鲍尔·沃尔夫（Robert Paul Wolff，［1970］1998），他们坚持对个人自主的绝对尊重。然而，其他思想家更关注的并不是争论政治义务是否存在，而是政治义务得以提出的依据所在。对政治义务的古典解释出现在"社会契约"观念中，即认为：尊重国家权威有着明显的理性和道德的基础。还有一些思想家更进一步提出，义务、责任和职责不仅仅是契约性的，而是任何一个稳定社会内在固有的特征。不过，很少有理论家愿意承认政治义务是绝对的。然而，他们的分歧在于，政治义务的界限可以划定在什么地方。从哪一点上说，尽职尽责的公民不仅该免于服从国家的义务，相反，还可以行使反叛的权利？

契约性义务

社会契约论与政治哲学本身一样古老。某些社会契约形式可以从柏拉图的作品中找到，它后来成为17—18世纪的思想家如霍布斯、洛克、卢梭等的思想基础；在当代理论家如约翰·罗尔斯的著作中，它又获得了新生。"契约"是两方或多方之间订立的正式协定。然而，契约是一种特殊的协定，是在自愿的基础上、以互相认同为条件而达成的。事实上，达成一种契约就是许下遵循其条款的承诺，因而它包含有道德上的、有时还有法律上的义务。而"社会契约"就是在公民当中或在公民与国家之间达成的协议，通过这种协议，他们接受国家的权威，以回报唯有主权国家才能提供给他们的益处。然而，这种契约及其所包含的义务的基础始终是深刻分歧的根源所在。

最早的社会契约论形式在柏拉图的《克里托篇》中就清晰地勾勒出来了。苏格拉底因毒害希腊青年而获罪并被判决死刑之后，他向他的老朋友克里托解释自己为何拒绝逃离监狱。他指出，他选择住在雅典，享受着作为一个雅典公民的权利，他实际上已承诺遵守雅典的法律，他决意要恪守他的承诺——哪怕以牺牲生命为代价。从这一点看，政治义务源于居住在某一个有组织的共同体内而获得的益处。服从国家的义务是基于公民自愿选择留在其国境内这样一个简单的事实而许下的不言自明的承诺。然而，这个观点陷入了困境。首先，很难表明一个自然出生的公民对其国家许下了某个诺言或达成了某种协定——哪怕仅仅是一种默认的协定。只有那些做出了清晰的承诺并达成了"公民权契约"的公民才是自然化了的公民，他们甚至签订了某个正式的誓言。其次，居住在一国之内的公民可能声称，他们并没有受益于该国，因而对它不承担义务；或者宣称，国家给他们生活所带来的影响完全是粗暴的和压迫性的。苏格拉底的政治义务观念是无条件的，因为它并不考虑国家是如何组建的，又是如何作为的。最后，苏格拉底似乎假定了，对一个国家不满意的公民可以很随意地迁居于另一个国家。实际上，这种择定住所的做法会很困难，乃至是不可能的：迁移要受外力的限制，就像苏联的犹太人，他们的迁移受到了经济环境当然还包括其他国家施加的移民法规的限制。

相比之下，17—18 世纪的社会契约论（在第三章曾深入讨论过了）则为政治义务奠定了一个条件性的基础。像霍布斯和洛克这样的思想家致力于解释政治权威是如何从道德上是自由而平等的人群中生发出来的。在他们看来，统治的权利要以被统治者的认同为基础。为此，他们分析了一个无政府的假想社会（所谓的"自然状态"）的本性。他们对自然状态所做的描述极其令人反感：所有人反对所有人的野蛮内战——源于对权力和财富的不受约束的追逐。于是，他们提出，理性的个体愿意达成一个协议，一种社会契约，借此，一种共同的权威确立起来，秩序也得到保障。这种契约显然是政治义务的基础，正如它所显示的那样，它包含尊重法律和国家的责任。然而，很少有这样的场合，契约论者真的相信社会契约是一个历史事实，其条款事后可以被严加审查和考量。相反，社会契约被用作一种哲学策略，借此，理论家们可以探讨公民应当服从祖国的依据。不过，他们得出的结论却是千差万别的。

在《利维坦》（［1651］1968）中，托马斯·霍布斯断言，公民有一种绝对的义务无条件地去服从政治权威——无论政府有何种作为。实际上，霍布斯相信，虽然公民有义务去服从他们的国家，但国家自身却不受对等的义务的约束。这是因为霍布斯认为，任何国家的存在——无论有多大的压迫性——相比于没有政府要好，没有政府会陷入混乱和野蛮的境地。显然，霍布斯的观点反映出对混乱和无序危险的高度关注。这或许是出于他本人在英国内战期间所经历过的恐惧和不安全感。然而，很难认同他关于任何抗议形式以及对政治义务的任何限制（保留）都会瓦解一切权威而恢复自然状态的观点。对霍布斯而言，公民不得不面对一个严酷的选择——是要专制主义，还是要无政府状态。

在洛克的著作中，出现了一种相对平衡的政治义务观。洛克对政治义务的起源所做的说明（Locke，［1690］1965）包含着两种契约的建立。第一种契约即社会契约本身是由组成社会的所有个体共同订立的。实际上，他们自愿牺牲一部分自由以获得只有政治共同体方可提供的秩序和稳定。第二种契约或叫作"信托"（trust），是由社会与其政府之间订立的。由此，政府被授权保护其公民的自然权利。这意味着，对政府的服从是有条件的，要视国家是否履行了契约中对它的规定而定。要是国家变成了反个人的暴政，个人就可以行使反抗的权利。这正好是洛克所认为的在 1688 年"光荣革命"（推翻了斯图亚特王朝）中发生的事情。当然，在洛克的表述中，反抗在于一个社会推翻它的政府，而并不是要解除社会契约而回到自然状态中去。

223   另一种非常不同的社会契约论是让-雅克·卢梭在《社会契约论》（[1762] 1969）中提出的。霍布斯和洛克都假定人类是追逐权力和极端利己的，卢梭对人性所持的观点则要乐观得多。卢梭被"高贵的野蛮人"观念所吸引，他认为，人类不平等的根源并非在个人，而在于社会本身。在卢梭看来，政府应当建立在它所声言的"公共意志"（公意）之上，它反映的是社会的共同利益，而不是"私人意志"或单个人的自私意愿。从某种意义上说，卢梭提倡一种正统的社会契约论，因为他曾说过，一个人只有认同自己是社会的一员，他才会受社会规范（包括社会的公共意志）约束。然而，与此同时，仅仅公共意志就可以被看作政治义务的一大依据。通过对公共意志的表达，政府实际上是为其每一位成员的"真实"利益而行动的。这样，政治义务就可以被解释成个人服从更高的或"本真"的自我的一种方式。然而，这样一种义务论偏离了由认同所生的政府观。如果被无知和自私所蒙蔽，公民可能无法认清"公共意志"会体现他们的"真实"利益。在此种情形下，卢梭承认，公民应当是"被迫自由的"，也就是说，他们应当被迫去服从自己"本真"的自我。

自然义务

无论何种社会契约论都持有一个共同的看法，那就是：服从国家权威是有理性的或道义上的依据的。因此，政治义务是建立在个人选择和决断之上，建立在特定的自愿承诺行为之上的。然而，这样的自愿论却无法被广泛地接受。比方说，有人就指出，在个人要服从的义务中，有许多并不是——通常也不可能是——源于契约式协定。在大多数情形下，这不仅适用于政治义务，而且在与社会责任的关系中甚至表现得更为明显，像子女对父母的义务，远在孩子具备签订契约的实际能力之前就已出现。除此之外，社会契约论是建立在个人主义假定之上的，它意味着社会是人类的创造物或人工品，是由独立个体的理性作为所造就的。这也许从根本上误解了社会的本性，而无法认识到社会在多大程度上塑造了它的成员，并赋予他们职责和责任。

有两种主要类型的理论可以取代契约论而充当政治义务的基础。第一类理论包含通常所说的目的论，它们源自希腊语"目的"（telos），表示的是某种意图或目标。这

类理论指出，公民尊重国家并服从其命令的义务是基于政府为公民提供了好处或某种 224
物品。这一点可以从以下的提示中看出来，即政治义务源于国家行为符合"共同的
善"或公共利益这一事实，而这又可以从卢梭所说的"公共意志"的角度显示出来。
最有影响力的目的论学说是功利主义。简而言之，功利主义指的是，公民应该服从政
府，是因为政府致力于获得"最大多数人的最大幸福"。

　　然而，第二类理论则同一定社会的成员身份大抵是"自然的"这一观念有关。在
这种情形下，政治义务可以被认作一种天然的义务。以这种方式来理解政治义务就偏
离了自愿行为的观点。义务是个人出于道义上的原因而必然要履行的任务或行为，它
不仅仅是在道德上可取的行为。因此，苏格拉底声称他所欠雅典的恩情（要报答）而
不允许他挑战或对抗它的法律，哪怕牺牲自己的生命。自然义务论对保守主义的思想
家特别有吸引力，他们强调，所有的社会群体（包括政治共同体）在一定程度上都是
靠相互的义务和责任认同而维系在一起的。

　　在传统上，保守主义者回避像"人的权利"这样的信条，这不仅是因为它们被认
为是抽象的，是毫无价值的，而且因为它们把个人当作先于社会的东西来看待——这
似乎意味着，人可以被理解为脱离或超越社会。相反，保守主义者更愿意把社会理解
为有机的，因而确信，社会是由超出任何个人能力所能控制的内在力量塑造出来的。
因此，人类的组织机构如家庭、教堂和政府并不是依据个人的意愿或需求建立起来
的，而是由有助于维持社会本身存在的自然的必然性力量所确立的。由此可见，个人
是由社会所扶持、教育、哺育、塑造出来的，结果是，他继承了一系列广泛的责任、
义务和职责。它们不仅包括遵守法律和尊重他人自由的义务，还包括诸如维护既有的
权威和（如果称职的话）分担公共事务负担等更为广泛的社会义务。基于此，保守主
义者认为，公民对其政府的义务同儿女对其父母所负有的责任和尊重具有相同的
性质。

　　社会义务的根源问题还被社会主义者和社会民主主义理论家所探讨。在传统上，
社会主义者注重共同体和合作的必要性，强调人类在本质上是合群的社会性动物。因
而，可以把社会义务理解为社群的现实表达；它反映了每个人对社会中其他每个成员
（所要承担）的责任。譬如，相比于自由主义者所愿意的，这促使社会主义者要将更
重的责任置于公民身上。这些责任可能包括为社区工作的义务（它或许是通过某种公
共事业来完成）和为那些生活不能自理的人提供福利支持的义务。个人在其中只拥有 225
权利而没有意识到责任和义务的社会是弱肉强食的社会，强者为王，弱者淘汰。这样
一种说法甚至可以在社群主义的无政府主义者当中看到。虽然古典无政府主义者如蒲
鲁东（Pierre-Joseph Proudhon，1809—1865）、巴枯宁和克鲁泡特金拒绝了政治权威
的主张，但他们仍然承认，一个健康的社会要求其成员有合群、合作而相互尊重的行

为。从某种意义上说，这无异于是一种同更为传统的政治义务观相类似的"社会"义务论。

反抗与义务的限度

政治义务指的不是遵守某一特定法律的责任，而是公民尊重和遵从国家自身的责任。当政治义务达到其限度时，公民不仅从服从政府的责任中解脱出来，而且实际上还获得了一种资格：反抗的权利。反抗是一种旨在推翻政府权力的举动，它通常涉及广大的公民；在大多数的情况下，还带有暴力的使用。尽管任何反政府的大起义都可以被说成是反抗，但"反抗"是同革命相比较而言的，它用来表述的是推翻某个政府的企图，而不是要取代整个政治制度。反抗可以通过多种方式来获得辩护。在某些情形下，反抗行为体现了这样一种看法，即政府没有也从没有行使过合法的权威。比方说，这可以从殖民统治中看出来，在殖民地，治理无非是控制：它是靠暴力强加的，并通过系统的强制力来维护。1945 年之后在亚非地区爆发的反殖民浪潮并不需要从政治义务的角度来求得辩护。简而言之，从来就没有一种服从殖民统治者的义务被承认过，因而也就无所谓达到义务的边界。然而，以 1776 年美国革命为例，13 个前英国殖民地的反抗却明显是从植于政治义务论的反抗权利的角度证明其合法性的。

美国革命在很大程度上借用了约翰·洛克在《政府论》（[1690] 1965）中所阐发的观点。洛克强调指出，政治义务是以对自然权利的尊重为条件的。基于此，他支持英国的"光荣革命"（它推翻了斯图亚特王朝，确立了威廉和玛丽治下的君主立宪政体）。美国的《独立宣言》渗透着古典的社会契约论原则。首先，它将政府表述成人为构造物，是人类为了自身的目标而创立的；因此，政府的权力来自"被统治者的认同"。然而，政府赖以确立的契约是特定的：人类被赋予了某些"不可让渡的权利"，包括"生存权、自由权和追求幸福的权利"。而政府的宗旨就是保障和保护这些权利。可见，政治义务显然不是绝对的，只有在政府尊重这些基本权利的前提下，公民才有义务服从政府。而当政府变为一个"纯粹的专制政府"时，《独立宣言》就宣称，"更换或废除这个政府并建立起新的政府，是人民的权利"。换句话来说，一经达到政治义务的限度，公民就有权利（实际上，有义务）去反抗这样的政府，并"为他们未来的安全提供新的保障"。

洛克的这样一些原则深深地植根于自由主义的观念和预设中。社会契约论提示，既然政府是通过理性的个体之间的共识创立的，它就必须服务于全体公民的利益，因而必须是中立和公正的。同样，如果政府未能承担起保护个人权利的基本任务，那它便辜负了全体公民（而不只是某些群体或部门）。相比之下，保守主义者则极不情愿地去认同政治义务是有条件的。专制的保守主义者追随霍布斯，他们警告说，任何对既定权威的挑战要冒现存秩序彻底崩溃的风险。正是这一看法促使约瑟夫·德·迈斯特——一个对法国革命的尖锐批评者——提出，政治是以对"主人"自愿而完全的服从为基础的。由此看来，对政治义务予以限制的观念是危险的，也是有害的。

可是，马克思主义者和无政府主义者对政治义务却有着非常不同的看法。经典马克思主义者贬斥任何的社会契约观念，相反，他们认为，国家是阶级压迫的工具，国家是"资产阶级的国家"。因而，国家的职能与其说是保护个人的权利，还不如说是捍卫和扩大"统治阶级"的利益。社会契约论掩盖了资本主义社会及所有的阶级社会赖以确立的矛盾，它们服务于阶级利益，从这个意义上说，马克思主义者在传统上的确将社会契约论看作"意识形态"的东西。据此，政治义务观念是一种神话或幻象，其唯一的目的是驱使无产阶级心甘情愿地接受持续不断的剥削。尽管无政府主义者可能有意去接受"社会"义务概念，但在他们看来，"政治"义务观是毫无根据的。如果国家是一个压迫人、剥削人的强制机构，那么，认为个人有道义上的义务去接受国家的权威，这样的看法是极其荒谬的。换句话说，政治义务无异于劳役。

公民身份

如前所述，公民身份概念植根于古希腊的政治思想内。公民身份也是共和主义政治传统中的一个核心话题。简而言之，一位"公民"就是一个政治共同体的一位成员，他同时被赋予了一套权利与一套义务。因此，公民身份体现了个人与国家之间的关系，在此种关系下，二者靠彼此对等的权力和义务维系在一起。然而，这种关系的确切性质仍是个颇具争议的问题。比如，有人把公民身份认作一种可以予以客观界定的法定身份，而另一些人则将它视为一种身份认同，一种忠诚感或归属感。不过，最有争议的问题还是同公民权利与义务的确切性质及二者之间的平衡有关。虽然大多数——若非全部——理论家都有意认同公民身份，从这个意义上说，它通常显得"超乎政治"，但实际上还是存在着其他对立的公民身份概念。其中最重要的是社会公民身份和主动公民身份。最后，现代多元文化社会的出现已经使某些人对普遍的公民身份学说是否还有助于把弱势群体解放出来产生怀疑了。

公民身份的要素

将公民身份简单地定义为"某一政治共同体的一个成员"，这太不确切了。为改进这一公民身份概念，可以做出一种努力：参照国家赋予其成员的特定的权利和义务来界定公民身份的法律实质。由此，就可以将"公民"同"外国人"区分开来。就公民身份而言，最基本的一项权利就是在一国生活和工作的权利——这是"外国人"或"外国公民"或被允许或被禁止做的；况且，只有在一定的条件下或在一定的期限内，他们才被允许这么做。还可以允许公民投票表决、参加竞选（做候选人）、从事某种职业（尤其是军政部门的公务员），而这些是不对非公民开放的。不过，法定的公民身份只是规定了一种正式的身份，而并不意味着公民就"自觉"是某个政治共同体的一名成员。从这种意义上来说，公民身份必须总带有某种主观的或心理的构成要素：公民是以某种精神状态（对祖国的忠诚感——甚至愿意为保卫祖国而献身）为特征的。拥有法定的权利本身并不能保证个人会觉得自己就是这个国家的公民。或由于在社会上处于弱势地位，或出于种族歧视，群体的成员会感到自己被他们的国家疏远，被它视为异己；这时，他们即便拥有一系列正式的权利、资格，也不可能被当作"完全的公民"。通常的情形是，这类人自认为是"二等公民"——即使不觉得是"三等公民"。

然而，不可否认的是，公民身份是与公民有能力享有一整套权利联系在一起的。在对公民身份权利的研究中，最经典的贡献是 T. H. 马歇尔（T. H. Marshall）在《公民身份与社会阶级》（[1950] 1997）一文中做出的。马歇尔将公民身份定义为"共同体中完全的成员资格"，同时，他试图概括出公民身份由以获得的过程。虽然只以英国经验为例，但马歇尔的分析对公民身份中不同权利之间的区分产生了极其广泛的影响。在马歇尔看来，首先要发展的权利是"公民权（利）"。他将公民权广义地定义为"个人自由所必需的权利"，这包括言论自由、集会自由、行动自由、思想自由以及法律面前平等的权利——拥有财产权、缔结契约权等。可见，公民权是在社会中所行使的权利，它们的存在有赖于有限政府的建立——这样的政府尊重个人的自主权。其次就是"政治权利"了，它们为个人提供参与政治生活的机会。显而易见，核心的政治权利包括选举权、被选举权和担任公职的权利。政治权利的供给显然要求有普选、政治平等和民主政府的发展。最后，马歇尔还确认了一系列的"社会权利"，它们保障公民拥有最低限度的社会地位。这些社会权利千差万别，但在马歇尔看来，它们包括基本的经济福利的权利、社会保障的权利以及他所称谓——不太确切——的"过一种能达到社会普遍水准的文明生活"的权利。社会权利的供给要求发展福利国家，并要求国家职责向经济和社会生活领域不断扩展。

马歇尔试图把公民身份分解为三组权利——公民权利、政治权利与社会权利，但这种做法遭到了批评。比方说，社会权利观念就遭到了新右翼的猛烈抨击。后面将联系社会的公民身份对这一问题做更全面的考察。从另一个角度来说，其他成套的权利也可以加到马歇尔的权利序列中。尽管马歇尔在公民权的名下包括了财产权，但他并不承认（尤其是）工会运动所要求的更为广泛的经济权利，如结社权、罢工和示威权以及（如有可能）在工作场所行使某种形式的控制的权利。女权主义理论家认为，完全的公民身份还应该考虑到性别的不平等，因而应该赋予女性额外的一套权利，更具体地说，如生育权、节育权以及堕胎的权利等。此外，由于马歇尔的工作一直是在民族国家的范围内来阐发的，因而没能考虑到国际层面的公民身份的日益重要性，这里包括"全球公民身份"观念。

◆ **全球性思考**

全球公民身份

230

人民是"世界公民"这一观念的历史可追溯到康德和其他启蒙思想，甚至到古希腊的斯多葛学派。不过，就这一时期的大多数时间来说，世界公民身份的观念主要是道德而非政治上的取向，它被用来表达对共同人性的信仰和世界主义思想的核心假设。可是，自20世纪80年代以来，"加速"的全球化进程的出现使从全球而非从民族国家的角度来思考公民和政治归属或许首次成为可能。然而，相比于国家的公民身份具有正式的、法律上的意义——因为它根植于一国成员的观念，由于缺乏世界政府或全球国家，这一点没法适用于全球公民身份。因此，"全球公民身份"这一术语在某种意义上总是一种隐喻的说法。

不过，可以以三种不同的方式来理解全球公民身份。首先，在其最小的意义上，全球公民身份无非是全球化的后果之一。由此观之，生活在一个有着全球因果关系的世界里，我们的行为日益影响世界上其他地方的人民，同时也被其他地方的人民所影响，从这个意义上说，我们是全球公民。全球公民身份的第二个含义建立在人权学说之上，该学说意指人民拥有权利和使他们同世界上所有其他人关系密切的义务。无论全球公民是什么，他们总归是人权的拥有者（Dower，2003）。从这个意义上说，只有建立一套国际人权（1948年由联合国所颁布的《世界人权宣言》居于其核心位置），全球公民身份才能成为一个有意义的概念。全球公民身份的第三个含义则是指：人民不仅仅是人权的消极享有者，而且有义务去政治地参与和积极地从事全球事务。由此，全球公民是在全球范围内致力于推进人权的人，譬如，那些参与某种形式的和平、发展或环保活动的人。

不过，可以认为，这些全球公民身份概念中的任何一个都是有缺陷的。最小意义上的概念没法解释相互联系的事实如何又为何产生道德义务。我们因拥有人权而使全球公民这一观念无疑更具有实质性，但它也被国际人权无非是道德主张而缺乏可实施性这一事实所削弱。最后，行动主义的全球公民身份观也是遭到质疑的，因为它只能适用于世界人口中的极少数人。

然而，公民身份不能狭隘地理解为"公民的权利身份"（citizenship of entitlement）——无论怎样定义这些权利。公民身份必然从义务和责任的角度来要求个人。从某种程度上可以说，公民的义务是同公民身份的权利相称的，或者说，是相平衡的。比方说，公民享有隐私空间和个人自主的权利，这自然意味着需要履行尊重他人隐私的义务。同样可以说，政治权利所包含的不仅有参与政治生活的权利，也有一种参与的义务。在古希腊，这体现在公民担任公职（如果通过抽签或轮流的方式被选出）的自觉性上。在现代社会，公民有义务参加陪审团。在一些国家如澳大利亚、比利时和意大利，公民有法定的义务参加选举投票。进一步说，社会权利则意味着公民有义务纳税，从而为教育、医疗保健、退休金和其他救助的福利供给提供财政支持。诸如此类的责任与义务必然为德里克·希特（Derek Heater, 1990）所说的"公民德行"（civic virtue）所强调。公民德行是指公民对其所属的国家的忠诚感和自愿接受在某一共同体内居住所附带的责任的一种素质。这就是公民身份经常与教育联系在一起的原因：就好比对公民身份的权利的理解，公民德行不是与生俱来的，不是自然产生的，而必须经过教导和激励（才能形成）。在众多的国家，"公民（身份）教育"是公共教育供给的重要特征。

最后，必须明确的是，公民身份不仅仅是个人所拥有的众多身份中的一种。这是希特所说的"多重公民身份"，此种观念认识到：除了针对其所属的民族国家，公民担负着广泛得多的忠诚和责任。这就应当考虑到公民身份的地域界限，允许公民把自身认同为超国家组织机构乃至全球共同体的一部分，如同他们对自身特定的地区、区域即本土、本地的认同。此外，公民身份并不一定总是对应于民族身份。在多民族国家，像英国，对每一个组成的民族而言，都有可能培养一种自身的爱国主义忠诚，但与此同时，始终还存在着一种统一的公民身份认同。同样地，不同的种族、民族、文化族群又都拥有各自的身份认同，并对其成员提出特定的要求。自由民主主义确认个人与国家之间的关系只是众多有意义的身份中的一种，因而可以认为它是赞同"有限公民身份"观念的。在这个意义上说，其他生活领域是——也应该保持是——非政治的。与之相反，在极权主义国家如纳粹德国，个人对国家的责任是绝对的、无限的，可以说，这样的国家是实行"完全公民身份"。

社会的公民身份还是主动的公民身份？

社会的公民身份观念最初源自 T. H. 马歇尔的著作以及他对社会权利的强调。对马歇尔来说，公民身份是一个共同体所有成员享有的一种普遍的身份。长久以来，平等原则一直是出于对公民权利和政治权利的尊重而为人所接受。譬如，很少有人会否认，真正的公民身份要求政治平等表现为"一人一票，一票一价"的形式。然而，马歇尔著作的特色体现在对公民身份与社会平等的实现之间关系的强调上。在马歇尔看来，公民身份终究是一种社会地位。如果公民要充分地参与共同体的事务，那么，他们就不得不享有免于贫穷、愚昧和绝望的自由。这种观念就体现在社会权利这一概念上。由此，马歇尔认为，公民身份同一般存在于资本主义制度下的阶级不平等是不相容的。公民身份与社会阶级是"彼此对立的两条原则"。

在 20 世纪，社会的公民身份被越来越广泛地接受了。社会权利观念被当成了政治争议和辩论潮流的一部分。公民权利运动不再局限于法律或政治上的要求，而很自然地涉及社会议题。例如，20 世纪 60 年代的美国民权运动就为黑人争取了城市发展、就业改善和受教育的机会（如同争取选举权和担任公职的权利）。像妇女、少数民族、穷人和失业者等社会群体自视为"二等公民"，因为所处的社会劣势阻碍了他们充分参与共同体生活。除此以外，一系列社会权利载入联合国的《世界人权宣言》中，这赋予社会的公民身份观念国际法的权威。然而，毋庸置疑的是，社会的公民身份赖以确立的主要手段是福利国家的日趋扩展。在马歇尔看来，社会权利同福利供给和福利国家确保全体公民享有"少量经济福利和保障"的能力密不可分。

社会的公民身份的主要倡导者有社会民主主义者、社会主义者和现代自由主义者。他们坚持认为，除了传统"消极的"权利如言论自由和集会自由，通过政府干预所提供的"积极的"权利同样必不可少。为社会权利所做的辩护是基于这样一种看法，即经济的不平等更多的是资本主义经济的产物，而不仅仅是人类当中自然差别的反映。对于现代自由主义者来说，社会的不利状况如流浪、失业和病痛不仅阻碍着个人的发展，而且会削弱公民身份意识。因此，完全的公民身份要求机会的均等，要求每个公民能够依其自身的能力和努力程度而在社会上或升（迁）或降（级）。社会民主主义者将经济和社会权利不仅仅视为公民身份的合法权利，而且当作文明生活的基础。缺少食物、住所或其他物质资料的个人，是不会在乎他们是否享有言论自由或行使宗教信仰自由的权利的。

对社会的公民身份最严厉的批评者都来自政治右翼。右翼自由至上主义者是社会权利观念的坚定反对者，他们认为，社会福利被彻底误解了。有人断言，资格和权利，尤其是社会权利的信条助长了公民对政府的能力抱有不切实际的想法。其结果是，政府的职责无休无止地增多。为此，政府不得不提高税收、扩大财政赤字，最终极大地破坏了经济繁荣的前景。另外，人们认为，社会的公民身份观念削弱了人们的进取意识和个体的主动性，造成的一个印象是，国家总会为此"埋单"。上述看法是从另一种公民身份模式的角度提出来的，这种身份模式有时被称为"主动的公民身份"。"主动的公民"观念源于新兴的新右翼的公民身份模式，它最初萌发于美国，而后很快被欧洲及世界其他地区的政治家接受下来。不过，既然新右翼同时借鉴了两种相互反对的传统思想——经济自由主义和社会保守主义，那么，主动的公民身份就具有两面性。一方面，它体现了古典自由主义所强调的自力更生和"自立"；另一方面，它又突显了保守主义在传统上对义务和责任的强调。

自由主义的新右翼或新自由主义信奉严格的个人主义，其压倒一切的目标是"压缩国家的边界"。如前所述，在它看来，个人与国家之间的关系已变得极不均衡，濒临危险的边缘。政府对经济和社会生活的干预使得国家阻碍乃至完全控制公民的发展，剥夺了他（或她）的自由和自尊。从这个角度来看，主动的公民身份的本质就是进取心、努力工作和自力更生。新自由主义认为，个人责任具有道德和经济的双重意义。从经济的角度来说，主动的公民身份会缓解社会福利施加在公共财政和共同体资源上的负担。自力更生的个体会努力工作，因为他们知道，最终也不会有福利国家来为他们"埋单"。从道德的角度来看，主动的公民身份会提升尊严和自尊，因为每个人被迫去供养自己及其家庭。然而，可质疑的是，是否在任何意义上都可以说，自力更生构成了公民身份理论？"良好的公民"当然是勤奋和独立的，但是否有可能表明，这些本质上"属于个人的"品质就是公民身份赖以确立的基础呢？

新右翼的另一面是保守主义的新右翼或新保守主义，它主张国家与个体公民之间保持密切的联系。新保守主义的公民身份观念与众不同的地方是，它对公民义务的强调以及对以权利为基础的公民身份观念的抵制。例如，约翰·肯尼迪在1961年2月的总统就职演说中说的话至今仍然为大多数新保守主义者所津津乐道："不要问国家能为你做什么，而要问你能为国家做些什么？"新保守主义者们认为，马歇尔的"公民的权利身份"造就了一个个人在其中只关注自身权利而意识不到自身责任和义务的社会。这样的一个社会充满了放任自流和社会分裂的危险。毫无节制的自由会导致自私、贪婪的泛滥，以及缺乏对社会机构和人类同胞的尊重。

人们过分看重权利而忽视责任和义务使得公民的政治参与被削弱了。自20世纪80年代以来，对此的关注已引起了越来越广泛的支持。这一问题尤其为社群主义思想家所关注，并促使所谓的"第三条道路"政治家们选定了"权利与义务"议程。其中的一个方面是，用一套助学贷款制度取代当前的高等教育补助制度。这套制度正被越来越多的国家包括美国、澳大利亚和英国所采用；另外，实行征收学费的制度也有增强公民义务的用意。学生有义务为教育付费，而不仅仅享有受教育的权利。不过，这种主动的公民身份也招致了不少的批评。一些人认为，对公民责任和义务的强调会冲淡对公民权利和资格的关注，这种用新的不均衡状态取代旧的不平衡状态的做法的后果是危险的。另一些人则指出，正如社会的公民身份有缓解阶级不平等的意图，主动的公民身份有可能转化成一种"自己的问题自己解决"的哲学，这只会进一步强化现有的不平等。

普遍的公民身份与多样性

各种传统的公民身份观念——无论是注重权利的，还是讲求权利与义务均衡的——都有一个共同点，那就是：它们都强调公民身份的普遍性。就人们被划归为公民而言，每个人都有资格享有与其他任何一位公民同等的权利，他也被指望承担起同等的义务。这种普遍的公民身份观念根源于"私人"生活与"公共"生活二分的自由主义思想。在这种区分中，人与人之间的差别，譬如同性别、种族、宗教等因素相关联的差别，通常被认作"私人"之事，而与人的"公共"身份和地位无关。结果是，自由主义通常被认为是"无视差异"：对那些把人彼此区分开来的诸多因素，它都视之为次要的——因为我们所有的人都享有同一种核心的身份，即个人和公民。事实上，正是对普遍性的强调使公民身份概念具有了激进、解放的特质。例如，兴起于20世纪60年代并不断发展壮大的民权运动，不仅表达出了诸如妇女、同性恋者、少数民族和少数宗教派别以及残疾人等弱势群体的利益诉求，同时也用普遍的公民身份这套话语阐发了他们的要求。如果这些弱势群体是——或者说，他们自我感觉是——二等公民，那么，解决的办法就是确立起完全的公民身份，这尤其意味着公平对待和平等参与的权利。

然而，对当今社会多样性和多元性的不断觉悟促使一些人质疑乃至否弃普遍的公民身份观。艾丽斯·马丽昂·扬（Iris Marion Young, 2011）就倡导"有差别的"公民身份观念，并将它当作考量群体差异的一种手段。从这个角度来说，传统的公民身份概念确有其缺陷。这些缺陷包括：公民身份与包容之间的关联会意味着同质化——尤其当公民被认为是靠一种无差别的"公共意志"或集体利益而维系在一起时。其实，要在一个多元化的现代社会确认出这种共同意志或集体利益来，已变得越来越困难了。此外，对种族、性别和其他群体差异的无视，不可能会阻碍社会按主流群体的规范和价值观建构"平等"。这就意味着，种族主义、性别歧视、同性恋恐惧主义及其他歧视性看法仍然会泛滥，这些看法只会妨碍弱势群体充分利用其形式上平等的身份。

因此，普遍的公民身份有可能掩盖乃至于固化这种单向损害和不平等的参与，而不是予以矫正。因此，扬呼吁，连同普遍的权利，我们还应当去确认那些只适用于特定人群的"特殊权利"。在现代社会中，特殊权利日益被广泛接受，此种权利的基础同生物的和身体的因素联系在一起，譬如，在本章前面所讨论过的妇女权利、身心残障人员的权利或老年人的权利。关于特殊权利的一个更富争议的基础是：是基于有必要保护特定群体的独特的身份认同，还是出于消除那些阻止特定人群充分参与社会的文化上和态度上的障碍，这些特殊的权利才被证明为正当的。后一种立场更为广泛地被文化多元主义的支持者们所阐扬。

致力于让公民身份包容文化多样性的诸多努力通常都聚焦于少数群体的权利问题，为容纳民族和种族的差异而对特定的群体采取特殊的措施。威尔·金里卡（Kymlicka, 1995）确定了三种少数派权利：自治权、多重族群（共存）权和代表权。金里卡认为，自治权属于他称为少数民族的一群人。这些人在一定地域内聚居着，拥有共同的语言，以"贯穿于人所有活动、有意义生活方式"为特征。这适用于世界上许多地方出现的本地人，有时被称为"第一民族"。在这些案例中，自治权应当包含和涉及政治权力下放（通常是通过联邦制）到基本上是由少数民族成员所控制的政治单元——虽然这种自治权有可能扩展为脱离（联邦）权，进而演变为主权独立权。

多民族/种族权利或多族群（共存）权是指帮助少数民族群体和少数派宗教群体（他们是通过移民发展来的）表达和维护他们的文化独特性。例如，这些权利会为法律豁免提供基础，诸如准予犹太人和穆斯林不受动物屠宰法约束、准许锡克教徒不戴摩托车头盔、允许穆斯林女孩不受校服规章的约束等。特别代表权试图矫正少数民族和弱势群体在教育与政治和公共生活的高级职位上代表名额不足（没有被充分代表）的状况。这种权利体现的是一种逆向的或者说"积极的"歧视（差别对待）。该项权利试图补偿先前歧视或持续存在的文化顺从所造成的损害。这些权利正当的理由是，它们不仅确保充分而平等的社会参与，而且是保证公共政策体现所有群体和人民的利益（而不仅仅是传统上的主导群体的利益）的唯一方式。

然而，少数群体或多元文化权利也有其缺点。譬如，在《文化和平等》（2002）中，布莱恩·巴里就质疑：对少数派权利的承认所导致的"深度的多样性"可否同自由主义政体的存续相协调。这是显而易见的，这是因为：作为激进的文化多元主义形式核心所在的多元主义会让某些文化实践或做法（譬如女性割礼）合法化，而这些做法本身是不开明、不宽容和具有压迫性的。在此类情形下，自由主义者往往会把对人权和公民自由的尊重置于对群体身份和传统价值观的关切之上。而且，多民族/种族权利或多族群（共存）权确有其自身的缺陷，它们有可能要求社会做出法律或民事上的调整，以充分考虑到各种文化的特殊性，如免于某些法律或规章约束的豁免权。在这类司法豁免中，它们削弱了公民的或政治上的凝聚感，因为保护文化族群的身份认同是以牺牲所有社会成员共同遵守一整套公民的、政治的价值观为代价。其结果是，在法国和其他地方，各种宗教服饰和宗教标志在学校遭到禁止，这一方面是为了保持国家和教堂之间的分离，同时也是为了反对性别不平等。

最后，某种焦虑困扰着"冒犯"问题和那种认为特定的宗教群体有权不被冒犯（对特定的宗教群体而言，当深入其身份内部的核心信仰遭到批评、侮辱或嘲弄时，他们就会被冒犯）的观念。这一问题是被 1998 年发生的"拉什迪事件"提出来的，在该事件中，阿亚图拉·霍梅尼下了追杀令或宗教指令，判处出版著作《撒旦诗篇》的作者萨尔曼·拉什迪死刑。下追杀令的根据是，该书冒犯了最受珍视的宗教教义，亵渎了先知穆罕默德的神圣形象。然而，从传统的自由主义观点看，追杀令无异于是对拉什迪作为个人的权利及对自由言论和宽容的原则（在第七章讨论过）的赤裸裸的侵犯。自由主义的立场通常是同法国作家伏尔泰（Voltaire，1694—1778）的那个著名宣称相关联的，即："我不同意你的观点，但我誓死捍卫你说话的权利。"

讨论题

1. 《权利法案》的优点是否大于缺点？ *236*

2. 人权如何不同于其他种类的权利？

3. 经济和社会权利是真正的人权吗？

4. 动物拥有类似于人类意义上的权利吗？

5. 在何种意义上权利和义务是同一枚硬币相反的两个面？

6. 霍布斯、洛克和卢梭是如何阐发社会契约论的？

7. 基于何种理由，政治义务被说成是一种自然义务？

8. 在何种情形下，人们拥有反抗的权利（如果拥有的话）？

9. 公民身份是如何不同于民族身份的？

10. 公民身份应当包含哪些权利和义务？

11. 为何"公民的权利身份"遭到了批判？其批判的合法性在哪里？

12. 在何种程度上，公民身份概念应该在文化和其他形式的多样性观照下被改造？

延伸阅读

Bellamy，R. *Citizenship：A Very Short Introduction*（2008）. 该书对现代复杂社会中的公民身份的性质展开了简明而平和的探讨。这种探讨反映了公民身份的重要性以及公民身份是否可以被创造出来并接受考验。

Freeden，M. *Rights*（1991）. 该书对针对权利所做的政治学和哲学上的理论化努力展开了明晰而富有洞见的调查。它将权利看作意在确保人性和社会关系的基本方面得以存在的保护膜或胶囊。

Horton，*Political Obligation*（2010）. 该书对主要的政治义务理论进行了全面而深刻的评估。它探讨了每一种理论的优劣短长，并充分考虑了当代议题和视角。

Woods，K. *Human Rights*（2014）. 该书综合描述了人权的性质及基础。此外，它还考察了人权在当代关于宗教、文化多元主义和环境等议题论争中的作用。

第九章
自由、宽容与身份

- 自由
    - *自由与放纵　消极自由　积极自由*
- 宽容
    - *宽容与差异　为宽容辩护　宽容的限度*
- 身份
    - *身份与承认的政治　性别与身份　文化与身份*

内容简介

"自由"信条一直被政治思想家以一种近乎宗教崇拜的敬畏之心所看待。政治学
文献满是关于人类应该从各种奴役中解放出来的宣言。可是，一方面是自由的普及，
另一方面又是人们对"自由"这一术语的真实意思分辨不清，自由为何受到如此广泛
的尊崇？自由是不是一种无条件的善？或者说，它要付出代价吗？它有缺陷吗？个人
或群体应该享有多大的自由？不过，上述问题的核心就在于有关"自由"究竟意味着
什么的争论。自由意味着放任人依自己的意愿去选择、去行动？抑或，它包含有某种
成就、满足、自我实现或个人发展？

这里的困惑也源于这样一个事实：自由通常与一系列其他的术语联系在一起，尤
其是同宽容和身份相关。"宽容"不同于自由，从某种意义上，它可以被认作自由的
一种表现。作为一种容忍我们可能不赞同的行动或看法的意愿，宽容赋予个人更广阔
的机会去按自己所选择或乐意的方式去行动。不过，宽容是否就是国内和谐的前提条
件，它能确保我们生活在一起而又互不侵犯对方的权利和自由吗？抑或，宽容有可能
走得更远，以至于会助长人们去宽容本不可被宽容的事情？然而，自 20 世纪后期以
来，出现了一种新的自由思想，它同所谓的"身份政治"联系在一起。这种类型的政
治欣然接受一种积极而自信的集体身份认同感，以此来抵抗群体边缘化。于是，自由

获得重生，成为一个在政治-文化上旨在确立起对被边缘化群体的尊重和承认的自我主张（自主）过程。但这种承认是如何不同于更为常见的克服群体顺从的方式的？而身份政治又是如何成功地关联到性别和文化而被阐发出来的？

238 自由

　　自由是一个难以讨论的术语，因为众多社会科学家和哲学家像政治理论家那样普遍地使用它。在每一种情形下，对自由的关注是迥然不同的。在哲学上，自由通常被当作意志的一种属性来考察。个人是否拥有"自由意志"？他们的行为是否完全是自我决断的？显然，对这些问题的回答取决于人们对人性和——更重要的是——人心灵的理解。在经济学和社会学上，自由总被看作一种社会关系。譬如，个人在多大程度上是社会生活中的"自由（行动）体"？在多大程度上能够做出自我选择并享有相对于他人的权利（特权）？与之相对的是，政治理论家往往把自由看作一种伦理观念或规范性原则——或许还是至关重要的原则。可是，在许多场合，他们把自由是什么的界定同有关自由价值的问题区分开来，从而容许他们采用该术语在（从本质上说）社会科学上的定义。不过，作为一个流行的政治口号，"自由"无疑是作为一种理念在发挥作用——但它却是最需要获得分析性关注和明晰的一种理念。

　　也许，定义自由的最佳方式是把自由与"不自由"（unfreedom）区分开来。譬如，大多数人愿意认可"自由"与所谓的"放纵"（licence）之间的区别。可是，在应该做出区分的地方恰恰是引发重大争议的根源所在。而且，它一点也没有使我们所谓的"自由"术语变得更为明晰。比方说，政治思想家们强调自由可能采取的诸多形式，因而，很久以来，他们一直把自由看作"本质上可争议的"概念。在 19 世纪初期，法国自由主义者本杰明·康斯坦特区分了他所谓的"古代人的自由"和"现代人的自由"，就前者，他指的是直接而集体地参与政治生活，而后者是指独立于政府和免于被他人侵犯。在诸多有关自由的界定中，最具影响力的是以赛亚·伯林（Isaiah Berlin, 1909—1997）的论文《两种自由概念》（[1958] 2002）。伯林主张确定出一个"积极的"自由概念和一个"消极的"自由概念。用日常的话来说，他的这一做法可理解为在"自由地去做……"（free to...）与"自由地免于……"（free from...）之间做出区分。

　　然而，上述区分遭到了广泛的批评。比如，去做的自由与免于干扰的自由之间的差别只不过是语言上的混淆：每一个有关自由的例子都可以用这两种方式来表述。获得教育的自由就等于免于无知的自由；免于额外征税的自由就意味着按自己的意愿花钱的自由。G. 麦克勒姆（G. C. MacCallum，1972）进一步提出了一个价值中立的自由概念，其公式是："X 免于 Y 而做成或成为 Z"。麦克勒姆的公式有助于人们以多种方式澄清有关自由的思想。首先，它表明，"我们自由吗？"这个看似深奥的问题是毫无意义的，它应被替换为一种更为完整和特定的陈述，即我们享有免于什么的自由？我们有做什么的自由？这就引出这样一个事实，比方说：一方面，我们可能享有免于某种障碍如肉体袭击的自由，但同时，我们并不拥有免于其他妨碍——如禁止我们攻击公民的法律——的自由。同样，我们可以有免于同一个障碍（在此，是法律）去吸烟的自由，但没有去吸食大麻的自由——此种法律允许吸烟但不允许吸食大麻。最后，该公式有助于我们去解释人们如何就自由存在分歧。最常见的是，什么算是自由的障碍。譬如，有人提出，自由只能受身体或法律上的障碍所限制，其他人则坚持认为，物质资源的匮乏、社会剥夺以及不充分的教育也会是造成不自由的根源。

自由与放纵

　　"自由"这一术语比其他政治原则更频繁地出现在政客的著述和演说中。事实上，自由几乎被人普遍接受为道德上的"善"，而其反义词——压迫、监禁、奴役或不自由——即便不算道德上的"恶"，也被认为是不受欢迎的。从最简约的意义上说，自由意味着按本人的意愿去做或按本人的选择去行动。比方说，在日常用语中，"自由"表明不受约束和限制，像言论自由，就是指能够不受限制地说想说的。然而，很少有人会赞成解除加在个人身上的所有限制和约束。正如托尼（R. H. Tawney，1880—1962）所指出的，"大鱼的自由就是小鱼的死亡"。只有那些把任何形式的政治权威都当作不必要的、不受欢迎的东西而加以拒斥的无政府主义者，才愿去认同不受限制的自由。而其他人则坚持要在两种自我意志下的行为——自由和放纵——之间做出区分。不过，这种区分可能会制造混乱。比如，它意味着，只有在道义上对的行为才可被冠以"自由"（freedom）或者"自由"（liberty）的称谓。可是，由于许多政治理论家对上述术语做出价值中立或社会科学式的理解，他们很愿意赞同某些自由——像谋杀的自由——应受限制。在这种情况下，自由和放纵的二分只是把尚未解决的问题作为论据了：什么样的自由，我们愿意赞同？什么样的自由，我们有理由剥夺？

　　"放纵"是指自由的滥用，其要害在于自由"过剩"了。自由通常被认为是有益的、合意的、在道德上有启蒙意义的；而放纵则是压迫的、令人反感的、在道德上败坏的。可是，对于自由从何处开始变为放纵，这里存在着观念上的深刻分歧。比如，自由至上论者寻求个人自由领域最大化，同时把那些被认为是放纵的行为降到最低。虽然社会主义者和自由主义者时常都被自由至上主义所吸引，但到 20 世纪后期，自由至上主义越来越同私有财产的保护和自由市场资本主义事业联系在一起。右翼自由至上论者如罗伯特·诺齐克（Robert Nozick，1938—2002）和米尔顿·弗里德曼（Milton Friedman，1912—2006），基本上是从经济学的角度看待自由，他们主张在市场上最大限度地选择自由。由此，雇主的设定工资级别、改变工作条件以及决定雇用谁而不雇用谁的能力，可以被看作自由的表现。因此，要区分什么可视为自由而被赞扬、什么应视为放纵而受谴责，就必须确立起明确的伦理基础。

要确立合意的自由领域，其问题在于，存在着自由赖以被确认的诸多令人困惑的根据。在众多自由主义的政治思想中，自由同权利概念密切相关。正如前面所指出的，之所以如此，是因为将自由当作一种权利或资格看待已经成为一种趋势。事实上，当"权利"被说成是"自由"时，这两个概念几乎就融为一体了。无论这些权利被认作"自然的""人为的"还是"市民的"权利，以权利为基础的自由理论的一大吸引力就是，它能够在自由与放纵之间做出明确的区分。简而言之，自由是指依照个人权利或者说在个人权利范围之内采取行动，放纵则意味着超越个人权利的行为，或更具体地说，是伤害他人权利的行为。比方说，当雇主基于他们从财产所有权或者雇佣合同中获得的权利而行动时，他们是在行使自由；而一旦去侵犯雇员的权利，他们就误入放纵的范围内了。

然而，如果进一步地深入考察，自由与放纵之间的这种区分变得更加复杂。首先，从大多数行为会对他人产生不利影响的意义上说，个人的权利总是同他人的权利处在难以兼顾的权衡之下。就此而言，自由是一场零和游戏：当某人（雇主）获得更多的自由，其他人（雇员）则会失去一些自由。因此，不可能保证所有人的权利都同等地受到尊重。不过，确定谁有权利、为何有此权利的问题是更为重要的。如前面第八章所强调的，个人权利是深层的政治和意识形态争论的主题。例如，大多数自由主义者和保守主义者坚持认为，财产权是基本的人权，可有些人并不同意这种看法。同样，社会主义者与现代自由主义者主张社会权利如医疗保健的权利和受教育的权利的重要性，而右翼的支持者则断言，应由个体本人来对此类事情承担责任。

穆勒提出了另一个区分自由与放纵的办法。作为相信个人自由是道德上自我完善之基础的自由主义者，穆勒主张，个人应该享有最大限度的自由空间。不过，正如第七章所讨论过的，穆勒也意识到，不加节制的自由会压制人甚至走向暴虐。在《论自由》（[1859] 1972）一书中，穆勒在"涉己行为"与"涉他行为"之间做出明确的区分，并指出，每个人都应当对自己的身体和生活行使绝对的控制权。穆勒还提出，只有在个人对他人造成了"伤害"的时候，才可以证明对个人予以约束是合法的，这是唯一可替约束个人的做法所做的辩护。实际是，"伤害原则"表明，自由在何处超过限度而"过剩"了，也就是说，它在何处沦为了放纵。

约翰·斯图亚特·穆勒

英国哲学家、经济学家和政治学家。他从小受父亲——功利主义理论家詹姆斯·穆勒（James Mill）极其严厉的教育管束，这一点在他的《自传》（1873）中有过生动的描述。在 20 岁那年，这种严酷的教育还一度让他精神崩溃。而后，他阐发了一套深受柯勒律治（Coleridge）和德国唯心主义者影响的人性哲学。他创办并编辑过《伦敦评论报》（*London Review*），在 1865—1868 年还做过威斯敏斯特下院议员。

穆勒的著作对自由主义的发展起了至关重要的作用，因为它横跨在古典自由主义理论和现代自由主义理论之间。在《论自由》（[1859] 1972）一书中，穆勒提出一套极有说服力的捍卫自由的理论，该理论建立在以下原则基础之上，即防止伤害他人是唯一可以为限制个人自由做出的辩护。他反对集体主义倾向和体现在多数人民主中的思想传统，这植根于他对个体性的一种承诺。他的论文《功利主义》（[1861] 1972）旨在概括功利主义传统的基本论题，但在强调"高级"快乐与"低级"快乐之间的区别时，它又脱离了论文的这一主旨。在《代议制政府》（[1861] 1972）中，穆勒探讨了代议和选举的机制，他认为，这些机制可以协调知识和道德精英的需求与民众要求更大范围的参与之间的矛盾。他与妻子海丽特·泰勒（Harriet Taylor）合著的《女性的屈从地位》（1869）提出，妇女应当享受与男性同等的权利和自由（包括选举权）。

虽然这种区分的界限看起来明显而可靠，因为"伤害"概念比"权利"观念要具体，但这还是引起了争议。争议大多集中在何谓"伤害"之上。如果如穆勒本意所指，伤害原则只被理解成生理上的，那么，这就使得更大范围的行为都可以被视为自由。显然，穆勒有意要容许个人享有如愿地去思考、写作和言说的绝对自由，同时也容许他们做出伤害性的行为——只要它们是涉己的。由此可见，穆勒不能容忍施加在毒品使用上的任何形式的审查和限制。然而，如果"伤害"的概念被扩大到包括心理、道德乃至精神上，那么，就可以利用"伤害"概念把更为广泛的行为都归为放纵。比方说，从败坏和冒犯人的意义上讲，电视上对暴力、色情或脏话的表现和渲染都可以被认为是道德上有害的。如果"伤害"被用来包括经济上或社会上的损害、损伤，就会再次出现这种混乱。比方说，雇主强制冻结员工工资，虽然在生理上没有伤害他们，但是这无疑损害了他们的利益。鉴于利己主义与利他主义观念分裂的问题，穆勒的自由观得到了进一步的关注。其实，这种观念分裂并没有获得非西方思想的支持，而与印度的羯摩说相冲突。

大多数试图区分自由与放纵的理论努力都多少关系到平等原则。如果自由被当作一种基本的价值，那么，它理所当然是所有的人都有权享有的。由此，那些运用以权利为基础的自由理论的人总得承认"平等权利"的重要性；而穆勒也坚持主张"伤害原则"平等地适用于所有的公民。这就意味着，还有另一个区分自由与放纵的方法，那就是利用平等的自由原则。换句话说，自由变成放纵并不是在他人的权利受侵害的时候，也不是他人受伤害的时候，而是在自由不能被平等分享的时候。约翰·罗尔斯在下述原则中表达了这一点，即每个人有权享有最大限度的且与所有其他公民也享有的同等自由相容的自由。从表面看，大多数自由民主主义者都尊重平等的自由原则，这一原则就体现在如下的事实中：至少在理论上，政治的、法律的和社会的权利是所有的公民都能享有的。然而，平等的自由原则一直被如何定义自由这一问题所困扰。如果自由是由行使一系列形式上的权利所构成的，那么，衡量自由并保证它被平等分配的任务就很简单：只要确保没有个人或者群体享有特权或遭遇不公正待遇就可以了。这可以通过确立形式上的平等（在法律之前的平等）来达到。然而，如果自由不是被理解为拥有形式上的权利，而是被理解为利用这些权利的机会，那么，问题就会变得复杂了。比方说，现代自由主义者和社会民主主义者认为，平等的自由原则是指需要在社会上重新分配财富和资源。此类分歧刚好触及有关自由性质讨论的核心，它尤其关涉自由的消极概念与积极概念之间的区分。

⊙ **超越西方**

243

印度的羯摩说

"羯摩"（*Karma*，又译"因果报应"）的观念出现在印度教、耆那教和佛教的思想中。"羯摩"本来的意思是"业"——尽管该术语可以表示行为的后果即个人过去所有行为的累积后果，也可表示为普遍的因果法则。"羯摩"的核心含义是：一切行为都会对其实施者产生后果。不仅善有善报，而且恶有恶报：谁也没法逃脱道德"报应"（Phillips，1999）。在许多场合，羯摩说同灵魂转世论是分不开的。印度人相信，一个人一生中的所作所为会影响那个人死后的遭遇，这是因为，生发于前世早期的"羯摩"所产生的后果必然自我作用于来生。"善"的羯摩的累积确保顺利的重生，而"恶"的羯摩的累积蕴含不顺的重生。

不过，羯摩说还被视为激进个人主义或深度利他主义的基础。一方面，"羯摩"意味着个人完全是自己命运的设计师，每个人都会得到他（她）所应得的。因而，对生而贫困、体弱、残疾的人乃至于次要的动物的同情，完全是误施了对象。另一方面，印度教、耆那教和佛教传统都认同的是：出于同情、关怀和仁爱的行为会得到报偿；而出于私心、愤怒或憎恨的行为会受到惩罚。这提供了一种强有力的激励，促使人们将他人利益置于自身利益之前。相关争论还聚焦于"羯摩"在多大程度上意味着宿命论，让人们相信，他们的命运是先定的。从一个角度看，人们都是承继从前世来的"羯摩"的"牺牲品"；然而从另一个角度看，尤其是在佛教中，"羯摩"也关注到我们自身具有个人转化乃至自我启蒙的能力。

消极自由

　　自由在两种不同的意义上被表述成"消极的"。首先，法律被看作自由的主要障碍。自由只被他人有意阻止我们去做的事情所限制，在这重意义上，这一看法是消极的。例如，托马斯·霍布斯就把自由说成是"法律的沉默"。这同现代自由主义者和社会主义者所使用的"积极"自由相对立，"积极自由"这个术语关注行动的能力，因而把诸如物质资源的匮乏当作不自由的根源。另外，以赛亚·伯林则以另一种方式使用这个术语。他把消极自由定义为"人在其中可以不受他人阻碍地行动的一个领域"，因而，自由包含着一个不受阻碍地行动的领域。然而，如此定义消极自由，就把上述社会主义的见解包括在其界限之内。问题不在于自由的本性，而在于妨碍自由的障碍——法律或社会环境等等。结果，伯林用积极自由指自主或自我控制，自主观念将在下一节做详尽的讨论。

　　虽然有人把消极的自由概念说成是价值中立的，但很难否认，它们带有明显的道德和意识形态上的含义。如果自由在某种意义上是指不存在施加在个人身上的外在约束，那么，对自由的执着就意味着要对法律和政府予以一定的限制。就定义而言，法律是约束个人和群体的，因为法律靠惩罚相威胁来迫使他们遵守和服从。然而，主张自由应该最大化并不意味着应当废止法律，而是要求法律受到限制，只是用来保护个人的自由免受他人的侵犯。当时，约翰·洛克提出法律不是限制自由，而更多的是保护或扩大自由，他表达的就是这个意思。同样，政府应当被限制在一个"最小化"的角色上，其作用实际上就在于维持国内秩序和维护个人安全。由此，消极自由的倡导者通常都主张最小（最低限度）的国家，同情自由放纵的资本主义。当然，这并不是说，表现为经济监管或社会福利的国家干预从来就不可能被证明是合理的，而只是说，从自由的角度，它不能获得辩护。换句话说，从消极的角度看待自由的理论家总是意识到，在平等和社会公正一方与个人的自由一方之间，存在着某种权衡。

244

以赛亚·伯林

英国观念史学家和哲学家。他生于拉脱维亚的首都里加，在圣彼得堡长大，于1921年来到英国。在20世纪30年代，他成为牛津哲学家圈里的一员，这个圈子里的成员有艾尔（A. J. Ayer）、斯图亚特·汉普希尔（Stuart Hampshire）和约翰·奥斯汀，这些人以强烈支持经验主义而闻名。

伯林阐发了一种自由主义的多元论，该学说受到了反启蒙思想家如维科（Giambattista Vico，1668—1744）、赫尔德（Herder，1744—1803）和赫尔岑（Herzen，1812—1870）等的影响。伯林认为，启蒙思想的核心缺陷在于它的一元论，他把这一缺陷追溯到柏拉图身上。在伯林看来，既然道德信仰不易受理性分析的影响，那么世界上必然存在着数量不等的价值，而这些价值往往互不适应，不可调和。概而言之，人们总是不能就人生的终极目的达成一致。这促使他发出警告，要人们警惕把"积极自由"只理解为自我主宰或自我实现的危险。积极自由可以被用来勾画理性决定的人类未来所潜藏的极权主义图景，被理解为"不干预"的消极自由则是自由选择和个人独立的最佳保证。伯林的名著有《扭曲的人性之材》(1959)、《自由四论》(1969) 与《反潮流》(1979)。

消极自由这一概念常被说成是一种"选择的自由"。例如，在米尔顿·弗里德曼的《资本主义与自由》(1962) 一书中，"经济自由"包含市场的选择自由——是消费者选择买什么的自由、工人选择工作和职业的自由、生产商选择生产什么及雇用谁的自由。在弗里德曼看来，这种必不可少的自由只有在自由市场的资本主义经济中才能找到。在资本主义市场经济中，"自由"实际上意味着不受政府干预。"选择"对自由理论家的吸引力在于，它突出了个人自由的一个重要方面。选择意味着个人从众多备选项中做出自愿的、不受阻碍的挑选。由此，有理由认定一种选择反映了一个人的偏好、欲求或需求。简而言之，要不然，他们会另有所为——如果他们愿意的话。比方说，当工人选择一个工作而非另一个工作时，这当然表明，这一工作最能满足这个工人的偏好和利益。然而，如果自由反映在选择的行使中，那么，供人备选的选择必须是理性的选择。在现实中，可以被认作"理性"选择的选择可能难以确立。例如，在高失业率期间，或者说，当最容易获得的工作报酬低廉时，有可能把工人的工作选择当作一种自愿、自主的行动吗？事实上，经典马克思主义者认为，既然工人们没有其他谋生的手段，最好把他们当作"工资的奴隶"——不工作最有可能带来的是贫困和匮乏。

从消极的角度看待自由，可把它视为不受外来干预，这就把自由同隐私概念密切联系在一起。在西方社会，隐私是一条深受尊重的原则，它被许多人当作一种核心的自由—民主价值。隐私表明了"私人"或个人生存领域与某种"公共"世界之间是有区别的。消极自由的倡导者往往把这个大抵由家庭和个人关系所构成的私人生活领域当作一个人在其中能"成为他自己"的领域。这是一个人应当被放任去如其所愿地做事、说话和思考的场合。在这个意义上，对一个人隐私的任何侵扰都是对其自由的侵犯。显然，珍视消极自由是对"私人"甚于"公共"的一种偏护，它希望以牺牲后者为代价去扩大前者的范围。例如，对消极自由的执着可以为那种认为教育、艺术、社会福利及经济生活应该是彻底"私人的"，且应留给个人如其所愿地去决定的看法提供了基础。然而，另一种完全不同的政治思想传统却并不认为公共生活是一个充满责任和不自由的领域，而是把它看作一个促进合作、利他行为和社会团结的领域。由此看来，人们对于隐私的要求只是反映了从社会责任转向孤立、隔绝和自私自利的一种逃避。

最后，消极自由观念深深根植于对人类个体尤其是人类理性的信奉之上。摆脱干涉、强制乃至指导，个体就能够自主地做出决定和规划自己的生活。正如边沁所言，其结果将是最大多数人的最大幸福，就因为个人是确定自身利益的唯一可信赖的人。无论其主观动机多么善良，任何家长式的做法都是对个人的自我生活责任的剥夺，都会侵犯个人的自由。当然，这并不是说，听任个体自行其是，对之不加干涉，个人就不会犯智力上或道德上的错误，而只是说，如果他们处于从错误中吸取教训的状态，他们就会有更好的机会去发展和成就为一个人。简而言之，道德从来都不是说教和强加的结果，它只能从自愿的行动中产生。与此针锋相对的是，消极自由的反对者们则提出，消极自由无异于所谓的"自由到死"。这一思路引出了一种对立的、"积极"的 *246* 自由概念。

积极自由

如前所述，同消极自由一样，积极自由存在着两种理解。在伯林看来，"成为自己的主人"构成了积极自由。由此，积极自由等同于民主政治，一群人如果是自我治理，那么就可以说它是自由的；反之，则可以说它是不自由的。可见，自由关涉的问题是"我被谁管制"，而不是"我在多大程度上被管制"。事实上，一群给自己施加众多限制性法律的民众可能是积极自由的，也可能是消极不自由的。不过，从另一种意义上说，积极自由同自我实现和个人发展的理念相关。如果自由被比作人类行动和实现自我的能力，那么这种自由概念则更多地同物质或经济资源的分配相关。该自由概念常常被视为消极自由的对立面，因为它并不是为国家权力的收缩辩护，相反，它更多地同福利事业和国家干预联系在一起。由此，自由概念涵盖了一系列政治含义不同、有时甚至是相互对立的理论和原则。实际上，就自由代表了高效运作的权力、自我实现、自我做主或自主、道义上或"内在"的自由而言，自由可以是积极的。

对消极自由最早的批判是由 19 世纪后期的现代自由主义者发起的，他们发现，越来越难以为工业资本主义的极度不公正辩护了。资本主义扫除了封建义务和法律限制，但依然让广大的劳动人民遭受着贫困、失业和病痛。自然地，这些社会境况完全像法律和其他社会控制一样限制着自由。在这种争论的背后包含着一种完全不同的自由概念，它可以追溯到穆勒的观念上。虽然穆勒看似认可消极的自由概念，认为个人对自己的身心拥有绝对的控制权，但他又声称，自由的目的是鼓励个性的实现。"个性"是指每个人的个体独特性，这就意味着自由将代表个人的成长或自我的发展。在最早公开倡导"积极"自由概念的现代自由主义者中，英国哲学家格林是其中的一位。他把自由定义为人们最大限度地成就自己的能力。自由所包含的并不仅仅是放纵自流，它还在于拥有行动的有效能力，它能够把注意力转向提供给每个人都可利用的机会上。这是一种新的自由形态，包括布赖恩·古尔德（Bryan Gould，1985）和罗伊·哈特斯利（Roy Hattersley，1985）在内的现代社会民主主义者都热切地采用了它。

在现代自由主义者和社会民主主义者的手中，这种自由概念为社会福利提供了辩护。换句话说，福利国家通过授予个人权力，同时使他们免受"社会之恶"（包括失业、无家可归、贫困、无知、疾病等摧毁他们生活的社会现象）的伤害，从而扩大了自由。不过，把自由定义为一种有效的能力并不全盘抛弃消极自由。所有的自由主义者——即便是现代自由主义者——更喜欢个人自我决策，由此来拓展个人责任的范围。因而，只有在"需要为个人提供自助机会"时，国家才去发挥扩展自由的职责。一旦社会的不利因素和苦难消除了，公民就应该独自承担起自己生活的责任。尽管如此，这种积极自由的学说还是遭到了严厉的批评。例如，有些评论家把它视为一种语言使用上的混乱。个体性、个人的成长和自我发展或许都是自由的后果，但它们并不是自由本身。换句话说，自由在这里被错误地当成了"权力"或"机会"。此外，其他的批评者（尤其是新右翼中的批评者）则认为，这一学说引发了一种新的奴役形式，因为它通过对国家权力的扩张辩护而剥夺了个人对自身经济和社会处境的支配力。这种批评将在与福利有关的第十章详加讨论。

自由同样被说成是一种自我实现和自我满足的形式。这种意义上的自由是积极的自由，因为它建立在欲望-满足或需求-实现之上。例如，社会主义者在传统上一直以这种方式来表述自由，他们把自由视为一个人"真实"本性的实现。举例说，卡尔·马克思就把本真的自由领域描述成"人类潜能的自我发展"。马克思认为，这种潜能只能通过创造性的劳动经验以及与他人一起工作以满足我们自身的需要来实现。由此看来，鲁滨孙·克鲁索享受到了最大限度的消极自由（在岛上无人可以制约和限制他），但他是一个不健全、不自由的个体，因为他被剥夺了人由以自我实现的社会关系。这一自由观念在马克思的"异化"概念中得到了清晰的反映。在资本主义制度下，劳动者被降格成了商品，被非人格化的市场力量所控制和塑造。在马克思看来，资本主义下的工人深受"异化"之苦，他们从自身的天性或本性中被分离开来：他们被自身所生产的产品所异化，被生产过程本身所异化，被人类同类所异化，最终，被他们"真实的"自我所异化。因而，自由同个人的满足联系在一起，而这种满足只有非异化的劳动才能够带来。

然而，这种积极自由的概念同被扩大的国家责任之间并没有必然的联系。事实上，这种形式的自由可以同某种形式的消极自由完美地结合起来：消除外部限制或许是获得自我实现的必要条件。例如，在无政府主义下，要求废除一切形式的政治权威的呼吁是从极其消极的角度来理解自由的，但随之而来的对合作和社会团结的信奉同样赋予了它相当积极的特性。对马克思来说，未被异化的劳动只有在无阶级的共产主义社会才有可能，在这种社会中，国家连同一切形式的政治权威都"消失"了。可是，消极自由的倡导者则可能坚决反对这种或那种的积极自由概念。这些消极自由概念把某种人性的模式施加到个人身上（在此，可以假定为合群而合作的行为），它们根本就不容许人们去寻求自我的实现——无论他们选择何种方式。

现代自由主义思想

现代自由主义是自由主义意识形态中的一个分支传统，它兴起于19世纪晚期，在20世纪很长一段时间里统领了整个自由主义思想。基于工业化的进一步发展不仅为所有人带来了普遍繁荣和自由，同时也带来了城市贫困的蔓延和不断增长的阶级差别，现代自由主义致力于对早期或古典自由主义的思想观念予以修正。

现代自由主义思想一个最基本的特点是：抛弃了古典自由主义对最低限度的或"守夜人"国家的强调，而对国家干预持一种更赞同的态度。这一转向通过对人性的重新评估而获得了理论上的支持。相比于古典自由主义者，现代自由主义者更愿意用利己主义来平衡社会责任，它看重的不是对财富的追求和物质满足，而是个人智力、道德乃至于审美的发展。这样一种思想通常是通过一种更宽泛而"积极"的自由观表达出来的。自由并不意味着个人应当严格基于其才能和工作意愿而在社会中沉浮，而是越来越等同于人类的繁荣和个人潜能的实现。由此，这恰好就证明了经济和社会干预的合理性。社会干预的目的是确保个人免遭各种社会弊端（包括疾病、贫困、无知和脏乱环境等）的侵扰，要不然，它们会妨碍个人的生存。经济干预的目的是修复自由放任的资本主义所带来的不平等和不均衡发展，尤其是长期失业问题。不过，现代自由主义者对集体供给和国家干预的支持始终是有条件的。从根本上说，现代自由主义的目标是助人自助。这意味着把弱势和脆弱群体托举到他们再度能够进行自我道德选择即可。

现代自由主义者总是用心尽力去指出，他们建基于而非背叛古典自由主义。因此，现代自由主义者并不那么主张用积极自由来取代消极自由，因为他们赞同：采用何种自由都要更适用于其所处的环境。同样地，他们主张经济监管，并不是为了替代市场资本主义，而是为了让市场资本主义运转得更高效。然而，从古典自由主义的角度看，现代自由主义已经抛弃了个人主义，转而接纳集体主义，它实际上同自由主义意识形态的决定性主题相背离。而且，相比于古典自由主义具有鲜明的理论一致性，现代自由主义则蕴含着意识形态和理论上的张力。从好的方面说，现代自由主义应该代表了"新""旧"自由主义之间的一种联姻，它吸收了每一种自由主义传统的优点。而从坏的方面说，它或许只是造成了混淆和不连贯，这尤其表现在与国家的恰当作用的关系上。

代表人物

T. H. 格林　英国哲学家和社会理论家。格林关注早期自由主义学说尤其是自由放任说的局限性。他受到亚里士多德和黑格尔的影响，因而提出：人天然是社会的动物。这一立场促成自由主义与福利国家主义和社会正义达成和解。格林的积极自由观为英国所谓的"新"自由主义的出现奠定了基础。他的主要作品有《关于政治义务原理的演讲》（1879—1880）和《伦理学绪论》（1883）。

威廉·贝弗里奇（William Beveridge，1879—1963）　英国经济学家和社会改革家。贝弗里奇以《贝弗里奇报告》（1942）一书而闻名于世。该书奠定了英国福利国家扩张的基础。该书运用现代自由主义的观念，开启了对所谓"五巨兽"（贫困、疾病、无知、肮脏环境和无聊）的抨击，并明确承诺"从摇篮到坟墓"全程保护公民。贝弗里奇1944年的报告《自由社会的全面就业》认同凯恩斯主义在需求管理上的运用。

约翰·梅纳德·凯恩斯（1883—1946）　英国经济学家。凯恩斯的威望建立在他对《凡尔赛和约》的批判上，这一批判概述于《和平的经济后果》（1919）一书中。他的主要著作《就业、利息和货币通论》（[1936] 1965）极大地脱离了新古典经济学理论，并经过长久探索，建立起了现在被称为宏观经济学的学科。他对自由放任原则提出挑战，从而为需求管理政策提供了学理基础。这一政策在二战后为广大西方政府所采用。

约翰·肯尼斯·加尔布雷思　加拿大经济学家、社会理论家和政治评论家。加尔布雷思是凯恩斯经济学的最重要的阐释者，理所当然也是其最富创造性的倡导者。在《富裕社会》（1962）一书中，他凸显了私人的富裕与公共的脏乱之间的强烈反差，并且认为：经济资源经常被挥霍而用来满足极不重要的种种需求。《新工业国》（1967）一书对美国的公司权力提出了一种尖锐的批判。加尔布雷思的其他重要著作有《美国资本主义：抗衡力量的概念》（1952）。

积极自由的最后一个概念把自由观念同个人自主及民主的观念联系在一起。这在卢梭的著述中鲜明地体现出来了。在《社会契约论》（[1762] 1969）中，卢梭把自由说成是"（个人）对自己订立的法令的服从"。在卢梭看来，自由意味着自我决断，即控制和左右自身命运的能力。换句话说，公民只有在他们直接而持续地参与到共同体生活的塑造中去时，才是"自由的"。这正是伯林所说的"积极自由"和康斯坦特所指的"古代人的自由"的本质所在。不过，这两个人都认为，从现代消极的意义上说，这一自由概念对个人独立和公民自由是一种严重的威胁——尽管某些共和主义理论家试图揭示出消极自由与积极自由之外的另一种自由，这种自由把自由看作非压迫性的，有时就被看作"共和主义的自由"。

对卢梭来说，自由最终意味着对公共意志（实际上，是共同体的公共利益）的服从。在这个意义上，卢梭把公共意志当成了每一个公民的"本真的"意志，它是同他们"私人的"或自私的意愿相对的。因而，公民服从公共意志无非就是服从他们自己的"本性"。由此得出的结论是：那些拒绝服从公共意志因而也否弃自己"本真"意志的人，应当被社会共同体强制去服从公共意志，去执守自己的意志。用卢梭本人的话说，他们享有的应该是"被强迫的自由"。基于此，卢梭把自我区分为"高级自我"与"低级自我"，并且把自由定义为道德的或"内在"的自由：一种从无知、自私、贪婪等内在束缚中摆脱出来的自由。然而，如果公民可以是"被迫自由的"，那么他们就不再能够自己决定什么是自由的，什么是不自由的。任何"内在的"或"高级的"自由观念的危险在于，它把自由的界定权放在了另一个人的手中。这种自由观念最荒谬地表现在法西斯主义的理论中，这种理论把社会共同体说成是一个不可分割的有机整体，其利益由一位全权、全能的独裁者来表述。在此种情形下，所谓"真正的"自由只会意味着对领袖意志的绝对服从。

宽容

有关个人自由适度范围的辩论通常围绕宽容概念来展开。究竟我们该在何种程度上宽容我们邻居的行为？如果我们真要限制他们所做、所思和所说，在何时我们的这种限制可以被证明是合法、合理的？同理，社会应当去容忍什么样的行为、观点和信仰呢？宽容既是一个伦理理念，也是一条社会准则。一方面，它体现了个人自主的目标，而另一方面又确立了一整套有关人们彼此间应该如何交往的规则。不过，在任何情况下，宽容都绝不简单地意味着容许人们为所欲为或恣意妄为。宽容是一条很复杂的准则，其含义通常同"放纵"和"冷漠"等相关术语相混淆。然而，如同自由，宽容的价值往往被理所当然地接受下来，它几乎被看作一大"善事"。那么，到底应该宽容什么样的事情？宽容会给社会或个人带来什么好处或利益？当然，不管怎样，宽容很少被人看作一种绝对的理念：在某个方面，必须严格区分出哪些是可接受的行为和观点、哪些是"不可容忍"的行为和观点。宽容的限度是什么？界限应当如何划定？

宽容与差异

在日常用语中，宽容或宽容的品质通常被理解为一种"放纵"或"听任"的意愿，而不含有对这种立场背后的动机的反思。实际上，从这个角度看，宽容意味着不作为、拒绝干涉或"忍受"某一事情的意愿。可是，真正的宽容指的是某一特定的不作为形式，它建立在道德理性和具体情境之上。特别是，宽容必须同放纵、全然不在乎及有意的纵容区分开来。例如，家长一味忽视他（或她）的孩子不守规矩的行为，过路的行人对抢劫的强盗视而不见，这样的家长或行人都不能说是在表示"宽容"。

宽容一直同自由主义传统密切相关——即便它从社会主义者和某些保守主义者那里获得过支持。宽容意味着拒绝干涉、限制或制约他人的行为或信仰。尽管相关的行为和信仰确实不被认同或简直令人生厌，但这种"不干涉"仍然是存在的。换句话讲，宽容在道德上不是中立的。在这种意义上，宽容是一种容忍：显然有权力或能力把自己的观点强加于人却又有意不去这么做，这时就存在着宽容。忍受本来就不可改变的事情显然不是宽容。例如，把一个奴隶说成是对自己受奴役的宽容（就因为他选择不去反抗）是很荒谬的。类似地，受虐的妻子出于恐惧而死守在暴虐的丈夫身边，这也很难说，她是在宽容他的行为。

虽然宽容意味着容忍，拒绝把自己的意志强加于人，但它并不简单地意味着不干涉。做出道德评判为对他人施加影响提供了契机——当然，这种影响要采取理性劝服的方式。比方说，"准许"一个人吸烟与"宽容"他们吸烟之间无疑是有区别的。在后一种情形下，吸烟不被人赞同或令人厌恶这一事实也许就已表达出来，同时也做出过劝人停止吸烟乃至戒烟的努力。然而，宽容要求劝服的形式被限定为理性的论证和论争，因为一旦施加了某种代价或惩罚——哪怕表现为社交排斥，此种劝服行为就要受到限制。譬如，如果劝服可能会导致吸烟者失去友谊或职业前景，或者，如果吸烟者只能在限定的地方吸烟，那么就很难说吸烟行为是被宽容了。事实上，更准确地说，这些劝服恰恰是不宽容行为的例子。

显然，不宽容指的是拒绝接受他人的行为、观点或看法。不宽容不仅包括道德上的不赞同或纯粹的反感，还包括某种强制某人的企图。然而，毫无疑问，不宽容这一术语还包含轻蔑、贬损之意。"宽容"（指宽容的品质）通常被认为是值得赞赏乃至开明的——一个宽容的人是有耐心的、宽宏大量的、达观的，而"不宽容"则意味着对他人的观点或行为无理（不能证明自身的正当性）的反对，而且，随之而来的是固执和赤裸裸的偏见。"不宽容"表现为对那些本该宽容的事物的反对。由此，那些基于种族、肤色、宗教信仰、性别或性偏好而歧视人的法律通常被说成是不宽容的。因而，产生于南非的种族隔离制度显然是种族不宽容的一个范例；在某些国家，把着装礼法强加于妇女，并把她们排斥在职业与公共生活之外，则可以被说成是一种性别不宽容。然而，还有一层意思是，不宽容可能意味着软弱，或者说道德勇气的缺乏。如果一件事情是"错"的，那当然应该被制止。宽容的这一方面可以从"不可容忍"这个词中表达出来，意思是说，某事再也不应该——实际上，再也不可能——被接受了。简而言之，没有任何理由去宽容不可容忍的事情。因此，在某种情形下，不宽容不仅可能证明是合理和正当的，它甚至变成了一种道德责任。

然而，自 20 世纪末以来，某些政治思想家大大突破了自由主义的宽容限度，认可了更为激进的差异观。在认可多样性的形式上，差异比宽容走得更远，因为它是建立在道德中立的观点之上的。自由主义者在传统上一直试图揭示出一套基本的价值观，它容许个人自主与政治秩序并存；而现代多元主义思想家则更多地致力于营造出一种让不同道德和物质取向的人在其中和平互惠地相处的环境。上述差异观建立在如下一种看法上，即价值观的冲突是人生所固有的。这一看法在以赛亚·伯林的著作中获得了强有力的表达。简而言之，人们对人生终极目的看法肯定是有分歧的。多元主义的立场表现为以下两种形式。一种形式是接受道德相对主义，即认为没有绝对的价值观或标准，道德不过是每个人对自身的个人评判问题。从这个角度看，同性恋、吸烟、堕胎乃至妇女着装标准在道德上都可以被视为正确的，因为是人们自由选择的行为导致了这样的结果。另一种立场则把广大的生活领域视为道德中立的。在这种情况下，接受同性恋、吸烟、堕胎以及妇女着装标准只不过是反映出这样一个看法，上述这些做法在道德上毫无过错可言，因为它们并不是道德评判应该管的事情。由此可见，差异政治指的是约翰·格雷（John Gray，1996）所谓的"后自由主义"立场。在这种立场下，自由主义的价值观、体制与机制不再享有对合法性的绝对垄断权。这使得以"不自由""不宽容"为由而阻碍或禁止某些看法和想法的企图大为削弱。

为宽容辩护

可以说，宽容是西方文化的核心价值之一，甚至是它的一大判决性价值。确实，人们通常认为，人类和社会的进程是与宽容的进展联系在一起的；不宽容大抵是"落后的"。举例来说，人们普遍认为，当西方社会取消了对宗教信仰的限制，不再把妇女限定在从属的社会角色上，并尽力地反对种族歧视与偏见时，它们在整个人际关系上变得更加"开明"了。随着宽容的气氛从宗教领域拓展到道德和政治生活中，通常被认作个人自由的领域也得以扩大了。那些巩固了自由民主主义政治制度的公民自由——言论自由、结社自由、宗教信仰自由等——被人们所珍视；实际上，所有这些自由都是宽容的保障。此外，尽管不可能用立法的手段来消除业已存在的固执和偏见，但法律还是不断地被用来扩大宽容的范围而不是去限制它，这尤其体现在对基于种族、宗教、性别和性偏好而产生的歧视予以禁止的立法中。然而，这并没有揭示出，为什么宽容一开始就会受到如此高度的关注。

为宽容的辩护最早出现在16—17世纪的宗教改革运动中，当时，日益兴起的新教挑战罗马教皇的权威及天主教国教会。新教宣扬"个人拯救"这一新的激进教义，产生出一种强烈的宗教异端传统，这在诸如约翰·弥尔顿（John Milton，1608—1674）和约翰·洛克等著作家的论著中都有所反映。在《论宽容》（[1689]1963）中，洛克为支持宽容提出了许多论据。例如，他提出，由于国家的正当职能是保护生命、自由和财产，因而它没有权利插手"人们灵魂的守护"。不过，洛克的基本论据是建立在人类理性的信奉之上的。"真理"只能出自思想和观念的自由竞争，因而必须让其"自己独自谋生（自立）"。宗教真理只能由个人自己确立，它不能被教授，也不应当为政府所强加。实际上，洛克指出，即便宗教真理能够被理解，它们也不应当被强加于宗教异端（不顺从国教的新教徒），因为宗教信仰终究是个人信仰的问题。

洛克的上述论点等于是对隐私所做辩护的重述，它为自由民主主义广为接受，在自由民主主义中，区分公共生活和私人生活被认为是至关重要的。应该把宽容扩展到所有被认为是"隐私"的问题上，因为像宗教这样的问题，它们纯属个人信仰而不是天启的真理。因而，很多人都认为，道德问题应当留给个人去决断，因为没有一个政府可以去界定所谓的"真理"；即便有，它们也没有权利把真理强加于公民身上。然而，在社会利益关乎所有人的"公共"事务中，则会有明确的理由去限制宽容。例如，洛克无意要将宽容的原则扩展到罗马天主教徒身上，因为在他看来，既然他们已经宣誓效忠了一个外国教皇，那么他们对国家主权就是一个威胁。

也许，对宽容最有名的捍卫出现在 19 世纪约翰·斯图亚特·穆勒的《论自由》（[1859] 1972）一书中。在穆勒看来，无论对个人还是对社会，宽容具有极为根本的重要性。洛克对宽容本身初步提出了一种鲜明的辩护，而穆勒则把宽容看作无非是个人解放的一个方面。穆勒对宽容所做辩护的核心在于，个人是自主的行为体，他们自由地对自己的生命和周边环境行使着至上的控制权。在他看来，自主是任何形式的个人或道德发展的基本条件；因而，可以推断出，限制个人选择范围的不宽容只能贬损和腐蚀个人。为此，穆勒尤其担心不断蔓延的民主和他所谓的"习俗的专制"对自主构成的威胁。对个人自由最大的威胁并不在于正式的法律所强加的限制，而是公共舆论在一个多数主义[①]时代的影响。穆勒担心"习俗的智慧"会导致无聊的一致同意，并助长个人使自己的理性能力屈从于时代流行的偏见。结果是，穆勒大力张扬个性乃至特立独行。

在穆勒看来，宽容不仅对于个人至关重要，而且还是社会和谐进步的重要条件，宽容给任何一个均衡而健康的社会提供必需的支持。和其他自由主义者一道，穆勒赞同经验主义的知识论，该理论指出，"真理"只会产生于持续不断的争论、讨论或论辩。如果社会要进步，那么，好的观念就得替代坏的观念，真理就得战胜谬论——这就是文化和政治的多样化品性。它确保所有的理论都会在相互对立的观念和学说的自由竞争中得到"检验"。而且，这个过程必须是强烈而持续不断的，因为没有所谓终极或绝对的真理可以确立。即使是民主选举也提供不了建立真理的可靠方法，因为正如穆勒所认为的，大多数人可能是错的。所以，一个社会的知识发展和道德健康要求严格认真地维护着宽容的存在。穆勒突出地表达了这一思想，他坚决认为，如果整个社会的所有人（除了某一个人）都持有同一种意见，那么，相比于单个人将他（或她）的看法强加于整个社会（是不可取的），这个社会的所有人并没有更多的权利将他们的看法强加于单个人。

约翰·洛克

255

英国哲学家和政治学家。洛克出生于英格兰的萨默塞特，在成为安东尼·爱舍

---

① 即主张在团体内实行多数说了算的原则。——译者注

利·库珀（首位沙夫茨伯里伯爵）的秘书之前，他曾在牛津大学学习医学。他的政治主张是在英国革命的背景下形成的，并深受其影响。

洛克是专制主义的坚定反对者，他通常被说成是 1688 年"光荣革命"的哲学家，而"光荣革命"在英国确立了君主立宪制。他同时也被看作一位早期自由主义的重要思想家。他的《政府论》（［1690］1965）一书运用社会契约论强调了自然权利的重要性——自然权利被确认为"生命、自由和财产"的权利。由于政府的目的就是保护这些权利，政府就应该受到限制，应当是代议制的。然而，他赋予财产权的优先性又使得他无法认同现代意义上的政治平等或民主。基于统治者总是不能确定宗教的意义所在，洛克的《论宽容》（［1689］1963）为宗教良知进行了辩护。但他同时容许的是，如果宗教威胁到秩序，这样的宗教（宽容）就应该受到限制。正如他所断言的，这意味着不能把宽容扩展到无神论者或者罗马天主教徒身上。

宽容的限度

尽管在西方社会，宽容被广泛地认作一种文明的素质，但它很少被认为是一种绝对的美德。应当对宽容加以限制，就因为它可能会"过度"；特别是当宽容同被滥用或是伤害性的行为联系在一起时，限制宽容的必要性就显得尤为突出。例如，没有人会提倡，宽容应该延伸到——按穆勒的话说——对他人有伤害的行为上。不过，人们所思、所说还可能是所写会提出一些极为棘手的问题。其中有一个观点通常涉及自由主义传统，它指出，人们想的以及他们所说的话完全是他们自己的事。毕竟，话语是不会伤害人的。干涉意识的自由或表达的自由就是对个人自主性的侵犯。而与此同时，人们也许会认为，如果不对人们所能够说的和所能够信奉的东西予以限制，就有可能危及个人和社会。例如，宽容本身就可能需要得到保护，以免遭受不宽容的观点和意见的侵犯。除此之外，从话语可能制造焦虑、惊恐或冒犯的意义上讲，或者基于话语可能助长攻击性或破坏性的行为，话语本身就具有伤害性。

256　　政治宽容通常被视作实现自由和民主的必要条件。政治多元主义以及所有政治哲学、意识形态和价值观不受约束地表达，都确保了个人可以在一个完全自由的"观念市场"内去阐发自己的见解，也保障了政党可以在同一水平的竞技场中比拼实力。然而，宽容是否应该扩展到不宽容之物（或人）上？一个抛弃政治多元主义的政党、（或者说，如果当选执政的话）一个取缔其他政党并压制公开辩论的政党，是否应该被允许合法地执政呢？取缔此类政党的基础当然是，宽容（的待遇）不会被自动给予，而只能去赢得。从这个意义上说，所有的道德价值观都是相互的，唯有宽容者才值得被宽容，只有那些接受民主的游戏规则的政党才有权利参与竞争。不理解这一点的危险已被希特勒和德国纳粹这一实例鲜明地印证了。1923 年的慕尼黑政变虽然失败了，但纳粹党被允许合法运行，并在 1933 年被成功地推选上台执政。然而，在当政后几周内它就放弃了对民主的伪装。当时，纳粹首先做的是去构建最终成为纳粹一党专政的独裁体制。

但反过来说，取缔政党或压制政治意见的表达——乃至是出于捍卫宽容——自身可能带来弊端。为了宽容而不宽容，这当然难以理喻，也许是不可能的。首先，任何政治上的不宽容都会导致以维护国家利益为借口对持不同政见者的政治迫害①，滋长出猜忌和妄想狂、偏执狂充斥的气氛。通常认为，因执拗的、带有侮辱性或攻击性的言论表达而取缔政党，这无益于战胜这样的政党；而只是迫使它们转为地下，实际上助长了它们的发展。不宽容不能靠不宽容来战胜；对不宽容最好的解决方式是让不宽容遭受批评，并在论辩中战胜它。这一观点的核心在于，相信人类理性的力量：如果竞争是公平的，好的观念就会驱逐不好的观念。但问题是，如同魏玛德国的历史所表明的那样，在经济危机和政治动乱期间，"坏"的观念可能拥有惊人的能量。

书报检查的问题提出了类似有关宽容的限度的问题。传统的自由主义立场是，个人阅读什么或观看什么，个人如何过自己的日子，如何处理性关系，完全是个人自己的事。它们不对任何人——只要你能接受同性恋——或社会造成危害。不过，其他人则认为，宽容无非是容忍错误的权利。而仅仅对不道德不认同并不是同罪恶做斗争。譬如，在美国，自 20 世纪 80 年代起，像"道德多数"（Moral Majority）这样的组织和越来越多的新保守主义批评者就提出了这样的观点。他们警告说，一个不是由共有的文化和共享的信仰维系起来的社会可能面临着腐败和解体的前景。不过，这一立场是以假定存在着一种能区分"对"与"错"的权威的道德体系为基础的。而在缺乏对"恶"予以客观定义的情况下，社会就没法把个人从道德腐败中拯救出来。

最后还有一种赞成书报检查的观点，它建立在认为人们所读、所听或所想的有可能左右他们的社会行为的看法之上。譬如，在色情问题上，关注妇女受暴力侵犯的女权主义团体同支持所谓"新清教"的新保守主义者结成了本来不太可能结成的联盟。两个团体都认为，报纸、电视和电影对妇女贬损、败坏的描写促发了强奸及其他侵犯妇女罪的数量的增加。长期以来，意见表达与社会行为之间的这种关联一直被种族主义所承认。在英国和其他许多自由民主政体，煽动种族仇恨被认定为非法的，因为它

---

① witch-hunt，原意指"对行巫者的搜捕"，即旧时基督教教会和政府官员为处死行巫者而联合进行的搜捕行动。——译者注

助长了种族主义的攻击，或至少使之合法化，进而在少数民族共同体内制造出真正恐慌的气氛来。然而，与公开号召攻击少数民族群体的种族主义文学作品不同的是，媒体、广告和整个流行文化中对妇女的描绘和男性的虐待或犯罪行为之间的关联也许不易被人认出来。后者运作的过程在很大程度上是潜在的和无意识的，也难以受到经验研究的影响。

保守主义

作为对经济、政治变化不断加速（从多方面看，这是以法国革命为代表）的一种反应，保守主义观念和信条最早出现在 18 世纪末 19 世纪初。可是，保守主义思想内部一开始就出现了极为明显的分化。在欧洲大陆，威权主义和反动的保守主义形态得到了发展，它们拒绝接受任何变革的主张。与此同时，在英国和美国出现了一种更灵活最终也更为成功的保守主义形态，它谨慎地接受了某种"自然的"变化，或者说，"为保守（某种东西）而（做出某种）改变"。这种立场使得 19 世纪末期以来的保守主义者在家长制和社会职责名义之下拥护社会改革事业。不过，自 20 世纪 70 年代以来，作为新右翼发展的一个结果，这些保守主义新观念承受着越来越大的压力。

保守主义者对成型的理论和抽象的原则（其他政治思想传统恰恰以此为特征）通常表现出不信任的态度，他们更愿意相信传统、历史和经验。保守主义思想中有一个经久不衰的看法，那就是：社会被看作一个靠共享的价值观和信仰来维系道德共同体，而且，它是作为一个有机的整体发挥作用的。这一看法促使保守主义者极力倡导强有力的政府并严格执行法律和维护秩序；但与此同时，出于对专制主义的防范，他们往往又坚决主张有一套制衡的宪法。虽然传统的保守主义者始终是私有财产的坚定捍卫者，但在国家与个人之间的关系上，他们一般还是倡导一种非意识形态的实用主义态度。相对于美国的保守主义推崇有限政府的倾向，家长式统治传统（在英国表现为"一国保守主义"，在欧洲大陆表现为"基督教民主主义"）则同现代自由主义和社会民主主义中的福利主义和国家干预主义信念更为接近。新右翼包容了两种彼此区分——还有人会认为，是相互对立——的传统。自由主义新右翼或"新"自由主义（neo-liberalism）充分借鉴了古典自由主义，因而在私有企业、自由市场和个人责任的名义下，主张收缩国家的"边界"。"新"自由主义通常被看成是自由至上主义传统的一种表现。保守的新右翼或新保守主义突出强调社会的深度脆弱性，并提出要警惕自由主义和"进步"价值观的蔓延与道德和文化多样性的扩张。新保守主义者通常会呼吁恢复权威和社会纪律，强化传统价值观和国家认同。

保守主义政治思想一直为人所诟病，人们把它等同于统治阶级的意识形态。保守主义政治思想公开主张有必要抵制变革，促使现状合法化；并且替统治集团或精英群体的利益辩护。其他的批评者则宣称，传统保守主义与新右翼之间的分歧太深，保守主义传统变得完全不融贯了。不过，在自我辩护中，保守主义者认为，他们只是揭示了有关人性和我们生活于其中的社会的某种亘古不变（如果谈不上合意）的真相。从道德和心智上说，人类并不完美，他们要寻求安稳，而这种安稳只有传统、权威和共享的文化才能提供。这一真相突出了人们在理论上"轻装前行"的智慧。比起自由、平等和正义这样的抽象原则来，经验和历史总能为政治理论提供更可靠的基础。

代表人物
259

托克维尔 法国政治家、政治理论家和历史学家。托克维尔对兴起的民主社会做了既爱又恨的双重描述，这一描述对保守主义和自由主义理论都产生了深远的影响。在其最重要的著作《论美国的民主》（[1835—1840]1954）中，他强调更大的机会平等和社会流动平等所带来的危险。他特别告诫人们，警惕传统的社会纽带和结构的销蚀带来原子化个人主义的膨胀。对于"多数人的暴政"（民主政体中公共意志或"公意"扼杀多样性和独立思考的趋向）为煽动性政治的兴起铺就道路的危险，他也发出过警告。

卡尔·施米特 德国法学和政治学理论家。施米特采用了可追溯到霍布斯而影响了数代保守主义理论家的政治现实主义。在《政治的概念》（1927）一书中，他抨击了"自由—中立主义"和"乌托邦"的政治观，他认为，政治生活的基本特征是敌友的区分，而政治冲突是一种不可改变的现实。在施米特看来，国家是关键性的机构，因为只有它能确保国内和平与秩序，同时保护公民免遭外敌入侵。

迈克尔·欧克肖特 英国政治哲学家。欧克肖特为保守的传统主义做出了重要贡献。他突出市民社团的重要性，坚决主张政治权能的有限性，进而阐发了一系列同自由主义思想密切相关的论题。基于保守主义的本能倾向是"取熟知，而弃未知；取确实可靠，而弃未经检验；取事实，而弃苦痛；取现实，而弃可能"，欧克肖特认同传统的价值观和既定的习俗，从而为非意识形态的政治类型提供了强有力的辩护。欧克肖特最有名的著作是《政治中的理性主义》（1962）和《论人类行为》（1975）。

欧文·克里斯托尔 美国新闻记者和社会评论员。克里斯托尔是美国新保守主义的主要倡导者之一。克里斯托尔是一个知识分子学术团体（该团体以《评论》和《公众利益》等杂志为中心）的成员。他在20世纪70年代放弃了自由主义，逐渐成为蔓延的福利主义和"反文化"运动的批判者。一方面，克里斯托尔认同有绝对支配地位的市场经济的必要性而激烈地反对社会主义，但同时又批判市场和道德上的自由至上主义。特别是，他捍卫家庭和宗教，把它们视为一个合乎体统的社会不可或缺的支柱。克里斯托尔最有名的著作有《两次为资本主义的喝彩》（1978）和《对一个新保守主义者的反思》（1983）。

身份

通俗意义上讲，身份是一种相对稳定和持久的自我意识。然而帕雷克（Parekh，2008）指出，个体的身份认同具有三重维度，或者说由三个不可分割的要素构成：个人的、社会的和人类的。从个人身份的角度来看，首先要把人视为个体。这意味着每个人都是独立的、独特的。如第二章所描述的，个人是由"内在的"（inner）特质和独有的属性来定义的，但这种观念颇具普遍意义，因为它意味着，作为个体的每个人都享有同等的地位，因此也有权获得同样的权利和机会。从社会身份的角度来看，人是由其所属的种族、宗教、文化、民族和其他群体的性质和特征所塑造的。在这种集体主义思想看来，身份是从社会经历和自我调适的过程中产生的，这也使得我们能够将社会群体当作各自独立的政治行为体来审视。从人类身份的角度来思考人类，就是要把人当作独特的物种成员来对待，关注同一物种中的成员所共有的品质和特性。"我们的身份根植于共同的人性"这一见解表明，人类共有的特征比任何可能导致他们分裂的个人或社会差异更重要。这是社会主义和世界主义的关键假设。

260   然而，自 20 世纪 70 年代以来，随着"身份政治"（identity politics）或更广泛的"差异政治"（politics of difference）的出现，人们对身份本质和作用的思考有了明显的进步。集体主义主张将社会群体视为拥有自身权利的实体，这种新思维认为个人"嵌入"（embedded）特定的文化、社会、制度或意识形态背景中，由此将个人与社会联系在一起。因此，"身份"一词承认的是人们如何看待自己是由社会和其他关系网塑造的，这些关系使其区别于他人，身份也因此而意味着差异；对差异性的认知提高或阐明了我们的身份意识。这种思路改变了我们对自由的理解，特别是将其与尊重、承认和真实性等观念联系起来。在热衷于身份政治的理论家中，女性主义者重在探讨性别的政治意义，而文化多元主义者则意在强调文化的政治意义。

身份与承认的政治

身份政治与边缘化、弱势或受压迫群体的进步有关。它不同于传统的社会进步路径，而是通过一种新颖的方式来处理此类问题。基于权利、再分配和承认的观念可划分为三种截然不同的方式。权利政治的概念在很大程度上源于自由主义，尽管它也被共和主义思想家所接受。从自由主义的角度来看，弱势往往意味着招致法律和政治意义上的排斥，被剥夺了同类公民所共享的权利。因此，自由主义者致力于普遍公民权原则，努力确保社会所有成员都享有同样的地位和权利。从这个意义上说，自由主义可以说是"差异盲从"（difference-blind）：它将差异视为"问题"（the problem，因为它会导致歧视或不公平待遇），并以平等为名主张消除或超越差异。因此，自由主义者认为，社会进步主要通过建立形式上的，尤其是法律和政治权利方面的平等，来保证人们在社会上享有同等的地位。因此，第一次女权主义浪潮具有鲜明的自由主义特征，妇女解放运动聚焦的是妇女在选举权以及教育、职业和公共生活方面的男女平等问题。南非的反种族隔离运动同样致力于争取普遍公民身份，因为它的目标是建立一个不分种族的民主制度，在这个制度中，所有基于人民的种族和族裔的限制都将被扫除。

关于再分配政治理念的争议源于社会主义思想，对此，民主社会主义者和马克思主义者提出了两种截然不同的政治理念。这一概念始自这样一种信念，即普遍公民的身份和形式上的平等本身不足以解决从属地位和边缘化问题。法律和政治上的缺位只是其次，更重要的是，诸如贫困、失业、住房差、缺乏教育等社会问题阻碍了人们的发展。套用理查德·托尼的话说，如果您付不起账单，那么拥有丽兹餐厅的用餐权也将毫无意义。从民主社会主义的角度来看，其中的关键思想是机会均等原则，即对"公平竞争环境"（level playing field）的信念，也就是说人们社会地位的升降严格地取决于个人能力或工作意愿。这意味着从法律上的平等主义转向社会平等主义，而后者涉及一种通过重新分配财富以达到减轻贫困、克服劣势目的的社会系统工程。在这种路径下，差异是公认的，因为它凸显了社会不公正的存在。然而，这仅仅是暂时承认差异，因为区分不同群体只是为了揭露不公平的做法和结构，从而对其加以改革或消除。而在马克思主义的相关论述中，这只能通过废除阶级制度和建立无阶级社会来实现。

身份政治是基于这样一种信念发展起来的：群体边缘化往往有其更深刻的渊源。受后殖民主义和黑人民族主义的影响，群体边缘化不仅被理解为法律、政治或社会现象，还被视为一种文化现象。主流群体形成的刻板印象和价值观决定了边缘化群体如何观照自我和被他人审视。因此，传统的身份观念灌输一种自卑感，甚至羞耻感，以强化边缘化群体的从属地位。从这个角度来看，平等主义在法律和社会形式上的价值都是有限的，甚至可能是问题的一部分，因为它掩盖了更深层次的文化边缘化问题。有鉴于此，那些把身份政治作为社会理论和政治实践取向的人，更倾向于强调差异而不是平等。这反映在承认的政治上，则表现为对文化差异的积极认可，甚至是鼓励，允许边缘化群体通过声张真正的文化认同感来维护自我。

根据查尔斯·泰勒的论述，承认政治是基于这样一种假设，即人类通过具有相同文化底蕴的人们互相构建起的价值观的"框架"或网络来理解世界。在此基础上，承认相当于一个政治文化自我主张的过程，通过重塑身份，赋予相关群体一种公开宣称的自豪感和自尊感，来打破从属地位，例如"黑人很漂亮""同性恋值得骄傲"等。因此，拥护和宣告积极的社会身份就成为一种蔑视或解放的行为，使人摆脱了由他人决定自己身份的权力。此外，它主张一种群体的团结，因为它鼓励人们去认同那些与其具有相同身份的人。然而，承认政治也招致了批判。首先，人们认为文化归属是一种被囚禁的形式，威胁到个体的自由和自我发展。阿玛蒂亚·森（Amartya Sen, 2006）对被其谓之为"孤独主义"（solitaristic）的理论进行了尤为持久的攻击，该理论认为人类身份由单一社会群体的成员构成。在这一点上，森认为，人们只认同自己的单一文化，拒不承认其他文化群体成员的权利和完整性，不仅会导致人类的"微型化"（miniaturization），还会增大冲突发生的可能性。进一步说，由于身份可以围绕诸如性别、性、文化、种族、宗教等原则进行重塑，在承认上可能会产生不一致的情况。这在妇女运动与父权文化群体间的紧张关系中表现得尤为明显。

性别与身份

自 20 世纪 70 年代末以来，女性主义愈加关注身份和认同问题，以至于第二次女性主义浪潮就被视为一种身份政治的形式。彼时在女权主义内部，围绕着女权主义究竟是对男女平等的追求还是对差异的承认产生了分歧。在传统意义上，女权主义与追求两性平等密切相关，或者说女权主义就是依照性别平等的诉求而定义的，无论这意味着实现平等权利（自由女权主义）、社会平等（社会主义女权主义）还是平等的个人权力（激进女权主义）。在广义上被称为平等的女权主义中，"差异"意味着压迫或从属；它强调了男性在法律、政治、社会或其他方面所享有的优势，但女性却无法享有。从这个意义上说，妇女必须从差异中解放出来。这种想法是基于这样一种信念：人基本上是雌雄同体的。不论男女，每个人都拥有父母的遗传基因，因而同时体现了女性和男性的特质。因此，不应以性别来评判男女，而应将其视为个体、视为"人"。从这个意义上说，性和性别之间有着非常明显的区别，性是指男性与女性之间的生物学差异，通常与生殖有关；这些差异是自然的，因此是不可改变的。而"性别"是一种社会建构，是文化而非自然的产物。性别差异通常经由对比"男性气质"和"女性气质"的刻板印象形成。正如西蒙·德·波伏娃所说："女人是被造就的，而不是天生（或生就）的。"

"性别是被社会建构出来"的观点最初用来驳斥生物决定论的思想。彼时大量反女权主义者秉持"基因决定命运"（biology is destiny）的观点，意指"女主内"（private）的家庭角色是女性生理构造的必然结果。但男女在身心体验上的迥异，或许也意味着性别差异有着更为深刻的根源。这种思路引发了所谓的"女权主义的立场"（standpoint feminism），即从女性经验的独特视角或"立场"（standpoint）来理解世界（Tickner，1992）。女权主义立场论者坚信政治生活边缘化的处境使得女性在社会及其他问题上有着独到的认知。尽管不一定比男性更为高见，但女性视角依然能为复杂的政治世界提供有价值的见解。除此以外，女权主义者还试图将男女之间的社会文化差异与更深层次的生理差异联系起来。因此，他们提供了关于性别的本质论解释，这种解释基于这样一个假设，即性别行为由男女的"本质"（essence）决定，与社会化无关。

然而，这种认为男女之间存在着根深蒂固且难以消除的差异的观念，在很大程度上影响了女权主义理论的发展，无论这种观念是否有着生物学、政治文化或者性心理学渊源。尤其是，它表明了传统的两性平等目标是错误的或者说根本就是不可取的。与男人平等的想法意味着女性是基于"男性认同"（male-identified）的，因为她们的目标是由"男人是什么或者男人拥有什么"定义的。因而，要求平等即意味着要像男人一样，比方说像在男性社会中的男人那般竞争、好胜。相比之下，差异女权主义者则认为女性应该基于"女性认同"（female-identified）——女性无须像所谓的无性别的"人"那般寻求解放，而应该以成熟丰盈的女性姿态去追逐自由、颂扬女性、肯定自我价值。从这个意义上说，正是借助差异，女性得以解放。

自20世纪90年代第三次女性主义浪潮以来，这种关注差异而非平等的思想进一步得以强化。早期的女性主义倾向于强调男女间的差异，而现代女性主义则更为关注女性间的不同。第三次女性主义浪潮试图以这种方式，纠正女权主义内部对发达社会中产阶级白人女性的意愿和经历的过分强调，从而让低收入妇女、发展中国家妇女和"有色人种女性"（women of colour）的声音得到更加有效的传播。黑人女权主义在这方面表现得尤为突出，它挑战了传统女权主义忽视种族差异和暗示妇女因性别而遭受普遍压迫的倾向。尤其是在美国，黑人女权主义将性别歧视和种族主义描述成相互联结的压迫体系，格外强调了有色人种女性所面临的性别、种族和贫穷困境。

264

文化与身份

20世纪70年代以来，多元文化论的出现深刻影响了有关文化与身份间关系的思考。多元文化论解释的是由现代社会的多元性（日益繁杂的公共多样性与身份差异性）所导致的政治、社会和文化问题。尽管这种多样性可能与年龄、社会阶层、性别或性征有关，但文化多元主义更多地体现在文化差异上。从广义上讲，文化是人类的生活方式，贯穿于人的信仰、价值观与实践之中。社会学家倾向于将"文化"和"自然"区别对待，前者涵盖了以学习而非生物遗传的方式代代相传的文化。因而，文化能够充分反映语言、宗教、传统、社会规范和道德原则。

从文化多元主义的角度来看，文化是政治和社会认同的基础，这一思想深受社群主义的影响。按照这种观点，人对自身文化的自豪之情，尤其是对文化身份的公开承认，会使其产生社会归属感、历史扎根感。相比之下，淡漠的、断裂的或"不实在"的（inauthentic）文化认同感则会让人感到孤立迷茫。最极端的情况下，这种思维可能导致"文化主义"（culturalism），即把人描绘成由文化形塑（而不仅仅是文化嵌入）的生物。这在孟德斯鸠、赫尔德等人的作品中表现得淋漓尽致。即便如此，文化多元主义的独特之处在于它认为文化多样性与政治凝聚力是兼容的，甚至前者还能为后者提供坚实的基础。因此，文化多元主义坚决否认多样性会带来冲突和不稳定性。各种形式的文化多元主义都是基于这样一个假设：多样性和统一性可以而且应该相互融合，它们不是对立的力量。对此，艾丽斯·马丽昂·扬用"求同存异"（togetherness in difference）的概念进行了总结。

然而，文化多元主义思想提供了调和"一致与多样"间矛盾关系的多样选择。文化多元主义的两个主要传统分别来自自由主义和多元主义，尽管也有一些理论家提及文化多元主义与世界主义的联系。自由主义下的文化多元主义强调一致的重要性，认为多样性可以且应该局限于私人领域，此时的公共领域实质上是一体化的融合领域。因此，个人在很大程度上拥有道德、文化和生活方式的选择，他们依靠共通的政治理念和市民忠诚团结起来，无须考虑他们的文化背景如何。然而，由于自由主义者支持的只是与自治、宽容原则相一致的信仰、价值观和社会实践，因此他们赞同"自由主义框架下的多样性"（diversity within a liberal framework）。另外，多元主义者的文化多元主义立足的是价值多元主义的理念，因此它可以接受自由、非自由甚至反自由的价值观和实践，这就为文化多样性理论提供了更坚实的基础。从这个意义上说，多元主义者反对"绝对"（absolutize）自由主义，赞同的是差异而不是宽容，这也与本章前面所讨论的二者区别一致。

然而，文化多元主义理论者所持有的文化概念并未受到广泛推崇。例如，社会学家常说，文化是流动的、不断演变的社会形态。相比之下，由于文化多元主义常用以捍卫传统的价值观念和实践，因而支撑文化多元主义的文化概念往往意在强调与过去的连续性，而不是适应新的或现代的思想。在极端情况下，文化被视为化石般的存在。除此以外，文化的流动性通常源于不同文化间相互作用、效仿时所发生的文化融合过程。亚里士多德的思想也正是因此对伊斯兰思想的发展产生了重大影响。所以，把文化视为"封闭的"（hermetically sealed）状态，如同暗示它们的核心价值和思想总是不可通约的一样，是一种错误的观念。文化之间的"断层线"（fault-lines）充其量是一种模糊的状态。最后，文化不是同质化的、统一的集团，而是复杂的、内部分化的。这就意味着，将"中国文化"（Chinese culture）或"非洲文化"（African culture）视为一种实体性的观念，不仅忽略了文化内部存在着的文化、哲学和历史上的巨大分歧，也忽视了贯穿各个领域的性别、年龄、地理位置等无处不在的差异。

> ◆ **全球化思考**
>
> # 世界主义的文化多元主义
>
> 　　世界主义和文化多元主义分属两种完全不同的甚至是相互冲突的政治传统。世界主义鼓励人们采取一种全球意识看待问题，强调伦理责任不应受到国家边界的限制；文化多元主义倾向于将道德情感具体化，关注特殊文化群体的特定需求和利益。前者强调人类的共同性，后者则强调文化的归属。
>
> 　　然而，对于像杰里米·沃尔德伦这样的理论家来说，文化多元主义实际上等同于世界主义。世界主义的文化多元主义者支持文化多样性和身份政治，但他们更多地将其视为大规模重建政治敏锐性和优先权的过渡状态。这一立场提倡多样性，这不仅源于文化是可以习得的，也为宽广世界里的文化机遇与选择提供了个体发展的环境。这就形成了所谓的"组合式"的文化多元主义，积极鼓励文化的交流融合。比如，人们可以享用印度美食、练习瑜伽、欣赏非洲音乐，并表现出对全球宗教的兴趣。事实上，这种生活方式可能是对高度多样化却又联系日益紧密的现代社会的最佳回应。从这个角度来看，文化是流动的，它反映的是不断变化的社会环境和个人需求；就像传统的文化多元主义者争论的那样，文化并非嵌入历史的固着状态。因此，多元文化社会是包容不同思想、价值观念、习俗传统的"熔炉"（melting pot），而不是各个种族和宗教群体的"文化马赛克"（cultural mosaic）状态。尤其是，世界主义的立场积极拥抱多重身份或混合杂糅的思想，这也是社会和文化得以混合的条件。这就意味着，现代世界中的个体身份不能用单一的文化结构来解释，用沃尔德伦的话说，是以一种承诺、从属关系和角色的"混合物"（mélange）状态存在。诚如沃尔德伦（Waldron，1995）所言，从世界

主义者的角度来看，沉浸在特定文化的传统中就像生活在迪士尼乐园里，并认为周围环境是一种文化缩影般的存在。

从某种程度上讲，假如我们现在都是文化"混血儿"（mongrels），那么文化多元主义既是现代社会的特征，也是一种"内在"（inner）的条件。这种文化多元主义的好处是能够拓宽道德和政治敏感的边界，并最终导向一种"单一世界"（one world）的视角。然而，这种以牺牲多样性为代价来强化一统的世界主义立场，遭到了来自不同传统的文化多元主义者的批判。他们认为，将文化认同视为一种自我定义的问题并鼓励文化的杂糅与融合，削弱的是本真的文化归属感。

讨论题

1. 防止"伤害"他人是限制个人自由的唯一正当理由吗？
2. 消极自由是否必然具有反国家主义的含义？
3. 积极自由的概念受到批判的依据是什么？
4. 是否有可能如卢梭所说，存在一种"被强迫的自由"？
5. 自由和放纵之间的界限应该在哪里？
6. 宽容与容忍有何不同？
7. 为什么宽容有时被视为维护多样性的不充分的基础？
8. 哪种程度下宽容会显得"过度"？
9. "身份"的概念与传统的集体主义有何不同？
10. 承认政治在哪种意义上超越了平均主义？
11. 女性和男性是否具有相同的"本质"特质？
12. 自由价值观是否可与非自由主义或反自由主义价值观等量齐观？

延伸阅读

Cohen, A. J. *Toleration* (2014). 有关宽容问题的全面介绍。结合鲜明的案例，探讨宽容的范畴、原因及合理限度问题。

Galeotti, A. E. *Toleration as Recognition* (2002). 考察宽容所面临的困境，认为将宽容视为承认，能够彰显不同社会群体间的不平等地位。

Miller，D.（ed.）*The Liberty Reader*（2006）. 一部非常重要且颇具见地的自由主题的论文集，选取的文章从各个角度呈现了自由主义者、自由至上主义者、社会主义者、女权主义者和共和党人的政治观点。

Parekh，B. *A New Politics of Identity*：*Political Principles for an Interdependent World*（2008）. 围绕一系列身份命运问题展开的深刻评论，着眼于如何重构全球化时代的身份认同。

第十章
平等、社会公正与福利

- 平等

    形式平等　机会平等　结果平等

- 社会公正

    按需求　按权利　按应得

- 福利

    福利、贫困和社会排斥　赞扬福利　福利　撤回还是改革？

内容简介

268　　　平等观念或许是现代政治思想的一大判定性特征。古典及中世纪的思想家都理所当然地认为，等级制是自然而然的、不可避免的，而现代思想家则是以如下的假定作为出发点：所有人都拥有平等的道德价值。不过，还很少有政治原则像平等这样如此引发争议，或者说，如此有效地把意见的分歧突出出来。比方说，许多人就把传统的政治派别之争（左右翼之分）都看作对平等的不同态度的反映。当然，这里还有一层意思是：我们现在都是平等主义者。平等主义获得了持续不断的发展，因而很少有（如果有的话）现代思想家不会去赞同某种形式的平等主义——无论它是同法定权利、政治参与、生活境遇或机会，还是别的什么相关联。于是，有关平等的现代论战不是在支持平等原则与反对平等原则的人之间展开的，而是在就平等应该在何处应用、如何应用以及用于何者等方面的不同观点之间展开的。

　　当平等原则被应用于社会财富或收入的分配时，平等问题引发了特别激烈的争论。"社会公正"通常指的是什么？社会资源这块蛋糕该如何分割？一些人主张，平等的或起码是相对平等的报酬和利益分配是可取的；另一些人却认为，公正要求的是，人类当中自然的差异应该体现在社会对待他们各自的方式上。不过，有关社会公正的问题总是同福利问题联系在一起。在世界上几乎所有的地方，平等与社会公正事业一直同某种社会福利增长的诉求相关联。事实上，在 20 世纪，出现了"福利共识"现象，人们都把福利供给看作一个稳定而和谐的社会的基石。然而，自 20 世纪末以来，这种"共识"瓦解了，福利成为尖锐的意识形态争论的核心。从多方面看，这一争论是对早期关于平等的政治争论的回应。福利国家的吸引力在哪里？福利原则又为何遭到了如此刺耳的批评？

平等

目前在日常语言中仍广为使用的"平等"术语，最早是指相同的物理特性。在这个意义上，可以说两个杯子盛有"（相）等"量的水、一个赛跑者"平"了百米世界纪录、一瓶昂贵的酒的价格可"等同"于一台电视的成本。然而，在政治理论中，平等同诸如"一样""一律""同一"等观念有着明显的区别。虽然平等的批评者有时把平等简单地归为"一样"，进而把它同一律化与社会控制联系起来，从而缓解自身的理论压力，然而，还没有一位严肃的政治思想家在每一件事上都倡导过绝对的平等。平等并不是人类多样性的敌人，它的目标也不是要使每个人都一样。事实上，平等主义者（出自法语"平等"，*égalité*）能够认同每个人的独特性，还可能承认人生而在天资、能力和秉性等方面是不同的。他们的目标是要确立起人人能够享有同等有价值的如意生活的法律条件、政治条件和社会条件。换而言之，平等不是指全盘一律，而是要"拉平"（平衡）那些被认为对人类幸福至关重要的社会生存条件，消除其中的差别。然而，除非能够对"什么样的平等？"这一问题做出回答，否则平等就有沦为空洞的政治口号的危险。我们要问：人们应该在什么上平等？何时应该平等？如何平等？在何种场合平等？为何要平等？

平等是一个极其复杂的概念，存在着许多的平等形式。可以说，有多少种对人类存在状况的比较方式，就有多少种平等形式，如道德平等、法律平等、政治平等、社会平等、性别平等、种族平等。此外，平等原则也有多种表现形式，最重要的表现形式有形式平等、机会平等和结果平等。虽然平等机会和平等结果的观念是从对形式平等的原初关注中发展来的，但这两种观念有时同形式平等大相径庭。比方说，当机会平等意味着偏袒于穷人或弱势人群时，主张法律平等的人可能完全否弃机会平等。同样，基于平等机会的观念等同于成就不平等（结果）的权利，社会平等的倡导者也可能抨击平等机会观。由此可见，平等主义包含了很多种不同的看法，其政治特性一直是深层分歧的缘由所在。

形式平等

最早对政治思想产生影响的一种平等观是所谓的"基础平等"，它指出，就共享人类本性而言，人人平等。这一观念源自占据 17—18 世纪政治思想主导地位的自然权利学说。譬如，美国《独立宣言》（1776）宣称："人人生而平等。"法国《人权宣言》（1789）中写道："人们生来是而且始终是自由平等的。"然而，如此响亮的宣言所批准的是哪种形式的平等呢？无疑，这些宣言并不是对人们所处状况的描述性说明——因为 18 世纪是一个社会特权根深蒂固、经济极度不平等的时期。准确地说，那个时候有对每个生命的道德价值的一种规范性主张。人人"平等"只是因为他们都是"人"。他们"生"而平等或者说"生就"平等，"在上帝的眼光中是平等的"。但实际上，这种形式的平等意味着什么呢？

在现代早期，基础平等同平等机会的观念没有任何关系，更别说同平等财富和平等社会地位等其他观念有关系了。一方面认可"人人生而平等"观念和捍卫绝对的财产权，另一方面又禁止财产所有者拥有特许权，甚至把整个女性从"人"的范畴中排除出去，像约翰·洛克这样的著作家并没有看出这两者之间有什么矛盾冲突。只有从所有人被赋予同等的自然权利（无论这些自然权利是如何定义的）的意义上看，"人"才是平等的。所有人都是平等权利的拥有者，这一观念是通常所谓的"形式平等"的基础。形式平等意味着，基于共同的人性，每个人都有权受到社会实践规则平等地对待。因而，这里存在一条程序性规则，它给予每个人平等的行动自由（无论他们如何选择）和生活自由（无论他们能够做什么）——无论他们起步的机会、资源或财富如何。

形式平等最显著（也许最重要）地表现为法律平等原则，或者说"法律面前的平等"。它主张，法律应当把每个人当一个个体来看待，而不问他们的社会背景、宗教信仰、种族、肤色、性别等。在这个意义上说，公正应该是"盲的"，在法庭面前，除了那些与案件相关的因素（尤其是能拿出来的证据），它对其他一切因素都不予考虑。因此，法律平等是法治的基石（这在第七章中已讨论过了）。

然而，从本质上说，形式平等原则是消极的，因为它在很大程度上只局限于根除特定的特权。其局限性表现为这样一个事实，即对形式平等的呼吁起初只希望打倒从封建时代遗留下来的等级秩序，其对立面只是贵族特权。这也说明了形式平等何以获得如此广泛的认同，何以同时赢得了保守派、自由派乃至社会主义者的拥护。确实，这种平等形式几乎从未被认为有必要获得辩护，要证明其合理性。出于像性别、肤色、信条或宗教信仰等"天生偶然因素"而赋予某一阶层的各种特权，如今都被普遍地视为纯粹的偏执或非理性的偏见。

当然，还是有很多人认为形式平等是一个很有局限性的概念，如果让这种平等形式自行其是，它不太可能促进真正的平等，例如，法律平等赋予每个人在一家昂贵餐厅吃饭的平等权利。虽然没有人因为种族、肤色、信条、性别或别的什么原因而被拒之门外，但这种平等并没有涉及这些人行使这种权利的能力，即金钱。这就像法国作家阿纳托尔·法朗士（Anatole France）所指出的，他在小说《红百合花》（*The Red Lily*）中对"法律平等地禁止穷人和富人偷面包、睡桥下这一至上的法律平等"嗤之以鼻。这些局限性可以联系种族平等及性别平等来看。形式平等要求所有人都不应因为种族、性别等原因而受到损害，成为弱势群体，这一点应该得到禁止此类歧视的法律的保障。然而，仅仅（在法律上）禁止种族歧视并不能必然地应对文化上已根深蒂固或已"制度化"了的种族主义，也无法解决少数人种在经济上或社会上可能遭受的不利。卡尔·马克思在他的论文《论犹太人问题》（[1844]1967）中对这一问题进行了探讨。马克思并不看好靠赢得平等的民权及自由而带来犹太人"政治解放"的做法，他倡导的是"全人类的解放"，这不仅仅是犹太人的解放，而是要把所有人从阶级压迫的专制统治下解放出来。马克思主义者承认，资本主义只从人的市场价值角度而非依据其社会地位或任何别的个体特性来判定人，就此而言，资本主义带来了一种平等的形式。可是，私有财产的存在产生了阶级分化，这种阶级分化又使得人们的市场价值差异悬殊。马克思主义者之所以把法律平等说成是"市场平等"或是"资产阶级平等"，并认为这种平等无非是用来掩盖剥削和经济不平等现实而已，原因就在于此。

争取性别平等的斗争同样呼吁法律平等或"平等的权利"。早期的女权主义者如玛丽·沃斯通克拉夫特（Mary Wollstonecraft，1759—1797）和约翰·斯图亚特·穆勒从自由个人主义的角度阐发他们的主张：在他们看来，性别同公共生活毫无关联，因为每个"人"都有权享有教育、法律、政治等方面的同等权利。譬如，沃斯通克拉夫特认为，"不论同男性之间的性别差异如何"，都应该把女性当作人来判定。可是，在很多现代社会中，虽然妇女为争取相对于男性的"形式上的"平等已走过了漫长的道路，但仍然存在着文化上、社会上和政治上的不平等现象。于是，许多现代女权主义者往往超越了自由主义的平等权利观，而赞成更为激进的平等观念。比方说，社会主义的女权主义者试图推进更大程度的社会平等事业。他们尤为重视经济上的不平等，认为这种不平等使得男性成为"养家糊口的人"，而女性则要么仍是没有薪水的家庭主妇，要么只能从事低收入、低地位的职业。激进的女权主义者认为，光有形式平等还不够，因为这种平等只适用于公共生活，而忽视了父权制即"由男性统治"植根于不平等的家庭结构和个人生活这一事实。

玛丽·沃斯通克拉夫特

英国社会理论家和女权主义者。受法国大革命激进政治的影响，沃斯通克拉夫特及其丈夫——无政府主义者威廉·葛德文——同属于一个充满创造力的知识分子团体。她生下女儿玛丽（Mary）几天后就去世了，女儿后来嫁给了诗人雪莱（Shelley），玛丽写过《弗兰肯斯坦》一书。

沃斯通克拉夫特首次系统地阐发了女权主义批判，这要比妇女选举运动的兴起早 50 年。她的女权主义思想受到了洛克的自由主义以及卢梭的激进民主主义的影响（虽然她反对卢梭把妇女排除在公民权之外），以对理性的信念和对平等的激进人道主义关怀为特征。在《为男权辩护》（*A Vindication of the Rights of Men*，1790）一书中，她站在"人权"（rights of humanity）立场上，批判了英国治理的体制及实践。她最有名的作品《为女权辩护》（[1792] 1967）强调了女性基于"人格"（personhood）观念的平等权利。她声称，由于女性获得了受教育的机会，并被视为自我独立的理性主体，"性别的差异"在政治和社会生活中会变得不重要了。当然，沃斯通克拉夫特的著作突出的不仅仅是公民权利和政治权利，同时它也做出了一种更为复杂的女性分析，把女性视为欲望的主体和客体；最后，它还把家庭领域当作社团和社会秩序的典范而予以表现。

机会平等

更为激进的平等机会观念通常被认为是从形式平等观自然而然发展来的。虽然这两种观念之间有关联，但它们也许有着非常不同的内涵。正如在后面所要显示的，一旦始终如一地把机会平等贯彻下去，极有可能侵犯形式平等原则，对它构成威胁。早在柏拉图的著作中就出现了平等机会观念，柏拉图提出，人们的社会地位只应严格地建立在个人的能力及努力之上，教育制度应该为所有孩子提供平等的机会来实现他们的潜能。这一观念获得了现当代各种思想体系的广泛认同，几乎被持有各种意见的各类政党都奉为基本原则。社会民主主义者和现代自由主义者都认为，平等机会是社会公正的根本；到后来，现代保守主义者们也转移了目标，如今对"无阶级社会"的优点大加赞赏。

形式平等关注的是人作为"人"或者说在法律面前所享有的地位，却不涉及他们的"机遇"、他们赖以生存的境况以及可能获得成功的机会或预期。机会平等所关注的主要是初始状态即人生的起点。运动这一隐喻常被用来表达这层意思，比如人生"同一起跑线"、人生应该在"同一竞技场"上公平竞赛等等。不过，把平等限定在人生的初始境况上可能带来极其不平等的后果。机会平等的倡导者们并不因赛跑者同时离开起跑线就预期他们会同时抵达终点。实际上，在很多人看来，正是这种赛跑场上的"同一起跑线"使得不平等的结果或者说输赢之间的差异被合理化了。在此，可以直截了当地把不平等的表现归因于人在自然能力上的差异。实际上，平等机会原则可归结为"成就不平等的平等机会"。这是因为这一概念区分了两种不同形式的平等：一种是可接受的，一种是不可接受的。出于个人的才干、技能、勤奋等原因所造成的自然的不平等，往往被认为是不可避免的，或者说，在道义上是"正当"的；用玛格丽特·撒切尔的话说，存在"追求不平等的权利"。不过，由社会处境如贫穷、无家可归或失业等因素造成的不平等在道义上则是"不正当"的，因为这些因素使得有些人可以直接从人生赛场的中途起跑，而其他的竞赛者则可能尚未抵达赛场。

机会平等表明了一种不平等的理念，这是一种很独特的理念，即能人统治社会。"能人统治"一词是由迈克尔·扬（Michael Young，1958）造出来的，它用来指天才或者知识精英的统治，他所指的"能人"被定义为智商（IQ）＋努力（尽管扬是讽刺地使用这一术语的）。在一个能人统治的社会里，成功与失败都属于"个人的"成就，这些"成就"反映了一个事实，那就是：有些人生来就有技能且有努力工作的意愿，另一些人则或是无能或是懒惰。这种不平等不仅在道义上可证明是合理的，而且还为个人努力提供了强有力的动力，它激励人们把自己固有的才干、能力充分发挥出来。不过，这种能人统治的观念在很大程度上有赖于能够在不平等的"自然"原因与"社会"原因之间做出明确的区分。以汉斯·艾森克（Hans Eysenck，1973）及阿瑟·詹森（Arthur Jesen，1980）为代表的心理学家极力维护自然的不平等，并倡导使用IQ测试，因为他们认为，这种测试可以衡量一个人天赋的智能。比方说，在英国学校所实行的挑选（淘汰）制背后就潜藏着上述观念，这些学校采用所谓的"选拔优秀小学毕业生考试"（Eleven - plus）。然而，在实践中，这类测试和考试的表现（成绩）普遍受到一系列"非自然"的文化、社会因素影响，而这些"非自然"因素玷污、干扰了对"自然"能力的任何一种评估。以英国学校的甄选制度为例，这种制度就产生了明显的偏向，它偏袒来自中产阶级家庭的孩子，因为他们的父母自身通常就在学校里成绩优异。问题在于，如果无法把自然的才能、能力同社会影响可靠地区分开来，那么，"自然的不平等"观念就只能抛弃了。再者，如果财富和社会地位不能被视为纯粹的个人成就（结果），那么，平等机会的概念就不得不让位于一种更为激进的平等概念了。

然而，机会平等的吸引力还是很大的。特别是，这种平等使得所有人最大限度地获得平等的自由成为可能。简而言之，平等机会意味着将阻碍个人发展和自我实现的一切障碍都清除掉，这当然应是为所有人享有的一项权利。这一原则的很多实际应用都已不再引起争议了。例如，事业应该向有才能的人敞开、提拔和晋升应该建立在能力的基础之上等任人唯贤和提拔贤能的思想，已经被广为接受。不过，也有人认为，长期严格地贯彻这种机会平等原则，可能会导致国家对社会和个人生活的普遍干涉，从而威胁到个体自由乃至侵害形式平等原则。例如，家庭可能会被当成实现平等机会的主要障碍之一。因财产的继承和所提供的家教鼓励、家居安稳度及物质充裕程度不一，家庭使得每个人无法享有同一平等的人生起点。如果将机会平等推到极致，则意味着要禁止财产的继承，还得通过一系列的补偿计划来调控家庭生活。在这种意义上，可能会出现平等与自由之间的权衡，这就要求兼顾机会平等化与保护个人权利和自由这两方面的诉求，力求两全其美。

平等机会原则所导致的一大难题是逆向的或"正面"的歧视。这是一项政策，其早期形态同美国种群问题上的"机会均等行动计划"（affirmative action）相关，该项政策带有偏袒弱势群体的歧视性，以期对他们过去所遭受的不公正（待遇）予以补偿。从平等机会的角度上看，这一政策明显可以获得合法性的辩护。以少数种族为例，他们原本被剥夺了基本的社会权益，仅仅赋予他们形式上的平等，并不能给予他们实质意义上的平等的机会去求学、就业或者是从政。比方说，这一点在美国联邦最高法院对"加利福尼亚大学董事会诉巴基案"（1978）的判决中就得到了充分的体现，该判决维持原判，支持了学校入学录取中所适用的逆向歧视原则。在这种意义上，逆向歧视的运作类似于高尔夫球运动中的"差点制"，即差点计算原则①，从而保证了不匹敌的各方之间竞赛的公平和平等。有人认为，这种逆向歧视原则的施用等同于虽有不同但也平等的对待，因而适合于对形式平等的限制。其他的人则指出，虽然是为了补偿先前所受的损害，但这种不平等的对待必然有违平等权利的原则。比方说，在巴基案中，一名学生就因为学习成绩不如他的其他人被录取而被拒在大学门外。

社会民主主义

"社会民主主义"这一术语已经有许多不同的界定方式。最初，马克思主义者用它来区分狭隘的政治民主主义目标与更根本的社会主义目标。到 20 世纪，社会民主主义逐渐走上了一条改良主义而非革命的社会主义道路。然而，这一术语的现代用法是由民主社会主义政党的发展趋势决定的，它们抛弃了废除资本主义的目标，转而拥

---

① 比赛中，给强者设置障碍或给弱者提供有利条件。——译者注

护相对温和的改革资本主义或使资本主义人性化的目标。社会民主主义代表的是在市场与国家之间、个人和社会共同体之间的平衡。因此，社会民主主义理论的首要任务是在两者之间达成一种妥协：一方面，把资本主义当作唯一能够创造财富的可靠机制接受下来；另一方面，满足依据道德的而非市场的原则来分配财富的愿望。

社会民主主义思想特别强调的是，要关注社会中的受伤害者和弱势群体。在多数情况下，它可以被视为社会主义传统的一种发展，这种发展或是由修正、更新马克思主义的旨意促发的，或是从伦理社会主义或乌托邦社会主义中生发出来的。这种发展通常包含对资本主义的重新考察，以及对认定资本主义生产模式以体制性阶级压迫为特色的马克思主义见解的否弃。当然，社会民主主义同马克思主义在理论上缺乏连贯性，也不可能唯一而牢固地植根于社会主义。尤其是，社会民主主义者过于倚重现代自由主义观念，如积极自由、平等机会，这使得越来越难以把社会民主主义同自由主义区分开来。罗尔斯对社会民主主义思想的影响就体现了这一点。社会民主主义新近的发展包含了对社群、社会伙伴和道德责任等原则的容纳，反映出"现代化了"的社会民主主义与社群主义的相似性。某些"新"社会民主主义者已采纳了"第三条道路"的观点，来强调有必要修正传统的社会民主主义，从而顾及由全球化了的资本主义所带来的压力。

社会民主主义的吸引力在于，它保存了社会主义思想中的人道主义传统，提供了一种用以替代教条主义和正统马克思主义的狭隘经济主义的新理论。毕竟，力争达到效率与平等之间的平衡，一直是大多数发达资本主义社会中政治所驱向的核心问题——不管是社会主义的、自由主义的还是保守主义的政府当政。然而，从马克思主义的角度看，社会民主主义等于是对社会主义原则的背叛，它企图以社会主义理念的名义去支持残缺的资本主义制度。不过，不管怎么说，社会民主主义的致命弱点是，它缺乏坚实的理论根基。尽管社会民主主义者显然始终投身于平等和社会公正，但是他们所支持的平等的形式和范围，以及他们赋予社会公正的具体含义不断地在修正。这尤其体现在对"第三条道路"的思考上，这种思考也许在意识形态上就是不连贯的。

代表人物

爱德华·伯恩施坦（Eduard Bernstein, 1850—1932）　德国社会主义政治家和理论家。伯恩施坦掀起了系统修正马克思主义的第一次浪潮。他关注马克思关于资本主义灭亡预言的失败，指出经济危机不再尖锐。伯恩施坦反对革命，号召（工人阶级）与自由主义的中产阶级和农民阶级联合，并且强调向社会主义渐进式和平过渡的可能性。随后，他放弃了所有的马克思主义"伪装"，阐发出一种建立在新康德哲学（neo-Kantianism）基础之上的伦理社会主义。伯恩施坦最重要的著作是《渐进的社会主义》（[1898] 1962）。

理查德·亨利·托尼 英国社会哲学家和历史学家。托尼倡导一种植根于基督教社会道德主义（无关乎马克思主义的阶级分析）的社会主义形式。他认为，资本主义的混乱无序根源于"道德理念"的缺失，这导致了无节制的贪恋和普遍的物质不平等。因此，社会主义的纲领就是要建立一种能够为社会团结和统一奠定基础的"共同文化"。托尼的代表性著作有《贪婪的社会》（1921）、《平等》（[1931] 1969）和《激进的传统》（1964）。

安东尼·克罗斯兰（Anthony Crosland，1918—1977） 英国政治家和社会主义理论家。克罗斯兰试图以伯恩施坦的思想为基础，为社会民主主义确立一种理论基础。他认为，再也用不着消灭资本主义了，因为财富的所有权已同其控制权相分离，重大的经济决策都是由拿薪水的经理而非从前的资产阶级做出。这样一来，社会主义的任务就是促进平等，也就是他所指的缩小分配的不平等，而不是重建所有制。克罗斯兰最有名的著作是《社会主义的未来》（[1956] 2006）和《今日社会主义》（1974）。

结果平等

结果平等的观念是平等主义中最激进也最有争议的一种表现形态。平等机会要求，采取重大的步骤来实现更大程度的社会及经济平等，然而，如果要求得"结果"的平等化，还必须有更为激烈的变革。这一目标揭示了意识形态上最根本的分野：一方是，社会主义者、共产主义者及某些无政府主义者将高度的社会平等视为基本的目标；另一方是，保守主义者及自由主义者认为，高度的社会平等是不道德的、非自然的。

对"结果"而非"机会"的关注把人们的注意力从人生的起点转向终点（最终的结果），从机会转向回报。结果平等意味着，无论赛跑者的起跑点在哪里，无论他们以何种速度跑，所有的选手都应该同时到达终点。这样一来，结果平等不仅区别于形式平等和机会平等，而且同它们直接对立。虽然有时并不是很清楚，"结果"指的到底是资源、福利水平，还是满足感，但对平等结果的要求往往与物质平等观念相关，这种物质平等观念倡导社会环境、生活条件乃至薪水上的平等。然而，对于许多人来说，物质平等只是众多值得追求的目标之一，必须在社会平等与对个人自由、经济鼓励等的关注之间予以权衡。让-雅克·卢梭被视为这一思想流派的代言人。虽然从他是私有财产的极力倡导者这层意义上说，卢梭并不是一个社会主义者，但他还是意识到了社会不平等的危险，他提出："人不应富到可以购买另一个人，也不应穷到被迫出卖自己。"他的这一原则同财富从富人流向穷人的现代再分配观念相一致,这种再分配观念所关切的不是要实现什么抽象的社会平等目标,而是为了减少社会不平等现象。由此可见,现代社会民主主义者在倡导平等时,他们所指的并不是什么激进的"绝对"平等目标,而是一种最温和的"分配性"平等观念。虽然这些社会民主主义者认识到物质平等更为可取,但他们同时也承认,出于某种目的,比方说,为了给人们提供一种工作的动力,还是需要某种程度的不平等的。

然而,更高程度的社会平等不仅是可能的,也是值得向往的。马克思主义的核心是倡导废除一切形式的私有财产(无论其分配有多平等),实际上是赞同"绝对"的社会平等观念。无论从温和的还是激进的意义上讲,结果平等的倡导者通常都认为,结果平等是最关键的平等形式,因为如果没有结果平等,其他形式的平等都不过是骗局而已。比方说,对没有稳定的工作、体面的薪水和栖身之所等条件的公民来说,平等的法律权利和公民权利毫无意义。还有,通过制造关于平等机会体现了"自然的"而非"社会的"因素的神话,平等机会学说通常被用于捍卫物质上的不平等。虽然社会平等的捍卫者们很少诉诸"自然"平等观念,但他们通常认为,人与人之间的差别更多的是由社会不平等(不公平)的对待造成的,而不是出于他们非同等的自然天赋。

除此以外,还可以基于结果平等是确保个人自由的先决条件来为结果平等辩护。就个体而言,如果人们想要过上有价值的、充实的生活(这是我们当中的每个人理所当然有权享有的一种预期),那么,一定的物质丰裕水平就是必不可少的。卢梭担心,物质上的不平等实际上会导致对穷人的奴役,并剥夺他们道德上和心智上的自主权。与此同时,不平等会导致富人腐败,使他们变得自私、贪得无厌,并且自负。况且,高层次的社会平等通常被看作对社会和谐与稳定至关重要的因素。在《平等》([1931] 1969)一书中,理查德·托尼认为,社会平等构筑了统一的"同伴关系"力量之上的"共同文化"的实际根基。相反,他将机会平等斥之为"蝌蚪哲学"(tadpole philosophy),即所有人从同一位置出发,而后却被放任于变幻莫测的市场中,这使得其中有的人会成功,更多的人会失败。马克思主义主张生产资料集体化,同样反映了建立奠基于统一、共同利益之上的社会的愿望。

可是,有批评家指出,对结果平等的追求会带来停滞、不公正,最终导致专制。社会的"平均化"起着抑制人的志向、消磨人的进取之心与勤奋动力的(消极)作用,停滞现象便由此产生。一个社会在多大程度上向着社会平等的目标迈进,它就多大程度地要为贫乏、惰性付出沉重的代价。然而,比起所要付出的道德代价,平等在经济上的代价还不是最可怕的。这就是新右翼思想家如弗里德里希·哈耶克和基思·约瑟夫(Keith Joseph, 1979)极力要警示人的一条训诫。在他们看来,社会主义的平等原则无非是基于社会嫉妒心即向往拥有富人所拥有的东西的一种企图。致力于通过重新分配财富来促进平等的政策无异于劫富济贫。哈耶克认为，一个简单的事实是，人与人之间是有差异的，具有不同的志趣、天赋、性格等，若要把他们当作同等的人看待，必然会导致不平等。这就是约瑟夫所表述的内在于平等概念的核心矛盾所在。恰如亚里士多德所言，不公正不仅源于平等的人遭到了不平等的对待，还在于不平等的人被平等地对待了。

这或许是个令人沮丧的事实，并非所有的人都跑得一样快，总会有些人跑得更快，有些人更强健，有些人更有耐力。由此，可以把结果平等视为一种"不自然"的结果，它只有通过大量的干预和违背"公平"竞赛的观念才能达到。例如，不得不给跑得快的人设置种种障碍，或是让他们比跑得慢的人跑更远的路、起步更晚，或是被迫跨越一系列障碍等。简而言之，就是让有才能的人处于严重不利的地位，一个平等的结果是通过一个"向下拉平"的过程而实现的。为了达到整个社会的结果平等，就必须有一个包罗万象的操控体系，即通常所谓的"社会工程"。由此可见，平等诉求的满足要以牺牲个人自由为代价。这也就是新右翼理论家何以用如此恶毒的口吻来描述平等主义的原因，他们认为，伴随平等主义而来的必然是不断滋长的管制、歧视和高压强制。

社会公正

"社会公正"这一术语一直备受政治争论的困扰。有人认为，它与平等主义密不可分，无非充当平等的代名词。因而，政治右翼拒绝使用这一术语——除非是在否定或贬抑的意义上使用。例如，哈耶克把社会公正看作一个"遁词"（weasel word），看作一个有意用来回避问题或误导人的术语。在他们看来，社会公正往往会沦为国家控制和政府干预得以不断强化的一个幌子。而社会民主主义和现代自由主义的思想家们则对社会公正颇为称许，他们认为，它指的是依据道德原则重建社会秩序的一种努力，它力求矫正社会的不公正。然而，在社会公正与平等观念、国家控制之间，无论在政治上还是逻辑上都无必然的联系。如同随后所要显示的，所有的社会公正理论都可以用来为不平等辩护，其中有些理论还是赞成极不平等的。

"社会公正"这一独特的概念源于 19 世纪早期，它不同于更远古的"正义"理念。社会公正代表的是一种在道义上能辩护的利益和酬劳（在社会中）分配，它根据工资、利润、住房、医疗保健、福利等方面来衡量。由此可见，社会公正关乎"谁应得什么"。比如，什么时候收入差距拉得过大，以至于被谴责为"不公正"？或者说，在

国际上，是否有理由认为富裕的北方工业化国家与南方发展中国家之间的财富分配 *279*
不均是"不道德的"？而在某些批评家看来，社会公正这一概念本身就是错误的。
他们认为，物质利益的分配同公正这样的道德原则毫无关系，它只能依据诸如效率
和增长等经济标准来衡量。比方说，哈耶克对社会公正这一术语的反感可以被解释
为：只能从个人关注的角度来评判公正，在这种情况下，更宽泛的"社会"原则是
毫无意义的。

不过，大多数人并不愿意把物质分配仅仅归为经济问题，事实上，许多人认为这
恰恰是公正得以体现的最重要的领域。然而，问题在于，政治思想家们却很少赞同某
种物质酬劳的公正分配。如同公正本身具有争议性，社会公正也是一个"本质上有争
议"的概念。关于社会公正，也没有取得一个普遍的共识。在《社会公正》（*Social
Justice*，1976）一书中，戴维·米勒（David Miller）承认，这一概念在本质上就存
在争议，它是关乎社会的，但他仍然试图确定出多种不同的公正原则来。这些原则是
"按需（求）分配"、"按权利分配"和"按应得分配"。

按需求

物质利益应当在需求的基础上分配的观点通常是由社会主义思想家提出的，这种
观点有时被看作社会主义的公正理论。其最著名的表述出现在《哥达纲领批判》
（［1875］1968）一书中。卡尔·马克思在书中宣称，一个完全的共产主义社会将在自
己的旗帜上写下："各尽所能，按需分配。"然而，把社会主义的社会公正观念归为一
个简单的需求满足理论，是错误的。举例说，马克思本人就将适用于完全共产主义的
分配原则与应当在过渡的"社会主义"社会采取的分配原则区分开来。马克思承认，
资本主义的做法不可能在一夜之间消除，其中的许多做法如物质刺激（鼓励）也会在
社会主义社会中继续存在。因此，他认识到，在社会主义制度下，劳动应当根据个人
的贡献来付给报酬，报酬会依工作者体力与脑力上的差异而有所不同。事实上，在马
克思看来，"社会主义"的公正原则相当于"按劳分配"。可以把需求准则说成是共产
主义公正原则的基础，因为在马克思看来，它只适合于物质极为丰富的未来社会，到
那时，财富分配已不再成为一个问题了。

需求（needs）不同于欲求（wants），也不同于偏好。"需求"是一种必需，它要
求得到满足；它不仅仅是一个无关轻重的愿望或者一种转瞬即逝的喜好。基于此，需
求通常被视为人类的"根本"，对需求的满足则是完全意义上的人类生活的基础。"欲 *280*
求"是个人评判的问题，它由社会和文化因素造成。而人类需求则是客观的、普遍
的，它属于所有的人——不论性别、民族、宗教、社会背景等。以需求为基础的社会

公正理论，其吸引力在于，它回应了人类生存的最基本要求。这种理论把所有人有权享有基本需求的满足（因为，简而言之，否则就不可能有拥有价值的人类生存）当作一种道德义务接受下来。譬如，对人的权利予以确认的努力通常是以某种基本需求观为基础的。在众多确认需求的理论尝试中，心理学家亚伯拉罕·马斯洛（Abraham Maslow, 1908－1970）的尝试是最具影响力的，他提出，存在一种"需求等级"。在这些需求层次中，最基本的需求是生理上的考虑，如饥饿和睡眠，随之而来的是安全、归属和爱的需求，然后是自我尊重（自尊）的需求，最后就是马斯洛所指的"自我实现"的需求。在《人类需求》（1991）一书中，莱恩·多亚尔（Len Doyal）和伊恩·高夫（Ian Gough）把身体健康与（心理上的）自主确认为客观而普遍的需求，他们认为，这些需求是参与社会生活最基本的前提条件。

任何以需求为基础的社会公正理论都明显地带有平等主义的内涵。如果需求在全世界范围内是相同的，那么就应当对物质资源进行分配以满足每个人最基本的需求。这当然意味着，每个人都有权享有食物和水、栖身之所、完备的卫生保健以及个人安全保护。因而，无论人们生活在世界上的哪个地方，听任人们饥、渴、无家可归、病痛或生活在恐惧中——当时，本来有足够的资源让他们过上另一种生活——就是不道德的。由此可见，需求准则意味着，那些生活在富裕的西方世界的人有道德上的义务去减轻世界上其他地区人民的苦难和饥饿。这实际上对在全球范围内重新分配财富提出了一种鲜明的辩护。同样，给同等病痛的人以不同等的卫生保健，这也是不公正的。因此，根据需求进行的分配指向的是福利事业的公共供给（是免费的），而不是任何私人的供给体系（要考虑支付能力）。当然，以需求为基础的公正理论并不在所有的情况下都导向资源的平等分配，因为有时需求本身就不均等。譬如，如果需求是一种准则，那么分配卫生保健资源的唯一恰当的基础就是病患－健康。有病的人应当比健康的人得到更大比例的国家资源——这仅仅是因为他们有病。

然而，根据人类需求进行分配遭到了猛烈的攻击，这主要是因为太难以界定需求这一概念了。基于"需求"是一个抽象而近乎形而上学的范畴，它同现实中人的欲望和行为相分离，保守主义和（有时）自由主义思想家们往往都批评"需求"概念。他们认为，资源配置应当与个人通过市场行为等所表达出来的、更为具体的"偏好"相一致。他们还指出，如果存在着需求，那么这些需求实际上是由需求从中得以生成的历史、社会和文化背景所决定的。既然如此，关于普遍的"人类"需求观念就如同普遍的"人类"权利观念，根本就没有什么实际的意义。生活在世界各个角落的人们是从不同的社会条件下成长起来的，他们会拥有不同的需求。最后，一个人的需求构成了另一个人所要承担的道德义务，这一观念促使他（或她）摈弃物质利益，这是以特定的道德和哲学假设为基础的。其中，最明显的一个假设是，人类担负着对彼此的社会责任，这一看法通常与共同人性的观念相关联。这种信念是社会主义和世界上多种重要宗教的根基所在，而它对许多保守主义者和古典自由主义者来说，则是毫不相关的。后者认为人本质上是自我奋斗的。

尽管需求与平等的观念经常伴随在一起，但现代平等主义理论家们有时会更为广泛地予以论证。其中，最具影响力的论证是约翰·罗尔斯的《正义论》（1971）。该论证有助于塑造现代自由主义的和社会民主主义的社会公正概念。虽然罗尔斯并不是严格意义上的"需求"理论家，但他在其"社会基本品"（primary goods）观点中使用了一个工具性的需求概念。这些社会基本品被视为达到人类目的的普遍手段。因而，社会公正问题关注的是这些社会基本品或需求资源该如何分配。罗尔斯提出了"作为公平的正义"（justice as fairness）理论，这一理论以坚持下面两条原则为基础：

（1）每个人都有平等的权利去享有最广泛的且与所有其他人所享有的同等自由相容的自由。

（2）社会和经济的不平等应这样安排，使它们：

1）给予最少受惠者即最弱势群体最大利益；

2）依系于在机会公平平等条件下使职务和地位向所有人开放。

第一条原则反映了传统自由主义对形式平等的承诺；第二条所谓的"差异原则"（difference principle）在很大程度上指向了社会平等，然而，这绝非要为绝对的社会平等辩护。罗尔斯完全意识到了作为经济刺激（激励）因素的物质不平等的重要性。不过，他还是做出了一个亲平等的重要断定，在此，他坚持认为，只有将这种物质上的不平等用于为处境坏（不富有）的人谋福利时，它才是无可非议的。这一立场与市场经济是相容的，在市场经济下，财富通过税收和福利体系得以重新分配，使之不至于成为抑制人们进取的因素，也不至于损害穷人的利益。然而，罗尔斯的平等主义思想建立在某种社会契约论的基础之上，而不是基于对人类客观需求的任何评估。他设想了这样一种假定的情形，在此情形下，人们被剥夺了有关自身天赋和才能的知识，面临着在一个平等社会中生活还是在一个不平等社会中生活之间做出选择的境况。在罗尔斯看来，人们很有可能选择在平等的社会中生活，就是因为，无论可能致富的前景多么诱人，它也没法抵消人们对可能沦为穷人或处于不利境地的恐惧。由此可见，罗尔斯首先对人性做出传统自由主义的假定，他认为个人是理性的利己主义者，但他做出的结论则是：对财富广泛地予以平等分配是大多数人所认为的"公平"的事情。

282

约翰·罗尔斯

美国学者和政治哲学家。他的主要著作《正义论》（1971）被认为是二战后用英文写就的最重要的政治哲学作品。它既影响了现代自由主义者，又影响了社会民主主义者；它还因重新确立了规范性政治理论的地位而为人们所称道。

罗尔斯运用社会契约论阐发了一套不同于功利主义的伦理学说。他关于"作为公平的正义"的理论是建立在他所认为的人们假如被置于"无知之幕"（它剥夺了人们有关自身社会地位和状况的知识）后就会赞同的诸多原则之上。他提出，物质上的不平等只有在有利于处于最不利境地的人时（因为它强化刺激和鼓励，做大"社会的蛋糕"），它才能被证明是合理的。这一倾向于平等的假定植根于这样一种看法之上，即为谋求共同福利而合作的人们应当拥有平等的权利主张去分享合作的成果，而不应当因为诸如性别、种族和基因遗传等不受人们控制的因素而被置于不利的地位。再分配和福利之所以是"公正"（"正义"）的，是因为它契合于被人们广为持有的"何谓公平"的看法。罗尔斯对平等的自由原则和机会平等原则也予以相似的辩护。在《万民法》（1999）一书中，他力求将他的正义理论施用于更大范围的"万民"世界，进而探讨了在国际领域如何改革以及在多大程度上改革。

按权利

20 世纪后期出现了右翼对平等主义、福利主义和国家干预潮流的反击。比方说，罗伯特·诺齐克在《无政府、国家与乌托邦》（1974）一书中所阐发的新右翼理论既拒斥以需求为基础的公正原则，也反对支持平等的任何假设；相反地，它倡导建立在"权利"、"资格"或（在某些情形下）"应得"观念之上的公正原则。由此，新右翼根

283 源于一种可追溯到柏拉图和亚里士多德的分配思想传统，该传统指出，物质收益应该在某种方式上对应于个人的"价值"。这同样也是约翰·洛克和大卫·休谟（David Hume，1711—1776）等著作者所提倡的古典自由主义社会公正观的基石。如同"需求"观念为社会主义公正原则奠定了基础，"权利"通常也充当着自由主义公正原则的基础。

"权利"是一种以某一特定的方式去做事或被对待的道德资格。不过，在分配理论中，权利通常被看作以某种方式（通常是勤奋和技能或才干的施展）"挣得"的资格。例如，这一点可以从古典自由主义中看到，古典自由主义认为，拥有财产的权利

是建立在人劳动付出的基础之上的。那些努力工作的人有权得到自己创造出来的财富。在这种意义上，以权利为基础的理论关涉的与其说是"结果"（谁有什么），不如说是那种结果是如何达到的。可见，以权利为基础的理论是以程序正义论为基础的。相比而言，以需求为基础的理论则同实质正义有关，因为它们关注的是结果，而不是如何实现那些结果。因此，可以恰当地把权利理论看成是"非平等"的，而非"不平等"的：它们既不赞同平等，也不支持不平等。由此看来，只有在才能与工作的意愿在人们当中不均衡地分配的条件下，物质上的不平等才可证明是合理的。不管怎么说，权利论同罗尔斯的正义论形成了鲜明的对照，虽然罗尔斯声称正义只是程序上的，但他的理论还是一般地含有植根于其主要原则中的平等主义的结果。

由罗伯特·诺齐克（Nozick，1974）所提出的以权利为基础的现代正义论是最具影响力的，这种理论通常被看作对罗尔斯的理论的一种回应。诺齐克区分了正义的历史原则与终结状态原则。历史原则关涉的是造成差异资格的往昔处境或历史行为。在他看来，如同社会平等与人类需求，终结状态原则同报酬的分配无关。诺齐克的目标是确立一套历史性原则，借此，我们就可以判定某种财富的分配是否正义。他提出了三条"保守公正"的规则。第一条，财富只能是正当地获取的，也就是说，它不应该是偷来的，他人的权利不应该被侵犯。第二条，财富只能正当地从一个负责任的人转让给另一个负责任的人。第三条，如果财富不是正当地获取和转让的，这种不公正性就该得到纠正。

显然，这些规则可以用来为财富和酬劳分配中总体性的不公平辩护。诺齐克彻底抛弃了这样的观点，即认为：存在着一种以平等或"社会公正"的名义重新分配财富的道德基础。就像大多数自由至上主义理论家那样，他对"社会公正"这一术语深怀疑虑。在社会内部或在社会之间，如果将财富从富人那里转让给了穷人，这只是一种私人慈善行为，是通过个人选择而非道德义务做出的。从另一个方面看，诺齐克的第三条所谓的"矫正原则"也许带有极端平等主义的含义——尤其是假定个人的财富源自欺诈或腐败行为。

然而，任何一种以权利为基础的理论都会遭遇众多较为重要的反对意见。比如，任何一种纯粹的程序正义理论不得不全盘忽略终结状态的境况。实际上，这可能意味着，人类无法否认的痛苦境况都可以被视为是"公正"的。一个公正的社会也许会有许多人失业、贫穷甚至饥饿，而只有少数人过着奢侈的生活——当然，只要财富是正当地获取和转让的。进一步说，任何一种历史的正义论（像诺齐克的）必须解释，权利最初是如何获得的。在诺齐克的描述中，这个关键性的第一步就是个人可以通过自然资源获得权利，然而，他没能揭示这是如何做到的。以权利为基础的正义理论所面临的另一个异议是，它们是以麦克弗森（Macpherson，1973）所称的"占有型个人主义"（possesive individualism）为基础的。个人被看作他们自身天赋和能力的唯一所有者，在此基础上，他们被认为在道德上有权拥有自己的才能所创造的一切。这一观念的缺陷是，它把个人从他（或她）的社会背景中抽象、分隔开来，因而忽略了社会在培养个人技能和才华中所做出的贡献。有些人进一步认为，事实上，以这种方式来对待个人会使人自私，并实际地助长人的利己主义行为。

◆ **全球性思考**

全球社会公正

285

正义理论在传统上几乎全都聚焦于特定的国家或共同体内部的公正问题。不过，自20世纪80年代以来，人们做出各种努力去扩大有关公正尤其是社会公正的讨论范围。最初，对社会公正的理解被局限于民族国家的语境之下，而后扩大到全球领域。这种扩展发生在"不断加速"的全球化背景下——尤其是鉴于经济全球化加深了全球的不平等状况。

人们提出了两条不同的全球社会公正原则。第一条原则植根于人道主义，它反映了减轻痛苦和关注赤贫的基本道德义务。社会公正的人道主义模式聚焦于消除贫困这一有限的——如果从政治上说，就是紧迫的——任务。由此，彼得·辛格（Peter Singer, 1993）认为，富国的公民和政府有一项基本的义务去终结其他国家的绝对贫困，这基于下述理由：（1）如果我们能避免某件坏事，而又不牺牲任何同等重要的事情，那么，我们就应该去做；（2）绝对贫困之所以是糟糕的，是因为它会招致苦难和死亡。第二种全球社会公正观植根于世界主义，它超越了贫困问题，进一步寻求减少乃至于消除全球不平等。由此，社会公正的世界主义模式同财富和资源从富国流向穷国的重大再分配联系在一起。有关"世界主义"的社会公正的大多数论述都源于试图扩展罗尔斯的正义论的种种努力，正义论从原来与之相关的国内领域扩展到全球范围。于是，罗尔斯的"差异原则"的全球化形式被用来为针对经济和社会不平等加以限制的做法辩护，它要求全球秩序朝着最有利于穷人的方向运行。受这种思想的影响，博格（Pogge, 2008）断言，现存的全球体制是不公正的，需要彻底改革，因为它是以富国的利益为中心构建起来的。

然而，全球社会公正观招致了重大的批评。譬如，基于社会公正只有被应用于独立的政治共同体（通常是民族国家）时才是有意义的，有人就抛弃了这种观念。

由于国家构成了一个封闭而自足的社会合作体系，罗尔斯（Rawls，1971）才把他的正义论只施用于国家。而且，即便全球社会公正必定是可取的，它也是不可行的，因为富国从未显示出有意愿做出全球社会公正所要求的牺牲。最后，全球社会公正原则使得穷国总归是全球不正义的"牺牲品"的观念永恒化，似乎它们总是需要别人来拯救，而不是成为自己命运的主人。

按应得

人们通常对社会公正的两大主要的传统加以区分。其一是以需求为基础而倾向于平等，其二则以考虑应得为基础而更倾向于忍受不平等。然而，以应得为基础的诸多理论实际上也不尽相同。正如上一节所讨论过的，按权利分配利益的观点把分配同源自工作等历史性行为的资格——在某些情形下，这种资格是法律所确认的——联系起来。无疑，以应得为基础的理论在很多方面与以权利为基础的理论相类似。"需求"观念通常被理解为社会主义原则，"权利"观念往往同自由主义理论相关，与之相对，"应得"观念则为保守主义思想家所普遍采用，他们旨在辩护的不是一个抽象的"社会公正"概念，而是他们所认定的更具体的"自然公正"观点。不过，由于概念本身的宽泛乃至"滑腻"，应得论的意识形态倾向很难得到抑制。

"应得"就是公正的（奖）赏或（惩）罚，它体现的是一个人"应拥有的"和"应获得的"。在这一宽泛的意义下，可以把所有的公正原则都说成是基于应得的，正义本身无外乎是给予每个人（他或她）"应得的"。因此，就有可能将以需求为基础的理论和以权利为基础的理论包容在"正当所得"这一宽泛的观念内。譬如，可以说，饥饿的人应该得到食物，工人应该得到工资。当然，还有可能确定一个更为严格的"应得"概念。这就同内在的或道德的价值相关，也就是说，人们应当依其"固有"品性的不同而受到不同的对待。比如，那种认为惩罚是一种因果报应形式的理论就是以应得观念为基础的，因为做错事的人被认为"应得到"惩罚。在此，这种惩罚并不简单地是作为他所作所为的后果，而是出于他或她的内心深藏着恶的本性。保守主义者被这种应得观念所吸引，就因为这一观念看起来是把正义奠立在"事物的自然秩序"之上，而不是立于哲学家或社会理论家构想出来的原则之上。这种认为正义大抵根源于自然或者说是上帝命定的看法，也就是认为正义原则是不能变更的，也是不可避免的。

在保守主义者捍卫自由市场资本主义的努力中，这一自然正义概念表现得尤为突出。在自由主义传统内著述的理论家们（像洛克和诺齐克等）通常援引原则性很强的财产权论证来为出现在市场经济内的财富分配辩护。相比而言，保守主义思想家则往往追随埃德蒙·伯克，认为市场秩序无非是"自然法则"或"上帝的律令"。虽然伯克接受了亚当·斯密的古典经济学（斯密提出，对市场进行干预会导致效率低下），但他同时还认为，政府对劳动状况的调控或对穷人的扶持就等于妨碍了"神圣的天意"（Divine Providence）。在伯克看来，如果主导性的财富分配能够被认为是一个"事物的自然过程"（无论这种分配多么不平等），那么它就是"公正的"。英国社会哲学家赫伯特·斯宾塞所创立的分配正义理论也十分倚重"自然"因素。借助查尔斯·达尔文在自然科学中所阐发出来的观念，斯宾塞开创了一套新的社会哲学。在斯宾塞看来，人和动物一样，天生就在生理上被"编制"（赋予）了一系列的能力和技能，它们决定了他们会以什么为生。因此，在《伦理学原理》（[1892—1893] 1982）一书中，他指出，"每个个体都应当接受源于其本性及后发行为的利（益）与（危）害"，这一表述支持了他"适者生存"的信念。换句话说，当物质利益仅仅反映每个人的"自然"天赋时，从"需求"或"权利"等抽象概念出发来定义公正就显得毫无意义了。

当物质分配反映的是"自然的运行"时，就不存在人类干涉自然的意义，也没法替这种干涉辩护——即便这意味着对饥饿、贫穷及其他形式的人类苦难的容忍。有人就是利用这一论断来批评那些发动饥荒或疾病救助的努力。虽然较为幸运的人也许会觉得自己可以减轻他人的痛苦，但如果这么做，他们就是在同自然本身作对，而他们的这种努力最终是徒劳的，甚至还可能适得其反。这一观点的早期倡导者是英国经济学家托马斯·马尔萨斯（Thomas Malthus，1766—1834），他警告说，所有试图减轻贫困的做法都是毫无意义的。在《人口论》（[1798] 1971）一书中，他断言，生活条件的改善往往会促进人口规模的增长，进而会很快超过所能维持他们生存的资源。因而，战争、饥荒和疾病是对人口规模的必要节制。政府所做的任何企图减少贫困的做法，即使是出于好意，也只会招致灾难。

然而，这种把公正归结为自然应得的观点同样遭到了激烈的批评。在最好的情形下，它也可能被看作一种苛刻而残酷无情的公正原则，这就是有时所谓的"粗鲁的公正"。物质状况完全掌握在自然的手中，"听天由命"：有些国家比别的国家拥有更多的自然资源以及更加宜人的气候条件，这一事实并不是谁的错误，一切都无能为力。这个简单的事实是：有人幸运，有人不幸。可是，许多人会认为，这根本就不是一种道德理论，而是一种避免道德评判的方式。在自然中，毫无公正可言，把道德原则建立在"自然的运作"之上，显然是荒谬的。实际上，这样做既扭曲了我们对"公正"的理解，也歪曲了对"自然"的理解。将某事说成是"自然的"也就表明，它是由人类（所能）控制之外（甚至有可能超出人类理解的范围）的力量左右的。换句话说，指出一定的利益分配是"自然"的，也就意味着它是不可避免的、不可挑战的，而并非在道义上是"对"的。况且，过去似乎是不可改变的东西现在也许就不再如此了。毫无疑问，技术先进的现代社会拥有更大的能力去应对被伯克和马尔萨斯视为"自然"的问题，如贫困、失业和饥荒等。因此，从"自然应得"的角度来描述物质资源的主导性分配，这无非是一种企图为漠视人类同胞苦难寻求辩护的做法。

福利

自 20 世纪早期始，有关平等和社会公正的争论就逐渐聚焦于福利问题上。简单来说，"福利"就是指幸福、富裕和普遍福祉。这不仅仅是指能够生存下去，而且是指某种程度的身体健康、精神满足。由此，"普遍福祉"几乎是人人普遍认同的一种政治理想：很少有政党会希望看到贫困、剥夺的前景。虽然"福祉""富裕""幸福"的实际内涵仍有许多值得争议的地方，但赋予"福利"这一概念本质上的争议性的是，它同达到共同富裕（集体提供的福利）的特定方式联系在一起，这是政府通过所谓的"福利国家"给予的。广而言之，福利国家旨在为全体公民保障一个同等福利的基本水平，就此而言，它同平等观念相关。在许多情形下，这也被视为社会公正的基本要求之一——起码在需求理论家看来是如此。不过，在某种意义上，福利是一个比平等或社会公正更为严密的概念。社会公正理论所关涉的通常是社会资源这一整块"蛋糕"如何分配，而福利概念则更多地关注为所有人提供最低限度的生活质量，它当然也承认大量财富和收入是通过市场进行分配的。

在政治论争中，福利总是一条集体主义的原则，它所代表的一种看法是：政府有责任增进公民的社会福祉。这一福利原则有时被称为"社会福利"。不过，还有其他两条福利原则被人们所采用，其中的每条原则都关系到意识形态的论争。第一条原则表现为个人主义的福利学说。这一学说认为，共同富裕更有可能是个人追逐自身利益的结果，它受市场的调控，而并非源自任何一种公共配给体制。这一"福利个人主义"的观念根源于亚当·斯密的古典经济学，并为哈耶克和弗里德曼等新右翼思想家所复兴。第二条原则表现为在福利思想内开拓出"第三条道路"的理论取向。这一学说力求在集体主义与个人主义之间达成某种平衡，它基于这样一种认识，即公民既拥有福利权利，又具有道德责任。

福利、贫困和社会排斥

"福利国家"这一术语出现于 20 世纪，它用以表述政府广泛的社会责任。不过，该术语至少从两种相互对立的意义上来使用——一种是广义上的，一种是狭义上的。广义上的福利国家关注的是，在"福利国家"形式下作为一项突出的——即便不是最主要的——国家职能的福利供给。约克大主教威廉·坦普尔（William Temple）于 1941 年首次用英语使用这一术语，把西方的"福利国家"同他所说的"权力国家"——纳粹德国——区分开来。也是在这种意义上，可以把现代福利国家同 19 世纪的最低限度的或"守夜人"（nightwatchman）式的国家（这些国家的国内职能在很大程度上仅限于维持内部秩序）对立起来。不过，更为常见的是，这一术语是在另一种"福利国家"（the welfare state）形式下使用的，它用来表述政策和（更具体地说）福利目标得以实现的机构。因此，像社会保障系统、卫生服务和公共教育等方面的机构通常被统称为"福利国家"。也是在这种意义上，有可能把政府承担更多的社会责任或放弃社会责任相应地称作福利国家的扩大或缩小。

然而，有时很难确定什么样的机构和政策可以说成狭义上的福利国家，因为可以把极为广泛的公共政策都说成具有"福利"目标。福利国家留给人最一般的印象是拥有积极的福利供给及诸如养老、救济、住房、卫生和教育等服务保障，而这些服务是市场所不能提供的；即便能提供，也不可能充分提供。在这种意义上，福利国家是对私人供给制度的补充，或者说，在某些情形下，是对后者的替代。这就是二战后英国建立起来并为《贝弗里奇报告》（1942）所展示的福利国家形式，随后，西欧各国纷纷效仿。1945 年之后的前期，这种积极的福利供给制度在瑞典和德国等国家获得了充分的发展；然而，社会富裕不是靠服务供给而是通过规范市场行为来促进的，从这个意义上说，福利供给也可能是消极的。举例说，政府试图对工作状况施加影响的任何努力，如在工业活动中对工会予以法律保护、对最低工资标准进行立法，以及对卫生安全进行规范，都可以说是服务于某个福利目标的。

然而，人们通常很难界定一个国家是否为福利国家或是否具有福利国家性质。这个问题在美国表现得尤为明显。一方面，美国显然不拥有那些出现在某些欧洲国家中的发达而完备的机构；可另一方面，还是以社会保险的形式提供了极其广泛的社会救济，它们都建立在 1935 年的《社会保障法案》、医疗保健和医疗救助制度及食物券工程之上。根据艾斯平-安德森（Gosta Esping-Anderson，1990）的理论，能在发达工业化国家中区分出三种不同的福利供给形式。可以把美国、加拿大和澳大利亚体制说成是自由主义的（或有限的）福利国家，因为这些国家所要提供的无非是给予困难中的人一张"安全防护网"（safety net）。在诸如德国这样的国家，保守主义的（或社团的）福利国家形式则提供更为广泛的服务，但它们严重依赖于"解款"（paying in）政策，且把社会救济同工作岗位密切挂钩。相比之下，社会民主主义的（或贝弗里奇的）福利国家如古典的瑞典体制和原初的英国体制，完全建立在普遍的社会救济和维持充分就业的基础之上。不过，自20世纪八九十年代以来，世界各地出现了广泛的福利改革计划，其结果是，上述三大模式之间的界限已变得越来越模糊了。这将在本章的最后部分予以讨论。

当然，所有的福利制度关注的都是贫困问题。虽然福利国家会提出宽广而宏伟的目标，但根除贫困是他们最基本的目标。然而，什么是"贫困"？从表面上看，贫困是指被剥夺了用以维持"生理效能"的"生活必需品"以及充足的食物、燃料及衣物等。从其原初的意义上看，这被视为一条绝对的标准，低于此标准，人类生存就难以维持。由此观之，发达的工业化国家如美国、加拿大、英国和澳大利亚等几乎不存在贫困。甚至可以说，这些国家的穷人要比世界上大多数人过得还好。然而，仅仅把饥饿的人视为"贫困"的，则忽视了这样一个事实，即贫困也许还在于被剥夺了全社会 *290* 大多数人所享有的基本生活水平、生活条件和快乐。这就是彼得·汤森（Peter Townsend，1974）所提出的相对贫困观念，他把贫困界定为不拥有其所属的社会中惯常的或者说起码是普遍地被鼓励和认可的生活条件和愉悦。从这种意义上说，穷人是"不富有"的人，而不是缺乏生活必需品的"穷苦"的人。然而，相对贫困的概念引出了重要的政治问题，因为它确立起了贫困与不平等之间的联系，并且这样做表明，福利国家消灭贫困的任务只有通过重新分配财富以及推动社会平等才能实现。因此，对贫困的定义是福利供给领域中最具争议的问题之一。

然而，有关福利的现代争论多集中在社会排斥问题，而不是传统的贫困问题。从这个意义上说，贫困有两重重要的意义：其一，它意味着损害是一个同物质上被剥夺（无论是绝对的还是相对的剥夺）相关的基本的经济问题；其二，贫困表明了这一损害是一个体制性问题，因为穷人实际上是某种社会不公正形式的"牺牲品"。从另一个角度来说，"社会排斥"是一个更加宽泛的概念，它关乎那些把个人和群体从社会主流中分离出去的所有过程和条件。而被社会排斥的人们则要忍受多方面的剥夺，因为虽然他们在物质上是贫穷的，但他们还有可能被教育上的失败、犯罪等反社会行为、不健全的家庭环境或缺乏职业道德所边缘化。简而言之，在解释社会的损害上，文化因素可能同物质因素同等重要。有关社会排斥的语言以重要的方式转换了人们对福利的思考。比如，对贫困的关注往往把福利供给同通过重新分配财富而追求社会平等联系在一起，相比之下，对社会排斥的关注则更通常地同追求机会平等和重新分配生存机遇（而不是财富）相关。由此，平等就被重新定义为社会的包容。进而，传统的福利制度不得不予以反思，做出重大的调整，针对被剥夺，要把文化、社会乃至道德现象（而不仅仅是经济现象）都考虑进去。

赞扬福利

在传统的意义上，福利国家主义是这样一种信念，即社会富裕完全是社会共同体的责任，而这种责任应当通过政府来承担。在二战结束后，一种"福利共识"在世界大部分地区兴起，当时的左翼、右翼及中间党派争相确立它们的福利政策，这种政策获得了极为广泛的思想体系支持，这些思想体系都强调要减轻贫困——虽然方式各异，包括拉丁美洲的"解放神学"。这种共识是由强大的竞选因素来推动的，因为当时大部分选民认识到，福利国家会提供自由市场资本主义不可能满足的社会保障。不过，福利国家主义绝非一种连贯的哲学体系。虽然自由主义者、保守主义者和社会主义者们都意识到了福利国家的吸引力，但他们往往是出于不同的考虑而倾向于福利的，因而认可的是不同的福利供给制度。

◎ **超越西方**

291

拉丁美洲思想中的"解放神学"

解放神学是一场罗马天主教会的运动，它兴起于20世纪60年代，主要出现在拉丁美洲。解放神学的核心主题是，基于基督到来不只是要救赎我们而且要解放我们这一信仰，信仰坚定的基督徒有一种特殊的义务去为解放穷人和被压迫者而劳作。这一主题是通过"穷人优先"（preferential option for the poor）这一观念表达出来的。通过将基督教神学与马克思主义的某些方面融合在一起，解放神学获得了一种独特的理论品质。一方面，解放神学吸收了理当植根于天主教的道德律令，另一方面，马克思主义的阶级分析作为一种分析工具被用来解释拉丁美洲及其他地方的贫困和压迫现象，并且用来提出如何处理这些现象。

在《解放神学》（1971）中，古斯塔夫·古蒂雷斯（Gustavo Gutiérrez）这位经常被称作"解放神学之父"的秘鲁神父认为，人类生存的社会环境在协调上帝意志和人类之间的关系中发挥了重要——如果说不是首要——的作用。这意味着，宗教真理必须在变化的社会条件的观照下被解释。不过，有些人比古蒂雷斯走得还要远，他们坚持认为，社会主义革命是基督教徒的唯一选择，譬如，这一立场就被"基督教社会主义"运动（成立于1972年）所采纳。然而，在教皇约翰·保罗二世治下（1978—2005），梵蒂冈试图扑灭所谓的"唯一异端的解放神学"，这一镇压任务被委派给若瑟·拉青格（Ratzinger），他后来成为教皇本笃十六世（2005—2013）。这刚好契合了一股去激进化的趋势，当时，主要的解放神学家纷纷将他们的著述往更加精神化和共产主义化的方向转，越来越偏离了马克思主义，抛弃了革命的号召。然而，自2012年以来，教皇弗朗西斯（前阿根廷主教和第一位来自拉丁美洲的教皇）特别强调要领导一个"为穷人的教会"，他提示：被剥夺了其马克思主义维度的解放神学会重新时尚起来，甚至有可能进入天主教主流中。

人们对社会福利感兴趣的最早的一大原因更多地同国家的效能有关，而不关乎公正和平等等原则。如果一个国家的劳动力健康状况不佳、营养不良，这个国家是不能够建立起繁荣的经济来的，更别说建立一支强大而有效的军队。因此，像德国和英国这样的国家，都是在国际竞争加剧和殖民扩张时期（紧接着，便爆发了第一次世界大战）奠定福利国家基础的，这绝非偶然。尽管这些动机与利他主义和怜悯他人没什么关系，但是有一点很明确，即从长远来看，身体健康并具有生产能力的劳动力对整个社会是有益的。实际上，通常表明，社会福利的增长同一定的经济发展阶段有关。相比于早期的工业化利用大多数没有技术、不会思考的体力劳动者，进一步的工业化发展则要求拥有接受过教育和培训的工人，这些人能够了解并利用现代技术。而福利国家的职能就是造就出这样高质量的劳动力。

福利还同社会团结和国家统一的愿望有关。这种关系已经触及了保守主义思想家的内心世界，他们担心，极度贫困和社会剥夺会导致国内不稳定乃至革命。在19世纪中期的英国，这种考虑助长和推动了社会改革事业，这不能不联系到当时的保守主义政治家本杰明·迪斯雷利（Benjamin Disraeli，1804—1881）。迪斯雷利敏锐地意识到，工业化发展的进程伴随有冲突纷争和社会苦痛等危险，也带来了一个将英国两极分化成"一富一穷两个国度"的前景。因此，作为国家首相的迪斯雷利提出了一个社会改革方案，包括改善住房条件和卫生状况，而这些措施同当时自由党一味宣扬的"自由放任"政策形成了强烈的反差。类似的动因也影响了德国在19世纪80年代福利供给的提出。比如，俾斯麦认为，他正面临着"威胁"，为此，他主张采取福利措施，通过改善民众的生活和工作条件，竭尽全力使民众放弃社会主义。这种保守主义的福利传统是建立在谨慎管理与家长式统治相结合的基础上的。它所关切的无疑是缓减物质上的贫苦，但也仅止于使劳动大众不再对少数富有者构成威胁而已。况且，这种福利主义形式同等级制的存在完全是相容的，因而可以把它视为捍卫（而非铲除）社会不平等的一种努力。福利的家长式统治是以类似于位高任重（*noblesse oblige*，贵人行为理应高尚）的新封建主义原则为基础的，它所包含的意思是，"照看"好那些不如自己富有的人——而不是扶持他们达到与自己同等的富足水平，是享有特权的富有者的职责。

相比而言，自由主义对福利的辩护则在很大程度上建立在政治原则之上，尤其是，建立在福利可以扩大自由领域的看法之上。虽然早期的自由主义者担心社会改革会挫伤积极性，打击勤奋工作，但现代自由主义则将福利视为个人自我发展的一种基本保障。19 世纪末，此种理论为所谓的新自由主义者所提出，代表人物有 T. H. 格林、L. T. 霍布豪斯以及 J. A. 霍布森（J. A. Hobson，1858—1940），他们的观点营造了一种思想气氛，使得阿斯奎斯的改革成为可能。就自由主义的福利主义而言，其核心的观点是力求保障个人免遭其生活的社会灾难侵犯——这些灾难如匮乏、失业、疾病等。作为英国现代福利国家的蓝图，《贝弗里奇报告》（1942）把自身的目标表述为，尽力保护公民免受"五大敌人"（five giants）（欲望、疾病、无知、邋遢和懒惰）的侵袭，并且把这种保护延伸到"从摇篮到坟墓"的整个人生过程中。在 20 世纪 30 年代的美国，在罗斯福新政下，类似的动因也影响了美国对社会福利的采用。在 20 世纪 60 年代，伴随着约翰逊"向贫困宣战"（一项有关教育、岗位培训和城镇复兴的宏伟计划）的实施，这一新政式的自由主义达到了高潮。从这个角度来看，福利最终的目标就是使个人能够自己做出道德决断，并帮助个人去自助。一旦匮乏被消除了，自由主义者仍然希望，个人可以重新对自身的经济和社会环境负起责任来，做到"自力更生"。

然而，社会主义或社会民主主义对福利的辩护走得更远。虽然社会民主主义政治家不断采用自由主义的福利主义那套话语来从事个人自由事业，但从传统上讲，他们对福利的支持是建立在两大更激进的原则之上的，即社群主义与平等。举例说，在《赠予关系》（1970）一书中，理查德·蒂特马斯（Richard Titmuss）指出，从本质上说，福利国家是一种伦理制度，它以公民间的相互义务为基础。人们应当像收到来自"陌生人"的礼物那样接受福利待遇，这是一种人类同情与相互友爱的表达。社会民主主义理论家还把福利同平等的目标联系在一起，他们把它认作对市场资本主义的不公正性和"非人道性"的一种必要的平衡和抵冲。事实上，现代社会主义在很大程度上建立在福利主义的优越性上。因此，福利国家就是一种重新分配的机制，通过一套福利救助和公用事业制度（靠累进税制提供财政支持），它将财富从富人手中转移到穷人手中。例如，在《社会主义的未来》（[1956] 2006）一书中，安东尼·克罗斯兰将社会主义等同于公有制目标。然而，有一点很清楚，那就是：福利国家不可能带来绝对的社会平等，其目标毋宁说是通过减少分配上的不平等而使资本主义"人性化"。然而，不管怎么说，社会民主主义的福利主义不仅仅致力于推进平等的机会，还会带来更大程度上的结果平等。

福利：撤回还是改革？

自 20 世纪 70 年代开始，支撑社会预算节节攀升的福利共识承受着日益增长的压力。在所谓"长期繁荣"（long boom）的经济持续增长期间，福利供给在 20 世纪五六十年代出现扩张态势成为可能。随着经济增长水平下降，世界各国的政府都面临着一个问题，即如何在税收收入不断降低的时期内维持住它们的福利计划。问题可归结为两种选择：一是增加税收，二是削减福利预算。在这种背景下，新右翼理论应运而生。这一理论指出，福利不仅要对不可接受的税收水平负责，它也是对个人主义和个人责任的公然对抗。不过，完全就像福利主义本身那样，这一反福利的转向在意识形态上也是分歧重重。所谓的"新"社会民主主义者和"第三条道路"思想家们着重提出，有必要反思福利供给和改革福利国家。

新右翼对福利的批评涉及道德、政治和经济上的考虑。不过，新右翼自由至上主义式批评的要旨是，福利国家制造了依赖，让穷人沦为"福利的瘾君子"（welfare junkies），从而实际地奴役了穷人。乔治·吉尔德（George Gilder）的《财富与贫困》（1982）和查尔斯·默里（Charles Murray）的《脱离实际》（1984）对福利的批评影响最大，它们将福利说成是反生产力的。比如，就业岗位创造计划削弱了个人的主动性、积极性；而将人划分为"失业的""残障的""弱势的"只是让他们深信，他们是"社会境况的牺牲品"，这一计划反而助长了失业。于是，就产生出一个福利依赖型的下层阶级，他们缺乏职业道德、缺乏自尊，也没有起支持作用的一般家庭生活体系。默里对这个问题的解决办法是，将福利责任从中央政府转移到地方社区，尽可能地突出个人和社区的积极性。

新右翼提出，不富裕的人能够也应当为他们自己的生活负责，这等于复活了"不配受惠的穷人"（undeserving poor）的观点。从其最极端的形式看，它意味着穷人就是懒惰的和不可胜任的，他们只对依靠他人的慈善供养感兴趣，而不愿自力更生。然而，从更为复杂的形式来看，它意味着，不管贫穷的根源是什么，只有个人才能使他（或她）自己摆脱这种困境，而社会则不可能承担这种责任。因此，福利应当以推动和奖赏个人责任的方式来提供。譬如，福利国家只应当是一张旨在消除"绝对"贫困的安全网，救助只应当在真正剥夺的情形下才能被动用。而当福利被转化成一种权利或资格制度时，人们就会被依赖所吞噬，而不再被鼓励去摆脱自身的困境。由此，新右翼对公民义务予以极大的关注，它认为，福利在某种程度上说是被"争取的"。这也就是持新右翼理论的人被"工作福利制"（workfare）的观点所吸引的原因，这种福利制度迫使那些领取国家补助的人去为他们所得到的福利而工作。还有一种福利主张被美国经济学家米尔顿·弗里德曼（Friedman，1962）所普及，即所有的福利形式都应被"逆所得税"（或者说，最低收入补贴，negative income tax）所取代。这就意味着，所有那些收入低于某一标准的人都会得到税务当局给予的钱款，而不用像那些高于这一收入水平的人那样被要求缴税。这种制度的优点在于，它大大地扩展了匮乏者的选择范围，并且鼓励他们为改善自身的处境而承担起更多的责任。

新右翼还基于其他诸多的理由而反对福利。比如，福利国家既因经济增长水平下滑也因高度的通货膨胀而受到指责。竞选的压力却容许福利开支螺旋式节节攀升，失去控制，从而造成了政府"超载"（overload）的问题。可是，这相当于惩罚了那些工作或在职的人，他们被层层加码的税负所压垮。救济金本身助长人们去偷懒，而用来支付救济金的税收却构成了抑制进取的因素。更糟糕的是，不断上涨的公共开销水平为经济注入了越来越多的资金，从而抬高了物价。因此，新右翼一直关注的是，通过削减救济金和鼓励转向私人福利供应来压缩福利预算。既出于意识形态上也基于经济上的原因，新右翼赞成福利在诸如教育、卫生保健、养老等领域的私有化。在私有化被竞选压力排除在外的地方，新右翼则加紧进行旨在使国家供给适应于市场法则的改革。20世纪90年代，英国在教育和卫生领域所确立起来的"国内市场"就是最好的证明。进而，新右翼宣称，私有化和改革所获得的刺激经济运行的因素会给所有的社会群体带来好处，包括穷人。这就是所谓的"滴漏式"（垂滴式或滴入式，trickle down）经济。福利的削减最初可能会扩大不平等，但随着"进取型文化"（enterprise culture）不断推进，它们必然会确保经济"蛋糕"自身不断增大，进而提升整个生活水准。

当然，在美国和英国，里根-撒切尔时期所实行的新福利政策并不限于新右翼理论，也不局限于这两个国家。"福利国家的黄金时代"似乎已经结束，它们被几乎出现在所有国家的福利改革热潮所替代——尽管像英国、澳大利亚和新西兰等国家推进福利改革的力度比许多欧洲大陆国家要大。福利改革的观念兴起于对中间道路的探索，它介于新右翼的自食其力的反福利主义与社会民主主义的"从摇篮到坟墓"的福利主义之间，这确实反映了人们希冀重新思考促进个人独立和经济及社会活力的战略。从某种意义上说，传统的社会民主主义者认为，穷人之所以贫穷，是因为他们没有足够的钱，为此，解决的途径应当是通过社会保障体系重新分配财富；而新右翼认为，穷人之所以贫穷，是因为他们的钱太多了，为此，解决的办法应当是削减过于慷慨的福利救济。相比之下，福利改革的倡导者则断言，穷人之所以贫穷，是因为他们缺乏实现充分参与社会和被社会包容所需的机会及文化资源。从这个角度上说，福利改革的目的在于用"预防性的"福利政策替代"治疗性的"福利政策。由此，福利改革的举措聚焦于诸如"工作福利"（"去工作的福利"观）以及通过增益公民受教育和培训的机会来提升其可雇用性（就业能力）的努力。

讨论题

1. 平等何以不同于"同一"？
2. 说人们生而平等，表达的是什么意思？
3. 在何种意义上可以说，机会平等追求的是不平等？
4. 结果平等只不过是"嫉妒政治"的一种表现吗？
5. 社会公正观必然蕴含着对平等的偏袒吗？
6. 基于何种理由人们有时会认为，财富的分配不可能从正义的角度来评价？
7. 罗尔斯的正义论有多大的平等主义性？
8. 在需求、权利或应得中，何者为社会公正提供了最坚实的基础？
9. 贫困与不平等必然联系在一起吗？
10. 从促进社会包容的角度思考，福利有什么优点？
11. 什么是对福利的最有力的辩护？
12. "福利改革"寻求捍卫还是削弱福利原则？

延伸阅读

Barry，B. *Why Social Justice Matters*（2005）. 该书强调了社会公正的重要性，并且参照近来颠覆其意义和应用的诸多努力，考察了社会公正在经济和政治上的可行性。

Miller，D. *Principles of Social Justics*（2001）. 该书对社会公正进行了深入的、富有创意而又有教益的评析，它考察了相互对立的应得、需求和平等原则的适用范围。

Pierson，C.，Castle，F. and Naumann，I.（eds）*The Welfare State Reader*（2014）. 这是一部内容广泛的有用的选集，其中被收录的文本讨论了对福利的不同态度、对福利国家的最新挑战以及对福利这一主题的最新思考。

White，S. *Equality*（2006）. 该书对平等概念以及围绕平等概念所展开的诸多论争（包括历史的和当代的）做了简明、易读的介绍，从而解释了对平等的诉求是如何从不同的领域引发出来的。

第十一章
财产、市场与计划

- 财产
    - *私有财产　公共财产　国有财产*
- 市场
    - *市场机制　市场奇迹　市场缺陷和失灵*
- 计划
    - *计划模式　计划的愿景　计划的危险*

内容简介

297　　政治几乎在每一层面上都同经济交织在一起。选举结果经常被认为是由经济因素决定的：在繁荣期，政府往往能连选连任；而在萧条期，政府则会遭遇挫败。因此，毫不奇怪，政党政治总是被经济问题所左右。政党靠许诺更高的经济增长率、更大的繁荣、更低的通胀等来相互竞争。经济的影响在政治理论中一直很重要。近两百年来，意识形态争论都是围绕社会主义与资本主义之间的斗争（两大对抗性的经济哲学之间的冲突）展开的。这种斗争被视为政治领域自身之根本所在——左翼观念多为社会主义的，右翼观念则是赞同资本主义的。实际上，这种立场取向把政治归于有关财产所有制以及一种经济制度比另一种经济制度更为可取的争论。财产该归个人私有，用于满足私人利益，还是该归社会共同体或国家公有，用于增进公共利益？

　　有关财产的问题同对立的经济组织模式密切相关，这尤其表现在主导了 20 世纪大部分历史的两种针锋相对的经济体制即市场资本主义与中央计划上。在此期间，政治被简约化为在市场与计划之间做出选择。自 20 世纪晚期以来，市场观念一直处于上升的势头，它不仅被自由主义和保守主义思想家所倡导，而且还赢得了越来越多的社会主义者的认同。是什么东西促使以市场为基础的经济组织体制获得了如此大的成功？不过与此同时，为什么还有人坚持不懈地要求政府干预经济生活，去补充或调控市场？虽然各种计划模式被一系列广泛的国家所采用，但是，把计划原则应用得最为彻底的还是正统的共产主义国家。计划模式的优势或吸引力到底在哪里？可是，计划模式为什么还是经常性地遭遇失败或是突然间被抛弃了？

财产

关于财产的讨论最常见的误解是，这一术语在日常使用中用来指非生命物或"物件"。其实，财产是一种社会制度，它是由习俗、惯例与（在多数情形下）法律所规定的。把某物表述为"财产"就等于确认了一种存在于所指对象与其所属的个人或群体之间的所有权关系。从这种意义上说，在财产与简单地把某一对象当所有物来使用之间有着明显的区别。比方说，从岸边捡起一块鹅卵石、借一支钢笔或开走他人的一辆车，都未确立起所有权。由此，财产是对某一对象或所有物所确立起来并可强制执行的一种要求（所有）权——它是"权利"，而非"事物"。进一步说，财产所有权体现在对某一对象所拥有的权利和支配权上，也表现为对与之相关的义务和责任的接受。从这个角度看，财产赋予使用和处置某一事物的能力，但同时也包含保管、修缮它的责任。

可以认为财产的对象的范围有很大的变化。在原始社会，像印第安人社会，可能就很少有乃至根本没有财产观念。在这些社会，非生命之物尤其是土地被认为属于大自然；由此而来，人类并不拥有财产，他们充其量是财产的照管和监护者。现代财产观念始于17—18世纪，它起源于西方社会日益增长的商业化经济。随着物质对象不断被当作经济资源——作为"生产资料"或可用于买卖的"商品"——来看待，所有权问题变得至关重要了。自然世界被转化成了"财产"来利用，使之造福于人类。不过，即便在当时，财产已不仅仅限定于物质对象上。比方说，人早就被认作财产，这最明显地表现在奴隶制中，也存在于把妻子当丈夫的"动产"的法律体系下。然而，不同形式的财产有着不同的发展历程，这取决于谁或什么东西有权主张所有权，这些财产形式有私有财产、公共财产以及国家财产等。每一种财产形式对组织化的经济和社会生活有着截然不同的含义；基于一定的道德和经济准则，每一种财产形式又都能证明自身的合法性和正当性。

私有财产

私有财产观念如此深刻地扎根于西方文化中，以至于把所有的财产都当"私有的"，也不觉得异常。不过，私有财产是一种特殊形式的财产，C. B. 麦克弗森（Macpherson, 1973）把私有财产界定为个人或机构"把他人排除（排斥）"在某物的使用或收益之外的权利。当然，这种"排斥（排他）权"并不必然拒绝接近、进入。他人可以利用"我的"汽车——但只能在我的允许之下。把财产当"私有"的观念形成于现代早期，它为社会提供了一个商业活动得以在其中展开的法律框架。由此，私有财产成了不断增长的市场或资本主义经济秩序的一块基石。

自由主义与保守主义理论家们都是私有财产最坚定的捍卫者，不过，对它的辩护（证明其正当）则表现为不同的形式。私有财产最早的辩护之一是由 17 世纪自然权利论者如约翰·洛克等提出的。自 20 世纪中期以来，类似的立场还为罗伯特·诺齐克等右翼自由至上主义者所持有。这种辩护的基础是"自我占有"的信念，即每个人都有权占有他（她）自身。如果如洛克所认为的，每个人对自身都拥有独占的排他权，那么结果是，所有人都拥有对自身劳动成果（也就是他们个人所制作、生产或创造出来的东西）的独享权。由此看来，财产权建立在这样的观念之上，即非生命的对象同人的劳动交织在一起，进而成为劳动者独占、独享的财产。上述论证不仅证明了排他性财产权的正当性，同时也证明了此种财产权的不受限制。个人拥有按自身意愿任意使用或处置财产的绝对权利。这在诺齐克的分配理论（在第十章讨论过）中表现得极为鲜明。在诺齐克看来，假如财产是正当地获取或转让的，那么，无论是基于社会公正，还是出于更大群体的利益，侵犯财产权就没有正当的理由了。正是这一立场划定了一条非常明确的界线，以此来限定政府调控经济生活乃至向公民征税的职能。

300

罗伯特·诺齐克

299

美国学者和政治哲学家。诺齐克的主要著作《无政府、国家与乌托邦》（1974）广为人所知，被当成现代政治哲学中最重要的作品之一，它对新右翼理论和信条产生了深远的影响。

人们通常把诺齐克的著作看作对约翰·罗尔斯的观点的一种回应，更宽泛地讲，他的著作被看成是右翼对 1945 年后国家权力增长所做出的反击。他阐发了一种自由至上主义学说，该学说借鉴、吸收了洛克的观点，同时也受到了 19 世纪美国个人主义者像莱桑德·斯普纳（Lysander Spooner, 1808—1887）和本杰明·塔克等的影响。就本质而言，它是一种公正的应得权利理论，即把某些权利视为神圣不可侵犯，同时也否认有关社会公正要求社会的收入和财富按某种方式加以分配的观点。尤其是，诺齐克主张，只要财富首先是正当地获取的，而后又是正当地从一个人转让给另一个人，财产权就应该受到绝对的保护。简而言之，"任何源自正当的情境、通过正当的途径而成就的东西本身就是正当的"。在此基础上，诺齐克把一切福利和再分配形式当作偷窃行为而予以拒斥。不过，他到底还是主张"最小（最低限度）的国家"，他认为，这种国家是从假定的自然状态中不可避免地发展而来的。《无政府、国家与乌托邦》中的某些结论后来在《经过省察的人生》（1989）中得到了修正。

　　将私有财产当作激发劳动的动力来论证，这样的辩护通常同自然权利观相关联。这种对私有财产的捍卫最早出现在亚里士多德的著作中，而后又得到了功利主义者和经济理论家的进一步阐发，它不是建立在道德原则之上，而更多的是以对经济效率的良好预期为基础。简而言之，只有以私有财产的形式获取和消费财富，才能激励人们努力工作，发挥与生俱来的技能和才智。经济学家进一步指出，通过市场竞争机制，私有财产确保经济资源的使用达到最大效益，保持经济的持续增长。而上述观点建立在这样一种信念之上：人是追逐私利的，而工作从根本上被看作工具性的。换句话说，工作充其量不过是达到目的的手段。生产活动背后的驱动力无非是物质消费的欲望。只有在有获得物质财富回报的期望下，才能鼓励人们把时间和精力投入工作中。

　　私有财产往往还同重要的政治价值观尤其是个人自由的促进联系在一起。财产所有权赋予公民一定程度的独立性和自主性，使他们能够自力更生、"自食其力"。相反，无产者则很容易被富人或政府所操纵和控制。所以，即便是那些担心出现经济不平等的政治理论家如让-雅克·卢梭、无政府主义者皮埃尔-约瑟夫·蒲鲁东以及现代社会民主主义者都不愿去考虑取消私有财产。当然，有关私有财产，最强有力的论证还是由弗里德里希·哈耶克等自由市场经济学家提出来的。在《通往奴役之路》（[1944] 1976）中，哈耶克将财产所有权说成是公民自由的根本，他认为，只有在资本主义经济制度内，个人自由才能兴盛。在他看来，政府干涉经济生活必然会恶性膨胀，最终导致社会存在的方方面面都被置于国家的控制之下。事实上，任何对私有财产的侵犯都孕育着极权主义压迫的种子。

　　除了经济和政治上的优点外，私有财产还带来社会的和个人的福利。比方说，私有财产促进了一系列重要的社会价值观。财产所有者同社会有利害关系，因而有动力去维护社会秩序，遵纪守法，举止得体。由此，保守主义者便宣扬一种"财产所有式民主"（property-owning democracy）观念。这一观念支持了阿克曼和阿尔斯托特（Ackerman & Alstott, 1999）的激进主张。它主张，应该给予每一个美国青年总值80 000美元的资金（大致相当于在一所美国顶尖级大学接受四年教育所需的费用），通过这种持份形式，让他们同社会缔结一种资金上的利害关系。显然，这一建立"持

301

份社会"（利益相关者社会，stakeholder society）的努力抛弃了财产是以功绩或正当转让所得为基础的个人权利的观点。它试图对以权利为基础的财产所有权引起的不公正予以反击，后者容许在财富分配、进而在人生机会上广泛而深入的不平等——这种分配的不平等源于财产的继承或所谓的"正当"转让。与后者相对的是，对私有财产所做的持份式辩护则是：资产所有权会促发自由和责任感，特别是给年轻人更为广泛的机会，鼓励人们能够从长计议地思考和行事。在此过程中，它还会减少对福利国家和公益事业的依赖。

为私有财产所做的最后辩护是，把私有财产看作个人成就和自我实现的源泉，而非某种经济资源或可供消费的财富。从这个意义上说，财产所有权所带来的愉悦和满足感应该是一种心理事实，这就好比它是一种经济事实。在某种层面上，这可以从财产能够在一个无保障的世界里提供安全感——给予人们"某种可求助、可倚赖的东西"——的角度来看待。不过，除此以外，财产还可能带来一种"内在的"满足感，甚至充当着个体人格的外化体现。由此，人们在深层的情感意义上隶属于其个人财产：他们通过他们所拥有的东西——汽车、房子、书籍等——去"实现"自我，甚至从中去"看清楚"自己。这一财产所有权维度还有助于解释：为何入室盗窃罪行通常会给受害者带来私人的被侵犯感（除了私人物品上的物质损失）。

虽然现代自由主义者和保守主义者不时也承认需要限制财产权，但反对私有财产的论据往往还是由社会主义者提出来的。最常见的做法不是把私有财产视为自由的基石，而是视之为自由的根本性威胁。有这样的一种论点就警告说，不加约束的财产权会导致财富分配极度不均，使财产成为控制甚至是奴役别人的工具。这种观点在蒲鲁东（Proudhon，[1840] 1970）的名言"财产是盗窃"中获得了最生动的表达。对此，蒲鲁东所意指的并不是个人不能有财产权，而只是说，财富被聚敛到私人手中会促使富人剥削和压迫穷人。当然，马克思主义者的论点更切合实际。马克思采用的是奠基于洛克著作的劳动价值论。该理论的含义是，商品的价值反映生产制作该商品所耗费的劳动量。洛克认为，财产权可追溯到原初的劳动行为上去；马克思则在从事劳动创造财富的无产阶级和占有财富的资产阶级之间做出了泾渭分明的区分。财富或资本的生产和积累则意味着剥削和阶级压迫。用马克思的话来说，就是资产阶级榨取无产阶级劳动中的"剩余价值"。由此，在《共产党宣言》（[1848] 1976）中，马克思和恩格斯就把共产主义理论精练地概括成一句话："消灭私有财产"。对私有财产进一步的关注则一直聚焦于它滋生贪欲（贪婪）、扭曲人性的倾向上。这一立场不仅为社会主义者所持有，同时也为传统的保守主义者所持有，这些保守主义者强调指出，作为财产的保管者（而非所有者），我们有义务为了子孙后代的利益来保存好它们。类似的思想还鲜明地体现在绿色政治理论的"生态管家"观中，这一"生态管家"观通常同

"佛教经济学"（Buddhist economics）联系在一起。

◎ **超越西方**

佛教经济学

　　佛教经济学观念是由舒马赫在其开创性的著作《小的是美好的》（1974）中普及开来的。在该书中，舒马赫力图阐明西方经济制度的哲学基础，并考察了以下问题：西方经济制度假若建立在佛教原则基础之上，会是怎样的情形呢？在舒马赫看来，西方经济学家受困于一种"形而上学的失明"，他们把自身的看法看作"绝对的不可移易的真理"。其中的一条"真理"是：消费是经济活动的唯一目的，劳动不过是达到目的的一种手段，它自身毫无价值。由此，经济制度的目标是通过达到更高的生产水平以实现消费的最大化。

　　与之相对的是，佛教对经济的看法奠基于"正道生存"（right livelihood）观之上。这种"正道生存"观构成了所谓的"八正道"（Eightfold Path）这一启蒙入境之道的一部分。就劳动成就"正道生存"而言，它必须符合诸种要求。首先，也最基本的是，在佛教传统中，劳动并不是一种"不利"（我们做出的牺牲只能通过我们获取的报酬来补偿），而是一种利用和发展我们机能的机会。因此，劳动应当是令人兴奋的、富有创意的，而不是毫无意义或无用无效的。其次，劳动促进社会互动和合作，因而有助于人们克服自我中心主义心态。这就意味着，劳动不是剥削性的——虽然佛教没能就如何实际地实现劳作的非剥削化达成共识。再次，一方面，可以确认的是，劳动的一个目的是生产产品和服务，但这些产品和服务应该只为人们提供一种体面的生活，而不是助长贪婪和消费主义。这反映了佛教对"简单生活"的强调。最后，在舒马赫及其他人看来，"正道生存"意味着生态上的觉悟，尤其是意识到生产的需求要同对环境、其他物种及人类后代的长期利益的重视相协调。

公共财产

　　虽然普遍存在把财产视为私有财产的误解，但追求财富的公有或集体所有却有着比现代社会主义思想还要久远得多的历史。柏拉图提出，财产应共同归被委以统治权的哲学王所有；托马斯·莫尔的《乌托邦》（[1516] 2012）描绘了一个不存在私有财产的社会，它在某些方面成为后来《共产党宣言》中所阐发的思想的前奏。与私有财产以排斥他人使用的权利为基础相反，公共财产可以用麦克弗森的话界定为"不具排他性的权利"。换言之，使用财产的权利为集体的成员所共有，任何成员都无权分割共同的财富而把他人排斥在外，进而中饱私囊。当然，这并不必然意味着，无人是排斥在公共财产的使用之外的。公共所有权可能仅限于一个企业、一个社区或一个地区。举例来说，"公地"（公共土地，common）的使用权可能只限于被圈定为"共有权者"（commoner）的人的范围内，"非共有权者"则被排除在外，正如对图书馆、博物馆和学校等"公共"设施的免费使用不会延伸、扩大到"非公民"。而在另外的情形下，无人被——或可以被——排斥在使用之外，这时的公有权则是普遍的，无所不包的，在土地的使用上，这是时常被倡导的。虽然现代企业和股份公司展现了公共财产的一种特性，即产权归股东集体占有，但把它看作制度化了的私有财产的一个典范更为恰当。因为股份可以买卖，个人可以把他或她占有的股份从整体中取走，而这种做法是公共财产所不允许的。

支持集体财产的观点通常是由社会主义者、共产主义者和社团无政府主义者提出的。这种论证往往是围绕劳动论展开的，但它与洛克所提出的劳动论大不一样。洛克认为，私有财产权可归根于独立而独特的个人的劳动。与之相对，公共财产的支持者则典型地把劳动看作一种社会集体活动，几乎所有的劳动都要依靠群体合作而不是单独的个人所力所能及的。推而言之，如此共同创造出来的财富应当共同所有，并用来增进集体利益。任何一种私有财产制度只是把劫掠行为制度化了。出于社会的团结和凝聚力的考虑，公共财产也由以获得辩护。当财产公有时，自私、贪婪和争斗等社会的本能冲动就会受到抑制，而社会和谐和集体归属感就会得到加强。譬如，柏拉图就认为，公有制是根本，因为它可以确保统治阶级表现为一个团结而无私的整体。社会主义者则典型地把公共财产看作保证所有公民都是名副其实的、完全的社会成员的手段，在此，它利用的是群体的合力而不是狭隘自私的个人动力。

公共财产同样也遭到了尖锐的批评。批评者宣称，由于个人被剥夺了对个人所有物的"私人"管辖权，公有制造就了缺乏安全感的、非人性化的社会环境。一些社会主义者在对用于生产的财产即"生产资料"（他们认为应归集体所有）与个人的财产即"消费资料"（可以仍然保留在私人手中）做出区分时，实际上已经明显地承认了这个问题的存在。其他人则认为，公共财产不可避免地是效率低下的，因为它不能为个人提供勤奋工作和发挥才智的物质刺激。最后，集体财产还存在的一个问题是，它没有对稀缺资源的使用形成制约机制，而只是依赖自发的良知和默契。这种现象通常可以援引所谓的"公地悲剧"来解释。在人们筑篱圈地之前，所有对公地享有共有权的人都拥有无节制地使用土地的权利，可以随意地放养尽可能多的动物。结果出现的问题是，许多时候，大量土地由于过度放牧变得贫瘠而不生利，导致了一场影响到所有共有权者（利益）的悲剧。私人财产所有制（私有制）则可以允许市场运用价格机制来配置稀缺资源，从而解决上述问题。不过，在采用公有制的地方，稀缺资源的使用往往通过施加某种形式的政治权力来加以限制。因而，公有制实际上经常采取的是国家所有制（国有制）的形式。

国有财产

公共财产与国有财产这两个概念通常被混淆。诸如"共同所有"或"社会所有"的称谓似乎是指由全体公民集体拥有的财产，而实际上往往说的是归国家占有和控制的财产。"国有化"同样是指所有权归国民但又要通过国家控制体系来实现。由此，国有财产就成为一种既区别于私有财产也不同于公共财产的财产形式，虽然它同时也表现出以上两种财产的特性来。国有财产同公共财产之间的相似性可以由以下的事实来证实，即不同于私有企业，国家也是以人民的名义并宣称为公共利益而行动的。有时，可以在国有财产的所有权与控制权之间做出区分（相互分离）：所有权至少在名义上是在"人民"手中的；而控制权显然在于当权的政府。然而，从其他方面看，国有财产又同私有财产更为相似。譬如，普通公民无权使用警车之类的国有财产，就如同他们无权使用别人的私家车。况且，像学校、公共图书馆和政府办公室等国家机构对自身财产严加看管的警惕程度丝毫不亚于私人企业。不过，国家财产所有权的界限因社会的不同而大相径庭。所有的国家都拥有一定规模的财产，从而使它们能够发挥基本的立法、行政和司法职能。而在某些国家，国有财产可能囊括范围广泛的经济资源乃至整个产业。在国家集体化的情形下，所有的经济资源——生产、分配和交换资料——通通被充当为"国家财产"。

那些替国有财产辩护的论述通常借助赞同公有制的主张。例如，如果国有财产被认为是"公共的"，那么它就反映出这样一个事实，即集体的社会力量是被其生产过程所消耗的；它只会促进社会的团结与合作，而不会像私有财产那样引发竞争和冲突。据说国有财产还可能拥有公共财产所不能企望的优势。尤其是，国家可以发挥一种机制的作用，借此，稀缺资源的获取与使用能够得到调控，从而避免"公地悲剧"。就国有财产而言，限制经济资源的利用，是服务于社会共同体的长远利益而不是为了谋取私利。况且，不同于公共财产，国有财产能够按合理而高效的原则加以组织、管理。这通常使得某种形式的计划体制成为可能，从而让经济目标的确立和资源的调拨、配置都以确保这些目标的实现为目的。有关计划的性质和功用，将在"计划"部分详加探讨。

不过，国有财产同样遭到了尖锐的批评。公有制的倡导者通常会指出，国有财产实际上既非"公共的"，亦非"社会的"。当资源被国家官员掌控时，就会像发生在私有财产身上那样遭遇同样的"异化"。譬如，没有证据显示，国有化产业中的员工就比私人所有的公司中的雇员拥有更多当家作主的感觉，更能控制工作的流程。此外，国有财产还往往同集权、官僚主义和低效率联系在一起。私有财产把经济活动的组织事务交托给了变幻莫测的市场，公有制倚赖于人民大众的社会协作本能，而国有财产则寄希望于集中而被认为是理性的经济计划体制。然而，完全的计划体制却总是摆脱不了不可救药的僵化和低效状态。需要由数量庞大的国家官员来指导经济，而他们又极易脱离经济需求和消费者的意愿。况且，国家还存在着增进与人民自身利益相脱离的"私利"的危险。在这种情况下，国有财产可能被用来为官僚机构和国家官员谋取私利而非用于促进公共利益。所以，集体主义体制常被表述成国家资本主义的样本。

306 市场

对某种经济组织形式的需求源自一个简单的匮乏事实：一方面，人类的需求和欲望是无限的；而另一方面，可供利用来满足这些需求和欲望的物质资源显然又不是无限的。在一个财富充裕和普遍繁荣的世界，经济学变得无关紧要；但在匮乏的环境下，经济问题则威胁影响到其他所有的问题，包括政治问题。如前所述，从传统上看，经济问题的核心凸显为在两种根本不同的经济制度（资本主义与社会主义）之间的选择，进而在经济体内两种相互竞争的资源配置机制（市场或计划）之间的选择。

众所周知，市场就是进行商品买卖的地方，如鱼市和肉市。在经济理论上，"市场"一词所指的不是某个地理空间，而更多的是在那个空间所从事的商业活动。从这个意义上说，市场是一种商品交易体制，在其中，想要获得某种商品或服务的买方能够同提供买方所需之物的卖方接触，展开交易。尽管交易明显可以采取实物交易的形式，即以物易物制，但商品活动更经常性地带有货币的使用，货币充当了便利的交换媒介。市场通常被认为是资本主义经济的基本特征。用马克思的话来说，资本主义是"普遍化了的商品生产制度"，商品是生产出来用于交换的产品或服务，也就是说，它拥有一定的市场价值。因此，市场是资本主义内部运作的组织原则，市场配置资源，决定生产什么，确定商品价格和工资水平等。实际上，许多人都把市场当作资本主义活力和成功的源泉——无论在国家还是在全球层面上。1989—1991年东欧剧变所导致的苏联解体，几乎带来了整个以市场为基础的经济改革的普遍化；而且，经济全球化的兴起还导致了所谓"全球资本主义"的出现。

全球性思考

全球资本主义

"全球资本主义"这一术语表明：资本主义一直处于重构当中，尤其是自20世纪80年代以来，国家资本主义体系日益融入同一个相互联结的世界经济体内。这表现为跨边界和跨国经济体系的不断出现和发展，其中，三个方面的发展显得尤为重要：国际贸易体系在规模和范围上一直在不断扩张；跨国公司逐渐主宰了越来越多的经济单位，并且现已占据了大部分的世界生产量；全球金融体系出现了，这使得货币和资本可以"思想的速度"（准确地说）在全世界范围内流动。

然而，人们提出了两幅截然不同的全球资本主义图景。从自由主义的角度看，全球化经济从本质上说是市场冲破因主权民族国家的存在而出现的生产、分配和交换壁垒这一趋势发展的结果。由此可见，全球资本主义促进了繁荣，并为全人类创造了机会。尽管全球资本主义使得富人更富，但它也使得穷人不再那样穷。之所以这样，是因为国际贸易允许各国在某类商品和服务的生产上专业化，从而使每个国家都能获得"比较优势"，而且，从使专业化成为可能的规模经济中还生发出其他的益处。同样，当跨国公司在广大发展中国家散布财富、拓展就业机会和增进现代技术的使用时，跨国生产就成了一种向善的力量。与之相对的是，新马克思主义者则一直关注全球资本主义中凸显的不平等和不均衡现象。譬如，世界体系理论家认为，联结着的资本主义体系是以组织结构上的不平等为特征的。这些不平等建立在剥削的基础上，而根源于经济上的矛盾冲突，因而有可能导向动荡和危机。从这个角度看，发达的北方国家所处的"中心"区受益于资本的集中、高工资和发达的技术，而广大不发达的南方国家所处的"边缘"区则遭受中心区的剥削，因为它们要倚赖于原材料的出口、勉强维持生计的工资和薄弱的国家保护框架。由此，全球资本主义使得全球贫苦永久化。

不过，国家资本主义的消亡在很大程度上被夸大了。因为不仅世界范围内大多数的经济活动仍然发生在一国框架之内；而且，经济全球化作为一种不可抗拒的力量的形象在很大程度上也仍然服务于国家的意识形态功能，它使走向自由市场的趋势似乎变得不可逃避（Hirst & Thompson，1999）。然而，与其把这种全球资本主义观念（无论它披着解放的外衣还是剥削的外衣）当作神话来抛弃，还不如或最好是把全球资本主义理解成一个更加复杂和差异化的现实的一部分，它将民族国家、地区和全球性要素统一到一起。

市场机制

对市场运作最早的分析是由苏格兰经济学家亚当·斯密在《国富论》（[1776]
1930）中做出的。尽管其后的思想家做出了重大的修正和阐发，但斯密的著作仍然在
很大程度上构筑了经济学学术理论的根基。斯密反对施加在经济活动上的诸多束缚，
如封建行会的残存与重商主义对贸易的限制，他宣称，经济应当尽可能地作为自我调
节的市场来起作用。他认为，市场竞争发挥的是"看不见的手"的作用，它如魔术般
帮助组织经济生活而无须外在的控制。他是这样说的："我们所期望的晚餐并非来自
屠夫、酿酒师和面包师的仁慈之心，而是出自他们对自身利益的关切。"虽然斯密并
不赞同人类完全自私自利的残酷观点，也确实在《道德情操论》（[1759] 1976）中阐
发了一种复杂的动机理论，但他还是强调，我们是通过追求自身目的而无意中实现了
更为广泛的社会目标的。从这个意义上说，他是自然秩序观念的坚定信奉者。未受调
控的社会秩序观念源于对私利的追求，对此，伯纳德·曼德维尔（Bernard Mandev-
ille）的《蜜蜂的寓言》（[1714] 1924）一书同样有所表达，该书强调，蜂群的成功建
立在蜜蜂屈从于它们的"劣性"（它们强烈的自私自利本性）之上。

斯密提出，财富是通过市场竞争模式创造出来的。后来的经济学家把这一观点进
一步阐述为"完全竞争"模式。这一模式假定，在一个经济体中存在着无以计数的生
产者和消费者，每个人都拥有关于各经济部门进展情况的完全的知识。在此种条件
下，经济将由价格机制来调控，即对通常被称作"市场力量"的供求力量做出反应。
其中，"求"是指以一定的价格购买一定的商品或服务的意愿和能力；"供"是指将以
一定的价格提供出用于出售的商品或服务的数量。于是，价格反映出需求与供应之间
的相互关系。举例来说，如果对汽车的需求增加，想要购买的汽车数就要多于供出售
的汽车数。当需求超过供给（供不应求）时，市场价格就会上涨，从而刺激生产者提
高产量。同样，新的更低廉的制造电视机的方法会增加供给，允许价格下降，从而刺
激更多的人去购买电视机。尽管在这样一种经济中决策是高度分散的，掌握在难以计
数的生产者和消费者手里，但并不存在随意轻率的决策。一股不可见的力量在市场中
发挥作用，它确保市场的稳定和平衡，这就是亚当·斯密所谓的"看不见的手"。市
场竞争最终会倾向于均衡，因为供给与需求往往会走向相互吻合。例如，鞋的价格会
定在一定的水平上，在这个水平上，有意愿也有能力买鞋的人数与供出售的鞋的数量
是相当的；只有在供求条件改变的条件下，价格才会随之改变。

市场经济无非是一张庞大的商业关系网，在其中，消费者和生产者都通过价格机

制表达他们的意愿。这带来的一个最明显的后果是，政府不再需要对经济活动进行调
节和计划；可以把经济组织完全托付给市场本身。实际上，如果政府干预经济生活，
就会冒搅乱市场微妙的平衡的风险。简而言之，经济在政府放手的情况下运转得最
好。在最极端的形式下，这导致了"自由放任"学说，其字面意思是"任其所是"，
它表明，经济应当完全从政府的影响下解脱出来。当然，只有那些无政府资本主义者
才认为市场能够在所有的方面取代政府。大多数追随亚当·斯密的自由市场经济学家
都承认，政府扮演了一个至关重要的（即便是有限的）角色。

　　在几乎所有的情形下，这里包含这样一种认同，即只有主权国家才能够提供一个
经济在其中得以运行的稳定的社会环境，尤其是在抵御外来入侵、维护公共秩序和强
制履行合约等方面。在这一点上，自由市场经济学只不过是重申，需要有一个最低限
度的国家或所谓"守夜人"式的国家。不过，自由市场的倡导者也可能承认，政府有
一种合法的经济职能——即使这一职能基本上限于市场机制的维护上。例如，政府必
须监管经济，避免竞争被诸如价格协定和出现的"托拉斯"或垄断等不公正做法所抑
制。此外，政府还有责任确保物价稳定。首要的是，市场经济倚赖于"坚挺的货币"，
也就是稳定的交换媒介。政府控制经济活动中的货币供给，进而抑制通货膨胀。

市场奇迹

　　市场最大的吸引力在于其创造财富的机制。市场激发了对事业心、创新精神和增
长孜孜不倦的追求，并保证资源用于最有效的地方，由此完成交托给市场的任务。市
场是一个庞大而高度复杂的交往体系，它源源不断地把来自消费者的信息和"信号"
传递给生产者，反之亦然。实际上，价格机制扮演着经济的中枢神经系统的角色，它
发送浮动价格意义上的信号。例如，铁锅价格上涨向消费者传递了"少买铁锅"的信
息，而生产者收到的信息却是"多生产铁锅"。由此，市场就能够实现非理性的配置
所不能实现的东西——因为它把经济决策权交付到了生产者和消费者个人手中。

　　结果是，市场经济能不断适应商业行为和经济环境中的变化。特别是，经济资源
能有效利用，这不是因为有了计划委员会制订的蓝图，而只是因为资源用在了能赚取
最大利润的地方。举例来说，不断拓展的新兴产业能击败效率低下的旧产业，是因为
上乘的利润水平吸引了资本投资，而高薪的前景吸引了劳动力。这样一来，就会促使
生产者从"机会成本"（把某一项生产要素投入其他用途，收益会如何）的角度去计
算成本。由此可见，唯独市场经济能够符合维尔弗雷多·帕累托在 20 世纪初提出的
经济效率评价标准，使资源以最优的方式进行配置，既不会给任何一方带来损失，也
不可能还有别的变动可以使人更加受益。

309

310

效率在私人企业的层面上也是奏效的，它同样是受利润所驱动。市场有效地分散了经济权力，决定生产什么、生产多少、以什么价格销售，允许各个企业独立自主地做出重大决策。然而，资本主义企业是在奖励高效惩罚低效的市场环境中运作的。为了在市场竞争中取胜，企业必须保持低廉的价格，因而不得不尽力降低成本。所以，市场的游戏规则有助于消除浪费、人员冗余和生产力低下；而相比之下，这一切在计划体制下都是可以容忍的。毫无疑问，从某些方面看，市场是苛责的——如使不景气的企业倒闭、亏损的产业萎缩，但从长远来看，这是经济繁荣兴旺所必须付出的代价。这正是难以建立切实可行的市场社会主义模式的原因。如一度在南斯拉夫和匈牙利出现的那样，市场社会主义企图鼓励自主经营的企业在市场环境中展开竞争。从理论上讲，这种做法两全其美：既有市场竞争激发勤奋工作和提高效率，又有公有制避免剥削和不平等的出现。但是，这样的企业不愿接受市场法则，因为自主经营要求企业首先对劳动者的利益负责。自由市场经济学家之所以通常断言，只有层级式地组织起来的私营企业才能够不间断地回应市场的"指示"，原因就在于此。

除了效率和高增长率以外，市场经济还以积极响应消费者为特征。在充满竞争的市场中，关键性的产出决策——生产什么、生产多少——是依据消费者的需求和购买力做出的。也就是说，这是由消费者来做主的。因而，市场是一种民主机制，最终受制于消费者个人的购买决心或"投票表决"。这反映在资本主义市场出售的品种繁多、令人眼花缭乱的消费品和摆在潜在购买者面前广泛的选择范围上。除此之外，消费者做主激励公司开发新产品和改进生产工艺，从而确保公司"领先于"市场；由此，它造就了追求技术革新和进步的强劲不衰的动力。从 18 世纪晚期钢铁产业的出现到 21 世纪数字、基因和其他技术的发展，市场始终是人类历史上最长盛不衰的技术进步期背后的驱动力。

尽管为市场所做的辩护常常是基于经济上的理由，但自由至上主义理论家坚持认为，也可以出于道德和政治上的理由来支持市场。譬如，就市场为人们提供了由以满足他们欲望的机制而言，就可以看出市场在道德上是可取的。从这个意义上说，市场资本主义从功利的角度获得了辩护（被证明是合理性的）：它使得快乐和痛苦，进而是与非、"好"和"坏"的定义牢牢地把握在个人自己手中。进一步说，市场明显地同个人自由联系在一起。在市场中，个人可以行使选择的自由：他们选择购买什么、选择在哪里工作；他们还可以选择办公司，如果真办起来，则自行决定生产什么产品、雇用何人等。况且，市场自由同平等紧密联系在一起。简而言之，市场对所有人一视同仁（市场面前人人平等）。在市场经济中，对人做出评价的依据是个人价值、他们的才干和努力工作的能力；而所有其他方面——种族、肤色、宗教、性别等——的考虑则完全不相干。另外，可以断定，市场绝非道德的敌人，相反，它往往强化着道德的水准；实际上，它不可能在伦理情境之外存在。例如，良好的雇佣关系要求双方的诚实可靠和正直，而在缺乏诚信的情况下，生意协议和商业交易是很难达成的。

自由至上主义

自18世纪后期始，政治思想中出现了一股鲜明的自由至上主义思潮，其理论定位介于古典自由主义与个人主义的无政府主义之间。自由至上主义思想传统的特点是，自由（从消极的角度来理解的）被赋予了相对于其他价值（如权威、传统和平等）的绝对优先权。因而，自由至上主义者试图使个人自由的领域最大化而使公共权威的范围最小化，尤其是把政府或国家看作对自由的最大威胁。当然，这一反国家主义的立场也不同于古典的无政府主义学说，因为后者建立在不容妥协的个人主义之上，而对人的合群或合作基本上不予理睬。

有两大著名的自由至上主义传统，它们分别植根于个人权利观念和自由放任的经济信条之上。通常，自由至上主义的权利观强调，个人是他（或她）自己的主人，因而人们对自己所创造的财产有权享有绝对的权利。自由至上主义的经济理论则强调市场机制的自我调节性，而且把政府干预说成是不必要的和反生产力的。虽然所有的自由至上主义者都拒绝政府对财富进行再分配及其实现社会公正的企图，但是，在赞成无政府式的资本主义并把国家视为不必要的"恶"的自由至上主义者（近乎无政府主义者）与承认需要有最低限度的国家的自由至上主义者（通常自称为"小政府主义者"，minarchist）之间，还是可予以区分的。自由至上主义与自由主义之间的关系复杂而富有争议。有人把自由至上主义看作古典自由主义的衍生物或副产品，而更多的人则认为，自由主义——即便其古典形态——拒绝把自由置于秩序之上，因此不会对国家表现出自由至上主义所特有的那种敌意。此外，保守主义中的新右翼思想明显含有自由至上主义要素。

自由至上主义理论建立在对个人和自由的极端信奉之上。这些理论的价值在于，它们不断地提醒人们，要警惕包藏在所有政府行为中的压迫性因素。而对自由至上主义的批评大致分为两种：其一是认为这种对任何形式的福利或再分配的拒绝是一种典型的资本主义意识形态，它所体现的只是商业共同体和私有财产的利益。另一种批评则着重指出自由至上主义哲学的偏颇，它过于强调权利而忽视了责任；尊重了个人的努力和能力，却没有考虑到这些因素到底在多大程度上是社会环境的产物。

代表人物

亚当·斯密　苏格兰经济学家和哲学家。斯密提出了自由市场经济理论，而自由至上主义在很大程度上就是在此基础上确立起来的。与其说斯密是自由至上主义者，不如说他是一位古典自由主义者。他的动机理论试图将人的利己行为同未经调控的社会秩序调和起来。他是重商主义的强烈批评者，并最先从市场的角度系统地阐释了经济的运作——着重强调了"看不见的手"在市场竞争中的作用。当然，斯密也意识到了自由放任的局限性。他最有名的著作有《道德情操论》（[1759] 1976）和《国富论》（[1776] 1930）。

威廉·葛德文 英国哲学家和小说家。葛德文对威权主义提出了全面、彻底的批判，这种批判是对无政府主义信念的首次充分阐发。他那种极端的自由理性主义把政府说成是社会混乱无序的根源，而不是补救的良方，从而重整了传统的社会契约论。他信赖基于教育和社会环境之上的人类可完善理论。虽然葛德文是位个人主义者，但他却认为，人类能够具有真正无私的仁爱之心。葛德文最主要的政治著作是《政治正义论》（[1793] 1976）。

麦克斯·施蒂纳（Max Stirner, 1806—1856） 德国哲学家。施蒂纳提出了一种建立在自我主义基础之上的极端个人主义。施蒂纳把自我主义当作一种把个体自我置于道德世界之中心的哲学，它表明，个人的行为不应受法律、社会习俗或道德、宗教准则的约束。虽然施蒂纳并未关注过非国家社会的本性，但他的这一立场显然引向了无神论和个人主义的无政府主义。他最重要的政治学著作是《唯一者及其所有物》（[1845] 1963）。

弗里德里希·哈耶克 奥地利经济学家和政治哲学家，最具影响力的现代自由市场理论家。作为所谓的奥地利学派的代表人物，哈耶克是个人主义和市场秩序的坚定信奉者，同时也是对社会主义毫不留情的批评者。他把市场说成是确保经济效率的唯一手段，抨击政府干预是不折不扣的极权主义。哈耶克是一位古典自由主义者，而非一般意义上的自由至上主义者，他主张修正过的传统主义，并赞成盎格鲁—美利坚式的宪政主义。哈耶克的名著有《通往奴役之路》（[1944] 1976）、《自由宪章》（1960）与《法律、立法与自由》（1979）。

穆雷·罗斯巴德 美国经济学家和政治活动家。罗斯巴德是现代无政府资本主义的主要理论家。他把不受约束的自由放任资本主义制度同"关于不受侵犯的人身和财产权利的自由至上主义基本准则"结合起来；据此，他拒绝把国家当作勒索"保护费"的行当来看待。在罗斯巴德的未来自由至上主义社会中，对任何个人人身和财产的强制侵犯在法律上是不可能的。他的主要著作有《权力与市场》（1970）、《走向新自由》（1973）。

市场缺陷和失灵

作为创造财富的机制，市场所取得的成功得到了广泛的认同，甚至还为卡尔·马克思（和恩格斯）所接受。马克思在《共产党宣言》中承认，资本主义带来了从前连做梦都不敢想象的技术进步。不过，市场体制同样也遭到了严厉的批判。有些批评者（像马克思本人）就认为市场有着根本性的缺陷，因而要予以废除。另一些人则既看到了市场的能量，同时又对市场的滥用发出了警告。总之，他们认为，市场既是位忠实的仆人，又是位难侍候的主人。

如同没有一种计划体制是"纯粹"的，不纯粹性同样也存在于所有的市场经济中。最显著的不纯粹性采取的是政府的经济干预形式。实际上，在20世纪大部分时间里，西方资本主义的经济主流是，随着政府对经济和社会生活承担起更为宽泛的职责，放任自由被逐渐抛弃了。福利国家的确立提供了"社会工资"，从而影响到劳动力市场的运转；政府通过财政和货币政策"调控"经济；越来越普遍的是，政府通过把产业收归公有而直接对经济施加影响。以至于，有人提出，正是政府这种干预和控制经济而不是让经济任凭市场摆布的意愿，解释了发达资本主义国家的普遍繁荣现象。比方说，很显然，即便从许多方面看，这一趋势自20世纪80年代以来已经发生了逆转，这也并不意味着有任何国家出现了最小的或"守夜人"国家的复兴。

市场的一个主要缺陷是，对有些经济情况，它不会也不可能做出反应。譬如，市场不可能考虑到经济学家所谓的外部性或"社会成本"。有些生产活动所耗费的成本会影响整个社会，但又被制造了这些成本的企业所忽视，因为这些成本是外部的，并不显示在企业的资产负债表上。社会成本的一个典型例子是污染。市场力量可能助长私有企业制造污染——即便这会破坏环境，威胁其他行业，并危及附近社区居民的健康。因而，全球资本主义就与不断恶化的环境危机联系在一起。只有政府干预才可强制企业顾及社会成本，或是禁止排污，或是令污染制造者为他们造成的环境破坏付出代价。同样，市场也不能提供经济学家所称的"公共产品"。这些产品生产出来符合每个人的利益；但由于很难乃至不可能排除其他所有人从中受益，市场是不会提供这些产品的。灯塔就是一种典型的公共产品。灯塔照明所及范围内的船只会回应它发出的警示信号，但灯塔的拥有者无法征收他所提供的服务的费用。由于这一服务惠及所有人，船只欣然坐享其成，充当无本获利的"搭便车者"。由于市场无法提供公共产品，那么就得由政府来承担起这份责任。实际上，既然卫生、公共健康、交通、教育和其他重要的公用事业全都可以算作公共产品，那么，上述观点恰好可以证明广泛的政府干预是合理、合法的。

批评的火力还瞄准了市场对消费者的反应，尤其是针对它满足人们真正需求的能力。之所以出现这种情况，首先是因为存在着走向垄断的强大趋势。与人们通常所预期的不同，市场的内在逻辑实际是奖励合作行为而惩罚竞争。正如单个的工人通过集体行动获得相对于雇主的权力，私有企业同样有动力去组建"卡特尔"，签订价格协议，排斥潜在的竞争对手。因而，大多数的经济市场被少数几个大公司所主宰。这不仅限制了消费者的选择范围；而且还通过做广告，使这几个企业有能力操控消费者的喜好和意愿。正如 J. K. 加尔布雷思（Galbraith，1962）这样的经济学家所警告的，消费者做主也许只是个幻觉。况且，市场所回应的显然不是人的一般需求，而是人的"有效需求"，即有支付能力做后盾的需求。市场指示，经济资源流向生产有利可图的东西上。然而，这可能意味着，极其重要的资源都专用于面向富人的豪华轿车、高级时装和其他奢侈品的生产上，而不是为社会大众提供舒适的住房和充足的饮食。很简单，穷人没有市场购买力，因而在市场上是没什么发言权的。

即便亚当·斯密信奉自然秩序，但市场还是不可能自我调节。这其实是英国经济学家约翰·梅纳德·凯恩斯在《就业、利息和货币通论》（[1936]1965）一书中所总结出的教训。在大萧条的背景下，凯恩斯断言会出现这样的情形：资本主义市场会恶性循环，它深陷失业之中，而又无力扭转这一趋势。他指出，经济活动的水平要适应于"总需求"，即经济活动的需求总量。由于失业增加，市场购买力（的下降）显示出工资削减了。对此，凯恩斯指出，这只会减少需求，进而导致更多就业机会丧失。凯恩斯绝对不是要全盘抛弃市场，他所坚持的只是：一种成功的市场经济必须由政府来调节，尤其是政府必须调控需求水平。当经济不景气而导致失业率上升时，要通过增加公共开支来扩大需求；而当经济处于"过热"的危险状态时，则要降低需求。在早期采用凯恩斯的经济策略方面，F. D. 罗斯福做出了最早的尝试，这成为他 20 世纪30 年代所施行的新政的部分内容。各个公用事业项目纷纷上马，被用来更改河道、修筑道路、开垦荒地等。其中，最著名的工程项目是由田纳西流域管理局（TVA）监管的。在 1945 年之后的战后初期，凯恩斯主义的政策被西方政府广泛采纳，并被视为支撑 20 世纪 50 至 60 年代"长期繁荣"的关键所在。

最后，人们还提出了道德上和政治上的理由来反对市场。例如，新保守主义者和社会主义者都认为，市场对社会价值观具有破坏性。市场奖赏自私和贪婪，因而造就出原子式的孤立个体，他们没有履行自己的社会责任和公民义务的动力。然而，对市场的道德谴责通常集中在它同极端严重的社会不平等现象之间的关系上。寻求废除和取代资本主义的社会主义者把这种关系同私有财产制度及有产者与无产者之间不平等的经济权力联系在一起。不过，不加以管制的市场的确会产生巨大的收入差距。比方说，那种认为市场是一个公平的竞技场（在其中，每个人都依其个人的价值而获得公正评判）的看法是错误的。相反，财富和收入的分配受到诸如遗产继承、社会背景和教育程度等因素的影响。另外，报酬反映的是市场价值，而不考虑个人对社会的真正价值。比方说，这就意味着体育明星和媒介名流就要比护士、医生、教师等人获得多得多的酬劳。同样地，全球资本主义带来了全球范围内新的不平等形式。任何倚赖于物质刺激的经济制度都不可避免地会引发不平等。即使在那些张扬市场是创造财富的手段的人当中，也有很多人不愿采用市场作为分配财富的机制。因此，解决的办法是用某种福利供给制度来补充市场——正如第十章所讨论过的那样。

计划

能够替代自发的、未加调控的市场运作的方案是，基于某种形式的计划而对经济生活予以合理组织。"计划"，就是谋划出一套方案或设计出一种达到某一特定目标的方法。实际上，它指的就是先于行动而予以思量。因而，一切形式的计划必然具有两个基本特征。首先，计划是一种有目的的活动，它以存在清楚、明确的目标（企图达到或实现的东西）为先决条件。这些目标可以是很具体的，如苏联式中央计划体制所制订的产量指标；也可能很宽泛、笼统，如经济增长的速度、失业率的下降等。其次，计划是一种理性的行为。它建立在这样一个假定基础之上，即经济和社会问题是能够通过行使人类的理性和智谋来解决的。由此可见，经济计划的核心所在是这样一个理念：稀缺问题可以借助合理的、适应于既定的人类目标的资源配置机制来克服。然而，人们对计划观念往往多有误解，在很多人的心目中，它总是同一度出现在苏联的中央计划体制联系在一起。不过，计划可以表现为各种各样的形式，这些计划形式在第三世界发展中国家和某些工业化发达国家被广为采用。况且，即便有人指出，计划模式总是被历史的发展所彻底否定，也很难想象，若脱离了某种计划因素，经济活动还如何去运作。

计划模式

从传统上看，计划观念通常与社会主义经济联系在一起，尤其是同马克思主义相关。但马克思从未对未来社会主义社会的组织形式绘制过蓝图，他认为，分毫不差地预见到一个历史上前所未有的社会如何运作是不可能的；为此，他仅仅把自己限定在一些宽泛的原则上。他的核心观点是，应废除私有财产并用集体所有制或社会所有制取而代之。在此，"生产关系"作为社会关系的总和，会沦为进一步发展"生产力"的桎梏。这就意味着，共产主义社会将以物质充裕为特征。这最终会解决匮乏问题，它允许经济资源首先适应于满足人们的需求——这是一个以某种计划安排为前提条件的要求。遗憾的是，马克思没有具体指明这种安排将采取什么样的形式。不过，确定无疑的是，无论是马克思还是恩格斯都没有料想到以苏联的计划模式为典型的中央调控和大规模生产的重大意义。马克思始终如一地支持民众在社会各个层面上的广泛参与，他关于国家将随着完全意义上的共产主义的建成而"消亡"的预言表明，他赞同的是公共财产及自我管理，而不是国家的集体化。

317

卡尔·马克思

德国哲学家、经济学家和政治思想家。在当过短时期的大学教师后，马克思开始从事新闻业并越来越深地卷入社会主义运动中。1843 年，他移居巴黎，后来又在布鲁塞尔度过三年，最终于 1849 年定居伦敦。在其余生中，马克思热情洋溢地投入到革命事业和写作中，并得到了他的朋友，也是他终生的合作伙伴弗里德里希·恩格斯的鼎力支持。马克思通常被称作 20 世纪共产主义之父。

马克思的著作为马克思主义的政治传统奠定了基础。马克思主义来源于黑格尔哲学、英国政治经济学和法国空想社会主义的综合。他早期的著作《1844 年经济学哲学手稿》（[1844] 1967）概括了共产主义的人道主义观，它建立在对自由和合作的生产条件下非异化劳动的前景之上。历史唯物主义观念在《德意志意识形态》（[1846] 1970）中开始成形，并在《〈政治经济学批判〉导言》（1859）中得到了最为简明扼要的表述。马克思最著名也最通俗易懂的著作是与恩格斯合著的《共产党宣言》（[1848] 1976），该书概括了他对资本主义的批判；并通过关注资本主义体制性的不平等与不稳定，从而突显出它的过渡性（向共产主义过渡）。马克思的经典之作是三卷本的《资本论》（1867、1885、1894），该书详尽地分析了资本主义的生产方式，其观点建立在经济决定论基础之上。

毫无疑问，计划模式在苏联发展到了它的巅峰，这种模式后来又被东欧和其他地区的国家社会主义政权所采用。列宁在他的那句名言中把共产主义说成是"苏维埃政权加全国电气化"，它表明了苏联将全面投身现代化，完成把经济活动置于民主调控之下的使命。不过，这一构想直到 1928 年开展第一个五年计划时才得以实现，苏联农业集体化运动则直到次年才开始实施。这使得中央计划经济确立起来。除了农民用于自留的小块私有土地，一切经济资源都归国家掌控。在斯大林的统治下，确立了"指令性经济"，它包含着通过党和国家机关运转的所谓"指令性计划"。对经济政策
318 的全面控制权掌握在共产党的最高层权力机关即中央委员会和中央政治局手中。一张

由计划机构和委员会所组成的庞大而复杂的计划网络在国家计划委员会（Gosplan）的领导之下运作，它负责制订五年计划。

然而，在其他国家，计划被视为补充（而不是替代）市场的一种方式。在这种情形下，发展出了"指导性计划"体制，其中的计划并不对企业生产什么和生产多少直接发号施令，而是力求间接地影响经济。经济学家通常称这种政府干预方式为经济"管理"，以区别于苏联式的"计划"。不过，它仍然试图对经济生活的组织活动施加有目的的、合理的影响。在 1945 年以后，随着政府试图达到范围广泛的经济目标：维持高水平的经济增长、控制通货膨胀、促进国际贸易、确保充分就业和财富的公平分配等，国家干预在西方渐趋普遍。在诸如英、法等国家，这导致了战略性产业的国有化和混合经济体的建立，从而使政府能够对经济生活施加更大的影响。

正规的计划体制也确立起来了。在英国，命运多舛的经济事务部在 1966 年制订了国家计划，国家朝着它所指引的方向蹒跚前行。不过，其他欧洲国家尤其是法国和荷兰还引入了更为发达也要成功得多的体制。日本也采用了一种计划模式，它明显区别于美国自由市场的经济发展模式。日本在 20 世纪五六十年代所经历的"经济奇迹"为通产省所掌控，该部门指导了私有企业的投资政策，帮助确认了增长型的产业方向，并把目标锁定在出口市场上。类似的旨在推动出口导向型增长的政府谨慎干预体制同样为东亚其他国家和地区所采用，尤其是中国香港、新加坡、韩国和中国台湾。而印度则发展出一套毫无保留地吸取苏联经验的计划体制。印度计划委员会是在 1947 年国家独立不久后成立的，它在财政部和印度储备银行等专业机构的辅助下制订了五年计划。当然，尽管这些计划使得印度政府对投资和贸易影响巨大，但这并不等于直接控制了私人经济部门。况且，所有这些计划都得经印度议会的许可，受其修正。

计划的愿景

计划的吸引力在于经济、政治和道德上的考虑。而处于计划论争核心位置的是这样一个事实：计划是一个理性的过程，它意味着，没有什么经济问题在人类智谋所能解决的范围之外。简而言之，计划把经济活动牢牢置于人的手中，而不是抛给非人性的（有时还是变化莫测的）市场。在确立全面的经济目标如生产什么和生产多少上，计划显得尤为重要。计划制订者从利润驱动中解脱出来，能够组建起一种适用于满足人的需求、"为使用而生产"的体制，而不是只对市场趋势做出反应、"为交换而生产"的体制。

尽管人的需求极其复杂、多种多样——在人的消费品位和流行时尚方面尤为如此，但对于什么是生活中不可或缺的基本需求，还是存在着广泛的共识。它必然包括栖身之所、糊口的食物、基本的医疗保健和初级教育。不同于资本主义国家，国家社会主义政权是围绕满足这些需求来引导经济活动的。虽然苏联和整个东欧所采用的中央计划体制要生产出西方式的消费品是无能为力的，但却成功地消除了持续困扰某些发达资本主义国家市中心贫民区的问题，如无家可归、失业和赤贫等。古巴就是一例。虽然摆脱不掉经济长期落后的状况，但古巴超过98％的识字率和基本医疗保健体系却是许多西方国家都达不到的。取得这样的成就不但要求引导经济资源投向建筑业、农业和开办学校、医院，还要对基本的生活必需品予以价格补助并对其价格实行计划管理，从而提供廉价的食品、可承受的住房以及免费的教育和医疗保健。

"为需求而计划"还昭示了富有效率的前景。既然计划决定了生产什么，那么它也就为怎样生产、分配和交换所欲求的商品和服务提供了理性的解决方案。在这一点上，计划借鉴了长期以来根据理性的原则组织生产的资本主义企业的经验。虽然私人公司是应外部的市场情势而做出反应的，但其内部的组织管理是有计划的，是由一个高级经理团队领导的，它们的职责就是确保资源的有效使用。从某种意义上说，苏联的计划体制是力求把这套理性的管理机制从私人公司横移到整个经济中的一种尝试。苏联的计划制订者们急于采用诸如从西方资本主义发展来的泰勒主义等管理方法，就明显地表明了这一点。由此，计划就能够避免市场资本主义的某些非理性因素。比方说，计划体制能避免大规模的失业与经济资源的巨大浪费，而失业就是浪费的表现。失业意味着最宝贵的资源——劳动力——荒废掉了，诸如住房的建设或学校、医院条件的改善等重要的社会需求却又得不到满足。

计划体制同时也意味着经济能够按照长远的目标而非短期的利润来组织管理。计划体制对那些市场压力能严重扭曲经济前景的发展中国家经济来说尤为重要，许多第三世界国家对商品作物的依赖就表明了这一点。20世纪30年代苏联经济的发展在很大程度上是基于计划制订者给予了重工业（特别是钢铁工业）建设优先发展权，他们将重工业同时视为国家安全与未来经济发展的基础。到1941年，中央计划体制已经创立了足够雄厚的工业基础，从而使苏联能够经受住纳粹的侵略性打击。同样地，在20世纪50年代，日本的计划制订者拒绝了经济学家把资源集中到日本拥有"比较优势"的传统劳动密集型产业（如农业）的建议，而是推进了诸如钢铁、汽车、电气和电子产品等资本密集型产业。他们认为这些产业即将成为未来的产业，这在后来得到了证实。

从政治上讲，支持计划的理由在很大程度上倚赖于这样的展望，即把经济活动置于政治控制因而也是民主控制之下。就经济受内在的市场力量驱动而不受政府管制而言，市场资本主义拼命地把经济从政治中分离出来。由此，经济便只对符合自身利益而决策的私有企业主负责，而不对公众负责。与此相对，可以把计划当作建立民主型经济的手段。在法国、德国、荷兰等国家，已经实行了的指导性计划经济，它们都是在稳定的议会民主制下运行的，在其中，经济决策要公开，接受真正的监督、论证和讨论。从这一点上看，或许可以把计划当作制服市场反民主倾向的一种手段。

最后，选择计划还具备道德上的合理性。作为私有企业的替代物，不论什么形式的计划都力求服务于公共的或集体的利益，而非某一特定的私利。而实际的计划体制在这方面已背离了这一初衷，这也许更多地应归咎于政治环境而不是计划模式本身。如果计划机制接受公开的、民主的监管，从而满足人们真正的需求，那么，它就会让每个公民都有了同经济活动的利害关系。由此，计划便能促进社会团结和加强共同体的凝聚力，而不像资本主义那样只鼓吹个人奋斗和贪欲的满足。计划还同平等主义有着显而易见的关联，这就有助于解释计划何以如此强烈地吸引社会主义者了。计划同财富的集体所有制如影随形，这确保了计划经济不至于被有产者的利益对抗大众利益的阶级冲突所削弱。计划经济往往还表现为更平等的分配体制，因为物质报酬开始反映社会的需求而不是个人的生产能力。在此种意义上，计划建立在市场资本主义宣扬者倍感陌生的激励理论之上。就计划强化社会联结、对抗自私自利而言，它为努力工作创造了一种基于共同体的幸福而非私人享乐的道德驱动力。

计划的危险

虽然计划有其吸引力，但它无疑也有诸多严重的缺陷。事实上，计划从来就不是作为一种经济组织原则而单独出现的，而总是靠市场的"不纯"来支撑。这在西方资本主义国家得到了很好的体现，在那里，计划寻求维护市场资本主义，靠的是弥补市场资本主义的缺陷，而不是取而代之。不过，市场"杂质"甚至在苏联也存在。例如，私人消费从未受到限制，允许有一定量的消费选择余地；除非战时，劳动力市场也是允许的；农民的"私有土地"为苏联供给了几乎一半的土豆和 15% 的蔬菜；围绕苏联官方体制没法生产出的商品所生成的"黑市"生意兴隆。

然而，计划经济所面临的核心问题在于经济的低效率和低增长。虽然直到 20 世纪 50 年代，苏联同西方资本主义国家的差距一直在缩小，并使得赫鲁晓夫敢于发出苏联将"埋葬西方"的预言，但随后，其增长水平不断在下降，以至于到 80 年代初，苏联经济实际地出现了萎缩。无疑，中央计划经济的疲软表现（特别是，它同日益繁荣富裕的西方形成了鲜明对比）是导致东欧剧变的主要原因。就有关计划的早期批判而言，弗里德里克·哈耶克在《通往奴役之路》（[1944] 1976）一书中首次提出了他的批判。在其后的著述所阐发的分析中，哈耶克指出，计划体制生来就是低效的，因为计划制订者要面对一系列纷繁复杂而又绝对超出他们处理能力的信息。中央计划意味着要就每一个企业生产什么做出"产出"决策，进而还要做出"投入"决策，也就是说，把资源配置给各个企业。然而，基于苏联有超过 1 200 万件的各类产品，其中有些产品又有成百上千个品种，计划体制内的信息量显然大得惊人，令人束手无策。譬如，经济学家估算过，即便是一种相对小型的中央计划体制，它所面对的选择，比整个宇宙中原子的数量还要多。无论计划制订者多么能干，多么尽职尽责，又无论多么完美地配备着现代技术，任何中央计划体制都注定是效率低下的。

对计划经济表现不佳的另一个解释是，它不能奖赏或鼓励进取和创新。从道德和意识形态的角度看，平均主义的分配制度可能是吸引人的，但它对提高经济效率却无所作为。中央计划经济虽然实现了全面就业，但它却典型地遭遇到了高旷工率、低生产率及创新和进取精神普遍缺失等问题。举例说，苏联所有的劳动者都有一份工作，但难以保证他们真正在工作。对这个问题，苏联自身也是承认的，在那里，最初所强调的建立在奖章和社会荣誉基础上的道德鼓励，不久就让位于级差工资制和物质奖励制——尽管该制度比在资本主义国家要平均化一些。有人走得更远，他们断言，存在于计划经济中的激励手段往往只会抑制而不会推动经济增长。由于计划经济中压倒一切的目标是完成计划指标，这就"鼓励"企业管理者去低估自己的生产能力，以期被指派最易于达到的产出指标。同样地，既然晋升、荣誉和回报都同计划指标的圆满完成挂钩，这就驱使计划者本人制订保守的目标。因而，计划机制往往偏向于低增长。

最后，计划还基于政治和道德上的原因而受到抨击。尤其是，计划经济同官僚主义、特权和腐败联系在一起。在缺乏市场竞争的情况下，计划制订者能够把他们自己的愿望和价值取向强加于整个社会。这会导致"计划者的暴政"，正如经济和社会的优先权是由"上级"决定的，而普通民众的意愿得不到理解，更别说被予以考虑了。中央计划经济确实遭受到了官僚化问题的困扰。在南斯拉夫，米洛范·吉拉斯（Milovan Djilas，1957）曾一度是铁托的亲信，而后又遭监禁，他把这种不断蔓延的国家官僚称为一种"新阶级"，并且指出了他们所享有的地位同西方社会的资产阶级所享有的特权之间的相似性。至少，经济权力集中在国家官员和企业管理层手中滋生了四处蔓延的腐败，这个问题已经成了苏联的顽疾。不过，对计划最为猛烈的责难还要数哈耶克等自由市场经济学家，他们断言，计划孕育着极权主义压迫的种子。经济生活一旦被调控，人类生活的所有其他方面就都处在国家控制之下。

讨论题

1. 是什么把物转化为"财产"的？
2. 基于何种理由可以为私有财产辩护？
3. 为何马克思主义者及其他人把财产看作"偷窃"？

4. "公地悲剧"问题可以靠国家所有制来克服吗？

5. 资本主义与市场之间是什么关系？

6. 市场机制大概是如何产生经济均衡的？

7. 市场经济是在消费者主权的基础上运作的吗？

8. 需求管理旨在维护资本主义还是取代资本主义？

9. 社会主义与计划之间是什么关系？

10. "指导性计划"是如何区别于"指令性计划"的？

11. 计划是如何在道德基础上被维护的？

12. 计划经济注定要失败吗？

延伸阅读

Hall P. and Soskice，D.（eds）*Varieties of Capitalism：The Institutional Foundations of Comparative Advantage*（2001）. 这本书生动地考察了不同国家经济间的差异及经济全球化的影响。

Ingham，G. *Capitalism*（2008）. 该书对斯密、马克思、熊彼特、韦伯和凯恩斯等的著作中关于资本主义的经典论述做了一个平实的介绍。

Ryan，A. *Property*（1988）. 该书对同所有制相关的某些伦理、政治和社会学议题做了清晰而深入的介绍，它反映了对财产和自由之间关系的基本关切。

Stilwell，F. *Political Ecomomy：The Contest of Economic Ideas*（2011）. 该书对政治经济学及其与考察主要经济思想传统的社会关切的关系做了全面的评说。

第十二章

安全、战争与世界秩序

- 安全

  国家安全　集体安全　人类安全

- 战争

  作为政治延续的战争　"旧"战争对"新"战争？　正义与非正义战争

- 世界秩序

  多极性与世界秩序　文明的冲突？　多边主义与永久和平

内容简介

324　　　维护安全有时被看作政治最基本的任务，它反映了人们免遭（通常指身体上的）伤害或威胁而安全地生活的愿望。倘若联系到国际政治，人们最能深切地感受到对安全的关注。一个国家面临着源自国内的安全威胁，但国家究其本义就享有合法使用暴力的垄断权，然而，没有这样一种至高无上的权力存在于国际领域。国际关系这门学科对安全的持续关注兴起于二战结束后的一个时期里，这种关注一直致力于寻找保护人民和国家免遭恐惧、威胁和暴力（有时被认为是植根于国际体系本身）的种种方法。不过，各种争议围绕安全的性质与安全何以得到最好的维护展开。譬如，"国家"安全是否为民族国家提供了至关重要的保护，抑或它从本质上说就是有违自己初衷的？在何种条件下"集体"安全是有效的？"人类"安全观念的内涵是什么？

当然，有关安全的争议通常是同战争问题联系在一起的。军事力量即武力是国际政治的传统通行（物）。国家及其他行为体通过威胁或使用武力来相互对对方施加影响，这使得战争成为人类历史的一个普遍特征，它出现在所有年龄、所有文化和所有社会当中。不过，进入当代，战争的性质是否发生了改变？传统的或"旧"的战争是否已经衰落并被所谓的"新"战争所取代？战争的普遍性是否可以证明它是人类生存状况中的一种不可避免的特征，或者说，对战争的严斥是否可能被排除？如有可能，基于何种理由，战争可以被合法化？最后，国际体系中冲突与合作之间更为广泛的平衡是由权力在国家和其他行为体间的分配或由所谓的"世界秩序"所决定的。21 世纪的世界秩序是如何被构想的？它所提供的是一幅和平和稳定的图景，还是一幅竞争加剧和痛苦的图景？

安全

安全是政治中最为深刻而持久的议题，其核心是这样一个问题：人们何以免受威胁、恫吓和暴力而过上一种体面的、值得过的生活？由此，寻求安全同追求秩序以及在具有不同需求和利益的个人与群体之间建立相对和平和稳定有关。这些关切通常被认为是在一国范围内由国家（存在）来解决的——主权国家是一个可以将其意志强加于所有群体和组织机构的团体。从这个意义上说，安全指的是国家与非国家行为体（从犯罪团伙到持不同政见者及抗议运动者）之间的关系。然而，安全问题经常被认为在国际政治中尤为紧迫。国家主权维护国内的安全，这却使得在国际领域内的安全维护很成问题（极其难解）。因为在这个语境下，主权意味着不存在一种高于国家的权威，国际政治就只能在一种无政府状态下运行，也就是说，它缺乏可强制执行力或凌驾于一切的权力。通常认为，这在国际政治中造成了一种倾向于不安全而非安全的偏差。不过，如果从"国家""集体""人类"的方面来考虑安全问题，是否能最好地应对由此构成的挑战？

国家安全

国际政治中的安全通常是从"国家安全"的方面来思考的。国家安全是指某一个国家的安全。这是一种严格派性意义上的安全观，它反映了对符合国家利益的事物的评价。国家安全观尤其被现实主义理论家所强调，他们认为，国家只可能最优先考虑生存和安全，这往往迫使它们不断增强军力以阻止外来侵略。这可以从两个方面来解释。古典现实主义者强调人性在塑造国家行为中的作用。受马基雅弗利之类的思想家的影响，他们认为，由于国家是由本性上自私、贪婪和争权逐利的个人所构成的，也是由这样的人所领导的，国家也必然展示出同样的特性。由此，人的利己主义规定了国家的利己主义，或者，用汉斯·摩根索（Morgenthau，1948）的话来说，"社会世界无非是人性在集体层面上的投射"。正如人的利己主义导致人际和群际的无休无止的冲突，国家的利己主义表现为不可避免的竞争和对抗。作为本质性自利的行为体，

326 每一个国家的终极关切是谋求生存，因而生存成为其领导者最优先考虑的事情。由于所有的国家都通过使用军事和战略手段来寻求安全，而且如有可能，都会以牺牲其他国家为代价去赢得压倒对方的优势，国际政治就会表现为一种不可抗拒的走向冲突的趋势。

不过，新现实主义者（有时被称为"结构现实主义者"）运用体系理论而得出了相似的结论。新现实主义者采用肯尼思·华尔兹（Kenneth Waltz，1924—2013）的开创性著作《国际政治理论》（1979）中所提出的研究方法，把他们的注意力从国家层面转向国际体系，并着重强调无政府状态的意涵。由此，国际生活的特征被认为是源于以下的一个事实，即国家（和其他行为体）在没有正式的中央权威的领域内运转。新现实主义者认为，基于两大原因，国际无政府状态必然会导向紧张、冲突及不可避免地爆发战争的可能性。其一，由于国家是独立、自治和形式上平等的政治单位，它们必然最终会倚赖自身的资源去实现其利益。由此，国际无政府状态会形成一个"自助"的体系——因为国家不可能依赖其他任何人来"爱护/照顾自己"。其二，国与国之间的关系是以不确定性和猜疑为特征的。这一点可以通过"安全的困境"得到最好的解释。安全的困境是由这样一种趋势引发的，即一国出于防御的原因而增强军力的做法被其他国家理解成侵略。动机的不确定性迫使一个国家将所有其他国家都看成敌人或对手，这就意味着，永久的不安全成为在无政府状况下的生存所面临的一个无可逃避的结局。

然而，若是认定国家安全只能靠军事和战略手段来促进，那么很可能是错误的。古典现实主义者和现代的后-新现实主义者一直都强调治国术（权术）所发挥的作用。现实主义传统中治国术的核心准则是国家利益、外交政策目标、对象及政策取向，它们被认为是有利于整个社会的（外交政策等同于公共利益，如同在第六章所讨论的）。对国家利益的分析、算计指导国家譬如做出在何时、何处和何以发动战争的决策。同样重要（如果不是更重要）的是，这些分析和算计提示何时应该避免战争——或是因为战争不可赢取，或是因为战争所付出的代价要超过胜利可能带来的收益。在此种情形下，最佳的行为路线就是采用审慎的治国术去建立均势（权力的均衡）。换而言之，权力被用来遏制权力。不过，新现实主义者并不是把均势看作一种政策或策略，而是一种体制、一套碰巧（而非通过决策者的任性行为）生成的制度安排。这一点可以从新现实主义的稳定论（在本章最后部分予以考察）中看出来。

327

现实主义

现实主义传统（有时被称为"政治现实主义"）应该说是最古老的国际政治理论。

它可以追溯到修昔底德对伯罗奔尼撒战争的描述（公元前431）以及中国的孙子在大致相同的时期论述战略战术的经典著作《孙子兵法》。现实主义传统中的重要代表人物还有马基雅弗利和托马斯·霍布斯。现实主义是整个冷战期间的主导性国际关系理论。

现实主义对"实际的"国际事务做出了一种冷峻的描述（如同现实主义者所看待的），这种描述没有单凭主观愿望的想法，也没有空洞骗人的道德说教。在现实主义者看来，国际政治首先是、最根本的也是关于权力和自利的政治。国际政治的现实主义权力政治模式建立在两大核心假设基础之上。其一，人性以自私和贪婪为特征，这就意味着，作为国际舞台上主导行为体的国家会显示出本质上相同的特性。其二，由于国家是在无政府情境下运行的，它们被迫倚靠自己，即自助，从而把生存和安全放在首位。由此，现实主义理论可以用一个等式来概括：利己主义＋无政府状态＝权力政治。有人表示，这个公式暴露出现实主义中的一条基本的理论断层线，它把现实主义区分为两大思想流派：一是古典现实主义，它从利己主义的方面解释权力政治；二是新现实主义或结构现实主义，它从无政府状态方面解释权力政治。不过，这两条可以相互替代的路径所反映的更多的是现实主义内部着重点的不同，而不是两个对立流派的分裂。这是因为现实主义的主要假设为绝大多数的现实主义者所共享——即便他们在到底何种因素最为重要的问题上存在分歧。然而，现实主义者绝对没有预设，利己主义与无政府状态的结合必然会带来无法平息的冲突和无休无止的战争。相反，现实主义者坚持认为，国际体系内的冲突与合作模式在很大程度上是符合均势要求的。

现实主义在第二次世界大战结束后的大部分时间里表现突出，这源于这样一个事实：在超级大国竞争的时代，权力和安全的政治确凿无疑地表现得最关乎人类，也最为深刻。然而，在始于20世纪70年代且在冷战结束后显著加速的权力政治进程中，世界政治中越来越多的方面逐渐被各种进展所影响，这些进展或是同现实主义的预期背道而驰，或是凸显出现实主义分析的局限性。这些进展包括冷战的终结、非国家行为体的影响力的不断增强、全球化的加速和人权的重要性的不断凸显。现实主义的批判者还反对它将政治同道德相分离的趋势，他们认为，这有可能导致大国的军事升级和霸权野心及合法化。不过，现实主义还在持续发展，它进一步成为大多数严肃的国际政治学者的一大分析工具。

代表人物

修昔底德（Thucydides，约公元前460—前406）　古希腊拥有哲学趣味的史学家。在其名著《伯罗奔尼撒战争史》中，修昔底德从权力政治的动力学和各城邦国家的力量对比等方面解释了冲突。由此，他首次对国际冲突做出了一种影响极为持久的现实主义解释，因而提出了一种可视之为最早的国际关系理论。在梅利安（Melian）对话中（为《伯罗奔尼撒战争史》所引用），修昔底德展示了权力政治对道德说理是如何毫不在意的，这条教训——"强权即公理"时常被当作一种普遍的真理被接受。

爱德华·霍列特·卡尔（Edward Hallett Carr, 1892—1982） 英国历史学家和国际关系理论家。卡尔以《二十年危机（1919—1939）》（1939）一书而闻名，这本书既是对 1919 年整个和平进程的批判，同时又对寄望于外交事务尤其是国际联盟之类的国际组织的"乌托邦主义"产生了更为广泛的影响。卡尔通常被看作最重要的现实主义理论家之一，他关注于管理（而非无视）富有国家与贫穷国家之间冲突的必要性。不过，他谴责缺乏道德评判的悲观怀疑型现实政治（*realpolitik*）。

汉斯·摩根索（Hans Morgenthau, 1904—1980） 在德国出生的美国国际关系理论家。摩根索提出了一种"权力政治科学"的学问，它建基于这样一种看法（明显是对马基雅弗利和霍布斯思想的回应），即他所谓的"政治人"从本性上说是一个具有永不满足的统治（他人）欲而自私自利的生物。基于对均势和促进国家利益之必要性的分析，摩根索摒弃了分析国际政治的道德主义方式，进而倡导要重视"现实主义"外交。摩根索的重要著述有《国家间政治》（1948）、《捍卫国家利益》（1951）和《美国政治的目标》（1960）等。

肯尼思·华尔兹 美国国际关系理论家。华尔兹的《国际政治理论》（1979）是新现实主义发展背后的一股最主要的影响力。在《国际政治理论》一书中，华尔兹采用体系理论来解释国际无政府状态是如何影响国家行为、如何影响国家间或国家当中的力量分配的变化进而影响国际体系本身的变化的。华尔兹的分析同冷战密切相关，也关乎他的一种看法，即两极格局更为稳定，因为相比于多极格局，它能为和平和安全提供一种更好的保障。他的其他著述还有《人、国家与战争》（1959）等。

约翰·米尔斯海默（John Mearsheimer, 1947— ） 美国国际关系理论家。米尔斯海默是"进攻型"现实主义的主要阐发者之一，也是新现实主义稳定理论的重要创立者。在《回到未来》（1990）一文中，他认为，欧洲保持和平在很大程度上要归功于冷战，他同时警告说，冷战两极格局的终结制造了国际冲突不断加剧的前景。在《大国政治的悲剧》（2001）中，米尔斯海默认为，大国总是想谋取霸权，当它们以为享受凌驾于竞争对手之上的权力优势时，它们的行为就会具有攻击性。

国家中心主义的国家安全观和不可逃避的安全困境观受到了挑战。譬如，有人就认为，在相互依存不断增强的情形下，人们的关注力应该从国家安全观转向更为宽广的"国际"安全观。国际安全所表明的不是寻求某一个国家的生存和安全得以获取的条件，而是众多国家的相互生存和安全得以获取的条件。还有人进一步提出，考虑到各种新型安全挑战和其他进展，国际安全应让位于"全球"安全。此外，还出现了一种对国家安全观的特殊批判形式：女性主义分析（Tickner，1992）。女性主义分析基于两种理由向前推进。第一，基于军事力量的国家安全概念以男性关于对抗、竞争、不可避免的冲突等为前提，源于以权力追寻和自主行为体之间的互动为视角观照世界的倾向。第二，关于国家安全的传统观念往往因"安全悖论"而违背自身初衷：一国试图加强军事力量的努力只会刺激其他国家持有更具威胁性、更具敌意的态度，进而产生所谓"安全中的不安全"。最后，自由主义理论家一直认为，应该从"集体"维度而不是"国家"维度考虑安全问题。

集体安全

基于从根本上对人类理性和美德的信任，自由主义勾画了一幅本质上乐观的国际政治图景。这一乐观主义图景让自由主义理论家相信，平衡原则，或者和谐原则适用于包括国际事务在内的各种社会互动。然而，我们必须注意到，自由主义范式与现实主义范式并非截然不同，因为二者在国际政治的运作方式方面共享部分主流预设。最为重要的是，自由主义者和现实主义者都认为国际体系现在是，并且也许永远都会是去中心化的，因为没有哪个组织或者机构能够将它自身的意愿强加于主权国家。然而，二者的不同之处在于，自由主义者认为，国际范围内"自然状态"下的对抗、竞争趋向可以通过三种主要途径消解——通过扩大自由贸易加深彼此的经济依赖；通过扩散民主降低（至少在民主国家之间）发生战争的可能性；通过各种途径包括发展国际组织加速集体安全体系的出现。

简而言之，集体安全观认为若干国家采取联合行动是抵抗侵略的最佳方式。与此相对，国家安全是问题的一部分，而不是问题解决方式的一部分。在集体安全观下，只要各个国家承诺彼此守护，它们就有能力在第一时间阻止侵略，或者在国际秩序遭到违反时惩罚违规者。譬如，《北大西洋公约》第五条就是这样一种承诺。该条款规定，对一个或者数个缔约方的攻击应视为对全体缔约方的攻击。然而，成功的集体安全需要满足三个条件。第一，所有成员方要有能力相当、可以推进合作的优势，因为各方弱点类似，责任共担。第二，所有成员方必须有意愿也有能力承担彼此守护的成本。这就要求每一个成员方都对国家利益持有开明的理解。第三，集体安全有赖于拥有道德权威和军事能力、可以采取有效措施的国际机构的存在。

基于集体安全观和世界和平观建立的第一个国际机构是国际联盟。但国际联盟不仅从未真正成为"国家之间的联盟"——作为世界主导力量的美国拒绝加入，德国、日本、苏联等主要国家或主动脱离联盟，或遭到联盟驱逐——而且缺乏效力，只能在

330

全体成员国一致同意的条件下做出建议。毫无疑问，成立于 1945 年旧金山会议的联合国标志着第一个国际组织"国际联盟"的向前推进。迄今为止，联合国是最重要的国际组织，也是唯一一个真正意义上的全球性组织。根据《联合国宪章》第一条，联合国的宗旨是通过消除"战争之苦"维护"国际和平与安全"。然而，联合国的实际运行还是表明，集体安全体系的有效运行面临重重困难。由于联合国本质上是其众多成员国的创造物，其执行集体安全措施的能力受到严重掣肘：联合国能做的，不过是其成员国，尤其是其安理会常任理事国（中国、美国、俄罗斯、法国、英国）许可其做的。实际上，联合国的角色仅限于为各类国际危机提供一种可以促进和平解决的机制，即便如此，联合国的运行情况也是不尽如人意。

◆ 全球性思考

全球安全

人们通常基于国内-国际二分法理解安全，维护国内安全由此在本质上迥异于维护国际安全。由于国家在一国疆界之内享有至高无上的权威，国内社会通常被视为安全有序的舞台，而国际社会因为缺乏压倒一切的权威，通常被视为混乱的、不安全的舞台。因此，通常认为维护"民族"（national）或"国家"（state）安全比维护"祖国"（homeland）安全更成问题。

但是，全球化的推进使国家的边界更加"漏洞百出"，不断从根本上破坏国内-国际二分法以及传统意义上"民族"安全与"祖国"安全的区别，前述观点因而遭到了越来越多的质疑。当国家外部发生的事情在更大程度上影响国家内部发生的事情时，也许必须从"全球"（一个去疆界化的世界）安全的角度重新定义安全。在谈论恐怖主义，特别是 2001 年 9 月 11 日恐怖组织对纽约和华盛顿的袭击时，这一必要性尤为明显。"9·11"事件被广泛认为是恐怖主义作为真正意义上的跨国（如果不是全球）现象来临的预兆。跨国，或者全球恐怖主义发展的关键点在于人员、货物、资金、技术和思想日益增长的跨界流动使非国家行为体普遍受益，国家利益普遍受损，而事实证明，"基地"组织等恐怖集团特别善于利用这种超机动性（hyper-mobility）。如果恐怖分子确实可以在任何时间袭击任何地方，那么由恐怖主义引起的警觉和焦虑就会大大增加。如果恐怖分子网络可以对世界上最强大的国家中最大的城市及其首都造成毁灭性的打击，那么其他国家有可能幸免于难吗？

> 然而，关于全球性威胁需要全球应对这一支撑全球安全观的想象可能值得怀疑。譬如，伊斯兰运动中的许多人更可能是宗教民族主义者，或泛伊斯兰民族主义者，而不是全球革命者。同样，尽管恐怖主义影响了许多国家，但绝大多数恐怖袭击发生在受激烈政治冲突困扰的、相对较少的国家中，而世界上大部分地区基本上不受恐怖主义的影响。最后，美国和其他西方国家对恐怖主义威胁的反应主要关涉在国内通过加强"国土"安全，在国外通过增加军费，强化对阿富汗和伊拉克的入侵来加强国家权力的常规努力。因此，无论何谓全球安全策略，国家安全策略都在其中占据主导地位。

人类安全

冷战结束以后，关于安全的本质，尤其是与"人类安全"观念相关的新思维已然出现。从最广泛的意义上看，人类安全指向个人安全而非国家安全。如此，人类安全既不同于国家安全，也不同于集体安全。后两者即国家安全和集体安全都只是强调常规的国家间战争所带来的威胁。在从国家安全和集体安全向人类安全的转换中，人类安全观最热心的支持者当数女性主义理论家。长期以来，女性主义理论家关注妇女在家庭生活中遭受的暴力以及性奴役等行为给妇女带来的威胁。通过将人类发展观念纳入议题，人类安全观重铸了安全概念，并于20世纪90年代起被联合国、世界银行及其他国际组织采用。人类发展是幸福的度量标准，它反映了人们依据自身需求与兴趣充分发挥潜能，富有成就与创意地生活的能力，人类发展也是一种植根于积极自由（见第九章）构想的理念。对人类发展观的兴趣激发了从建基于经济的贫穷系列概念（如，使用"一美元一天"的收入概念）向建基于人类潜能的系列概念（如知识获取能力、资源近用能力、实现性别平等的能力等）的转换。人类安全由此不仅将武装冲突带来的威胁在何种程度上改变或者在何种意义上强化纳入考虑，同时将贫穷、欠发达问题在何种程度上与现代武装冲突相互交织纳入考虑。

然而，人类安全有多个维度。举例而言，许多人将人类安全概念从"免于恐惧的自由"（在这种情况下，对安全的威胁主要来自武装冲突和人为的身体暴力）扩展到"免于匮乏的自由"（在这种情况下，贫穷、不平等和结构性暴力对安全构成了主要的威胁）。人类安全的几种特殊形式包括经济安全（基本收入有保障）、食物安全（获得基本食物的物质和经济途径有保障）、卫生安全（免受疾病和不健康生活方式的危害）、环境安全（免受人类导致的环境退化之危害）、个人安全（免受各类身体暴力之危害）。一直以来，上述以及其他各种形式人类安全的重要意涵之一是向国际社会施压，使其采取干涉主义立场，这从以下事实可见一斑：20 世纪 90 年代早期以来国际社会更愿意进行人道主义干预，支持建立国际法庭以调查违反"世界法"（world law）的行为，呼吁通过增加国际援助应对全球贫困问题。

但是，人类安全的概念也受到了批评。譬如，有人认为，人类安全将安全的概念扩大、深化到如此程度，以至于它实际上毫无意义。从最好的方面说，人类安全不仅边界不明，而且由于把安全扩展至"匮乏"和"恐惧"，维护人类安全的责任似乎无限扩大。同时，人类安全的概念或许产生了诸多虚假期待（false expectations）：国际社会有消除暴力、保证安全的能力。最后，有证据表明，旨在提升人类安全的国际社会干涉颇有争议。譬如，后殖民主义理论家一直把所有形式的干涉看成新殖民主义（neocolonialism）的案例，认为人类安全概念旨在延续发展中世界人民的"受害者"形象，而"受害者"只能由发达国家的善行（benevolence）来拯救。

战争

战争在许多方面区别于谋杀、犯罪、帮派攻击、种族灭绝等其他形式的暴力。首先，战争是两个或多个政治团体之间的冲突。传统上，这些政治团体是国家，国家之间经常因领土或资源争端发生战争（"掠夺战"），这被视为战争的典型形式。不过，近年来国家之间的战争显然不再那么普遍，大多数现代战争是国内战争，以非国家行为体（如各种游击组织、抵抗小组、恐怖组织）的参与为主要特征。

其次，战争是有组织的，因为战争是由武装力量或训练有素的战士依据一定的策略实行的，而不是随意的、偶发的攻击。传统战争实际上是高度组织化、纪律化的事件，涉及受限于制服、演练、军礼、职级的军事部门，甚至承认战争应该是所谓的"战争法"（laws of war）所规定受规则支配的活动。然而，现代战争在本质上组织化程度有所降低，涉及更多组织松散、可能拒绝"按规则战斗"的非正规军，向着模糊"军事"生活和"平民"生活的方向发展（下文将有所讨论）。

再次，人们通常以规模或者数量来辨识战争。死亡人数较少的一系列小型攻击很少被称为战争。联合国对"重大冲突"的定义是年度死亡人数至少为 1 000。然而，这是一个武断的数字，它可能将几乎全球公认的战争排除在"战争"之外，如 1982 年的马尔维纳斯群岛战争。最后，因为涉及一系列的战役或攻击，所以战争通常会持续一段时间。不过，有些战争非常短暂，如 1967 年以色列与其邻国埃及、叙利亚、约旦之间爆发的六日战争（Six-Day War），有些战争则相当持久，有时还包括显著的和平时期，正因如此，一场战争的确切起止时间可能并不明晰。譬如，通常认为，334 英法百年战争（the Hundred Years' War）的起止时间为 1337 年至 1453 年，但实际上，百年战争是始于 1066 年法国诺曼底入侵英格兰这场长期冲突的一部分。与此类似，虽然第一次世界大战和第二次世界大战通常被描绘为两次独立的冲突，但有些历史学家更倾向于把它们看成被二十年停战期中断的一场冲突的两个组成部分。此外，其他关于战争的论辩也如雨后春笋般涌现出来。譬如，是不是将战争看作一种政治现象才能对战争做出最恰当的解读，现代条件下战争的基本特征是否有质的变化，战争是否可以被合法化等。

作为政治延续的战争

最有影响力的战争理论由普鲁士军队少将、军事理论家卡尔·冯·克劳塞维茨（Karl von Clausewitz，1780—1831）在其名著《战争论》（［1831］1976）中提出。在克劳塞维茨看来，一切战争都有"客观性"特征："战争不过是政治或政策以另一种手段延续。"由此，战争是一种通往目标的手段，一种迫使对手屈从于自身意志的方式。这一观点强调了战争与和平之间的连续性。战争与和平都以对自身利益的理性追求为特征，因此也以冲突为特征，二者之间唯一的区别在于基于工具理性选择了不同的手段以实现自身目标（Howard，1983）。由此，当国家经过算计，认为战争符合自身利益时，就会进入战争。这意味着成本-收益分析形式的使用与战争作为一种政策工具的现实主义战争观完全一致。

1648 年签订的《威斯特伐利亚和约》结束了三十年战争（1618—1648），对战争概念的克劳塞维茨式，或者"政治的"理解被认为是《威斯特伐利亚和约》之后出现的欧洲国家体系的产物。在所谓的"威斯特伐利亚体系"中，国际事务由两个或多个彼此独立、领土自治的国家（见第四章关于外部主权的讨论）之间的关系形塑。战争是对国家利益的"理性"追求这一形象在 19 世纪非常吸引人。当时，敌对国家之间战争频发，而且 80% 的战争都是发动方获得胜利。除此之外，虽然公众对敌人的敌对程度有助于维持战争，但因为作战者是军队，军队之于正规战士的影响力要远远大于平民大众。由此，战争的"成本"比较有限，也比较容易计算。

即便如此，克劳塞维茨式的战争概念遭受了越来越多的批评。其中有些批评是道德层面的。譬如，克劳塞维茨被谴责，是因为他将战争呈现为一种"正常的"和不可避免的状态，而且战争可以通过参照狭隘的国家利益而不是更加宽泛的道德原则（如正义）合法化。这意味着如果战争服务于合理的政治目的，那么它的道德意蕴就可以被忽略（本章后面涉及"正义战争"理论时将会讨论这一观点）。此外，如果更加始 335

终如一地遵守克劳塞维茨的提议——是否动用战争取决于对战争可能带来的后果的理性分析和精心算计，那么许多现代战争可能不会发生。其他批评强调克劳塞维茨式的战争概念已经过时了，它在拿破仑时代有其现实意义，但并不符合现代情形与发展。首先，全球化背景下民主统治的扩散和经济互赖的加深决定了战争是一种事倍功半，而且可能显得陈旧的政策工具。相对于战争，如果贸易提供了一种成本更低、效率更高的国家繁荣路线，那么军事力量在世界事务中也许就不再意义重大了。其次，工业化战争，尤其是对平民百姓及其生活产生重大影响的"全面战争"（total war）现象的出现使得对战争可能带来的成本与收益的计算不再那么可靠。在这种情况下，战争也许不再是实现政治目标的恰当手段。最后，大多数批评强调战争性质的改变使得克劳塞维茨的战争范式不再适用。那么，现代战争在何种程度上是后克劳塞维茨式战争（post-Clausewitzian wars）呢？

"旧"战争对"新"战争？

后冷战时代最受争议的特征之一是后冷战如何影响了战争及作战方式。传统战争，抑或"旧"战争是敌对国家之间的武装冲突，是身着制服的、组织化的人——国家陆军、海军、空军军队之间的战斗，大量的规范、条例随之出现，以约束冲突，这其中包括正式的宣战书、中立宣言、和平条约以及"战争法"。但是，从 20 世纪五六十年代应用于阿尔及利亚、越南、巴勒斯坦等地民族解放运动的战术开始，之后扩展到索马里、利比里亚、刚果等国家的冲突，再后来扩展到苏联、南斯拉夫解体后爆发的冲突，一种新型的作战方式逐渐兴起，这种新型的作战方式甚至可能重新定义战争本身。玛丽·卡尔多（Mary Kaldor，2012）将这些战争称为"新"战争——虽然它们也一度被描述为"后现代""后克劳塞维茨"，或"后威斯特伐利亚"战争。"新"战争的主要特征在于它们是在全球化背景下进行的，旨在进入或者控制某个国家的暴力斗争，并且经常走向对人权的大规模侵犯。那么，这些战争在何种意义上是"新"的？"新"战争和"旧"战争之间的差别有多明确呢？

第一，现代战争往往是国内战争而非国家之间的战争。20 世纪 90 年代中期以来，*336* 大约 95％的武装冲突发生在国家内部而非国家之间。这一现象反映出自 1945 年以来，武装冲突越来越集中于发展中世界（有时被称为"动乱区"）的趋势。因为部族对抗、经济落后、国力薄弱等殖民主义遗产导致了诸多"准国家"或"失败国家"的出现，这些"动乱区"极易受到国内战争的影响。索马里、塞拉利昂、利比里亚、刚果是典型案例。第二，早期的战争通常因地缘政治或经济目标而起，而现代战争则多为"身份战"——战争爆发的主因是敌对身份层面的文化或宗教纷争。20 世纪 90 年代爆发于南斯拉夫的战争，尤其是波斯尼亚战争、印度次大陆穆斯林和印度教徒之间的冲突、以色列"以占区"的起义、总体意义上的"反恐战争"，尤其是伊拉克和阿富汗的战争，都可以视为身份战。从根本上看，因为身份战以人们看待自身的方式为基础，所以战斗往往异常激烈、残忍。同时，因为身份战往往旷日持久，难以处理，传统意义上的"胜利"在此变成了多余的概念。

第三，国家之间的战争通常在经济发展水平大体一致的对手间进行，而现代战争经常呈现不对称状态：工业先进、军事精良的国家与看似处于"三流"（third-rate）水平的国家一争高下。这一特征适用于以下案例：美国（或者以美国为首）与越南、科索沃、伊拉克、阿富汗的战争，俄罗斯车臣战争。"不对称的战争"以战略战术的使用为特征——目标不再是在军事方面击败敌人（或许不可能发生），而是使其士气低落，失去民心。譬如重视灵活机动和出其不意，依赖于小规模突袭、伏击与进攻的游击战；从部署路边炸弹到进行自杀性袭击的恐怖主义；由非正规军发动的群众暴乱。

第四，在战事限于战场和军事人员的时代，战士和平民之间的区别相对清晰，而现代战争模糊了二者的界限，军民之别已经在许多方面被打破。譬如，现代战争通常发生在"民间"，小规模、低强度战术意味着关于战场的传统观念已经成了多余。这一特征有益于解释为什么"新"战争经常伴随着难民危机。为了制造经济和社会混乱，击垮敌人的战斗决心和愿望，平民百姓也经常是军事行动的目标。与此类似，因为由非正规军组成的游击队或者武装志愿者群体的加入，军队的性质发生了改变。最后，通常认为，由于约束传统的国家间战争的规则被抛之脑后，相对于"旧"战争，"新"战争更加野蛮，也更加恐怖。绑架、酷刑、蓄意强暴和地雷、汽车爆炸、自杀式袭击造成的无差别屠杀已然成了现代战争的常规特征。

然而，"新"战争之"新"绝非看起来那么一清二楚。首先，不同团体之间的纷争一直都存在，且或许只是庞大帝国走向终结的特征，比如苏联与其加盟共和国。由此，向着"新"战争的转换不一定是国际体系发展趋势的必要组成部分，而是其发展过程中的过渡阶段。其次，战争对平民生活的大肆干扰和战争中的大规模民众伤亡并不新鲜。自20世纪早期全面战争出现以来，战争中的民众伤亡人数一直大于军事人员伤亡人数。再次，早期的战争也是不对称的。譬如美西战争（Spanish-American War，1898）和布尔战争（Boer War，1899—1902）中都存在非正规军使用非传统战术的现象。举例而言，在反抗拿破仑的半岛战争（Peninsular War，1808—1814）中，西班牙和葡萄牙非正规军在与英国军队联合作战时就使用了游击战。最后，"旧"战争因遵守规则、尊重敌手而"秩序良好，彬彬有礼"的形象在很大程度上是虚构的神话。古往今来，屠杀、强奸、无差别杀戮一直都是战争的特征。

337

正义战争与非正义战争

随着时间的流逝，战争的性质与作战方式发生了巨大的改变，但从古罗马到中世纪的欧洲先哲，如希波的奥古斯丁、托马斯·阿奎那，再到胡果·格劳秀斯，关于战争是否能被合法化、在何种情境下能被合法化的论辩经久不衰。这些论辩通常聚焦于"正义战争"的概念。正义战争是指目的和行为符合一定的伦理标准，因而（宣称）在道德上正当的战争。然而，与其说正义战争理论是一种定论，还不如说它是一种哲学领域或者伦理反思。

胡果·格劳秀斯

荷兰法学家、哲学家和作家。格劳秀斯出生于代尔夫特的一个专业律师家庭。他是一名出色的学习者，年仅 11 岁就进入莱顿大学，并在 16 岁时出版了他的第一本书。后来，格劳秀斯做了外交官和政治顾问，并担任过许多政治职务。

格劳秀斯的巨著《战争与和平法》（1625）为国际法奠定了世俗基础，在该书中，格劳秀斯主张国际法不是基于神学，而是基于理性。他通过建构正义战争理论论证了以上观点，而其论证基于以下信念：认为战争中任何事情都可能发生的人和认为武力永远没有理由的人都是在自欺欺人。格劳秀斯认为，正义战争有四个目标：（1）自卫；（2）行使权利；（3）寻求损害赔偿；（4）惩罚做错事的人。通过限制国家出于政治目的发动战争的权利，格劳秀斯强调了国际共同体的共同目标，并由此建立了"国际社会"（international society）的观念，之后，国际关系的英国学派［English School，有时被称为格劳秀斯学派（Grotian school）］发展了这一观念。

正义的标准是否可以应用于战争？将正义的标准应用于战争意味着什么？正义战争传统支持者的思想建基于两个假设。第一，人性是万古不变的善恶混合体。人们努力为善，但常能作恶，这些恶行包括杀害他人。换言之，战争不可避免。第二，可以通过对作战方式进行道德约束来减轻战争带来的痛苦。随着政治家、武装力量、平民百姓意识到正义战争和"战争法"的各项原则，战争的数量将会减少，战争带来的伤害将会降低。基于上述假设，正义战争理论家主张战争的目的当为重建和平与正义。然而，可曾有一场战争实现了这些崇高的理想？第二次世界大战通常被视为正义战争的经典案例。20 世纪 30 年代，纳粹不断增加的侵略记录清楚无误地表明了希特勒明目张胆的扩张计划，甚至妄图统治世界的野心。战时对犹太人及其他人总计 600 万人民的谋杀昭示了纳粹统治的残忍和恐怖。

正义战争理论论证了两个相互独立又相互联系的议题。第一个议题处理谁有权首先发动战争的问题，拉丁文为"*jus ad bellum*"，英文为"just recourse to war"（诉诸战争权）。第二个议题处理作战过程中的正当行为问题，拉丁文为"*jus in bello*"，英文为"just conduct in war"（战争法规）。正义战争思想的两个分支议题虽然互为补充，但各自的意涵大相径庭。譬如，一个为正义事业而战的国家可能使用不正当的方法。然而，一场战争需要满足"诉诸战争权"和"战争法规"中的所有条件还是满足大多数条件即可称其为正义之战仍不明确。与此类似，正义战争理论家有时并不认可各种条件应被赋予优先次序的观点。譬如，在为"正义事业"而战的要求和确保诉诸战争永远是最后的手段之间，到底哪一个是发动一场战争最不可或缺的条件，曾一度成为争议话题。的确，还有人在更广泛的意义上主张诉诸战争权的各种条件比战争法规中的各种原则更具道德优势，因为目的决定手段。此外，战争的现代发展促使一些理论家提出如下观点：传统的正义战争理论应当更进一步，比如通过把主动参与战后和平重建作为首先发动战争的条件，把"战后正义"（justice after war，拉丁文为 *jus post bellum*）纳入正义战争的考虑范围。最后，正义战争的必要条件虽然看似明确，但在实际应用中经常引发政治、道德、哲学难题。譬如，当且仅当战争是"最后的手段"（last resort）原则没有考虑到延迟动用武力会让敌人越发强大的可能性，由此，若冲突最终爆发，杀戮实际上更加残酷。可以说，20 世纪 30 年代的德国纳粹就是例证。

关于正义战争理论，还有一系列更加深刻的批判。首先，不管正义战争的构成要素多么令人向往，它们都可能给国家设定一系列标准，而国家不可能遵从这些标准。是否曾有卷入战争的国家（至少其中一方）完全遵循正义战争的所有规则存在疑问。即使是第二次世界大战这样的"善战"（good war），也在攻打毫无军事意义的德累斯顿（Dresden）等德国城市时使用了全面轰炸战术以恐吓平民百姓。对日战争以向广岛和长崎投放原子弹告终，造成无数平民伤亡。其次，应用正义战争原则的尝试可能导致"错误"的结果。当战争法规的要求和诉诸战争权的要求发生矛盾时，就可能出现这种情况：正义一方若遵从战争规则，就会因为在战斗中"束手束脚"而冒战败之险。毫无疑问，一旦战争爆发，战术应当由实况考量而非道德考量确定，以确保迅捷而确定的胜利。在关于反恐战争的讨论中，上述话题尤其热门，有时候会与"肮脏之手"理念（the idea of "dirty hands"）联系起来。"肮脏之手"理念承认，为了自己所在的政治团体，政治家可能需要违反广为接受的道德准则，以正义的名义做坏事。譬如，迈克尔·沃尔泽（Walzer, 2007）将人们的注意力引向"定时炸弹问题"（ticking - bomb scenario）：为了拯救成百上千人的性命，政治家下令严刑逼问恐怖分子嫌疑人，以获取关于炸弹方位的信息。最后，正义战争思想或许只适用于纷争各方持有相同或者相似的文化与道德信仰的情境。因为许多现代战争即便不是跨文明战争，也是跨文化战争（如在反恐旗号下打响的战争），这一条件或许不再可能实现。

世界秩序

世界秩序指基于两个或多个国家以及其他主要行为主体之间的权力分配所形成的相对稳定的关系和行为模式。世界秩序问题至关重要，因为它影响着国际体系内冲突与合作之间的平衡，因而对安全与战争具有强大的影响。然而，自冷战结束以来，人们就世界秩序的性质问题进行了深入的辩论。早期的观点是，超级大国时代的结束催生了以和平与国际合作为特征的"新世界秩序"。在 20 世纪 90 年代后期，人们广泛认为，冷战结束的重大意义在于美国的主要挑战者苏联的解体使美国成了世界上唯一的超级大国。世界秩序由此围绕美国的全球霸权进行重塑。

然而，在 21 世纪，受中国崛起、其他"新兴"国家出现、美国明显衰落等事件的影响，人们对世界秩序的思考越来越集中于多极性概念。美国的衰落与其在阿富汗和伊拉克进行的旷日持久的战争中遇到困难有莫大关系。关于多极世界秩序将会带来和平与国际合作，还是会导向新的冲突，加剧紧张局势，目前尚不清楚。不过，世界秩序的多种替代模型已然出现，其中最有争议的替代模型之一聚焦于"文明的冲突"观念，依据"文明的冲突"观念，冷战以后世界的冲突将不再以意识形态或经济冲突为主，而是以文化冲突为特征。另一种替代模型则与自由主义理论特别相关，该模型强调全球政治和经济融合的趋势，甚至认为康德关于"永久和平"的愿景或将成为现实。

多极性与世界秩序

用于分析世界秩序的常规方法在很大程度上借鉴了新现实主义的稳定理论。该理论基于国际体系内部的权力分配——所谓"极性"（polarity）——考察国际体系的结构性动力。极性指系统中存在的一个或者多个大国，抑或"极点"（poles），"极点"影响其他国家的行为，并形塑系统本身的轮廓。对新现实主义者而言，决定国际体系运作方式的主要因素是其中的极点数量。新现实主义者通常将两极性（bipolarity，围绕两个大国而发展的国际体系）与稳定性、战争减少的可能性联系起来。这一思想促使他们在总体上以积极的态度看待冷战时期（1945—1990）。其时，以美国为首的西方资本主义阵营与以苏联为首的东方社会主义阵营之间的竞争主导着世界政治。

伊曼努尔·康德

341

德国哲学家。康德终生在柯尼斯堡（当时属于东普鲁士）度过。1770 年，康德成为柯尼斯堡大学的逻辑学和形而上学教授。除了他的哲学事业，康德的一生平淡无奇。

康德的"批判"哲学主张，知识不仅仅是感性知觉的集合，它同时依赖于人类理性的概念系统。他的政治思想取决于伦理的核心重要性。他认为，"理性法则"发出绝对命令，其中最重要的一条道德律令是，人人有义务把他人看作"目的"，而不仅仅看作"手段"。在康德看来，自由并不简单地意味着没有施加在个人身上的外在约束；它是一种道德的、理性的自由——一种能够做出道德选择的能力。康德的伦理个人主义对自由主义思想产生了极大的影响，同时引发了国际政治中的理想主义传统，因为它表明：理性和道德结合在一起共同指令，世上不该有战争，人类的未来应该建立在"普遍而持久的和平"之上。康德最重要的著作有《纯粹理性批判》（1781）、《实践理性批判》（1788）与《判断力批判》（1790）。

从新现实主义者的角度来看，双极世界秩序（bipolar world order）至少具有四个关键优势。第一，只有两个大国的双极世界秩序促使每个大国在维护自身利益的同时维护双极体系。第二，大国减少意味着大国战争的可能性降低。第三，只有两个大国的双极世界秩序减少了计算错误的概率，并使威慑体系的运行更加容易。第四，由于两个大国倾向于将世界划分为相互竞争的势力范围，因此大国关系变得更加稳定，因为双方都发现通过建立新的联盟来扩大其权力更加困难。由此，尽管冷战的两极性以美国和苏联各自拥有足以多次摧毁世界的核武器之"恐怖均衡"（balance of terror）为特征，但它创造了第二次世界大战后的"长期和平"（long peace）。之后战争继续发生，但与从前不同，战争不再是大国之间的直接对抗，这意味着冷战仍然是"冷战"（使超级大国之间发生"代理战争"的频次有所增高，特别是在 20 世纪 70 年代以后）。

但是，新现实主义者并不十分看好只有一个超级大国的单极国际体系。美国霸权的崛起使其于 1945 年以后在西方资本主义社会承担起了经济、政治和军事领导者的角色，1991 年以后，美国成了世界事务中无与伦比的力量，因而震惊了许多现实主义理论家。根据新现实主义的稳定理论，单极世界秩序趋于不稳定且易发生冲突，因为 *342*

它夸大了主导性行为体的力量和有欠考虑的行为，以及其他行为主体的恐惧、怨恨和敌意。因此，现实主义理论家常常对布什政府关于 2001 年 9 月 11 日恐怖袭击的反应表示怀疑：大规模加强美国的军事能力以打造"超越挑战的力量"、实行以武力推进的"民主促进"政策，结果导致了对阿富汗和伊拉克的入侵。2002 年 9 月，正当美国为来年入侵伊拉克做准备时，大约 33 位国际关系学者（其中大多数自称是现实主义者）在《纽约时报》刊登签名广告，警告说，"对伊拉克作战不符合美国国家利益"。他们不仅辩称在伊拉克不对美国构成直接威胁的情况下不应该使用军事力量，而且指出入侵伊拉克会在全球范围内引发反美浪潮。

然而，在世界事务中，正如与"新世界秩序"希冀相关联的"自由时刻"可能不会持续太长时间，"单极时刻"可能同样短命。单级时刻限于 20 世纪 90 年代苏联解体、俄罗斯经济疲软、政治动荡，且中国崛起的影响尚未被充分认识之前。随着上述情势的变化，以及美国为了从日益艰难的伊拉克战争、阿富汗战争抽身而努力，有关世界秩序形态的辩论从对单极性的强调转向了对"崛起中的多极性"的关注。但是，如果世界秩序将以不断成长的多极性为特征，其中有三个或更多的权力中心，这对战争、和平与全球稳定的未来意味着什么？21 世纪将以流血牺牲、混乱不堪为特征，还是以携手共进、繁荣发展为标志？

多极世界秩序有两种截然不同的模型。第一种模型强调全球行为主体之间更加广泛的权力扩散带来的悲观影响。新现实主义者在告诫多极性的危险方面尤为突出，他们将不稳定和混乱趋势视为多极性之结构动力的关键特征。由此，米尔斯海默（Mearsheimer，1990）痛惜冷战两极格局的终结，并警告说，欧洲的未来将尤其以"回到未来"（back to the future）为特征。米尔斯海默借此表明，正是因为多极世界秩序下国际体系内的权力平衡仍不稳定，雄心勃勃的大国才会追求扩张主义目标，从而导致了第一次世界大战和第二次世界大战。按照这种观点，与双极性相比，多极性本质上是不稳定的。之所以如此，是因为更多的行为体增加了可能发生的冲突的数量，产生了更多的不确定性，加剧了所有国家的安全困境。此外，多元行为主体间联盟关系的改变意味着权力平衡的改变可能会更加频繁，或者会更加剧烈。主张国家寻求的不是安全而是权力最大化的所谓"进攻性"现实主义者指出，上述情势会激发动荡和野心，使各个大国更容易跳出约束，铤而走险，从而给全球和平带来不可避免的后果。

然而，多极世界秩序的第二种模型显得更加乐观。首先，该模型认为可以通过维护和平并控制对抗的方式应对新兴大国的出现和美国的相对衰退。一直以来，美国应对潜在敌手的既定做法是依据开明自利原则来"顺应"（accommodate）敌手，从而使它们不再渴求在国际体系中扮演更加重要的角色。这在美国对 1945 年后日本重建的支持以及对欧洲一体化进程的一贯鼓励中可见一斑。美国对中国、印度也采用了类似的做法，对俄罗斯也大体如此。考虑到新兴大国成了通常由美国主导的全球贸易和金融体系的一部分，而不是给美国设置障碍，这种做法倾向于鼓励新兴大国"追随潮流"（bandwagon）而不是"寻求平衡"（balance）。这也使"美国与其他国家"冲突的可能性显著降低，因为潜在的竞争对手至少像关注美国一样相互关注。进一步说，通过缩小国家之间的权力差距，并基于相互依赖比各自独立更有益处的认识，多极性构建了一种普遍的合作意愿。本章最后有关多边主义的内容将讨论这种趋势。

冲突中的文明？

"冲突中的文明"观念出现于冷战结束以后，该观念源于美国学术评论家、政治评论家塞缪尔·亨廷顿（Samuel Huntington，1996）提出的"文明冲突"论。亨廷顿的基本主张是，国际政治正在走向一个新的时代，在这个新时代中，文明将成为主要力量，文明是"放大了的文化"（culture writ large）。由此，"文明冲突"论与世界事务的自由形象形成鲜明对比，后者强调（尤其是在全球化背景下）相互依存的加深。然而，亨廷顿与现实主义的关系更为复杂。就其承认传统的、由权力驱动的国家仍然是世界舞台上的主要角色而言，亨廷顿是一个现实主义者，但是他的现实主义是经过修改的——坚持认为当下的权力斗争是发生在更大的文明框架内，而不是意识形态框架内。20世纪90年代，由于南斯拉夫、卢旺达和其他地方种族冲突的激增动摇了国际政治，"文明冲突"论引起了越来越多的关注。但是，直到"9·11"事件之后，该理论的影响才达到最大，它被广泛应用于解释世界秩序的变化本质。尽管如此，该理论对布什政府"反恐战争"处理方式的影响程度仍不应当被夸大。例如，它当然不支持在伊拉克和阿富汗采取"民主促进"战略，因为"民主促进"战略基于这样的假设，即民主是适用于所有社会的普遍价值。

在亨廷顿看来，正在兴起的"文明世界"将由九种主要的文明构成——西方文明、中华文明、日本文明、印度文明、伊斯兰文明、佛教文明、非洲文明、拉丁美洲文明和东正教文明。或许是因为后冷战时期意识形态的重要性日益下降、全球化的不断推进削弱了国家生产公民归属感的能力，文化作为国际政治中的主要力量已经崛起。在这种情况下，人们被迫根据血统、宗教、语言、历史、价值观和习俗，也即文化来定义自己。正如亨廷顿所说："如果不是文明，那是什么？"但是，对于"文明冲突"论而言，一个至关重要的假设是，更加强烈的文化归属感只会导致紧张和冲突。这是因为文化之间、文明之间是不对称的：不同的文明与文化建立了截然不同的价值和意义。亨廷顿认为，文化冲突可能发生在"微观"层面，也可能发生在"宏观"层

344

面。"微观"冲突将发生在不同文明的"断层线"（fault－lines）之间，在断层线间，一个"人类部族"与另一个"人类部族"是相互冲突的，这种冲突可能导致部族战争。从这个意义上讲，文明的运作就像"地壳表面的构造板块"（tectonic plates），在脆弱点相互冲撞。在"宏观"层面，文明之间可能会爆发冲突，这很可能是由其"核心"国家之间的冲突引起的。尽管亨廷顿强调了发生此类冲突的可能性，但他最大的兴趣仍集中在伊斯兰世界与西方之间的关系上。

尽管伊斯兰世界与西方之间的紧张关系至少可以追溯到 19 世纪的英属印度，其最重要的现代表现形式是 1979 年的伊朗伊斯兰革命。在伊朗伊斯兰革命中，阿亚图拉·霍梅尼建立的"伊斯兰共和国"（Islamic Republic）取代了深度腐败但亲近西方的伊朗君主的统治。之后，苏联的阿富汗战争（1979—1989）见证了"圣战"组织（Muja-hideen）的成长。"圣战"组织是受到宗教启发的多个抵抗团体的松散集合，从中分离出了塔利班（Taliban，1996 年至 2001 年统治阿富汗）和由乌萨马·本·拉登领导的"基地"组织恐怖网络。这些团体通常将它们对伊斯兰教的奉献描绘成"圣战"（jihad），旨在为消除西方的影响而斗争。"基地"组织袭击美国的"9·11"事件以及美国因此发动的"反恐战争"不仅使伊斯兰世界与西方之间的关系问题更加突出，而且还促使许多人从文明冲突的角度来解释此次事件。从文明冲突的角度看，伊斯兰世界的交战状态缘起于伊斯兰价值观与西方自由-民主价值观之间的根本性不相容。这种不相容既体现在激进的伊斯兰信仰（秉承"无神论"的西方和西方价值观是腐化堕落的，并且一直都在腐化堕落）中，也体现在美国和其他地方的新保守派将伊斯兰国家视为固有的极权主义者——伊斯兰教徒认为社会生活和政治，而不仅仅是个人道德，都应符合伊斯兰价值观。

但是，关于新兴的、似乎不可抗拒的文明冲突的上述解释遭到了严厉的批评。例如，与实际情况相比，亨廷顿的"地壳构造"文明概念将各种文明呈现为更加同质的存在，文明之间由此相互区别。在实践中，文明总是相互渗透，生成模糊或混合的文化身份。举例而言，表明伊斯兰文明与西方文明之间存在对话和重叠的证据与表明二者之间存在竞争或分歧的证据至少一样多。此外，亨廷顿犯了"文化主义"的错误，因为他将文化描绘为个人和社会身份的普遍基础，因此未能认识到政治、经济和其他情势对文化身份的影响程度。因此，似乎可以用文化冲突解释的事件其实可能有完全不同的、更复杂的原因。同样，不同文明之间的冲突可能更多地体现了可以察觉的经济和政治不公，而不是文化对抗。由此，与西方和伊斯兰价值体系之间的文化不相容相比，以下事实能够更好地解释伊斯兰激进主义的兴起：中东地区，尤其是阿拉伯世界的紧张局势和危机（与殖民主义遗产关联）；阿以冲突；不受欢迎但拥有丰富的石油资源的专制政权的存在；城市中的贫困和失业。

多边主义与永久和平

尽管人们使用多极性强调国际体系中潜在的冲突与不和谐，而"文明冲突"论把基于文化的冲突描绘为不可避免的趋势，多边主义却提供了一幅以和平、合作为特征的、更为乐观的世界秩序图景。多边主义可以定义为根据普遍的行为准则协调三个或三个以上国家之间行为的过程（Ruggie，1993）。真正的多边主义必须符合以下三个原则：非歧视性原则（non-discrimination，所有参与国都必须被平等对待）、不可分割性原则（indivisibility，所有参与国必须像一个单一实体一样行事，如前文"集体安全"部分所述）、扩散的互惠性原则（diffuse reciprocity，国家之间的义务必须具有普遍性和持久性，而不是绝无仅有的个案）。多边主义可能是正式的，反映三个或三个以上的国家对共同规范和规则的接受，也可能是正式且体制化的。无论采取何种形式，三大发展——全球化的推进、民主的传播以及国际组织的作用和重要性的增强——都会增加 21 世纪的世界秩序以多边主义和持久和平为特征的可能性。

各种形式的全球化带来的最重要的影响也许在于国家面临着与日俱增且即使是最强大的国家，也难以从根本上独自应对的挑战。在一个相互依存日益加深的世界里，各国必须找到相互合作的方式，必要时寻求全球问题的全球解决方案。一直以来，对以上观点的认可在经济领域最为明显，这也有助于解释为什么自 1945 年以来，经济领域的国际合作比任何其他领域都更加深入、更加快速。其中一个例子就是自由贸易的好处在全世界得到了越来越广泛的认可，即使面对全球金融危机（2007—2009）的挑战，自由贸易也得以存活，这与两次世界大战之间"以邻为壑"的竞争性保护主义政策形成鲜明对比。经济多边主义趋势尤其显著的主要原因之一，是与获取"相对"收益（一国相对于其他国家的地位得到提升）比较，国家在经济事务中通常更加注重获取"绝对"收益（一国的绝对地位得到提升）。这是因为，与军事差距的不断扩大不同，经济差距的不断扩大通常不会对国家的生存构成威胁。此外，与开发新型武器系统等相比，关税或其他形式的贸易保护主义更难掩饰，所以在经济合作问题上更容易建立信任度和透明性。

全球化的推进可能也是减少国家间战争发生频率的关键因素。发生这种情况的原因有很多。其中之一是，各国不再需要通过征服来获取经济利益，因为全球化以贸易的形式为它们提供了一种更廉价、更省力的途径去实现国家繁荣。尽管认为所有的国家间战争都是掠夺战的观点有些夸张，但获取物质利益的期望（无论是通过领土扩张抢占经济资源控制权还是开拓新市场）从来都在战争决策中扮演着重要角色。此外，全球化使各国的经济互赖程度得以持续性显著增强，从而使战争几乎不可想象，因为其中涉及高昂的经济成本——贸易伙伴关系被毁，外部投资流失，等等。这一观点可以追溯到 19 世纪所谓"商业"自由主义者们的思想，譬如，理查德·科布登（Richard Cobden，1804—1865）和约翰·布莱特（John Bright，1811—1889）。科布登和布莱特认为，自由贸易能够把不同种族、信仰、语言的人聚集在一起，科布登将其描述为"永久和平的纽带"（the bonds of eternal peace）。自由贸易不仅会出于消极原因（担心重要物资被剥夺）维护和平，而且在确保不同人群通过共享的价值观和共同的商业文化团结在一起，进而更好地理解彼此方面也具有积极的作用。这些因素有助于理解中国在过去以及在未来还可能持续地和平崛起。由于中国从跨国生产模式、开放的贸易体系以及美国在 1945 年之后建立的更加广泛的自由秩序中受益匪浅，因此它几乎没有动机通过战争威胁将其置于危险之中（Ikenberry，2008）。

有助于理解多边主义和战争减少趋向的第二个因素是民主治理的传播。这一立场植根于所谓的"共和"自由主义假设。共和自由主义认为，各国的政治和宪法构成对其外部行为有重要影响。独裁或专制国家的天性是军国主义和侵略性的，而民主国家天然是和平的，特别是在与其他民主国家打交道时。专制政权的侵略特性源于以下事实：它们无惧来自民众的压力，并且通常拥有强大的、具有政治力量的军队。由于专治政权惯于使用武力维持自身的统治，武力已成为它们与更广阔的世界打交道并解决与其他国家的争端的自然机制。此外，自由主义者认为，由于缺乏应对民众压力和平衡竞争对手利益的制度机制，专制国家本质上是不稳定的，因此被迫将外交政策冒险主义作为巩固政权的手段。如果人民的支持不能确保其参与和同意战争，那么"爱国"战争可能是唯一的解决方案。

由此，自由主义者通过"民主和平"论强调了和平与民主之间的联系。对这一观点的支持大都基于经验分析。随着民主的传播，出现了遍及大多数发达国家的"和平地带"。至此，历史似乎表明，虽然正如民主和平论的支持者所接受的那样，民主国家与专制国家之间继续发生战争，但是民主国家之间不会爆发战争。这种将民主与和平联系起来的趋势可以用三种主要方式来解释。首先，自由主义者认为，战争是由政府而非人民造成的。因为公民自身很可能成为战争的受害者（他们既是杀戮者，也是牺牲者、破坏和苦难的承受者），所以他们的政治参与度越高，国家投入战争的可能性就越小。其次，民主治理的精髓在于它是一个妥协、调解与谈判的过程，敌对利益或集团通过这一过程找到共处方式，而不是诉诸武力和使用赤裸裸的权力。不仅基于妥协与调解的政权在外交政策和国内政策上可能采用这种方法，而且那些不经常使用武力解决国内冲突的政府也将不太倾向于使用武力解决国际冲突。再次，因为民主统治趋于培育特定的规范和价值观，民主国家之间的文化纽带得以发展。通过分享共同的道德基础，民主国家倾向于视彼此为朋友而不是敌人，这意味着它们之间的和平共处似乎是一种"天然"情境。

促进合作、阻止战争的第三个因素是国际组织日益增强的重要性。这反映了自由 *349* 制度主义者的信条：保护公民免受无政府状态国际体系中混乱和野蛮侵害的最佳方法是建立法治，正如美国总统伍德罗·威尔逊所言，法治可以将国际政治的"丛林"变成"动物园"。1945 年以来，世界事务的一体化与合作趋向见证了国际组织数量的稳定增长、作用的日益增强。基欧汉和奈（Keohane & Nye, 1977）用"复合的相互依存"的加深解释这一现象。"复合的相互依存"为国际政治的现实主义模式提供了替代性选择。在这种替代模式中，国家不再是独立自主的国际行为体，经济和其他议题在世界事务中变得更加突出，而作为政策选择，军事力量已经变得不那么可靠，也不像以前那么重要。尽管这些趋势通常会导向各种正式的制度安排，譬如全球经济治理机构——国际货币基金组织、世界银行和世界贸易组织，但这些制度安排在国际管理体制的建立中有时候表达得并不那么正式。从这个意义上讲，一个体制就是一套原则、程序、规范或规则，用于管理国际政治特定议题中国家与非国家行为体之间的互动。以"安全体制"为例，国家通过建立合作框架管理争端、避免战争，从而应对安全困境。由此，在合作框架下，国际政治中的恐惧和猜疑有望通过信任和相互支持得以消除。

讨论题
350

1. 为什么通常认为相对于国内，人们在国际领域对安全问题的关注更加迫切？

2. 国家安全只能通过军事和战略手段来提升吗？

3. 集体安全观背后的基本原理是什么？

4. "人类安全"是否将安全的概念扩展到了无意义的程度？

5. 战争与其他形式的暴力有何不同？

6. 是否可以将所有战争都视为"政治性"战争，还是仅有部分战争可以被视为"政治性"战争？

7. "新"战争在何种程度上与传统战争不同？有何不同？

8. 正义战争与非正义战争之间的区别是否经得起检验？

9. 多极全球体系天然地不稳定并容易发生冲突吗？

10. 伊斯兰世界与西方之间的紧张关系是否具有文明的特征？

11. 为什么自由贸易会被与国际和平的前景联系在一起？二者是如何联系起来的？

12. 民主的传播能够维护国际秩序吗？有助于淘汰军事力量吗？

延伸阅读

Booth，K. and Wheeler，N. J. *The Security Dilemma*：*Fear*，*Cooperation and Trust in World Politics*（2008）. 该书为理解安全困境及其对国际关系的影响做出了清晰而权威的理论贡献。

Evans，M.（ed）*Just War Theory*：*A Reappraisal*（2005）. 这是一本在道德理论的语境中研究正义战争观的论文集，它将正义概念应用于与战争原因、战争行为和战争结束有关的问题。

Ikenberry，G. J.（ed.）*Power*，*Order and Change in World Politics*（2014）. 这是一本论文集，分析了领导力量及其创立的国际秩序的兴衰，该论文集也反思了形塑大国思维的理论思想。

Kaldor，M. *Human Security*：*Reflections on Globalization and Intervention*（2007）. 该书在经济关系、战争与作战方式变动不居的背景下，对人类安全进行了广泛而富于启迪意义的讨论。

第十三章

传统、进步与乌托邦

- 传统

    维持现状 回归过去 变以求存

- 进步

    历史向前迈进 通过改革求进步 通过革命求进步

- 乌托邦

    乌托邦主义的特性 政治乌托邦 乌托邦的终结？

内容简介

政治论辩和论证不可能局限于与世隔绝的学术界，因为政治理论最终关注的是如何重新引导与塑造世界本身。变革是政治的核心。比方说，许多人都赞成马克思在《关于费尔巴哈的提纲》（[1845] 1968）中所主张的："哲学家们只是用不同的方式解释世界，问题在于改变世界。"这一总结性的章节将考察诸多从变革问题中、从政治理论与实践之间不可避免的关联中所生发出的难题。当然，改变世界的愿望本身就提出了许多难题。

首先，变革是可取的吗？变革包含增长还是下坠、进步还是衰退？变革应该受到欢迎还是遭受排斥？有些人以传统和延续的名义坚决反对变革，这意味着要么接受"自然"的变化，要么欲求回归简朴的早期时代。然而，随着现代进步观念的牢固树立，传统主义的观点变得越来越不合时宜。这表明人类历史是以知识的进展和更高层次文明的取得为标志的：所有的变革都是向着好的方向发展的。不过，即便变革是受欢迎的，它又该采取什么样的形式？这通常表现为在两个相互对立的变革观念（或改革、或革命）之间的选择。无论是改良主义者还是革命者，社会或政治变革的规划往往都建立在一个理想的未来社会模式基础之上。此类最激进的变革方案最终追求的是，构建起一个完美的社会（乌托邦）。可是，到底哪些政治信条含有乌托邦主义的因子？更要紧的是，乌托邦思想对任何一种进步的政治规划走向成功都至关重要吗？还是说，它只是针对压迫乃至极权主义的一剂药方？

352 传统

用爱德华·希尔斯（Edward Shils, 1981）的话来说，传统包含"所有从过去沿袭并传承到现在的东西"。因此，从持（续）存（在）的习俗和做法到某种制度、政治或社会体制以及某一套信仰体系，所有这一切都可以看作传统。不过，很难精确地确定一种信仰、一套做法或制度存在多久后才可以认为是传统。通常，传统指的是代际的连续性，即事物从上一代传给下一代的那种代代相传，但传统与时新之间的界限通常并不那么明显。基督教无疑是一种传统，因为它存活了两千年；可否把只可上溯到 19 世纪的工业资本主义或最初出现在 20 世纪早期的福利国家也说成是传统呢？还比方说，从什么时刻起，成人普选成了一种传统？

不过，一种传统主义的立场至少可以表现为三种不同的形态。其一，也最为明显的是，传统可以指涉接续过去的一贯性或业已确立起来的做法和制度维持下来的状态。从这种意义说，传统力求杜绝变化。其二，传统主义含有企求回复往昔之意，实际上，就是"倒退（回去）"。这一立场还是认可变化的——只要这种变化是回顾或回归的。此种回归的目标往往受到"黄金时代"理念的鼓动。其三，传统主义可以把变化的需求当作保守的一种手段确认下来。这里采取的是"为保守而求变"的哲学，它隐含了对"自然"变化的一种信念。如果某些变化是不可避免的，那么，任何阻挡这些变化的企图反而要冒更大的风险，它极有可能招致更深远、更具破坏性的变化。

维持现状

"寻求保守"一直是英美保守主义传统的一个核心特征。它不是倡导一种回到过去的取向，而是宣扬保守或同过去保持连续性的必要。从本质上说，这等同于维持现状，维护现存的事态。有人认为，抗拒或躲避变化的企求深深植根于人的心理。比方说，在《政治中的理性主义》（[1962] 1991）一文中，迈克尔·欧克肖特认为，做一个保守主义者就是"取熟知的，舍未知的；取尝试过的，舍未经检验的；取事实，舍神秘；取现实的，舍可能的；取有限的，舍无限的；取近的，舍远的；取充足的，舍过剩的；取便利的，舍圆满的；取当下的欢笑，舍乌托邦式的狂喜"。由此看来，欧克肖特并未表示过，现况是完美的，更没有说过，现况比其他任何可能存在的状况要

好；而是说，现况是因其亲近、熟悉而受重视的，熟知产生出慰藉、安全感和可靠
感。相反，变化则总会显得有威胁和不确定，它是通向未知之途。这就是保守主义理
论何以如此强调习俗和传统重要的原因。

习俗是长期确立起来的、习惯性的做法。在缺乏正规法律机构的传统社会里，习
俗往往作为秩序和社会控制的基础而发挥作用。在发达的社会里，习俗有时被赋予了
法律的身份，以所谓"习惯法"的形式出现。比方说，在英国的习惯法传统里，如果
自法律上无法追溯的年代（从理论上讲，指 1189 年即英王查理一世即位前的年代；
但实际上始于历史可考、时间理性地确立之前）起，习俗就未受干扰地存续下来，那
么，它们就会被确认为具有法律权威。习俗之所以体现了道德上和（有时是）法律上
的权威，其理由是，人们认为它反映了大众的普遍认同：人民视某种东西为正当的而
予以接受，就因为"它一直如此"。习俗引导着预期和希冀，从而有助于判定人们所
认为合理的、可接受的东西——熟知、亲缘成就了合法性。当长期确立起来的行为模
式被打乱时，人们那种自然的公正感何以会受到侵犯？这就是原因所在，他们诉诸
"习俗和惯例"。

在保守主义传统中，对传统经典的辩护出现在埃德蒙·伯克的著作尤其是他的
《法国大革命反思录》（[1790] 1968）中。伯克承认，社会确实建立在契约的基础之
上，但这个契约不只是由那些恰巧活在现世的人订立的。用他的话来说，社会是"活
着的人、已故的人与尚未出世的人之间的协作关系"。因而，传统体现了过去累积起
来的智慧及经受时间检验而证明行之有效的诸多信念和惯例。这就是 G. K. 切斯特顿
（Chesterton）所谓的"（对）死者的民主"。如果那些"只不过是凑巧活在现世"的人
对传统置之不理，那么他们实际上剥夺了占人类的大多数的先辈的权利，这些先辈的
贡献和意见因而被轻易地忽视了。作为伯克所谓的"世世代代积淀而成的理性"，传
统不仅为当前的行为提供了唯一可靠的指导，也给予我们能传给子孙后代的最宝贵的
遗产。在欧克肖特看来，传统不仅反映了我们对熟识之物的依恋，也确保社会机制更
好地发挥效能，因为各种机制都是在业已确立起来的规则和惯例背景下运作的。

埃德蒙·伯克

出生于都柏林的英国政治家和政治理论家。伯克通常被看作英美保守主义传统之
父。伯克是辉格党政治家，他曾对 1776 年的美国独立战争表示同情，但却是靠在著作
《法国大革命反思录》（[1790] 1968）中激烈批判 1789 年法国大革命而声名鹊起。

伯克著作的主旨是不信赖抽象的原则，并要求政治行为扎根于传统和经验之中。

他强烈反对按照自由、平等和博爱观念重塑法国政治的企图；与此同时，他宣称，智慧大多蕴藏在历史尤其是那些经受住了时间考验的制度和习俗中。当然，伯克并非"反动分子"，他认为，法国的君主制应当部分地对自身的下场承担责任，因为它一直拒绝"变通"。变通乃是他所秉持的实用保守主义的核心理念。伯克对政府持悲观的态度，因为他意识到，即便政府能抑制邪恶，也少有能扬善的。他认同亚当·斯密的古典经济学，把市场力量当作"自然法则"的体现，并支持代议制原则，他认为民众的代表有必要充分运用自身成熟的判断力。伯克的政治主张在《新辉格党人对老辉格党人的呼吁》（1791）和《论弑君和平信札》（1796—1797）等著作中得到了进一步的阐发。

然而，批评者们从截然不同的角度来看待习俗和传统。托马斯·佩恩的《人权论》（[1791—1792]1987）是部分地出于回击伯克而写就的。佩恩称伯克将"死人的权威置于活人的权利和自由之上"。换言之，仅仅出于历时久远的原因就去尊崇传统，无非是让当代人被前辈所奴役。为此，他谴责了把过去的东西良莠不分地全盘接受下来的做法。在佩恩看来，对过去不加批判的尊崇明显违背了现代民主原则——其核心是，每一代人都有按照自己认为合适的方式去创造并重塑世界的权利。这一立场表明，虽然当代人有权利自由地向过去学习，却不应该被强迫去重新过一遍过去的日子。

还有，那种认为价值观、习俗和制度就因为行之有效而存留下来的说法也很成问题。这种观点把人类历史看成一个"自然选择"的过程：那些对人类有益的制度和习俗得到了保留，而那些没有什么价值的制度和习俗则衰退乃至灭绝了。可以把这种观点归结为适者生存论。然而，制度和信仰延续的原因显然是多种多样的。例如，它们可能是因为对有权势的精英集团或统治阶级有利而得到了保留。在英国的君主制和上议院，也许就能看出这一点。实际上，强化对历史和传统的尊崇或许只是制造合法性和确保民众顺从、安分、沉默的一种手段。除此以外，传统和习俗还有可以对抗理性的争论和质询。就因为代表着与过去的连续便尊崇"是什么"，这无疑阻断了对"可以是什么"乃至"应该是什么"的探讨。从这一角度看，传统往往灌输的是对现状不加批判和质疑的、毫无理由的接纳，让心灵禁锢在往昔的牢笼里。约翰·斯图亚特·穆勒称这种危险为"习俗的专制"。

回归过去

还有一种更为激进的传统主义政治形式，它所着眼的不是延续和保守，而是秉持

"向后看"（backward-looking）的后顾式变化观。实际上，有人在传统与反动（极端保守）之间做了明确的区分，反动的本义是指对某种行为或刺激的反应和反作用。反 *355* 动式的政治同作为延续的传统毫无关系，因为传统在此种意义上关注的是维持现状，而极端的反动者则有意要去破坏它。反动主义根本就不认同熟悉和稳定的重要性，相反，它通常带有某种革命性。譬如，1979 年伊朗的"伊斯兰革命"就可以被看作一种反动性的革命，因为它标志着同最近的过去彻底决裂，而竭力为重建更古老的伊斯兰教义铺平道路。这种反动形式确立于一幅清晰可辨的人类历史画卷之上。传统主义从历史中看到的是连接起一代又一代人的连绵不断的线索，反动主义（极端保守主义）看到的则是一个衰退、堕落的过程。所以，反动主义的核心所在是一幅历史初期的意象——黄金时代——从那一时刻起，人类社会就开始不断地衰退。

对"向后看"的后顾式诉求明显反映了对现实的不满以及对未来的不信任。这种拿现状同理想化了的过去做对比从而谴责现状的政治形态在很多历史时期都留下过踪迹。举个例子，欧洲大陆的保守主义在整个 19 世纪直至 20 世纪都表现出了强烈的反动性。在法国、德国和俄国这样的国家中，保守主义者对早已被立宪政体和代议制政体所取代的专制和贵族统治理念仍矢志不渝。这一点充分地体现在约瑟夫·德·迈斯特的著作中，也表现在 19 世纪初期奥地利首相梅特涅（Metternich）的治国术中。这两个人都拒绝对来自改良主义的压力做出任何让步，并反其道行之，竭力去重建旧制。20 世纪法西斯主义的教义也倾向于"向后看"的历史倒退观。像墨索里尼及其意大利的法西斯党羽就仰慕罗马帝国的军事实力和政治风纪。希特勒及其纳粹分子同样把"第一帝国"即查理大帝建立的神圣罗马帝国加以理想化。无独有偶，反动（极端保守）倾向也出现在现代新右翼的激进主义中。在 20 世纪 80 年代，罗纳德·里根秉持着"开疆拓土的意识形态"，追溯到征服西部的美国西进运动，并竭力去追慕他认为这一壮举所象征的自力更生、艰苦奋斗和敢于冒险等品德。在同一时期，英国的玛格丽特·撒切尔夫人则极为看重"维多利亚时期的价值观"，如彬彬有礼、积极进取和自助自立，对之大加褒扬，并把 19 世纪中期视为一个黄金时代。

"回到过去"的意愿以在过去与现在之间做简单的历史对比为基础。前瞻或进步性的革新意味着走向一个未知的将来，它还伴随着必然包含的不确定性和不安全感。相比而言，过去是已知的、被了解的，因而为重塑现在奠定了一个牢固的基础。然而，这并不意味着，仅仅出于制度和习惯的持续存在就要对历史盲目崇拜或是决意要维护这些制度和习惯。相反，极端的保守分子挣脱了传统主义，对过去采取了一种更 *356* 批判、更质疑的态度，他们从中吸取对现世有用的东西而抛弃那些没用的东西。譬如，新右翼倡导重新树立自由放任的经济原则，不是基于这些原则"被历史所认可"，而是因为在 19 世纪被采用时，它们促进了经济的增长、创新和个人责任心。同样，如果对家庭和传统价值观的尊重确实曾一度创造了一个更为稳定、充裕而有凝聚力的社会，那么就有理由为重拾过去的价值观而抛弃现在的放纵主义道德观。

可是，对"向后看"后顾式变化的展望也有着不尽如人意的地方。例如，"黄金时代"是一种对过去的最好面的选择性的描绘，而在最坏的情况下则是对往昔生活实情的彻头彻尾的歪曲。例如，美国的西进运动既可以同边疆开拓者们粗鲁的个人主义相连，同样也很容易同对印第安土著居民近乎种族灭绝式的屠戮联系在一起。况且，"回到过去"的愿望无非是建立在怀旧情结即一种对太平而安稳的神话般往昔的向往的基础之上。面对显得肮脏、腐败而毫无趣味的当今世代，人们最通常的反应是，去欣然接受乃至于信奉对过往的一种淳朴而浪漫化的想象。从某种意义上说，任何时代都可能沉湎于同样的错觉里。其实，历史上从未有过黄金时代。最后一个关切点是：即便可以从过往汲取重要的教训，这些教训能否适用于当代，也是值得怀疑的。历史环境是一张由相互联系的社会、经济、文化和政治等各种因素所构成的复杂网络的产物。把过去的某种特征确认为值得称羡，并不意味着它必然会在现时也拥有同样的特性——即便它能够以其原来的形式被复制出来。一切制度和观念都是其从中兴起的时代所特有的。比方说，虽然自由放任政策在 19 世纪很可能促进了旺盛增长、进取和创新，但若被施用于当代的环境下，其影响则会截然不同。

变以求存

具有讽刺意味的是，传统的最后一副面孔竟然是一副进步的面孔。传统主义者并不总是坚决反对变革，也不只是接受带有复归性的变革。在某些时候，他们还是承认，历史前进的步伐是不可阻挡的。显然，企图遏止不可回避、不可逆转的变革或许就像传说中克奴特王（King Canute）阻拦潮水上涨一样徒劳。更为严重的是，那种目光短浅、心胸狭隘的传统主义没能意识到变革也许是自然而然的、势不可挡的，从而要冒引发更为可怕的剧变的危险。于是，这种进步式的保守主义的箴言是，改革要比革命更可取。这无疑是一种开明的传统主义，它认识到，即便维持现状是可取的，对变革冥顽不化的抗拒只能导致自我毁灭。这就好似随风摇曳的垂柳，它总要比冒着被连根拔起的风险的孤傲橡树更为明智。

这种进步的保守主义形态通常同埃德蒙·伯克的思想联系在一起。伯克与广泛存在于欧洲大陆的反动保守主义针锋相对，他认为，法国的君主制固守专制主义而不知变通是导致革命爆发的首要原因。伯克（Burke，[1790] 1968）宣称："一个缺乏变通手段的国家是不具有保全手段的。"英国的君主制就反证了这个教训，英国之所以基本上存续下来，就是因为它随时准备接受对自身权力的宪政约束。给英国革命画上句号的 1688 年"光荣革命"确立起了威廉和玛丽治下的君主立宪制，它是保守主义改革的一个典范。事实上，反动的保守主义通常在 19 世纪就存活不下去了；到 20 世纪，它最终因与法西斯主义有牵连而被击败了。相比之下，盎格鲁-美利坚的伯克式保守主义传统则要成功得多。比方说，"变以图存"的哲学理念就使得保守主义者学会了应对和接受宪治和民主——有时还包括社会福利和经济干预。

启蒙的传统主义建立在既区别于惯常的传统主义，也不同于后顾的反动主义的历史观基础之上。传统主义通常会强调人类历史的稳定和恒久，突出的是同过去的连续性；后顾的反动主义则持有一种深切悲观的历史观，它得到了"每况愈下"看法的支持。与这二者相对照的是，启蒙的传统主义以不可避免的变革观为基础，它认为，由于变革是"自然而然的"，因而既不必为之欢呼喝彩，也不应对之怨声载道，而只需接受。这里表达出这样一种历史观，它认为历史在很大程度上处于人力控制之外，而受伯克所谓的"自然模式"的支配。在伯克看来，这一观点同以下的看法即人类事务受上帝的意志支配而超越了人类的领会能力密切相关。同样，历史的进程或许太错综复杂，以至于仅凭人类理智是无法充分把握的，更不必说予以控制了。换句话说，当历史的潮流滚滚向前，智慧给人的指示是：顺应潮流，而不要逆流而动。

然而，即便是求保存，变革还是能给保守主义者制造难题。首先，存在着"自然的变革"（此种变化如果谈不上受欢迎，也至少应该能被接受）与其他形式的变革（这些变化应该会遭到抵制）之间进行区分的问题。就像伯克所做的那样，凭借事后认识的优势，这个区分的任务完成起来很简单。而当革命真的发生后，就更容易指出，如果不实行审慎的改革，就很可能导致暴力革命。显然，要困难得多的是，在当时何以知道：在众多要求的变革中，哪些变革是可以抵制的，而哪些又是不可抗拒的。还有一个问题是，改革远非促进稳定和提升满意度，相反，它却可能为更为激进的变革铺平道路。从某些方面看，赤贫很可能造成顺从忍辱和冷漠疏离，而不是革命热情；而从另一些方面看，政治或社会条件的改善却可能提高期望值，并激发对变革的欲望。这或许就是 20 世纪 80 年代末发生在苏联的情形。当时，戈尔巴乔夫突显了中央计划体制的缺陷而允许各种批评和抗议更为广泛、公开地表达出来，结果，他的改革只是加速了苏联政权自身的灭亡。

358

进步

进步的本义是指进展，即向前的运动。认为人类历史以进步为标志的思想始自 17 世纪，它反映了理性主义和科学思维的不断增长。"历史向前迈进"这一进步的信念后来成为西方思想传统中最基本的信条之一。例如，自由主义思想家认为，人类正日益把自身从贫穷、无知和迷信的枷锁下解放出来。在英国，这表现在当时出现的所谓"对历史的辉格式解读"中，这种解读把历史描绘成一个精神和物质的发展历程。譬如，1848 年，托马斯·麦考莱（Thomas Macaulay，1800—1859）在他那部获得巨大成功的著作《英国史》的第一章中写道："在过去 160 年间，我们国家的历史显然是一部物质、道德和思想文化发展的历史。"进步观念所包含的乐观主义精神也影响了社会主义者，他们认为，社会主义社会将诞生于或者建立在自由资本主义的基础之上。进步的信念往往接近于某种历史决定论，因为它将人类历史描述成一个引领人类从文明的低级阶段向高级阶段前进的必然过程。很平常的是，这一点体现在诸如"增长"和"进化"等生物学术语的使用上，人们用它们来描述历史变化的进程。然而，基于何种理由才有可能把历史描绘成一个永无止息而不可阻挡的进程呢？还有，进步应当是平稳的、渐进的和改良的，还是应当是剧烈的、深远的和革命的呢？

历史向前迈进

进步观念是科技革命的产物，它一直与理性主义的增长相伴而行。科学提供了一种理性而可靠的探究方式，借此，人类能够获得有关身处其中的世界的客观知识。由此，它把人类从以往束缚知识探索的宗教教义和信条中解救出来，并推动了西方思想的世俗化。有了理性装备头脑，人类有史以来第一次不仅能够解释自然世界，还开始理解他们生活于其中的社会，并对历史进程本身做出阐释。理性的力量赋予人类掌管自己的生活和主宰自身的命运的能力。当出现问题时，能找到解决的办法；当有障碍阻挡人类前进的步伐时，能把它们克服；当发现缺陷时，能提供救治的方案（而予以纠正）。因此，理性主义把人类从历史的禁锢和传统习俗的重压之下解脱出来。相反，这反而有可能以史为鉴，从历史的成败得失中吸取教训而继续前行。可见，历史进程是以人类知识的累积和智慧的深化为标志的。每一代新人都能够超越他们的前人。

进步不可阻挡的信念还反映在从"现代化"和"发展"的角度来解释经济、社会和政治变化的倾向上。例如，发达工业社会赖以诞生的政治和社会剧变就经常被概括为现代化的进程。"现代的"不仅意味着成为当代的和"当下的"，还含有较之过去有所进步，甩掉了"陈旧落伍"或"不合时宜"之羁绊的意味。政治现代化通常被认为含有立宪政府的出现、公民自由的捍卫与民主权利的扩展。总之，"现代化"的政治体制是一种自由民主的体制。社会现代化则与工业化和城市化的扩张密不可分。"现代"社会拥有高效的工业化经济与高水平的物质富裕度。同样，西方工业化社会通常在与"欠（不）发达"或"发展中"世界的对比中被冠以"发达"的称号。这样的称谓明显意味着，相比于非洲、亚洲和拉丁美洲地区所存在的传统体制，典型地出现在西方的自由民主政治体制与工业化经济标志着更高层次的文明。在这种情形下，"传统"就含有落后之意。此外，将西方现代化进程说成"发展"，这表明：这也可能是——即便并不必然是——非西方社会也要走的路。所以，人类历史就被描绘成由西方社会打头阵的前进之旅。西方社会制订出了一条其他社会注定要追随的路线。

然而，对进步观的信奉在世界上并不是普遍适用的。譬如，发展中国家中的很多人指出，只从西方的角度阐释政治和社会进步不仅无法同情非西方社会独特的文化传统，也忽视了存在其他发展模式的可能性。更为根本的是，进步观念本身就遭到了质疑。这一保守主义理论家通常采取的质疑立场表明，对理性的信仰往往是误信了。正如伯克所指出的，世界如此广袤、如此复杂，人类的头脑绝对不可能被充分地把握。如果真如此，那么，一般由自由主义和社会主义理论家所搭建起来的各种"思想体系"必然会简化或歪曲他们试图要解释的现实。显然，并不存在一幅能使人类重塑或改造世界的可靠"蓝图"。哪里试图改善政治和社会环境——无论是通过改革还是革命，往往哪里就有保守主义者发出警告，用欧克肖特的话来说，"治疗或许比疾病本身更糟糕"。所以，明智的做法是，人类应当放弃对进步的幻觉，而把自己的行动建立在经验、历史和传统等更为牢靠的基础之上。

通过改革求进步

从字面上说，"改革"最初的意思是重新组成，再次形成，就好比士兵重新列队。具有讽刺意味的是，基于改革含有重返过去即把某物恢复其原状之意，改革的意思带有某种反动性。改革后顾的一面在"宗教改革运动"一词的使用中表现得十分明显，这个词是指 16 世纪新教教会的建立——因为其拥护者将它看作一场重建古老、据说也更纯粹的精神体验运动。但是，在现代的用法中，改革更通常地同创新而非恢复联系在一起。它意指翻新，创造一种新形式，而与回到旧形式相对立。如今，改革与进步观念有着千丝万缕的联系。诸如，"革新你的方法"意思是修补、完善你的方法；一个"洗心革面（或改过自新）的人"是指一个改掉了他/她的坏习惯的人；"教养院（或管教所）"是一个旨在帮助纠正反社会行为的地方。出于上述理由，"改革"一词总带有积极的意味，意味着改进或改善。因此，严格地说，谴责或批评被认作改革的事物，与改革的这一意味是自相矛盾的。

不过，改革是指一类特殊的改进。改革表示的是在一个人、一个机构或一种制度内部的变化，这些变化可能祛除了自身不可取的特性，但并未改变其本性。从本质上讲，它们仍然是同一个人、同一个机构和同一种制度。例如，要求改革一个机构，就

360

是要对此机构的结构予以改组，变更其职权或改变其功能，但并不是要废除这个机构本身或用一个新的机构来取代它。从这个意义上讲，改革明显与革命针锋相对，它所代表的是连续中的变化。事实上，为倡导改革，有必要先认定，作为改革对象的人、机构或制度自身就具有自我挽救或改善的能力。因此，政治改革代表着诸如选举权扩大或机构调整等在现存政治框架内发生的变化。同样，社会改革指的是公共卫生、住房或生活状况的改善，这有助于改进社会体制而不是从根本上改变它。因此，改革等同于对现状的有条件认可。它表明，假如加以改善，现存的机构、组织和制度要比那些取代它们且在性质上全新的机构、组织和制度更可取。基于这个理由，改革代表着进一步的改进而非颠覆性的剧变，代表着渐进式的进步而非彻底的背弃，代表着进化而非革命。

倡导改革就是，宁取渐进的变化而弃革命的变化。这一立场态度尤其为自由主义者和议会社会主义者所采用。自由主义的改革思想通常与杰里米·边沁的功利主义联系在一起。边沁的学说为称作"哲学激进主义"的思想奠定了基础。哲学激进主义有力地推动了英国 19 世纪的许多著名的改革运动。哲学激进分子把自身奠立在所有人都为自己寻求最大幸福这一功利主义的理论假定之上，并采用共同功利的目标"为最大多数的人谋求最大的幸福"。他们倡导了一系列广泛的法律、经济和政治改革。这些政治改革包括提议法律应当彻底法典化，法律制度应当置于充分的理性基础之上，排除阻碍自由贸易和经济竞争的障碍以及通过引入更为频繁的选举、匿名投票和普选来扩展民主。出现于 19 世纪末期的社会主义改良思想也自觉地建立在这些自由主义的思想基础之上，例如，创立于 1884 年、以罗马将军费边（因运用耐心的拖延战术击败汉尼拔而闻名）的名字命名的费边社就突出了它对"渐进主义的必然性"的信奉。费边主义者公然否弃以马克思主义为代表的革命的社会主义，相反，它主张社会主义社会应该是经由一个渐进审慎的改革进程，逐步从自由资本主义中脱胎出来。这样的思想被欧洲及其他地方的议会社会主义者广泛接纳。在德国，爱德华·伯恩施坦的《渐进的社会主义》（[1898] 1962）标志着对正统马克思主义的第一次重大批评，它倡导从资本主义向社会主义逐步平稳过渡的思想。

功利主义

功利主义理论出现于 18 世纪晚期，它是对自然权利论的一种据称是科学上的替代。在整个 19 世纪期间的英国，功利主义为号称哲学激进主义者所发动的一系列广泛的社会、政治和法律改革奠定了基础。功利主义为古典自由主义提供了一大思想基础；而就其对政治问题的影响而言，它或许仍然是道德哲学的最重要的分支之一。

功利主义提出，一种行为、政策或制度的"正当性"可以通过其促进幸福的趋向来确立。而这种观点建立在如下的假定之上，即人受自身利益驱使，且这些利益可以被定义为趋乐避苦或趋利避害，也就是说，对快乐或幸福的欲求以及对免除痛苦的意愿。由此，个人算计每一种可能的行动会带来的快乐和痛苦的数量，然后选择任何一种可能带来最大量的幸福而最少量的痛苦的做法。功利主义思想家认为，有可能从功利的角度对快乐和痛苦进行量化，考量它们的强度、持久性等。可见，人是功利最大化的制造者，他（或她）总是追逐尽可能最大量的快乐、最少量的痛苦。这一功利原则可以适用于整个社会，用19世纪的经典说法就是"为最大多数的人谋求最大的幸福"。然而，功利主义已发展出了一个理论族群。古典功利主义是行为功利主义，乃因为，如果行为的后果产生出至少像其他行为一样多的快乐（相对于痛苦），那么，它就判定这种行为是正当的。而规则功利主义判定一种行为是正当的，是因为该行为遵循了某一条规则——这条规则如果得到普遍的遵循，就会产生出好的后果。被称为"归纳的功利主义"（utilitarian generalization）的理论不是依据行为本身的结果来评估其正当性，而是基于这一行为是否被人们广泛地采取、仿效。动机的功利主义把重点放在行为者的主观意图上，而非单个行为所产生的后果上。

功利主义的吸引力在于，它能够为道德评判确立起被认作是客观的标准。它不是把价值观强加于社会，而是让每个人自己做出他（或她）的道德选择——因为每个人都可以独立地定义何谓快乐、何谓痛苦。由此，功利主义理论主张多样性与自由，并要求我们把他人也看作寻求快乐的动物而予以尊重。功利主义的缺陷是哲学和道德上的。从哲学上看，功利主义建立在极端个人主义的人性观之上，这种人性观既是非社会的，又是非历史的。比方说，无论如何也不能断定，一贯自私自利的行为是人类社会的普遍特征。而从道德上看，功利主义也许无非是极端的享乐主义。J. S. 穆勒曾宣称，他"宁愿做不满足的苏格拉底，也不愿做心满意足的傻瓜"（虽然穆勒本人赞同的是一种修饰过的功利主义），这就道出了这种功利主义的观点。功利主义之所以遭到批评，还因为它认同了某些被普遍认为错误的行为，如侵犯基本的人权——仅仅因为它们有助于使社会总的功利最大化。

代表人物

杰里米·边沁 英国哲学家和法律改革家。边沁是功利主义的创始人，并为哲学激进主义奠定基础。他的道德和哲学体系是作为自然权利论的对立物而阐发出来的，它建立在人类是自私自利的理性动物这一看法（人会根据功利标准来计算快乐与痛苦及利害得失）之上。运用"最大幸福"原则，边沁为自由放任主义的经济做了辩护，并提倡进行广泛的法律和政治改革；在其后半生，他对表现为成年普选制的政治民主主义给予了支持。边沁的主要著作是《道德与立法原理导论》（[1789] 1948）。

詹姆斯·穆勒　苏格兰哲学家、历史学家和经济学家。穆勒推动了功利主义转变成一场激进的改革运动。他运用边沁的哲学抨击重商主义、教会、现存的法律体系尤其是贵族统治制度。穆勒力主他所谓的"纯粹民主"，把它当作实现理想政府——被界定为符合被统治者利益，或至少代表"最大多数人"利益的政府——的唯一手段。在此基础上，他提倡逐步扩大选举权、频繁选举和匿名投票制。穆勒最有名的著作是《政府论》（1820）。

彼得·辛格　澳大利亚哲学家。辛格运用功利主义来思考一系列的政治问题。基于对其他物种福利的利他主义关注源于如下的事实：作为有感觉的动物，它们也会感觉到痛苦，辛格主张动物的福利。像人一样，动物也关切如何避免肉体上的伤痛，因此，他谴责将人类利益凌驾于动物利益之上的任何做法，视之为"物种歧视"。不过，他也承认，对动物的利他主义关注并不意味着平等对待，他并不赞成动物权利。辛格利用功利主义证明了增加富国给予穷国援助的正当性。辛格的主要著作有《动物解放》（1975）、《生命，如何作答》（1993）和《一个世界》（2004）。

改革具有相对于革命的两大优势。首先，改革力求均衡连续性与变化之间的关系，它能够平和地进行而不至于打乱社会安定和谐。即便改革的累积效果所带来的也无异于一场根本性的改变，但由于它是一点一滴逐步行进的，且历时长久，因而更易于被人们——即使是那些起初对改革不予同情的人——所接受。这一点清晰地表现在大多数西方社会政治民主制的确立中。在这个过程中，选举权是逐渐扩大的，先延伸到工人阶级的男性，最终至于妇女。其次，改革奠立在科学探究的最经验主义传统之上。改革是一个渐进的过程：它是通过一系列较小幅度的步骤前进的。渐进主义的优点在于，它是通过一个"试错"的过程行进的。在改革实施的时候，其效果、影响是可以得到评估的，还可以通过进一步的改革对它们做出调整。如果进步建立在对理性主义的信念之上，那么，改革就只是通过不间断的试验和观察而取得进步的一种手段。因而，渐进式变化是扩展和提炼人类知识的一种方式。依靠改革（而非革命），等于确保了我们改变世界的欲求不会超出我们关于世界如何运作的知识。

通过革命求进步

革命代表着最剧烈且影响最为深远的一种变化形式。就其最一般的意义而言，革命指推翻并取代一个政治制度，它与变化发生于持续存在的制度框架内的改革或演变截然不同。不过，始于14世纪的最早的革命观念更多地强调重建合宜的政治秩序（通常所认为的"自然"秩序），而并非根本性的改变。这形成了一种把革命当作周期

性变化的观念，它明显表现在动词"旋转"（revolve）上。因此，无论是英国建立起 *364*
君主立宪制的"光荣革命"（1688）还是让美国殖民地赢得了独立的美国革命，革命
者本人都认为，他们是在重新确立一种失落了的道德秩序，而不是在创建一种史无前
例的新秩序。

然而，现代的革命概念则最明显地受到了法国大革命（1789）的影响。法国革命
公然而执意地要破坏掉旧制度和旧秩序。法国大革命成了爆发于 19 世纪的欧洲革命
（如 1830 年革命和 1848 年革命）的样板，并决定性地影响了像马克思这样的思想家
的革命理论。同样，第一次"社会主义"革命——俄国十月革命（1917）主导了 20
世纪大部分时期内的革命理论和实践，它树立起了可供仿效的榜样，鼓舞了中国革
命、越南革命、古巴革命和尼加拉瓜革命等诸多革命的斗志。

各种不同的革命理论往往都倚重特定的革命实践，各自代表了各种不同的革命模
式的典型特征。如汉娜·阿伦特的《论革命》（1963b）就将重心放在英美革命上，以
阐发本质为自由主义的观点，即革命反映了对自由的追寻，揭示出现存政治体系的弊
端。而马克思则诉诸法国大革命，他把革命看成是不可阻挡的历史发展进程中的一个
阶段，它反映了存在于所有阶级社会中的矛盾冲突。然而，实际上，世界上不存在两
场完全相似的革命：每一场革命都是一种高度复杂的历史现象，它包含了诸多也许是
独一无二的政治、社会和文化特征。伊朗的"伊斯兰革命"（1979）则代表了一种企
图建立神权专制主义的倒退运动，完全不同于西方把革命当作进步性变化的观点。在
诸多的社会影响中，它们使得人们对惯常的历史进步观念产生了严重的怀疑。

不过，还是有可能确认出大多数——即便不是全部——革命所具备的众多特征。
首先，革命是一个剧烈而突变的时期。革命包含在有限的时间跨度内所发生的剧烈变
化。当"革命"一词被用来形容历经很长时间而逐渐带来的深刻变化时，比方说，工
业革命，则是作为一种隐喻来使用。然而，在有些情形下，最初的突发性变化也许会
被历时较长、更接近于渐进的变化过程所接替。在这种意义上，肇始于 1917 年却一
直持续进行下去的俄国革命，直到 1991 年苏联解体的那一刻，其"建立共产主义"
的目标仍未能实现。其次，革命通常是激烈的。为对抗当权政府，革命者被迫在宪法
框架之外采取行动，这就意味着要诉诸武装斗争乃至内战。当然，也有很多不流血而
发动的革命的例子。譬如，1991 年 8 月，当坦克冲毁俄国杜马所在地冬宫周围的防御
工事时，只有三人丧命。正是这场没有成功的军事政变直接导致了苏联在当年 12 月
前解体。再次，革命是民众暴动，它通常带有示威、罢工、游行、骚乱或其他形式的
民众参与行动。戴维·比瑟姆（Beetham，2013）指出，革命的根本特征是法外（未
经法律授权）的民众行为，它实际上是由合法性的丧失所带来的。但民众在革命中卷 *366*
入的程度迥然不同。

革命的主要优点在于它触及了问题的根本：如果制度自身有缺陷，那么只有革命的或者说结构性的改变才是合适的。从这个角度说，基于以下两条罪状，改良主义应受到谴责。第一，改良主义的目标迷失——它只涉及表面而未击中根本。革命的社会主义者认为，剥削和压迫根源于私有财产制，因而，扎根于资本主义制度。而改良主义者把注意力转向其他事务上，如经济保障、更广泛的福利权利以及争取政治民主的斗争。即使这些改革真的改善了生活和工作条件，它们也无法带来彻底的改变，因为资本主义的阶级制度仍丝毫没有被触动。第二，改革不仅不能解决根本问题，而且它本身或许就是问题的一部分。革命者声称，改革有可能实际地巩固着资本主义；的确，他们还断言，资本主义敏于改革恰恰是其存留至今的秘密。从这个角度看，政治民主的发展与福利国家的实施促使劳动大众甘心于自己所受的剥削，并说服他们相信自己所处的社会是公平、正义的。从此种意义上讲，所有的改革或许都带有保守主义的特性：它们促成变化的发生；但这些变化又是在现存的宪法或社会-经济框架内发生的。这样一种思路显然具有一种大大超出社会主义的吸引力，它导致了诸如无政府主义、民族主义、女权主义和宗教激进主义等学说的革命形式的出现。

乌托邦

"乌托邦"一词由英国学者和大法官托马斯·莫尔所创造，并在他的《乌托邦》（［1516］2012）一书中被首次使用。莫尔的这部作品旨在描绘一个据称坐落于南太平洋浪漫小岛上的完美社会。然而，对于他写这部书的目的究竟是宣扬还是讽刺、他最为关注的到底是宗教问题还是政治问题，评论家们莫衷一是。"乌托邦"这个词有两个词源出处：希腊文 *ou topos*（其意是"不存在的地方"）和希腊文 *eu topos*（其意为"好地方"）。在日常语言中，"乌托邦"是指理想的或完美的社会。不过，莫尔所用术语的这种暧昧性一直保留下来了。"乌托邦的"一词通常带有贬义，被用来指不可能或不现实的想法，它往往与无法达到、无法实现的至高目标联系在一起。因而，不能确定的是，作为"不存在的地方"的乌托邦是否意味着这样的社会在现实中尚未存在？还是说，这样的社会根本就不存在？围绕着乌托邦和乌托邦主义，还存在着一系列争议。比方说，乌托邦思想必得遵循某一特定的结构或具备某一特定的功能吗？是不是所有致力于政治或社会提升的方案都带有乌托邦的特性？此外，何种政治学说为乌托邦思想提供了最肥沃的土壤？政治乌托邦的各种模式到底有多大的不同？最后，乌托邦式的想法是健康的还是不健康的？为什么当代政治理论家大都放弃了这种思想？

367

乌托邦主义的特性

乌托邦首先是一个想象出来的世界。被想象出来的虚构世界在文学、宗教、神话传说和哲学中有着漫长的历史。大多数传统的社会与很多宗教都建立在关于黄金时代或极乐世界的神话之上。在很多情形下，这些神话唤起了对完美的往昔状态的形象，这种回忆赋予现存社会一整套权威的价值观，并促使确立起一种共享的身份认同感。而在其他场合，这些神话也体现着对未来的憧憬。例如，犹太教和基督教中的伊甸园就代表了人类"堕落"之前一种尘世的完美状态；而这一"地球上的上帝之国"观念一直存活于千禧年之说中，它相信，将会有一个由基督第二次降临所开启、持续千年之久的神圣统治。柏拉图的《理想国》通常被视为第一个明确的政治乌托邦。在书中，柏拉图描绘了一个融智慧、公正与秩序于一体的社会，在其中，哲学王即监护者进行统治；军事阶层即辅助者负责维持秩序和提供防御；普通公民即生产者则料理社会的物质基础。

然而，现代形态的乌托邦思想有着更为特定的文化和历史根基。作为一种社会、政治理论，乌托邦主义在本质上是一种西方现象，它出现于 18 世纪，是与启蒙运动相伴而来的。对理性的信仰不仅激发了思想家从进步的角度去看待人类历史，而且——或许是第一次——允许他们以无限可能的方式去设想人类和社会的发展。有了理性的武装，人类就能够重新塑造社会乃至于自身；而这个重塑的过程可能是无止境的。于是，社会完美的观念不再是不可想象的，遥不可及的梦想也变成了一个可以实现的目标。1789 年法国大革命为这一新型的思想注入了强大的动力。作为一种关乎社会与政治全面转型的方案，法国革命似乎表明，一切皆有可能。对于新出现的乌托邦冲动，有许多例证可以在让-雅克·卢梭的《社会契约论》（[1762] 1969）中看到。该书倡导一种最终以"自然人"的善为基础的激进的民主形式；托马斯·佩恩的《人权论》（[1791—1792] 1987）为人民主权和个人权利高于世袭特权做了辩护；罗伯特·欧文的《新社会观或论人类性格形成之原理及其应用》（[1816] 2013）则宣扬建立在合作和公有制基础之上的"合理的社会制度"。

可见，乌托邦主义是一种非常特别的社会理论。其主旨是，通过建构一种理想的或者说完美的秩序来对现存秩序提出批判。这样一来，它通常表现出三大特征。第一，它代表了对现状彻底而全面的否弃。当前社会和政治格局注定是有根本缺陷的，因而需要予以彻底改变。因而，乌托邦式的政治方案往往是革命的而非改良的。第二，乌托邦思想突显了人类自我发展的潜能。这或是建立在对人性的高度乐观的假定上，或是建立在对经济、社会及政治制度能够改良人类原始本能及冲动的能力的乐观主义假定之上。除非人类是可臻完善的，否则，社会就无法变得完美（而如果人类已经是完美的了，那就不需要乌托邦主义了；乌托邦也早就成真了）。第三，乌托邦主义通常超越公共／私人之间的分野，因为它表明了完全或近乎完全意义上的个人自我实现的可能性。对一个理想的替代性社会而言，乌托邦主义必须提供一幅私人领域得以解放（如同政治或公共领域里的解放）的前景。这就解释了许多乌托邦理论为何超出了惯常的政治思想，而广泛地涉及心理-社会甚至心理-性等方面的问题，正如在赫伯特·马尔库塞、埃里希·弗罗姆（Erich Fromm，［1955］1971）及保罗·古德曼（Paul Goodman，1911—1972）等理论家的著作中所表现的那样。

　　惯常的乌托邦思想的对立面是以"反面乌托邦"（又称"敌托邦"）的形式发展起来的。这是被颠倒了的或否定的乌托邦，其目的是要突显出现存社会中危险或破坏性的趋势。最有名的两个文学乌托邦读本是阿道斯·赫胥黎（Aldous Huxley）的《美妙的新世界》（1932）和乔治·奥威尔（George Orwell）的《1984》（［1949］1954）。奥威尔对过度的国家控制、严丝合缝的监视与无孔不入的宣传的审视唤起了人们对显露在 20 世纪极权主义中的这些趋势的关注。不过，从多方面看，已经证明，赫胥黎的见解更富有先见之明，因为他预见到了人类从实验室里大批量生产出来以及通过使用麻醉药和广泛的意识形态灌输压制自由的情景。有关"敌托邦"的分析，还有一个例子是叶甫盖尼·扎米亚京（Yevgeny Zamyatin）的《我们》（1920），该书把 1917年十月革命中所蕴含的某些东西引向了（他所认为的）它们合乎逻辑——不可避免——的结论，从而对苏联社会展开了强有力的批判。

乌托邦主义

　　就本义而言，"乌托邦"是指一个理想、完美的社会。托马斯·莫尔在《乌托邦》（［1516］2012）中最先使用了这个词。乌托邦主义是一种对现存状况提出批判的社会理论，批判是通过构建一个理想的或完美的替代性社会模式来展开的。然而，乌托邦主义并不是政治哲学，也不是意识形态传统。种类繁多的乌托邦各不相同，乌托邦思想家们也没有提出过一个共同的美好生活的概念。不过，大多数乌托邦都以消除匮乏、没有冲突、避免暴力和压迫为特征。一般意义上的社会主义，反映了它们对人们友善相处、互助合作、乐善好施行为等潜能的信赖。因此，社会主义的乌托邦强烈坚持人人平等，并以集体财产所有制和削弱乃至根除政治权威为典型特征。世界主义、女权主义和生态主义也孕育了乌托邦理论。由于对人类自私自利性和竞争的强调，自由主义造就乌托邦思想的能力受到了限制；不过，对自由市场资本主义的极端信奉也可以被视作一种市场乌托邦主义。其他形式的乌托邦则建立在对政府和政治权威发挥良性影响的信奉之上。柏拉图的《理想国》（1955）是最早的政治乌托邦主义，它提倡开明的专制主义，而莫尔所构想的社会却等级森严，是独裁的和家长制的——虽然是以经济平等为背景。

乌托邦主义的威力在于，它使政治理论去做超越当下的思考，从而挑战"一切可能的东西的边界"。确立起"具体的"乌托邦是一条在现存条件下挖掘增长和发展潜力的道路。一旦没有了对应然的东西的构想，政治理论就会被实然的东西所湮没，以至于丧失掉批判的锋芒。对乌托邦思想的批评可以划分为两类。第一类批评（与日常对"乌托邦"一词的贬义用法相一致）指出，乌托邦主义是骗人的或异想天开的想法，是对一个不现实的、根本无法达到的目标的迷恋。譬如，马克思痛斥了"乌托邦社会主义"（"空想社会主义"）——基于它提出了一种毫无历史和社会现实基础的道德观。与之相对，"科学社会主义"力求对社会主义社会如何实现以及为什么会实现做出解释。第二类批评认为，乌托邦主义隐含着极权主义倾向，因为它推崇单一的一套不容置疑的价值观，因而不能宽容自由争鸣和多样性。

代表人物

370

罗伯特·欧文　威尔士社会主义者、实业家和合作运动的先驱。欧文的思想建立在人的品性是由社会环境塑造的这一看法之上，进而，他断言，社会的进化要求建立起"合理的社会制度"。此外，他特别反对有组织的宗教、惯常的婚姻制度和私有财产。欧文提倡建立小规模的合作社，在其中，财产是公有的，生活必需品是免费配给的。欧文的代表作是《新社会观或论人类性格形成之原理及其应用》（［1816］2013）。

皮埃尔-约瑟夫·蒲鲁东　法国无政府主义者。蒲鲁东对传统的财产权和共产主义都进行了抨击，他转而主张互助主义，互助主义是一套为满足需求（非营利）而在自治社群当中组织起来的合作性生产体系。他提出"财产即偷盗"的口号，在此，他既反对财富的聚敛，又允许存在以"占有物"为形式的小规模财产所有制——因为这是独立和自主的关键所在。蒲鲁东的主要著作有《什么是所有权》（1840）、《贫困的哲学》（1846）、《联邦制原理》（1863）。

保罗·古德曼　美国作家和社会批评家。古德曼的无政府主义和反独裁思想对20世纪60年代的新左翼产生了相当大的影响。他对个人发展和全人类福祉的持续关注部分地表现在他对完形心理疗法的兴趣当中，这也促使他支持社群主义式的无政府主义、渐进式教育、和平主义、性解放伦理学，并主张重建便于本土自治和面对面交往的社区。古德曼的主要作品有《荒诞地成长》（1960）、《乌托邦论说与实用的建议》（1962）。

政治乌托邦

更常见的是，政治乌托邦是依据其结构而非内容来定义的。虽然只有少数的乌托邦思想家着手为未来理想社会提供一幅详尽而完备的图景，从而描绘出一个乌托邦来，但所有的乌托邦思想家都运用了（起码是）彻底改观过的社会的某种理念，由此来观照现存社会的缺陷，构想个人发展、社会发展和政治发展的各种可能性。然而，就乌托邦究竟是什么样子，思想家并没有达成一致的看法。每一种完美社会的模式都反映了特定的思想家和政治传统的价值观和臆断。不过，基于所有的乌托邦都被认作完美无缺的，某些共同的主题还是会反复出现在所有的乌托邦思想中。

要使政治和社会安排变得完美，必须具备哪些特征呢？首先，必须消灭匮乏。很难认为一个存在着严重贫困现象的社会是完美的。所以大多数乌托邦都以物质充裕和消除贫困为标志。不过，这并不必然地意味着，所有的乌托邦都必须是物质繁荣的；通过消除物质主义和贪婪也许像确保物质富足一样，同样能够较为容易地根除贫困。从当代绿色运动的生态乌托邦中就可以看到这一点，这种乌托邦通常以后工业的简约质朴风尚与大大削减的消费水平为基础。

其次，乌托邦社会通常以社会和谐与没有冲突为特征。个人与群体之间的冲突，就此，还有个人内心里相互矛盾的价值观与动机之间的冲突都难以完美地调和起来，因为其结果必然是你输我赢、你死我活。一个以彼此对立的利益为特征的社会注定是不完美的，这既因为它不会是稳定的，也因为它不可能兼顾并充分满足一切利益诉求。为了支撑无冲突的社会和谐理念，乌托邦思想家通常不得不做出高度乐观的人性假设，或者对特定的社会体制予以极其乐观的假定。

最后，乌托邦社会昭示了充分解放与不受限制的个人自由的前景。按严格意义讲，压迫和一切形式的不自由都是社会不完美的表现，因为公民不能按自己选择的方式去行动。对此，唯一的例外是对自由加以限制，这被认为是符合个人的长远利益，好比卢梭所认为的，人们能够"被迫去自由"。因此，大多数乌托邦理论所构想的只是一个有限的政府角色，乃至于根本就没有政府。

各种政治传统都展现了乌托邦的上述特征。譬如，女权主义强调建构一个后等级制社会的可能性，绿色政治强调人类与自然之间的和谐，而世界主义则憧憬着创建建立在全球觉悟或"全球性"基础之上的"同一个世界"。不过，绝大多数乌托邦思想是同空想社会主义或自由主义联系在一起的，这两种思想传统最鲜明地体现了启蒙运动的乐观主义精神。空想社会主义奠立在认为人类在本质上是社会性的、合作的和合群的动物这一看法之上。因而，贪婪、竞争和反社会的行为的存在，仅仅是因为人被社会所腐蚀，尤其是被资本主义及其罪恶、贫困和社会不公平所败坏。所谓的空想社会主义（乌托邦社会主义）者如夏尔·傅立叶（Charles Fourier，1772—1837）和罗伯特·欧文开展了社会主义乌托邦主义的实地试验，他们以爱心、互助合作与集体所有制为基础组织，建立起小型的社区。新马克思主义思想家如厄恩斯特·布洛赫（Ernst Bloch，[1959] 1986）和赫伯特·马尔库塞（Marcuse，1964，1969）等人鲜明的乌托邦观念大大影响了 20 世纪 60 年代的反正统文化运动。

　　自由主义与乌托邦主义之间的关系要暧昧一些。自由主义理论对自我中心主义和自私自利的强调往往扼杀了乌托邦冲动。而实际上，为大量关于国家和政府的自由主义思想奠定基础的社会契约理论恰恰建立在追求自由与维护秩序达成妥协的必要性之上。从这个角度来说，一个拥有不受限制的自由社会亦即"自然状态"是争斗与野蛮的根源所在；而与之相对，自由主义的理性主张及与之相关的对教育的信奉则为乌托邦主义创造了条件，因为这种乌托邦主义就建立在这些主张和信念为人类自我发展与社会进步所创造的可能性之上。因而，像约翰·洛克这样的社会契约理论家在讨论教育问题时，就能够表达出一种近乎乌托邦的理想主义。理性主义与乌托邦主义之间的关联在无政府主义先驱威廉·葛德文的论著中得到了清楚的阐发。葛德文反用了社会契约论，因为他认为，教育和明智的判断力会确保无政府社会中的人们遵循真理与普遍的道德法则去生活。在其他情形下，自由主义的乌托邦思想大大汲取了市场自我调节的观念，它把亚当·斯密关于资本主义"看不见的手"的思想引向了它的逻辑结论。由此可见，虽然人类在本质上是追逐私利的动物，他们的经济利益相互冲突，但市场效用的发挥能够带来均衡和共同繁荣，因为人们只有无意识地满足了他人的利益才能满足自己的利益。在诸如穆雷·罗斯巴德和戴维·弗里德曼（David Friedman，1989）等思想家的作品中，这使无政府资本主义乌托邦思想得以确立，在此，不受约束的市场竞争把经济驱动力与社会公平及政治自由调和起来。

◆ 全球性思考

全球性

　　全球化进程有其漫长的历史根源，可以追溯到 15—16 世纪的地理大发现时代，进而发展到 19 世纪后期的欧洲殖民主义时期，全球化的当代发展阶段则表现为一种以"全球性"为形式的新现象的出现。"全球性"是指"把世界（及其问题）当作一个整体的意识"（Robertson，1992）。全球化是一个囊括了一系列进程的过程，而全球性则是一种状态（表明全球化所带来的整个情势）。全球性或全球意识可以被看作全球化的一种终极状态。

不过，全球性有着各种表现形态。其一是越来越倾向于把我们自身集体性地理解为共同的"人性"，而不是从伦理的、民族的、宗教的或其他性质的身份的角度来理解。由此，产生了一种带有鲜明的乌托邦特性的道德全球性。道德全球性植根于世界主义，并奠基于全体世界人民构成了一个道德共同体这一假定之上。这表现在人们日益诉诸人权信条的现象中。其二，全球性体现在这样一种文化发展趋势上，一方面，人们越来越广泛地认同文化多样性；另一方面，认为出现一整套共享规范和价值观更为可取、可期的信念也越来越强烈。罗伯逊（Robertson，1992）突出强调了"相对主义化"进程中的这种发展趋势，其间，本土文化和全球压力融为一体，形成"全球本土化"（glocalization）。其中，全球压力被迫适应本土环境。其三，全球性为不断增长的社会自反性所推动，同时也体现在社会自反性上。这反映了在日益增强的相互依存条件下个人所面临的选择和机会范围越来越宽广。它同时也对譬如家庭生活本质、亲密关系以及性等问题产生了重要影响。

不过，对全球性概念的表达还是有所保留的。譬如，认为全球意识是一种大众现象，这显然是错误的。实际上，全球性是一种在很大程度上局限于富裕、"中心"国家和地区（而非贫穷的"边缘区"）的品性。即便在中心区的范围内，它在世界主义精英当中要普及得多；而它在世界主义中产阶级当中又要比在工人阶级当中更为普及。其他人则把全球性置于大可质疑的境地，他们不是将它同宽容、选择和机会联系在一起，而是将它同不断增长的风险和不确定性联系起来（Beck，1992）。从无序理论的视角看，相互联系在全球范围内的扩散造就了一个"超越可控性的世界"前景，这一发展态势尤其显示在全球金融市场的内在不稳定性上。

乌托邦的终结？

对乌托邦思想的热情曾在几个特定的时期达到了顶峰：在 18 世纪晚期，尤其是 1789 年法国大革命随后的年月；19 世纪 30—40 年代，即工业化早期和社会飞速变化的时期；还有 20 世纪 60 年代，恰与学生激进行动的高涨及种种新社会运动的出现同时登上历史舞台。但是，乌托邦主义一贯是少数人的政治追求，并不时招致尖锐的批评。大多数政治学说都是非乌托邦的，还有些明显是反乌托邦的。事实上，一些评论家把极权主义的根源追溯到乌托邦思想的构建上。另外，自 20 世纪晚期以来，人们 *374* 更多的是从日益迫近的危机乃至毁灭性厄运的视角（而不是从希望和憧憬的角度）来看待未来，这已日渐成为一种风尚。到头来，乌托邦是否已被逐出人类可能实现的未来之地图？

乌托邦的批评者以各种方式来对它展开批判。譬如，马克思和恩格斯抛弃了无政府主义和诸如欧文和傅立叶等伦理社会主义者的观点，把它们看作"乌托邦社会主义"（空想社会主义）而非"科学社会主义"的典型。依马克思的观点来看，"乌托邦社会主义"只能算作人们的痴心妄想，它无非是一种有道德吸引力的社会主义观念的构建，而从未考虑过如何去推翻资本主义，并如何建设社会主义。与之相对，"科学社会主义"或曰马克思主义则建立在被认为不仅显示了社会主义值得向往而且表明它是不可避免的历史观基础之上。

然而，对乌托邦主义更为彻底的一种批评则是由保守主义思想家提出的。保守主义者基于以下两个理由反对乌托邦思想。其一，他们把人性看作不完美的，而且是不可完善的，这就否弃了乌托邦理论的一个重要根基。人生来就是自私、贪婪的，被非理性的动机和欲望所驱使，任何一项社会策划方案也没法改变这些铁的现实并建立起普遍的"善"来。可以说，所有的人类社会都是以冲突、争斗、违法犯罪等诸多不完美为特征的。其二，乌托邦方案无一例外地为理性主义的傲慢自大所困扰：它们统统宣称理解了本来全然不可理喻的东西。由于任何人所向往的、理想的未来模式注定是有缺憾的，旨在建立一个完美社会的政治方案必然会产生出迥然不同于激发了设想的理念的种种结果。正如欧克肖特所指出的，保守主义者总是希望能够确保"治疗不会比疾病本身更坏"。

对乌托邦主义毁灭性的批判是由诸如卡尔·波普（Karl Popper，1963）和以赛亚·伯林等自由主义思想家发起的。这两个人都遭受了 20 世纪极权主义经历的影响。对波普来说，乌托邦主义是危险和邪恶的，因为它有违自身的初衷，并最终导致暴力。他将乌托邦的方法定义为一种推论的方式，即手段是依据一个终极的政治目的而理性地选择出来的。由此，理性的政治行为必须建立在某一幅理想国家和特殊历史道路的蓝图之上。这种推论形式是自我拆台的，因为不可能科学地设定目的：手段可以 *375* 是理性的或非理性的，而目的是不受理性分析所支配的。此外，这种类型的推论还会导致暴力，因为缺乏为目的辩护的科学、合理的基础，持有对立目的的人们不可能只通过争论和讨论就解决他们之间的分歧。于是，同终极目标相关联的政治规划注定要与其他诸如此类的政治规划发生冲突。

伯林对乌托邦主义的批评把乌托邦同他所认为的体现在启蒙主义传统中的一元论

趋势联系在一起。启蒙运动对普遍理性的信奉引发对适用于一切社会和全部历史时期的根本价值观的探求。因此，理性主义学说倾向于提出一条独一无二的通向完美的可靠之路，从而剥夺了不同于自身的其他道路及对立理论的合法性。在实际中，这会导致不宽容和政治压迫。伯林坚持认为，价值观的冲突是内在于人类生活的：人们不仅对生活的最终目标总会有分歧，达不成一致，而且每个人都在努力寻求相去甚远的价值观之间的平衡。这样的一个观点表明，乌托邦绝无实现的可能。由此看来，政治的目标不是要去发现通往完美的唯一道路，而是要创造条件，使有着不同道德和物质诉求的人们能够和平互利地相处。

除了对乌托邦主义的抨击，20 世纪 60 年代至 70 年代早期以来就已经出现过一股明显背离乌托邦思想的潮流。然而乌托邦思想的衰落则同"祛激进化"（de-radicalization）的总进程联系在一起，这一进程对社会主义产生了独特的影响。显然，现代抗议运动如反全球化或反公司运动把大部分精力都投入到对现存社会弊端的揭露上，而对分析未来理想社会的性质毫无兴趣。由此，经济选择空间"窄化"（局限）为充其量是一种在各种可供选择的资本主义形式之间的取舍。这种状况对乌托邦思想产生了深远的影响。

对人类前途的悲观主义情绪还有一个根源，它出自人们对日益逼近的生态大灾难所持有的愈发强烈的危机感。由于公司相对于政府的权力增强了，而工业化也蔓延到了全球新的地方，结果是，资源耗竭的速度与污染的进度也加快了。诸如"全球变暖"之类的问题造成了一种世界失控的印象。人类与自然之间不断加深的鸿沟所制造的幽灵又一次"篡改"了乌托邦思想中的一大主旋律。21 世纪大量敌托邦式的忧郁情绪笼罩了科学对人类与社会的影响。倏忽间，原本是乌托邦主义一大基石的科学被许多人看作一种不断增长的威胁，它营造了一派"后人类"的未来景象。弗朗西斯·福山（Fukuyama，2002）就对生物技术革命的后果表达过这样的忧虑。特别是，他警告说，操控某个人后代 DNA 的能力对人之为人的意义有着深远的影响，并潜在地对未来政治秩序产生可怕的后果。约翰·格雷（John Gray，2002）就以科学及诸如此类的发展为据，断言应当以看待其他动物的方式来看待人类。自由意志只是一种幻觉，而人类命运与动物一样取决于完全超越他们控制的因素。实际上，以至于他进一步表明，科技进步大大地助长了人类对大屠杀的疯狂嗜好。从这一角度看，不仅是所有的乌托邦构想，而且是任何一种进步的思想，都应当被搁置一边。

讨论题

1. 一种信念、实践或制度得存续多久才能被当作"传统"来看待？
2. 接续过去是基于何种理由而被维护的？
3. 反动总是建立在对过去的虚假陈述之上吗？
4. "保守式改革"确切地说是一种矛盾吗？
5. 人类历史确实是以进步为特征吗？如果是，那又是为什么呢？
6. 作为带来变化的一种手段，改革的优势大概是什么呢？
7. 只存在一种革命理论吗？或者说，所有的革命在本质上是否有区别？
8. 革命为何有时比改革更为可取？
9. 在何种程度上，政治乌托邦展示出相似的特征？
10. 乌托邦思想是基于何种理由而被捍卫的？
11. 乌托邦主义为何同压迫和暴政的可能性联系在一起？
12. 乌托邦思想等同于痴心妄想吗？

延伸阅读

Calvert，P. *Revolution and Counter-Revolution*（1990）. 该书持续考察了革命在现代社会理论中的地位。现代社会理论承认，就其本性而言，革命必然要受到争议。

Levitas，R. *The Concept of Utopia*（2011）. 该书对乌托邦概念及同乌托邦主义有关系的理论家的著作做了透彻而又通俗易懂的介绍。这些理论家是通过一位乌托邦研究领域内的领袖级人物而同乌托邦主义发生关系的。

Nisbet，R. *History and the Idea of Progress*（2008）. 该书回顾了进步观从其起源即从古希腊、罗马和中世纪文明到现当代的整个发展历程，并且批判性地评析了现代进步观的构成要素。

Oakeshott，M. *Rationalism in Politics and Other Essays*（1991）. 该书对所有以理性为基础的政治变革规划做出了一种经典的、文笔优雅的保守主义评论。该评论突出强调了蕴含在历史和传统内的智慧。

参考文献

Ackerman, B. and Alstott, A. (1999) *The Stakeholder Society*. New Haven, CT and London: Yale University Press.

Adorno, T. W. (1950) *The Authoritarian Personality*. New York: Harper & Row.

Alter, P. (1989) *Nationalism*. London: Edward Arnold.

Althusser, L. (1969) *For Marx*. London: Allen Lane.

Anderson, B. (1991) *Imagined Communities*. London: Verso.

Anderson, P. (1974) *Lineages of the Absolutist State*. London: New Left Books.

Aquinas, T. (1963) *Summa Theologiae*, ed. T. Gilby. London: Blackfriars.

Arblaster, A. (1984) *The Rise and Decline of Western Liberalism*. Oxford: Blackwell.

Arblaster, A. (2002) *Democracy*. Milton Keynes: Open University Press.

Archibugi, D., Koenig-Archibugi, M. and Marchetti, R. (eds) (2011) *Global Democracy: Empirical and Normative Perspectives*. Cambridge: Cambridge University Press.

Ardrey, R. (1967) *The Territorial Imperative: A Personal Inquiry into the Animal Origins of Property and Nations*. London: Collins.

Arendt, H. (1951) *The Origins of Totalitarianism*. New York: Harcourt Brace.

Arendt, H. (1958) *The Human Condition*. Chicago, IL: University of Chicago Press.

Arendt, H. (1961) 'What is Authority?', in *Between Past and Future*. London: Faber.

Arendt, H. (1963a) *Eichmann in Jerusalem*. New York: Viking.

Arendt, H. (1963b) *On Revolution*. New York: Viking.

Aristotle (2000) *The Politics*. Harmondsworth: Penguin.

Arrow, K. J. ([1951] 2013) *Social Choice and Individual Values*, 3rd edn. New Haven, CT: Yale University Press.

Austin, J. (1954) *The Province of Jurisprudence Determined*, ed. H. L. A. Hart. London: Weidenfeld & Nicolson.

Avineri, S. (1968) *The Social and Political Thought of Karl Marx*. Cambridge: Cambridge University Press.

Avineri, S. and de-Shalit, A. (eds) (1992) *Communitarianism and Individualism*. Oxford: Oxford University Press.

Bachrach, P. (1967) *The Theory of Democratic Elitism*. London: London University Press.

Bachrach, P. and Baratz, M. ([1962] 1981) 'The Two Faces of Power', in F. G. Castles, D. J. Murray and D. C. Potter (eds), *Decisions, Organisations and Society*. Harmondsworth: Penguin.

Bakunin, M. (1973a) *Selected Writings*, ed. A. Lehning. London: Cape.

Bakunin, M. (1973b) *Bakunin on Anarchy*, ed. S. Dolgoff. London: Allen & Unwin.

Ball, T. (1988) *Transforming Political Discourse: Political Theory and Critical Conceptual History*. Oxford: Blackwell.

Ball, T. (1997) 'Political Theory and Conceptual Change', in A. Vincent (ed.) *Political Theory: Tradition and Diversity*. Cambridge: Cambridge University Press.

Ball, T., Farr, J. and Hanson R. (eds) (1989) *Political Innovation and Conceptual Change*. Cambridge and New York: Cambridge University Press.

Barbalet, J. M. (1988) *Citizenship*. Milton Keynes: Open University Press.

Barber, B. (2003) *Jihad vs McWorld*. London: Corgi Books.

Barker, J. (1987) *Arguing for Equality*. London: Verso.

Barnes, B. (1988) *The Nature of Power*. Cambridge: Polity Press.

Barry, B. (1989) *A Treatise on Social Justice, Vol. 1: Theories of Justice*. Hemel Hempstead: Harvester Wheatsheaf.

Barry, B. (2002) *Culture and Equality: An Egalitarian Critique of Multiculturalism*. Cambridge and New York: Polity Press.

Barry, B. (2005) *Why Social Justice Matters*. Cambridge and Malden, MA: Polity Press.

Barry, B. (2011) *Political Argument*. Abingdon and New York: Routledge.

Barry, B. and Hardin, R. (eds) (1982) *Rational Man and Irrational Society?* Beverley Hills, CA: Sage.

Barry, N. (1989) *An Introduction to Modern Political Theory*, rev. edn. London: Macmillan.

Barry, N. (1998) *Welfare*. Milton Keynes: Open University Press.

Barry, N. *et al.* (1984) *Hayek's 'Serfdom' Revisited*. London: Institute of Economic Affairs.

Bauman, Z. (1976) *Socialism: The Active Utopia*. London: Allen & Unwin.

Bauman, Z. (1988) *Freedom*. Milton Keynes: Open University Press.

Bauman, Z. (1999) *In Search of Politics*. Cambridge: Polity Press.

Beauvoir, S. de ([1949] 2010) *The Second Sex*. London: Vintage Books.

Beck, U. (1992) *The Risk Society: Towards a New Modernity*. London: Sage.

Bedau, H. A. (ed.) (1971) *Justice and Equality*. Englewood Cliffs, NJ: Prentice-Hall.

Beetham, D. (2013) *The Legitimation of Power*. Basingstoke: Palgrave Macmillan.

Bell, D. (1976) *The Cultural Contradictions of Capitalism*. New York: Basic Books.

Bellamy, R. (2008) *Citizenship: A Very Short Introduction*. Oxford and New York: Oxford University Press.

Benn, S. and Peters, R. (1959) *Social Principles and the Democratic State*. London: Allen & Unwin.

Bentham, J. (1948) *A Fragment on Government and an Introduction to the Principles of Morals and Legislation*, ed. W. Harrison. Oxford: Blackwell.

Berger, P. and Luckmann, T. (1991) *The Social Construction of Reality*. Harmondsworth: Penguin.

Berlin, I. ([1958] 2002) 'Two Concepts of Liberty', in *Liberty*, ed. H. Hardy. Oxford: Oxford University Press.

Bernstein, E. ([1898] 1962) *Evolutionary Socialism*. New York: Schocken.

Berry, C. (1986) *Human Nature*. London: Macmillan.

Béteille, A. (1983) *The Idea of Natural Inequality and Other Essays*. Oxford: Oxford University Press.

Bingham, T. (2011) *The Rule of Law*. London and New York: Penguin.

Birch, A. H. (1964) *Responsible and Representative Government: An Essay on the British Constitution.* London: Allen & Unwin.

Birch, A. H. (1972) *Representation.* London: Macmillan.

Birch, A. H. (2007) *The Concepts and Theories of Modern Democracy.* London: Routledge.

Blackwell, T. and Seabrook, J. (1993) *The Revolt Against Change: Towards a Conserving Radicalism.* London: Vintage.

Bloch, E. ([1959] 1986) *The Principle of Hope.* Oxford: Blackwell.

Blowers, A. and Thompson, G. (1976) *Inequalities, Conflict and Change.* Milton Keynes: Open University Press.

Bobbio, N. (1987) *The Future of Democracy: A Defence of the Rules of the Game.* Minnesota University Press.

Bodin, J. ([1576] 1962) *The Six Books of the Commonweal,* trans. R. Knolles, ed. K. D. McRae. Cambridge, MA: Harvard University Press.

Boff, L. and Boff, C. (1987) *Introducing Liberation Theology.* Maryknoll, NY: Orbis Books.

Bogdanor, V. and Butler, D. (1983) *Democracy and Elections: Electoral Systems and Their Consequences.* Cambridge: Cambridge University Press.

Bookchin, M. (1982) *The Ecology of Freedom: The Emergence and Dissolution of Hierarchy.* Palo Alto, CA: Cheshire Books.

Booth, K. and Wheeler, N. J. (2008) *The Security Dilemma: Fear, Cooperation and Trust in World Politics.* Basingstoke and New York: Palgrave Macmillan.

Bottomore, T. (1984) *The Frankfurt School.* London: Horwood.

Bottomore, T. (1985) *Theories of Modern Capitalism.* London: Allen & Unwin.

Bottomore, T. (1993) *Elites and Society,* 2nd edn. London: Routledge.

Bramwell, A. (1989) *Ecology in the 20th Century: A History.* New Haven, CT: Yale University Press.

Brandt, R. B. (1992) *Morality, Utilitarianism and Rights.* Cambridge: Cambridge University Press.

Brittan, S. (1977) *The Economic Consequences of Democracy.* London: Temple Smith.

Brown, G. W. and Held, D. (eds) (2010) *The Cosmopolitanism Reader.* Cambridge and Malden, MA: Cambridge University Press.

Brown, M. B. (1995) *Models in Political Economy: A Guide to the Arguments,* 2nd edn. Harmondsworth: Penguin.

Brownmiller, S. (1975) *Against Our Will: Men, Women and Rape.* New York: Simon & Schuster.

Bryson, V. (2003) *Feminist Political Theory: An Introduction,* 2nd edn. Basingstoke: Palgrave Macmillan.

Buchanan, J. and Tulloch, G. (1962) *The Calculus of Consent.* Ann Arbor, MI: Michigan University Press.

Burgess, M. and Gagnon, A. G. (eds) (1993) *Comparative Federalism and Federation.* Hemel Hempstead: Harvester Wheatsheaf.

Burke, E. ([1790] 1968) *Reflections on the Revolution in France.* Harmondsworth: Penguin.

Burke, E. (1975) *On Government, Politics and Society,* ed. B. W. Hill. London: Fontana.

Burnham, J. (1941) *The Managerial Revolution.* New York: Day.

Burton, J. (1972) *World Society.* Cambridge: Cambridge University Press.

Buzan, B. (2004) *From International Society to World Society? English School Theory and the Social Structure of Globalization*. Cambridge: Cambridge University Press.

Calvert, P. (1990) *Revolution and Counter-Revolution*. Milton Keynes: Open University Press.

Campbell, T. (1981) *Seven Theories of Human Society*. Oxford: Oxford University Press.

Campbell, T. (2010) *Justice*. Basingstoke: Palgrave Macmillan.

Canovan, M. (1996) *Nationhood and Political Theory*. Cheltenham: Edward Elgar.

Carmichael, S. (1968) 'Black Power', in *Dialectics of Liberation*. Harmondsworth: Penguin.

Cerny, P. (2010) *Rethinking World Politics: A Theory of Transnational Neopluralism*. Oxford and New York: Oxford University Press.

Chamberlain, H. S. ([1899] 1913) *Foundations of the Nineteenth Century*. New York: John Lane.

Charvet, J. (1982) *Feminism*. London: Dent.

Chesterton, G. K. ([1908] 2008) *Orthodoxy*. Nashville, TN: Sam Torode Book Arts.

Chomsky, N. (2003) *Hegemony or Survival: America's Quest for Global Dominance*. New York: Henry Holt & Company.

Clark, J. C. D. (ed.) (1990) *Ideas and Politics in Modern Britain*. London: Macmillan.

Clarke, J. J. (2000) *The Tao of the West: Western Transformations of Taoist Thought*. London and New York: Routledge.

Clarke, P. (1978) *Liberals and Social Democrats*. Cambridge: Cambridge University Press.

Clausewitz, K. von ([1831] 1976) *On War*. Princeton: Princeton University Press.

Cohen, A. J. (2014) *Toleration*. Cambridge and Malden, MA: Polity Press.

Cohen, R. and Kennedy, P. with Perrier, M. (2013) *Global Sociology*. Basingstoke: Palgrave Macmillan.

Constant, B. (1988) *Political Writings*. Cambridge: Cambridge University Press.

Cox, R. (1981) 'Social Forces, States and World Orders: Beyond International Relations Theory', *Millennium*, 10(2).

Cox, R. (1987) *Production, Power and World Order: Social Forces in the Making of History*. New York: Colombia University Press.

Cranston, M. (1973) *What Are Human Rights?* London: The Bodley Head.

Crick, B. (1987) *Socialism*. Milton Keynes: Open University Press.

Crick, B. (ed.) (1991) *National Identities: The Constitution of the United Kingdom*. Oxford: Blackwell.

Crick, B. ([1962] 2000) *In Defence of Politics*. London and New York: Continuum.

Croce, B. (1941) *History as the Story of Liberty*. New York: Norton.

Crosland, C. A. R. (1974) *Socialism Now, and Other Essays*. London: Cape

Crosland, C. A. R. ([1956] 2006) *The Future of Socialism*. London: Constable & Robinson..

Dahl, R. (1956) *A Preface to Democratic Theory*. Chicago, IL: University of Chicago Press.

Dahl, R. (1958) 'A Critique of the Ruling Elite Model', *American Political Science Review* (52).

Dahl, R. (1982) *Dilemmas of Pluralist Democracy*. New Haven, CT: Yale University Press.

Dahl, R. (1989) *Democracy and Its Critics*. New Haven, CT: Yale University Press.

Dahl, R. ([1963] 2005) *Who Governs?: Democracy and Power in an American City*. New Haven, CT: Yale University Press.

Darwin, C. ([1859] 1986) *On the Origin of Species.* New York: New American Library.

Davies, M. (2007) *Property: Meanings, Histories and Theories.* Abingdon and New York: Routledge-Cavendish.

Dawkins, R. ([1979] 2006) *The Selfish Gene.* Oxford: Oxford University Press.

Deutsch, E. and Bontekoe, R. (eds) (1990) *A Companion to World Philosophies.* Oxford and Malden, MA: Blackwell.

Devlin, P. (1968) *The Enforcement of Morals.* Oxford: Oxford University Press.

Dicey, A. V. ([1885] 1939) *Introduction to the Study of the Law of the Constitution,* ed. E. C. S. Wade. London: Macmillan.

Dickinson, G. L. (1926) *The International Anarchy.* London: Allen & Unwin.

Djilas, M. (1957) *The New Class: An Analysis of the Communist System.* New York: Praeger.

Dobson, A. (2000) *Green Political Thought.* London: HarperCollins.

Dower, N. (2003) *An Introduction to Global Citizenship.* Edinburgh: Edinburgh University Press.

Downs, A. (1957) *An Economic Theory of Democracy.* New York: Harper & Row.

Doyal, L. and Gough, I. (1991) *A Theory of Human Need.* Basingstoke: Palgrave Macmillan.

Draper, H. (1978) *Karl Marx's Theory of Revolution.* New York: Monthly Review Press.

Dryzek, J., Honig, B. and Phillips, A. (eds) (2008) *The Oxford Handbook of Political Theory.* Oxford and New York: Oxford University Press.

Dunleavy, P. (1991) *Democracy, Bureaucracy and Public Choice: Economic Explanations in Political Science.* Hemel Hempstead: Harvester Wheatsheaf.

Dunleavy, P. and O'Leary, B. (1987) *Theories of the State: The Politics of Liberal Democracy.* Basingstoke: Palgrave Macmillan.

Dunleavy, P., Gamble, A., Holliday, I. and Peele, G. (1993) *Developments in British Politics 4.* London: Macmillan.

Dunn, J. (1979) *Western Political Theory in the Face of the Future.* Cambridge University Press.

Durkheim, E. ([1897] 1951) *Suicide: A Study in Sociology,* trans. J. A. Spaulding and G. Simpson. Glencoe, IL: Free Press.

Durkheim, E. (2013) *The Rules of Sociological Method,* ed. S. Lukes, trans. W. D. Halls. London: Macmillan.

Durkheim, E. (2013) *The Division of Labour in Society,* trans. W. D. Halls, intro. L. Coser. Basingstoke: Palgrave Macmillan.

Dworkin, R. (1990) *Taking Rights Seriously,* rev. edn. London: Duckworth.

Dworkin, R. (1998) *Law's Empire.* Oxford: Hart Publishing.

Easton, D. (1979) *A Framework of Political Analysis.* Chicago, IL: University of Chicago Press.

Easton, D. ([1953] 1981) *The Political System,* 3rd edn. Chicago, IL: University of Chicago Press.

Eckersley, R. (1992) *Environmentalism and Political Theory: Towards an Ecocentric Approach.* London: UCL Press.

Elsted, J. and Slagstad, R. (eds) (1988) *Constitutionalism and Democracy.* Cambridge: Cambridge University Press.

Esping-Andersen, G. (1990) *The Three Worlds of Welfare Capitalism.* Oxford: Polity Press.

Evans, M. (ed.) (2005) *Just War Theory: A Reappraisal.* Edinburgh: Edinburgh University Press.

Eysenck, H. J. (ed.) (1973) *The Measurement of Intelligence.* Lancaster: Medical and Technical Publishing.

Fanon, F. (1962) *The Wretched of the Earth.* Harmondsworth: Penguin.

Figes, E. (1987) *Patriarchal Attitudes.* New York: Persea.

Fine, B. (1984) *Democracy and the Rule of Law: Liberal Ideals and Marxist Critiques.* London: Pluto Press.

Flathman, R. (1966) *The Public Interest.* New York: Wiley.

Foucault, M. (1970) *The Order of Things: An Archaeology of the Human Sciences.* London: Tavistock.

Foucault, M. (1980) *Power/Knowledge: Selected Interviews and Other Writings 1971–1977.* London: Harvester Wheatsheaf.

Freeden, M. (1991) *Rights.* Milton Keynes: Open University Press.

Freeden, M. and Vincent, A. (eds) (2013) *Comparative Political Thought: Theorizing Practices.* London: Routledge.

Friedman, D. (1989) *The Machinery of Freedom,* 3rd edn. New York: Harper & Row.

Friedman, M. (1962) *Capitalism and Freedom.* Chicago, IL: University of Chicago Press.

Friedman, M. and Friedman, R. (1980) *Free to Choose.* Harmondsworth: Penguin.

Fromm, E. ([1955] 1971) *The Sane Society.* London: Routledge & Kegan Paul.

Fukuyama, F. (1992) *The End of History and the Last Man.* Glencoe, IL: Free Press.

Fukuyama, F. (2002) *Our Posthuman Future: Consequences of the Biotechnological Revolution.* London: Profile Books.

Fukuyama, F. (2012) *The Origins of Political Order: From Pre-human Times to the French Revolution.* London: Profile Books.

Furedi, F. (2013) *Authority: A Sociological History.* Cambridge and New York: Cambridge University Press.

Galbraith, J. K. (1967) *The New Industrial State.* Harmondsworth: Penguin.

Galbraith, J. K. (1992) *The Culture of Contentment.* New York: Sinclair-Stevens.

Galbraith, J. K. ([1958] 1998) *The Affluent Society.* New York: Houghton Mifflin Company.

Galeotti, A. E. (2002) *Toleration as Recognition.* Cambridge and New York: Cambridge University Press.

Gallie, W.B. (1955/6) 'Essentially Contested Concepts', *Proceedings of the Aristotelian Society,* 56, pp. 167–97.

Gamble, A. *et al.* (1989) *Ideas, Interests and Consequences.* London: Institute of Economic Affairs.

Gandhi, M. K. (1961) *Non-violent Resistance.* New York: Schocken.

Garner, R. (1993) *Animals, Politics and Morality.* Manchester University Press.

Gellner, E. (1983) *Nations and Nationalism.* Oxford: Blackwell.

Giddens, A. (1990) *The Consequences of Modernity.* Cambridge: Polity Press.

Giddens, A. (1998) *The Third Way: The Renewal of Social Democracy.* Cambridge: Polity Press.

Gilder, G. (1982) *Wealth and Poverty.* London: Buchan & Enright.

Ginsberg, M. (1965) *On Justice in Society.* Harmondsworth: Penguin.

Gobineau, J. ([1855] 1970) *Gobineau: Selected Political Writings,* ed. M. D. Biddiss. New York: Harper & Row.

Godwin, W. ([1793] 1976) *An Enquiry Concerning Political Justice.* ed. I. Kramnick. Harmondsworth: Penguin.

Godwin, W. (1977) *Caleb Williams,* ed. D. McCracken. Oxford: Oxford University Press.

Goldstone, J.A. (ed.) (1993) *Revolutions: Theoretical, Comparative and Historical Studies.* New York: Harcourt Brace Jovanovich.

Goodin, R. (1988) *Reasons for Welfare: The Political Theory of the Welfare State.* Princeton, NJ: Princeton University Press.

Goodin, R. (1995) *Utilitarianism as a Public Philosophy.* Cambridge: Cambridge University Press.

Goodwin, B. and Taylor, K. (1982) *The Politics of Utopia: A Study in Theory and Practice.* London: Hutchinson.

Gould, B. (1985) *Socialism and Freedom.* London: Macmillan.

Graham, K. (ed.) (1982) *Contemporary Political Philosophy: Radical Studies.* London: Cambridge University Press.

Gramsci, A. ([1929–35] 1971) *Selections from the Prison Notebooks,* ed. Q. Hoare and G. Nowell-Smith. Chicago, IL: International Publishing Corporation.

Gray, J. (1992) *The Moral Foundations of Market Institutions.* London: Institute of Economic Affairs.

Gray, J. (1995) *Liberalism,* 2nd edn. Milton Keynes: Open University Press.

Gray, J. (1996) *Post-liberalism: Studies in Political Thought.* London: Routledge.

Gray, J. (2002) *Straw Dogs: Thoughts on Humans and Other Animals.* London: Granta Books.

Gray, J. and Pelczynski, Z. (eds) (1984) *Conceptions of Liberty in Political Philosophy.* London: Athlone.

Gray, T. (1990) *Freedom.* London: Macmillan.

Green, T. H. (1911) 'Lecture on Liberal Legislation and Freedom of Contract', in *Works,* vol. 3. London: Longmans.

Greer, G. (1985) *The Female Eunuch.* New York: Harper & Row.

Gutiérrez, G. (1973) *A Theology of Liberation.* Maryknoll, NY: Orbis Press.

Gutmann, A. (ed.) (1995) *Multiculturalism: Examining the Politics of Recognition.* Princeton, NJ: Princeton University Press.

Habermas, J. (1988) *Legitimation Crisis.* Oxford: Polity Press.

Hague, R. and Harrop, M. (2013) *Comparative Government and Politics: an Introduction.* Basingstoke and New York: Palgrave Macmillan.

Hailsham, Lord (1976) *Elective Dictatorship.* London: BBC Publications.

Hall, P. and Soskice, D. (eds) (2001) *Varieties of Capitalism: The Institutional Foundations of Comparative Advantage.* Oxford and New York: Oxford University Press.

Harden, I. and Lewis, N. (1986) *The Noble Lie: The British Constitution and the Rule of Law.* London: Hutchinson.

Hardin, G. (1968) 'The Tragedy of the Commons', *Science,* 162.

Harrop, M. and Miller, W. (1987) *Elections and Voters: A Comparative Introduction.* London: Macmillan.

Hart, H. L. A. ([1961] 2013) *The Concept of Law* 3rd edn. Oxford: Oxford University Press.

Hartz, L. (1955) *The Liberal Tradition in America: An Interpretation of American Politics Since the Revolution*. New York: Harcourt Brace Jovanovich.

Harvey, D. (1989) *The Condition of Postmodernity*. Oxford: Blackwell.

Hattersley, R. (1985) *Choose Freedom*. Harmondsworth: Penguin.

Hay, C., Lister, M. and Marsh, D. (eds) (2006) *The State: Theories and Issues*. Basingstoke and New York: Palgrave Macmillan.

Hayek, F. A. (1960) *The Constitution of Liberty*. Chicago, IL: University of Chicago Press.

Hayek, F. A. ([1944] 1976) *The Road to Serfdom*. Chicago, IL: University of Chicago Press.

Hayek, F. A. (1979) *Law, Legislation and Liberty*. Chicago, IL: University of Chicago Press.

Hayward, T. (1995) *Ecological Thought: An Introduction*. Cambridge: Polity Press.

Hearn, J. (2012) *Theorizing Power*. Basingstoke and New York: Palgrave Macmillan.

Heater, D. (1999) *What is Citizenship?* Cambridge and Malden, MA: Polity Press.

Hegel, G. W. F. ([1821] 1942) *Philosophy of Right*, trans. T. M. Knox. Oxford: Oxford University Press.

Hegel, G. W. F. ([1807] 1977) *Phenomenology of Spirit*, trans. A. V. Miller. Oxford: Clarendon Press.

Held, D. (1980) *Introduction to Critical Theory*. London: Hutchinson.

Held, D. (1990) *Political Theory and The Modern State*. Oxford: Polity Press.

Held, D. (ed.) (1991) *Political Theory Today*. Oxford: Polity Press.

Held, D. (ed.) (1993) *Prospects for Democracy: North, South, East, West*. Cambridge: Polity Press.

Held, D. (1995) *Democracy and Global Order: From the Modern State to Global Governance*. Cambridge: Polity Press.

Held, D. (2006) *Models of Democracy*. Oxford and Malden, MA: Polity Press.

Held, D., McGrew, A., Goldblatt, D. and Perraton, J. (1999) *Global Transformations*. Cambridge: Polity Press.

Held, D. and Pollitt, C. (eds) (1996) *New Forms of Democracy*. London: Sage.

Held, D. and Thompson, J. B. (eds) (1989) *Social Theory of Modern Societies: Anthony Giddens and his Critics*. Cambridge: Cambridge University Press.

Heywood, A. (2012) *Political Ideologies: An Introduction*, 5th edn. Basingstoke: Palgrave Macmillan.

Hindley, F.H. (1986) *Sovereignty*, 2nd edn. New York: Basic Books.

Hirsch, M. and Keller, E. F. (eds) (1990) *Conflicts in Feminism*. London: Routledge & Kegan Paul.

Hirst, P. and Thompson, G. (1999) *Globalization in Question: The International Economy and the Possibilities of Governance*. Cambridge: Polity Press.

Hobbes, T. ([1651] 1968) *Leviathan*, ed. C. B. Macpherson. Harmondsworth: Penguin.

Hobhouse, L. T. (1964) *Liberalism*. Oxford: Oxford University Press.

Hobsbawm, E. (1983) 'Inventing Traditions', in Hobsbawm, E. and Ranger, T. (eds) *The Invention of Traditions*. Cambridge: Cambridge University Press.

Hodgson, G. (1984) *The Democratic Economy: A New Look at Planning, Market and Power*. Harmondsworth: Penguin.

Hohfeld, W. (1923) *Fundamental Legal Conceptions*. New Haven, CT: Yale University Press.

Holden, B. (1974) *The Nature of Democracy.* London: Nelson.

Honderich, T. (1990) *Conservatism.* London: Hamilton.

Honderich, T. (2006) *Punishment: The Supposed Justifications Revisited.* London and Ann Arbor, MI: Pluto Press.

Horton, J. (2010) *Political Obligation.* Basingstoke and New York: Palgrave Macmillan.

Howard, M. (1983) *Clausewitz.* Oxford: Oxford University Press.

Huntington, S. (1991) *Third Wave: Democratization in the late Twentieth Century.* Norman, OK and London: University of Oklahoma Press.

Huntington, S. (1996) *The Clash of Civilizations and the Remaking of World Order.* New York: Simon & Schuster.

Hutcheon, L. (1989) *The Politics of Postmodernism.* New York: Routledge.

Ikenberry, G. J. (2008) 'The Rise of China and the Further of the West: Can the Liberal System Survive?' *Foreign Affairs,* 44.

Ikenberry, G. J. (ed.) (2014) *Power, Order and Change in World Politics.* Cambridge and New York: Cambridge University Press.

Ingham. G. (2008) *Capitalism.* Cambridge and Malden, MA: Polity Press.

Jackson, R. (2007) *Sovereignty: The Evolution of an Idea.* Cambridge and Malden, MA: Polity Press.

Jay, M. (1973) *The Dialectical Imagination.* Boston, MA: Little, Brown.

Jefferson, T. (1903) *The Writings of Thomas Jefferson,* ed. A. A. Lipscomb and A. E. Bergh, 20 vols. Washington, DC: Memorial edn.

Jensen, A. R. (1980) *Bias in Mental Testing.* New York: Free Press.

Joseph K. and Sumption, J. (1979) *Equality.* London: Murray.

Jowel, J. and Oliver, D. (eds) (1989) *The Changing Constitution.* Oxford: Clarendon Press.

Judge D. (1993) *The Parliamentary State.* London: Sage.

Kaldor, M. (2007) *Human Security: Reflections on Globalization and Intervention.* Cambridge and Malden, MA: Polity Press.

Kaldor, M. (2012) *New Wars and Old Wars: Organized Violence in a Global Age.* Cambridge: Polity Press.

Kamenka, E. (ed.) (1982) *Community as a Social Ideal.* London: Arnold.

Kamenka, E. and Erh-Soon Tay, A. (eds) (1980) *Law and Social Control.* London: Arnold.

Kautsky, K. (1909) *The Road to Power,* trans. A. M. Simmonds. Chicago: Black.

Kellas, J. G. (1998) *The Politics of Nationalism and Ethnicity,* 2nd edn. London: Macmillan.

Keohane, R. and Nye, J. (1977) *Power and Interdependence: World Politics in Transition.* Boston, MA: Little, Brown.

Keynes, J. M. ([1936] 1965) *The General Theory of Employment, Interest and Money.* San Diego, CA: Harcourt Brace.

King, A. (1975) 'Overload: Problems of Governing in the 1970s', *Political Studies,* 23.

King, D. S. (1987) *The New Right: Politics, Markets and Citizenship.* London: Macmillan.

King, P. (1998) *Toleration.* London: Cass.

Kingdom, J. (1992) *No Such Thing as Society? Individualism and Community.* Buckingham: Open University Press.

Kirk, R. (1986) *The Conservative Mind,* 7th edn. London: Faber.

Kirk, R. (ed.) (1982) *The Portable Conservative Reader.* Harmondsworth and London: Viking.

Kolakowski, L. (1978) *Main Currents of Marxism,* 3 vols. Oxford: Oxford University Press.

Kristeva, J. (1982) *Powers of Horror: An Essay in Abjection.* New York: Columbia University Press.

Kristol, I. (1978) *Two Cheers for Capitalism.* New York: Basic Books.

Kropotkin, P. ([1901] 1912) *Fields, Factories and Workshops.* London: Nelson.

Kropotkin, P. ([1906] 1926) *The Conquest of Bread.* New York: Vanguard.

Kropotkin, P. (1977) 'Law and Authority' in *The Anarchist Reader,* ed. G. Woodcock (pp. 111–7), London: Fontana.

Kropotkin, P. ([1897] 1988) *Mutual Aid.* Cheektowaga, NY: Black Rose.

Kuhn, T. (1962) *The Structure of Scientific Revolutions.* Chicago, IL: Chicago University Press.

Kumar, K. (1991) *Utopianism.* Milton Keynes: Open University Press and Minneapolis, MN: University of Minneapolis Press.

Kuper, J. (ed.) (1987) *Political Science and Political Theory.* London: Routledge & Kegan Paul.

Kymlicka, W. (1989) *Liberalism, Community and Culture.* Oxford: Oxford University Press.

Kymlicka, W. (2001) *Contemporary Political Philosophy: An Introduction.* Oxford: Oxford University Press.

Laclau, E. and Mouffe, C. (1985) *Hegemony and Socialist Strategy: Towards a Radical Democratic Politics.* London: Verso.

Landes, J. B. (ed.) (1998) *Feminism, the Public and the Private.* Oxford: Oxford University Press.

Laqueur, W. and Rubin, B. (1987) *The Human Rights Reader.* New York: New American Library.

Laslett, P. (1956) 'Introduction', *Philosophy, Politics and Society,* series 1. Oxford: Blackwell.

Lasswell, H. D. ([1936] 1958) *Politics: Who Gets What, When, How?* Oldbury: Meridian Books.

Le Grand, J. (1982) *The Strategy of Equality.* London: Allen & Unwin.

Leary, T. (1970) *The Politics of Ecstasy.* London: Paladin.

Lee, S. (1986) *Law and Morals.* Oxford: Oxford University Press.

Leftwich, A. (ed.) (2004) *What is Politics? The Activity and its Study.* Cambridge and Malden, MA: Polity Press.

Lenin, V. I. (1968) *What is to be Done?* Harmondsworth: Penguin.

Lenin, V. I. (1970) *Imperialism, the Highest Stage of Capitalism.* Moscow: Progress.

Lenin, V. I. ([1917] 1973) *The State and Revolution.* Beijing: Foreign Languages Press.

Leopold, D. and Stears, M. (eds) (2008) *Political Theory: Methods and Approaches.* Oxford: Oxford University Press.

Lerner, R. (1987) *The Thinking Revolutionary: Principle and Practice in the New Republic.* Ithaca, NY: Cornell University Press.

Lessnoff, M. (1986) *Social Contract.* London: Macmillan.

Levitas, R. (2011) *The Concept of Utopia.* Bern: Peter Lang.

Levitas, R. (2013) *Utopia as Method: The Imaginary Reconstruction of Society.* Basingstoke and New York: Palgrave Macmillan.

Lewis, B. (2004) *The Crisis of Islam: Holy War and Unholy Terror.* New York: Random House.

Lindblom, C. (1977) *Politics and Markets: The World's Political-Economic Systems.* New York: Basic Books.

Lindley, R. (1986) *Autonomy.* London: Macmillan.

Lively, J. (1975) *Democracy.* Oxford: Blackwell.

Lloyd, D. (1979) *The Idea of Law: A Repressive Evil or a Social Necessity.* Harmondsworth: Penguin.

Locke, J. ([1689] 1963) *A Letter Concerning Toleration,* ed. A. Montuori. The Hague: Nijhoff.

Locke, J. ([1690] 1965) *Two Treatises of Civil Government.* New York: New American Library.

Lorenz, K. ([1963] 2002) *On Aggression.* London: Routledge.

Lukes, S. (ed.) (1988) *Power.* Oxford: Blackwell.

Lukes, S. ([1975] 2004) *Power: A Radical View.* Basingstoke: Palgrave Macmillan.

Lukes, S. (2006) *Individualism.* Colchester: ECPR Press.

Luxemburg, R. (1937) *Social Reform or Revolution.* New York: Three Arrows.

Lyon, D. (1984) *Ethics and the Rule of Law.* Cambridge University Press.

Lyon D. (1994) *Postmodernity.* Milton Keynes: Open University Press.

MacCallum G. (1972) 'Negative and Positive Freedom', in *Philosophy, Politics and Society,* 4th Series. Oxford: Blackwell.

Machan, T. R. (ed.) (1982) *The Libertarian Reader.* Totowa, NJ: Rowan & Littlefield.

Machiavelli, N. ([1531] 1961) *The Prince,* trans. G. Bau. Harmondsworth: Penguin.

MacIntyre, A. (1981) *After Virtue.* University of Notre Dame Press.

McKinnnon, C. (2008) *Issues in Political Theory.* Oxford: Oxford University Press.

McLellan, D. (1980) *Marxism After Marx.* London: Macmillan.

McLennan, G., Held, D. and Hall, S. (eds) (1984) *The Idea of the Modern State.* Milton Keynes: Open University Press.

McLuhan, M. (1964) *Understanding Media: The Extensions of Man.* London: Routledge & Kegan Paul.

Macpherson, C.B. (1973) *Democratic Theory: Essays in Retrieval.* Oxford: Clarendon Press.

Macpherson, C. B. (1977) *The Life and Times of Liberal Democracy.* Oxford: Oxford University Press.

Maistre, J. de (1971) *The Works of Joseph de Maistre,* selected and trans. J. Lively. New York: Schocken.

Malthus, T. (1971) *An Essay on the Principles of Population,* ed. A. Flew. Harmondsworth: Penguin.

Mandel, E. (1969) *An Introduction to Marxist Economic Theory.* New York: Pathfinder.

Mandeville, B. ([1714] 1924) *The Fable of the Bees,* ed. F. B. Kaye. London: Oxford: Oxford University Press.

Mannheim, K. (1960) *Ideology and Utopia.* London: Routledge & Kegan Paul.

Mao Zedong ([1937] 1971) 'On Contradiction', in *Selected Readings from the Works of Mao Tsetung.*

Marcuse, H. (1941) *Reason and Revolution: Hegel and the Rise of Social Theory.* New York and Oxford: Oxford University Press.

Marcuse, H. (1964) *One-Dimensional Man: Studies in the Ideology of Advanced Industrial Society*. Boston, MA: Beacon.

Marcuse, H. (1969) *Eros and Civilization: A Philosophical Enquiry into Freud*. London: Sphere.

Marshall, T. H. (1963) *Class, Citizenship and Social Development*. London: Allen & Unwin.

Marshall, T. H. ([1950] 1997) *Citizenship and Social Class*. London: Pluto Press.

Martin, G. (2012) *African Political Thought*. New York: Palgrave Macmillan.

Marx, K. (1967) *Writings of the Young Marx on Philosophy and Society*, ed. Easton, L. D. and Guddat, K. H. New York: Anchor.

Marx K. ([1859] 1968) 'Preface to a Contribution to Political Economy', in Marx K. and Engels, F., *Selected Works in One Volume*. London: Lawrence & Wishart.

Marx K. ([1875] 1968) 'Critique of the Gotha Programme', in Marx K. and Engels, F. *Selected Works in One Volume*. London: Lawrence & Wishart.

Marx K. and Engels, F. (1968) *Selected Works in One Volume*. London: Lawrence & Wishart.

Marx K. and Engels, F. ([1846] 1970) *The German Ideology*, ed. C. J. Arthur. London: Lawrence & Wishart.

Marx K. and Engels, F. ([1848] 1976) *The Communist Manifesto*. Harmondsworth: Penguin.

Maslow, A. H. (1943) 'A Theory of Human Motivation', *Psychological Review*, 50.

Mearsheimer, J. (1990) 'Back to the Future: Instability after the Cold War', *International Security*, 15(1).

Meinecke, F. ([1907] 1970) *Cosmopolitanism and the Nation State*. Princeton, NJ: Princeton University Press.

Mendus, S. (1989) *Toleration and the Limits of Liberalism*. London: Macmillan.

Michels, R. (1949) *Political Parties*. Glencoe, IL: Free Press.

Midgley, M. (1983) *Animals and Why They Matter*. New York: Penguin.

Milgram, S. (1974) *Obedience to Authority: An Experimental View*. New York: Harper & Row.

Miliband, R. (1982) *Capitalist Democracy in Britain*. Oxford: Oxford University Press.

Miliband, R. (2009) *The State in Capitalist Society*. London: The Merlin Press.

Mill, J. S. (1972) *Utilitarianism, On Liberty and Considerations on Representation Government*. London: Dent.

Mill, J. S. (1976) *John Stuart Mill on Politics and Society*, ed. G. L. Williams. London: Fontana.

Miller, D. (1979) *Social Justice*. Oxford: Oxford University Press.

Miller, D. (1989) *Market, State and Community: Theoretical Foundations of Market Socialism*. Oxford: Oxford University Press.

Miller, D. (1995) *On Nationality*. Oxford: Oxford University Press.

Miller, D. (2001) *Principles of Social Justice*. Cambridge, MA: Harvard University Press.

Miller, D. (ed.) (2006) *The Liberty Reader*. Edinburgh: Edinburgh University Press.

Miller, D. (2012) *National Responsibility and Global Justices*. Oxford and New York: Oxford University Press.

Miller, F. D. and Paul, J. (eds) (1996) *The Communitarian Challenge to Liberalism*. Cambridge: Cambridge University Press.

Millett, K. ([1970] 1990) *Sexual Politics.* New York: Simon & Schuster.

Mills, C. Wright ([1956] 2000) *The Power Elite.* New York: Oxford: Oxford University Press.

Mitchell, J. ([1974] 2000) *Psychoanalysis and Feminism: A Radical Reassessment of Freudian Psychoanalysis.* New York: Basic Books.

More, T. ([1516] 2012) *Utopia.* Harmondsworth: Penguin.

Morgenthau, H. (1948) *Politics Among Nations: The Struggle for Power and Peace.* New York: Knopf.

Morrow, J. (1998) *History of Political Thought: A Thematic Introduction.* London: Macmillan.

Mosca, G. ([1896] 1939) *The Ruling Class,* trans. and ed. A. Livingstone. New York: McGraw-Hill.

Murray, C. (1984) *Losing Ground: American Social Policy, 1950–1980.* New York: Basic Books.

Nash, P. (1968) *Models of Man: Explorations in the Western Educational Tradition.* London: Wiley.

Newman, S. L. (1984) *Liberalism at Wits' End: The Libertarian Revolt against the Modern State.* Ithaca, NY: Cornell University Press.

Nisbet, R. (1966) *The Sociological Tradition.* New York: Basic Books.

Nisbet, R. (ed.) (1972) *Social Change.* Oxford: Blackwell.

Nisbet, R. (2008) *History and the Idea of Progress.* South Piscataway, NJ: Transaction Publishers.

Niskanen, W. (1971) *Bureaucracy and Representative Government.* Chicago, IL: Aldine.

Nove, A. (1983) *The Economics of Feasible Socialism.* London: Allen & Unwin.

Nove, A. (1986) *Socialism, Economics and Development.* London: Allen & Unwin.

Nozick, R. (1974) *Anarchy, State and Utopia.* Oxford: Blackwell.

Nozick, R. (1989) *The Examined Life.* New York: Simon & Schuster.

O'Brien, R. and Williams, M. (2004) *Global Political Economy: Evolution and Dynamic.* Basingstoke: Palgrave Macmillan.

O'Byrne, D. (2003) *The Dimensions of Global Citizenship: Political Identity beyond the Nation-State?* London: Frank Cass.

O'Byrne, D. and Hensby, A. (2011) *Theorizing Global Studies.* Basingstoke: Palgrave Macmillan.

O'Neill, O. (1996) *Towards Justice and Virtue: A Constructivist Account of Practical Reasoning.* Cambridge: Cambridge University Press.

O'Neill, J. (ed.) (1993) *Modes of Individualism and Collectivism.* London: Gregg Revivals.

O'Sullivan, N. (1976) *Conservatism.* London: Dent.

Oakeshott, M. (1975) *On Human Conduct.* London and Oxford: Oxford University Press.

Oakeshott, M. ([1962] 1991) *Rationalism in Politics and Other Essays,* rev. edn. London: Methuen.

Offe, C. (1984) *Contradictions of the Welfare State.* London: Hutchinson.

Ohmae, K. (1990) *The Borderless World: Power and Strategy in the Interlinked Economy.* London: Fontana.

Oldfield, A. (1990) *Citizenship and Community, Civic Republicanism and the Modern World.* London: Routledge & Kegan Paul.

Ortega y Gasset, J. ([1930] 1961) *The Revolt of the Masses.* London: Unwin.

Orwell, G. ([1949] 1954) *Nineteen Eighty-Four.* Harmondsworth: Penguin.

Orwell, G. (1957) 'Politics and the English Language', in *Inside the Whale and Other Essays*. Harmondsworth: Penguin.

Owen, R. ([1816] 2013) *A New View of Society, or Essays on the Formation of the Human Character*. New York: Prism Key Press.

Özkirimli, U. (2010) *Theories of Nationalism: A Critical Introduction*. Basingstoke and New York: Palgrave Macmillan.

Packard, V. ([1957] 1967) *The Hidden Persuaders*. Harmondsworth: Penguin.

Paine, T. (1987) *The Thomas Paine Reader,* ed. M. Foot. Harmondsworth: Penguin.

Parekh, B. (2008) *A New Politics of Identity: Political Principles for an Interdependent World*. Basingstoke and New York: Palgrave Macmillan.

Pareto, V. (1935) *The Mind and Society,* trans. A. Livingstone and A. Bongiaro, 4 vols. New York: Harcourt Brace.

Parsons, T. (1951) *The Social System*. London: Routledge & Kegan Paul.

Pateman, C. (1979) *The Problem of Political Obligation*. New York: Wiley.

Pateman, C. and Gross, E. (eds) (1986) *Feminist Challenges: Social and Political Theory*. Boston, MA: Northeastern University Press.

Paul, E. F., Muller, F. D. and Paul, J. (eds) (1989) *Socialism*. Oxford: Blackwell.

Pavlov, I. P. (1927) *Conditional Reflexes*. New York and Oxford: Oxford University Press.

Perry, M. (1988) *Morality, Politics and Law*. Oxford University Press.

Pettit, P. (1980) *Judging Justice: An Introduction to Contemporary Political Philosophy*. London: Routledge & Kegan Paul.

Pettit, P. (1999) *Republicanism: A Theory of Freedom and Government*. Oxford: Oxford University Press.

Phillips, S. (1999) 'The self and person in Indian philosophy', in Deutsch, E. and Bontekoe, R. (eds) *A Companion to World Philosophies*. Oxford and Malden, MA: Blackwell.

Pickles D. (1964) *Introduction to Politics*. London: Methuen.

Pierre, J. and B. Guy Peters (2000) *Governance, Politics and the State*. Basingstoke and New York: Palgrave Macmillan.

Pierson, C. Castle, F. and Naumann, I. (eds) (2014) *The Welfare State Reader*. Cambridge and Malden, MA: Polity Press.

Plant, R. (1991) *Modern Political Thought*. Oxford: Blackwell.

Plato (1955) *The Republic,* trans. H. D. Lee. Harmondsworth: Penguin.

Plato (1970) *Laws,* trans. and annotated T. J. Saunders. Harmondsworth: Penguin.

Pogge, T. (2008) *World Poverty and Human Rights,* 2nd edn. Cambridge: Polity Press.

Popper, K. (1963) *Conjectures and Reputations*. London: Routledge & Kegan Paul.

Poulantzas, N. (1973) *Political Power and Social Class*. London: New Left Books.

Proudhon, P. J. ([1840] 1970) *What is Property?* New York: Dover.

Rae, D. (1981) *Equalities*. Cambridge, MA: Harvard University Press.

Ralston Saul, J. (2009) *The Collapse of Globalism*. New York: Atlantic Books.

Randall, V. (1987) *Women and Politics: An International Perspective,* 2nd edn. London: Macmillan.

Raphael, D. D. (1990) *Problems of Political Philosophy,* rev. edn. London: Macmillan.

Rawls, J. (1971) *A Theory of Justice*. Cambridge, MA: Harvard University Press.

Rawls, J. (1993) *Political Liberalism*. New York: Columbia Press.

Rawls, J. (1999) *Law of Peoples*. Cambridge, MA: Harvard University Press.

Reeve, A. (1986) *Property.* London: Macmillan.

Regan, T. (2004) *The Case for Animal Rights.* Berkeley, CA: University of California Press.

Reich, W. (1973) *The Function of the Orgasm,* trans. V. R. Cartagno. New York: Simon & Schuster.

Reich, W. ([1933] 1997) *The Mass Psychology of Fascism.* London: Souvenir Press.

Rhodes, R. (1996) 'The New Governance: Governing without Government', *Political Studies,* 44.

Robertson, R. (1992) *Globalization: Social Theory and Global Culture.* London: Sage.

Rosenau, J. and Czenpiel, E.-O. (eds) (1992) *Governance without Government: Order and Change in World Politics.* Cambridge University Press.

Rosenblum, N. (ed.) (1990) *Liberalism and the Moral Life.* New York: Cambridge University Press.

Rothbard, M. (1978) *For a New Liberty.* New York: Macmillan.

Rousseau, J.-J. ([1762] 1969) *The Social Contract and Discourses.* Glencoe, IL: Free Press.

Rousseau, J.-J. ([1762] 1978) *Émile,* ed. A. Bloom. New York: Basic Books.

Ruggie, J. (ed.) (1993) *Multilateralism Matters: The Theory and Practice of an International Form.* New York: Colombia University Press.

Rush, M. (1992) *Politics and Society; An Introduction to Political Sociology.* Hemel Hempstead: Harvester Wheatsheaf.

Ryan, A. (1988) *Property.* Minneapolis, MN: University of Minnesota.

Ryan, A. (2013) *On Politics: A History of Political Thought from Herodotus to the Present.* London and New York: Penguin.

Sandel, M. (1982) *Liberalism and the Limits of Justice.* Cambridge University Press.

Sassoon, D. (1997) *One Hundred Years of Socialism.* London: Fontana.

Schattschneider, E. E. (1960) *The Semisovereign People.* New York: Holt, Rinehart & Winston.

Scholte, J. A. (2005) *Globalization: A Critical Introduction.* Basingstoke: Palgrave Macmillan.

Schotter, A. (1989) *Free Market Economics: A Critical Appraisal.* New York: St Martin's Press.

Schram, S. (1969) *The Political Thought of Mao Tse Tung.* Harmondsworth: Penguin.

Schultze, C. (1977) *The Public Use of Private Interest.* Washington, DC: Brookings Institute.

Schumacher, E. F. (1974) *Small is Beautiful: Economics as if People Matter.* London Abacus.

Schumacher, E. F. (1979) *Good Work.* London: HarperCollins.

Schumpeter, J. ([1944] 1994) *Capitalism, Socialism and Democracy.* London: Allen & Unwin.

Scruton, R. (ed.) (1988) *Conservative Thoughts: Essays from the Salisbury Review.* London: Claridge.

Scruton, R. (2001) *The Meaning of Conservatism,* 3rd edn. Basingstoke: Palgrave Macmillan.

Self, P. (1993) *Government by the Market.* London: Macmillan.

Sen, A. (2006) *Identity and Violence.* Harmondsworth: Penguin.

Sen, A. and Williams, B. (eds) (1982) *Utilitarianism and Beyond.* Cambridge University Press.

Shennan, J. H. (1986) *Liberty and Order in Early Modern Europe: The Subject and the State 1650–1800.* London: Longman.

Shils, E. (1981) *Tradition.* London: Faber.

Shue, H. (1996) *Basic Rights: Subsistence, Affluence and US Foreign Policy.* Princeton, NJ: Princeton University Press.

Simmel, G. (1971) *On Individuality and Social Forms.* Chicago, IL: University of Chicago Press.

Singer, P. (1993) *Political Ethics.* Cambridge: Cambridge University Press.

Singer, P. (1995) *Animal Liberation: A New Ethic for our Treatment of Animals.* London: Pimlico.

Singer, P. (2004) *One World: The Ethics of Globalization.* New Haven, CT and London: Yale University Press.

Skinner, B. F. (1971) *Beyond Freedom and Dignity.* New York: Knopf.

Skinner, Q. (1978) *The Foundations of Modern Political Thought,* 2vols. Cambridge University Press.

Smiles, S. ([1859] 2008) *Self-Help.* Harmondsworth: Penguin.

Smith, A. ([1776] 1930) *The Wealth of Nations,* ed. E. Cannan. London: Methuen.

Smith, A. ([1759] 1976) *The Theory of Moral Sentiments.* Oxford: Clarendon.

Smith, A. D. (1986) *The Ethnic Origins of Nations.* Oxford: Blackwell.

Smith, A. D. (1991) *Theories of Nationalism.* London: Duckworth.

Smits, K. (2009) *Applying Political Theory Issues and Debates.* Basingstoke: Palgrave Macmillan.

Spencer, H. ([1884] 1940) *The Man versus the State.* London: Watts & Co.

Spencer, H. ([1892–3] 1982) *The Principles of Ethics,* ed. T. Machan. Indianapolis, IN: Liberty Classics.

Stevenson, L. (1998) *Ten Theories of Human Nature.* Oxford and New York: Oxford University Press.

Stilwell, F. (2011) *Political Economy: The Contest of Economic Ideas.* Oxford: Oxford University Press.

Stirk, P. and Weigall, D. (eds) (1995) *An Introduction to Political Ideas.* London: Pinter.

Stirner, M. ([1845] 1963) *The Ego and His Own.* New York: Libertarian Book Club.

Strange, S. (1996) *The Retreat of the State: The Diffusion of Power in the World Economy.* Cambridge: Cambridge University Press.

Talmon, J. L. ([1952] 1970) *The Origins of Totalitarian Democracy.* London: Sphere.

Tam, H. (1998) *Communitarianism: A New Agenda for Politics and Citizenship.* London: Macmillan.

Tan, K.-C. (2004) *Justice without Borders: Cosmopolitanism, Nationalism and Patriotism.* Cambridge University Press.

Tawney, R. H. ([1931] 1969) *Equality.* London: Allen & Unwin.

Taylor, C. (1992) *Sources of the Self.* Cambridge: Cambridge University Press.

Taylor, C. (1994) *Multiculturalism and 'the Politics of Recognition'.* Princeton, NJ: Princeton University Press.

Thoreau, H. D. (1971) *Walden.* Princeton, NJ: Princeton University Press.

Thouless, R. H. and Thouless, C. R. (1990) *Straight and Crooked Thinking.* London: Hodder & Stoughton.

Tickner, J. A. (1992) *Gender in International Relations: Feminist Perspectives on Global Security.* New York: Columbia University Press.

Titmuss, R. (1970) *The Gift Relationship.* London: Allen & Unwin.

Tivey, L. (ed.) (1980) *The Nation-State.* Oxford: Martin Robertson.

Tocqueville, A. de (1947) *The Old Regime and the French Revolution,* trans. M. W. Patterson. Oxford: Blackwell.

Tocqueville, A. de ([1835–40] 1954) *Democracy in America,* ed. P. Bradley. New York: Random House.

Tolstoy, L. (1937) *Recollections and Essays,* trans. A. Maude. Oxford: Oxford University Press.

Townsend, P. (1974) 'Poverty as Relative Deprivation: Resources and Style of Living', in D. Wedderburn (ed.) *Poverty, Inequality and Class Structure.* Cambridge University Press.

Tucker, B. R. (1893) *Instead of a Book.* New York: B. R. Tucker.

Tucker, R. (1970) *The Marxian Revolutionary Idea.* London: Allen & Unwin.

Vieira, M. B. and Runciman, D. (2007) *Representation.* Oxford and Malden, MA: Polity Press.

Vincent, A. (1997) *Political Theory: Tradition and Diversity.* Cambridge University Press.

Wacks, R. (2006) *Philosophy of Law: A Very Short Introduction.* Oxford and New York: Oxford University Press.

Waldron, J. (1995) 'Minority Culture and the Cosmopolitan Alternative', in W. Kymlicka (ed.) , *The Rights of Minority Cultures.* London and New York: Open University Press.

Waldron, J. (ed.) (1984) *Theories of Rights.* Oxford: Oxford University Press.

Waltz, K. (1979) *Theory of International Politics.* Reading, MA: Addison-Wesley.

Walzer, M. (1983) *Spheres of Justice.* New York: Basic Books.

Walzer, M. (1994) *Thick and Thin: Moral Argument at Home and Abroad.* Chicago, IL: Notre Dame Press.

Walzer, M. (2007) 'Political Action: The Problem of Dirty Hands', in D. Miller (ed.) *Thinking Politically: Essays in Political Theory.* Newhaven, CT: Yale University Press.

Watkins, K. W. (ed.) (1978) *In Defence of Freedom.* London: Cassell.

Watson, D. (1992) *Arendt.* London: Fontana.

Watson, L. (1973) *Supernature.* London: Hodder & Stoughton.

Watson. J. B. (1950) *Behaviourism.* New York: Norton.

Weale, A. (2007) *Democracy.* Basingstoke: Palgrave Macmillan.

Weber, M. (1930) *The Protestant Ethic and the Spirit of Capitalism.* London: Allen & Unwin.

Weber, M. (1948) 'Politics as a Vocation' in *From Max Weber: Essays in Sociology,* trans. and ed. H. H. Garth and C. Wright Mills. London: Routledge & Kegan Paul.

Weber, M. (1963) *The Sociology of Religion.* Boston, MA: Beacon.

Weldon, T. D. (1953) *The Vocabulary of Politics.* Harmondsworth: Penguin.

Welsh, W. A. (1973) *Studying Politics: Basic Concepts in Political Science.* New York: Praeger.

White, S. (2006) *Equality.* Cambridge and Malden, MA: Polity Press.

Wicks, M. (1987) *A Future for All: Do We Need a Welfare State?* Harmondsworth: Penguin.

Williams, P. (ed.) (1994) *Colonial Discourse/Postcolonial Theory.* New York: Colombia University Press.

Wolff, R. P. ([1970[1998) *In Defence of Anarchism.* Berkeley, CA: University of California Press.

Wolff, R. P., Marcuse, H. and Moore, B. (1969) *A Critique of Pure Tolerance.* London: Cape.

Wollstonecraft, M. ([1792] 1967) *A Vindication of the Rights of Women,* ed. C. W. Hagelman. New York: Norton.

Woods, K. (2014) *Human Rights.* Basingstoke and New York: Palgrave Macmillan.

Wright, P. (1987) *Spycatcher.* Victoria, Australia: Heinemann.

Young, I. M. (2011) *Justice and the Politics of Difference.* Princeton, NJ: Princeton University Press.

Young, M. (1961) *The Rise of the Meritocracy.* Harmondsworth: Penguin.

Zubaida, S. (1989) *Islam, the People and the State.* London: Routledge & Kegan Paul.

索 引

黑体字表示深入讨论或重点考察的术语；"b"表示方框；"t"表示表格。

译后记

　　书译完了，译者自然就退出"文本"世界，一切交由读者去理解了。可是，基于本书对中国读者的特殊性，译者还是想"借题发挥"，做点似乎离题的"越位诠释"。

　　从标题——《政治的常识》上看，本书显然是一本面向大众的普及读物。翻译出版本书的目的就是让更多专业或非专业的读者了解政治学一般理论和常识，进而为分析政治现象提供专业知识和批判性思维。

　　自鸦片战争一百多年以来，"睁眼看世界的中国人"一直在寻求过一种理想的政治生活。毋庸置疑，各种政治理想、理念（无论是马克思主义的，还是非马克思主义的；无论是社会主义、共产主义的，还是自由主义、无政府主义的；无论是左翼的，还是右翼的）基本上都是由西方那套包括民主、自由与平等，权力、权利与义务，法制、法治与宪治，国家、社会与个人等政治话语所构建起来的。在接受了一次又一次的政治思想启蒙，也经历过一场又一场的政治运动之后，当今中国人的政治常识越来越丰富，政治觉悟越来越高，社会的政治生态也在不断改善，保持良性发展。不过，在推进以民主政治为核心的政治文明、构建和谐社会、培养现代公民的征途上，我们还有很长的路要走——因为，还是有众多的媒体和公众分不清权力与权利，有不少的立法和司法者、行政官员辨不明法制与法治、统治与治理，甚至还有些学者、知识分子把国家与社会、新（New-）自由主义与"新"（Neo-）自由主义混为一谈，把民主、平等与自由等量齐观。可见，在今天，对中国民众（远不限于课堂上的学生）来说，普及政治学"常识"教育（这可否算作一种政治文化再启蒙呢？）仍然显得非常迫切。

　　摆在读者面前的这本《政治的常识》是一本政治学通识教育的理想读本。作为推荐这一政治学通识读本的译者，我虽不敢奢谈其中的政治"话语"有多大的政治实践意义，但我还是相信，每一位用心的读者都能从中获益，被激发起理性的思考，进而对现实政治有所推动。毕竟，中国政治发展的历程将证明，除了需要探讨政治文明、民主政治、增量民主和善治等的政治学者外，中国更需要一大批踏实而执着地行走在工厂、社区和田间地头的政治践行者。

李智

于中国传媒大学国际传播学院

图书在版编目（CIP）数据

政治的常识：第四版/（英）安德鲁·海伍德
（Andrew Heywood）著；李智译. --北京：中国人民大
学出版社，2023.6
（人文社科悦读坊）
ISBN 978-7-300-31228-6

Ⅰ.①政… Ⅱ.①安…②李… Ⅲ.①政治学—通俗
读物 Ⅳ.①D0-49

中国版本图书馆 CIP 数据核字（2022）第 215183 号

人文社科悦读坊
政治的常识（第四版）
［英］安德鲁·海伍德（Andrew Heywood） 著
李 智 译
Zhengzhi de Changshi

出版发行	中国人民大学出版社			
社　址	北京中关村大街 31 号	**邮政编码**	100080	
电　话	010 - 62511242（总编室）	010 - 62511770（质管部）		
	010 - 82501766（邮购部）	010 - 62514148（门市部）		
	010 - 62515195（发行公司）	010 - 62515275（盗版举报）		
网　址	http://www.crup.com.cn			
经　销	新华书店			
印　刷	涿州市星河印刷有限公司			
开　本	787 mm×1092 mm　1/16	**版　次**	2023 年 6 月第 1 版	
印　张	25.25 插页 1	**印　次**	2023 年 6 月第 1 次印刷	
字　数	484 000	**定　价**	98.00 元	